だれでもかんたんに図がかける!

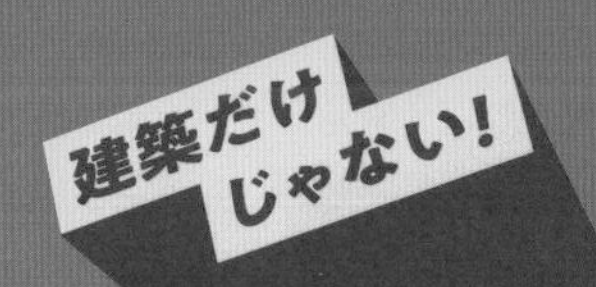

いますぐできる!
フリーソフトJw_cad8

Obra Club = 著

本書をご購入・ご利用になる前に必ずお読みください

- 本書の内容は、執筆時点(2019年12月)の情報に基づいて制作されています。これ以降に製品、サービス、その他の情報の内容が変更されている可能性があります。また、ソフトウェアに関する記述も執筆時点の最新バージョンを基にしています。これ以降にソフトウェアがバージョンアップされ、本書の内容と異なる場合があります。
- 本書に記載しているソフトウェアの価格や利用料金などは、すべて税別(税抜)の金額です。
- 本書は、「Jw_cad」の解説書です。本書の利用に当たっては、「Jw_cad」がインストールされている必要があります。Jw_cadのインストール方法はP.16を参照してください。
- 「Jw_cad」をはじめ本書で解説・収録しているフリーソフトについては無償のため、作者、著作権者、ならびに株式会社エクスナレッジはサポートを行っておりません。また、ダウンロードやインストールについてのお問合せも受け付けておりません。有料のソフトウェアについては、各開発元のサポートをご利用ください。
- 本書は、パソコンやWindows、インターネットの基本操作ができる方を対象としています。
- 本書は、Windows 10がインストールされたパソコンで「Jw_cad Version 8.10b」(以降「Jw_cadバージョン8.10b」と表記)を使用して解説を行っています。そのため、ご使用のOSやソフトウェアのバージョンによって、画面や操作方法が本書と異なる場合がございます。
- 本書および付録CD-ROMは、Windows 10に対応しています。
- 本書で解説・収録しているソフトウェアの動作環境については、各ソフトウェアのWebサイト、マニュアル、ヘルプなどでご確認ください。なお、本書ではWindows 10でJw_cad Version 8.10bを使用した環境で動作確認を行っております。これ以外の環境での動作は保証しておりません。
- 本書に記載された内容をはじめ、付録CD-ROMに収録された教材データ、プログラムなどを利用したことによるいかなる損害に対しても、データ提供者(開発元・販売元・作者など)、著作権者、ならびに株式会社エクスナレッジでは、一切の責任を負いかねます。個人の責任においてご使用ください。
- 本書に直接関係のない「このようなことがしたい」「このようなときはどうすればよいか」など特定の操作方法や問題解決方法、パソコンやWindowsの基本的な使い方、ご使用の環境固有の設定や機器に関するお問合せは受け付けておりません。本書の説明内容に関するご質問に限り、p.215のFAX質問シートにて受け付けております。

以上の注意事項をご承諾いただいたうえで本書をご利用ください。ご承諾いただけずお問合せをいただいても、株式会社エクスナレッジおよび著作権者はご対応いたしかねます。あらかじめご了承ください。

Jw_cadについて

Jw_cadは無料で使用できるフリーソフトです。そのため当社、著作権者、データの提供者(開発元・販売元)は一切の責任を負いかねます。個人の責任で使用してください。Jw_cadバージョン8.10bはWindows 10上で動作します。本書の内容についてはWindows 10での動作を確認しており、その操作画面を掲載しています。

◉ Jw_cadバージョン8.10bの動作環境

Jw_cadバージョン8.10bは以下のパソコン環境でのみ正常に動作します。

OS(基本ソフト):上記に記載/内部メモリ容量:64MB以上/ハードディスクの使用時空き容量:5MB以上/ディスプレイ解像度:800×600以上/マウス:2ボタンタイプ(ホイールボタン付き3ボタンタイプを推奨)

Special Thanks:清水 治郎 + 田中 善文/カバー・本文デザイン:坂内 正景/撮影:谷本 夏(studio track72)
写真提供:高橋 郁子/編集協力:鈴木 健二(中央編集舎)/印刷:株式会社ルナテック

この本は、そのような方々のための本です。

Jw_cadはとてもやさしい無料の作図ソフトです。
設計者の評価も高く、最も広く利用されているCADソフトでもあります。

また、Jw_cadは、普段、図面をかくことのない方が、
ちょっとした図を作図するツールとしてもたいへん優れています。

本書は、CADソフトを触ったことのない方でもスムーズに図をかくことができるよう、
Jw_cadのインストール・設定からはじまり、案内図、チャート図、紙ジャケット、
間取り図、オフィスレイアウト図、木工作品の三面図、立体図（アイソメ図）などの
さまざまな図の作図を実際に体験しながら、Jw_cadの操作を身につけていけるよう構成されています。

パソコンで図をかきたいという方、
現在使用しているソフトで図のかきにくさを感じている方、
ぜひ、この本でJw_cadをお試しになってください。

Obra Club

※ 本書は2012年8月発行の「すぐできる！　フリーソフトJw_cad」の改訂版です。

Contents

Jw_cadの画面と、本書の表記と凡例

Jw_cadの画面と各部名称

下の図は、Windows 10の解像度1024×768ピクセルの画面で、P.20のツールバーの設定を行ったJw_cadの画面です。画面のサイズ、タイトルバーの表示色、ツールバーの並びなどは、Windowsのバージョンやパソコンの設定によって異なります。

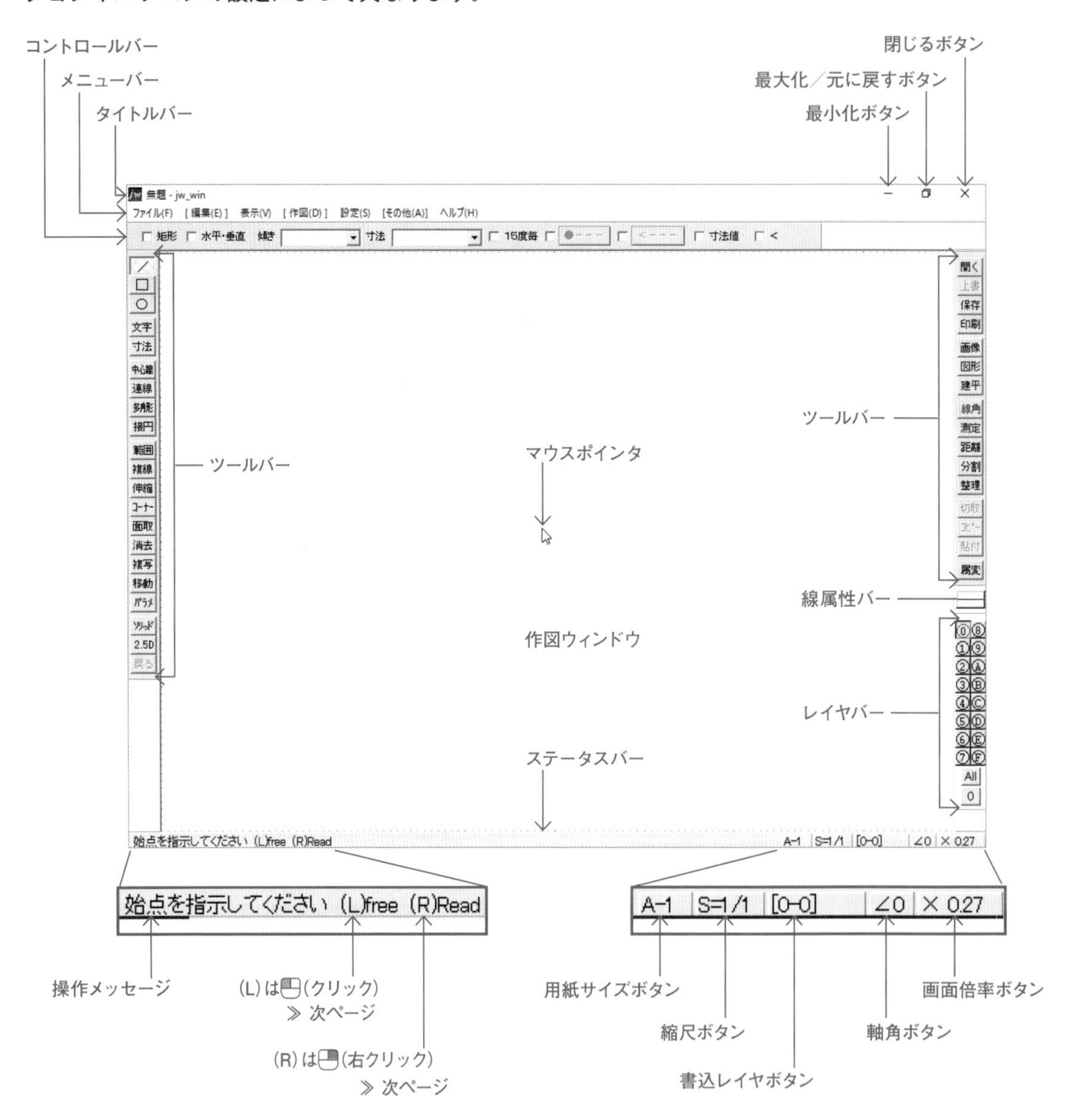

凡例

POINT
覚えておきたい重要なポイントや注意事項

?
本書の説明どおりにできない場合の原因と対処方法の参照ページ

参
以前に学習した機能の詳しい操作などを解説した参照ページ

Hint
知っておくと便利な関連知識や操作方法

マウスによる指示の表記

マウスによる指示は、クリック・ダブルクリック・ドラッグ・クロックメニューがあり、それぞれ下記のように表記します。

クリック

クリック（左クリック）

右クリック

両クリック

ダブルクリック

ダブルクリック（左ダブルクリック）

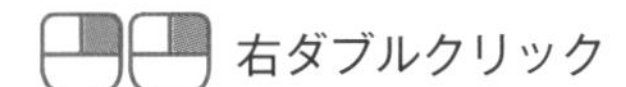
右ダブルクリック

1回目と2回目のクリックの間にマウスを動かさないよう注意

ドラッグ

ボタンを押したままマウスを矢印の方向に移動し、ボタンをはなします。操作画面上では、右図のように押すボタンを示すマウスのマークとドラッグ方向を示す矢印で表記します。

両ドラッグ

右ドラッグ

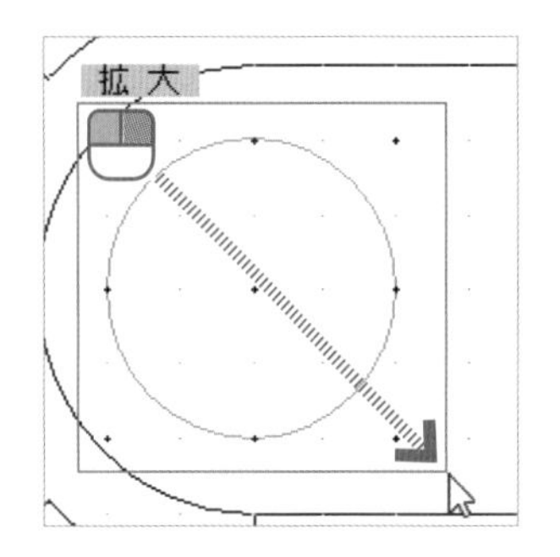

クロックメニュー

ドラッグ操作で表示されるクロックメニューからのコマンド選択指示は、押すボタンとドラッグ方向、クロックメニューを示す時間と名前を表記します。操作画面上では、右図のように押すボタンを示すマウスのマークとドラッグ方向を示す矢印、その先にクロックメニューを付けて表記します。

クロックメニュー ≫P.83

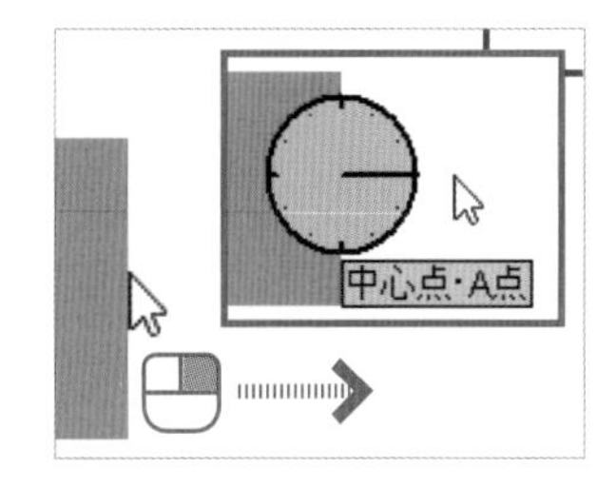

キーボードからの入力と指示の表記

寸法や角度などの数値を指定する場合や、文字を記入する場合は、所定の入力ボックスをクリックし、キーボードから数値や文字を入力します。

すでに入力ボックスでポインタが点滅している場合や、表示されている数値・文字が色反転している場合は、入力ボックスをクリックせず直接キーボードから入力できます。

ポインタが点滅

数値が色反転

数値や文字の入力指示は、入力する数値や文字に「　」を付けて表記します。Jw_cadでは数値入力後に Enter キーを押す必要はありません。

「500」を入力

特定のキーを押す指示は、□を付けて押すキーを表記します。

Enter キーを押す

付録CD-ROMの内容

本書の付録CD-ROMには、Jw_cadと、本書で利用する教材データなどが収録されています。次の事項をよくお読みになり、ご承知いただけた場合のみ、CD-ROMをご使用ください。

付録CD-ROMをご使用になる前に必ずお読みください

▼ 付録CD-ROMは、Windows 10/8/7で読み込み可能です。それ以外のOSでも使用できる場合がありますが、動作は保証しておりません。

▼ 使用しているコンピュータ、ハードウェア、ソフトウェア、ネットワークなどの環境によっては、動作条件を満たしていても、動作しないまたはインストールできない場合があります。あらかじめご了承ください。

▼ 収録されたデータを使用したことによるいかなる損害についても、当社ならびに著作権者、データの提供者(開発元・販売元)は、一切の責任を負いかねます。個人の自己責任の範囲において使用してください。

▼ 本書の説明内容に関する質問にかぎり、P.215に掲載した本書専用のFAX質問シートにて受け付けております(詳細はP.215をご覧ください)。なお、OSやパソコンの基本操作、記事に直接関係のない操作方法、ご使用の環境固有の設定や特定の機器向けの設定といった質問は受け付けておりません。

◉「jww810b.exe」(または「jww810b」)

Jw_cadバージョン8.10bのインストールプログラム

インストールすると、Cドライブに下図のような内容の「JWW」フォルダーが作成される。

インストール方法 ≫P.16

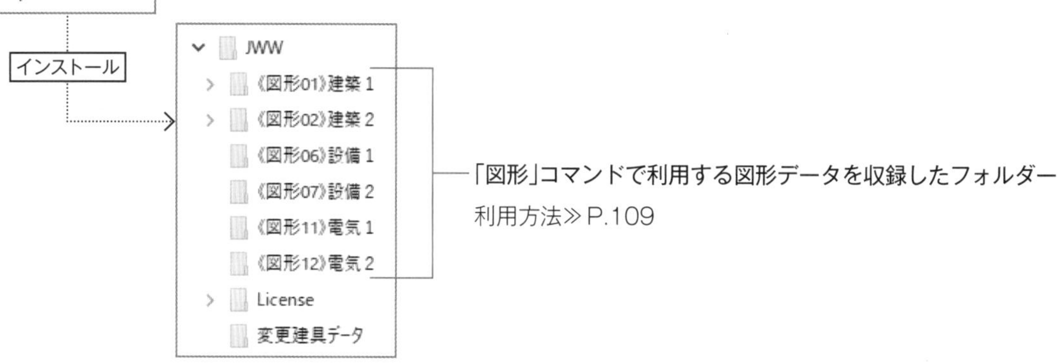

「図形」コマンドで利用する図形データを収録したフォルダー

利用方法≫P.109

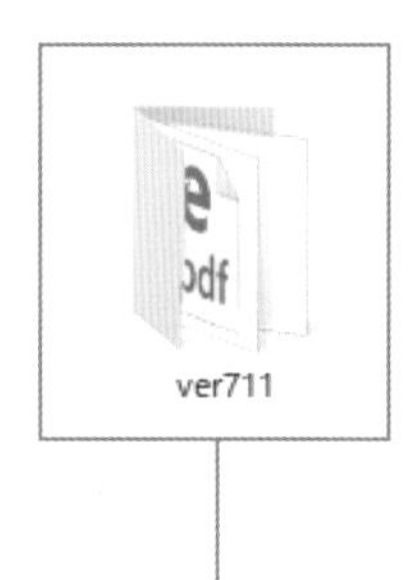

◉「ver711」フォルダー

旧バージョンのJw_cadと、インストール方法を解説したPDFファイルを収録したフォルダー

通常は使用しません

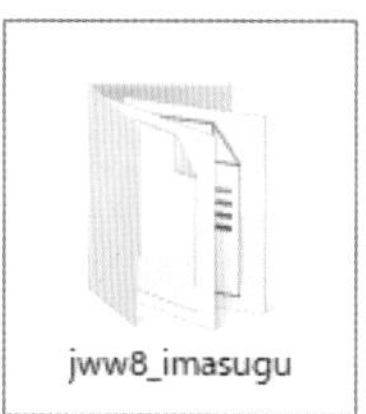

◉ 「jww8_imasugu」フォルダー

教材データを収録したフォルダー

フォルダーごとパソコンのCドライブにコピーしてご利用ください≫P.18

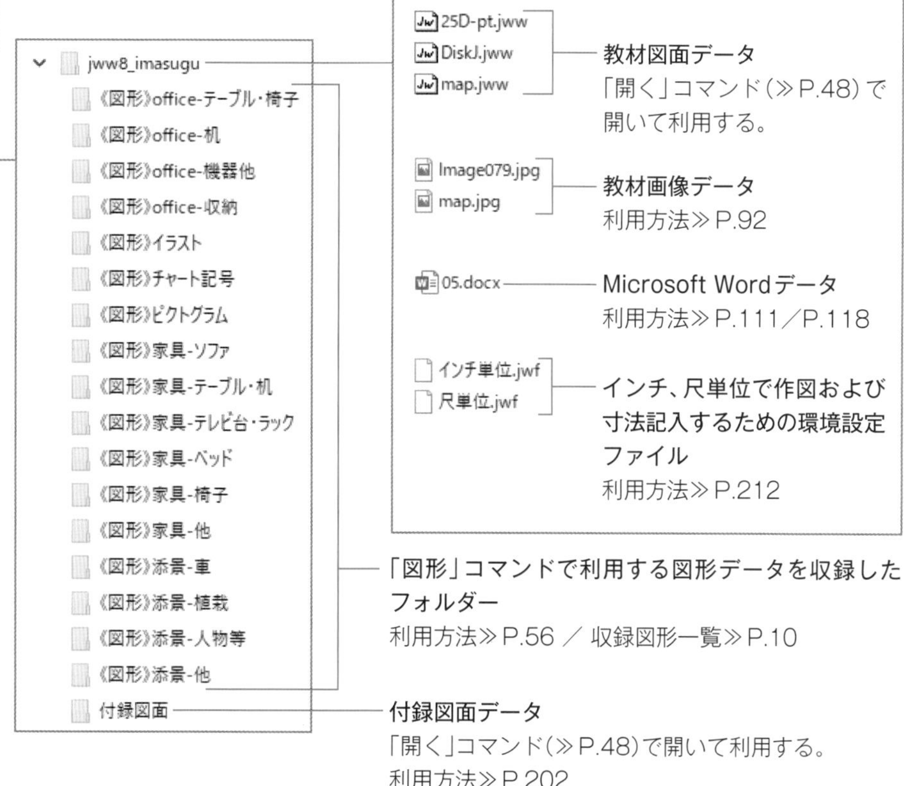

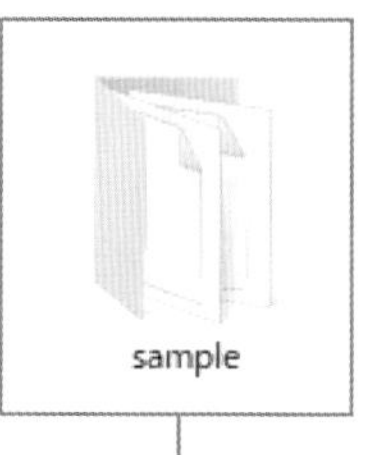

◉ 「sample」フォルダー

Case Study 1～10の完成図をサンプルとして収録したフォルダー

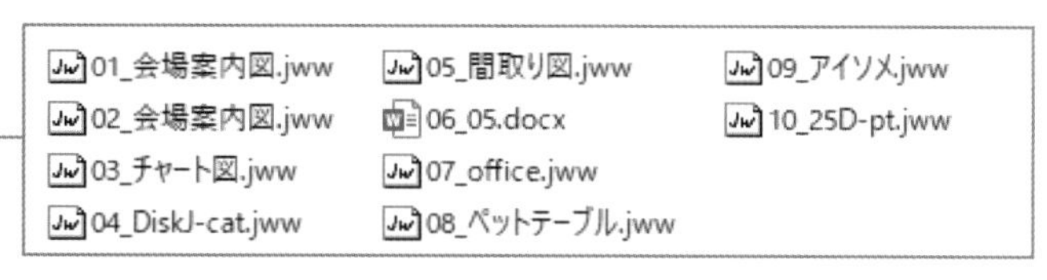

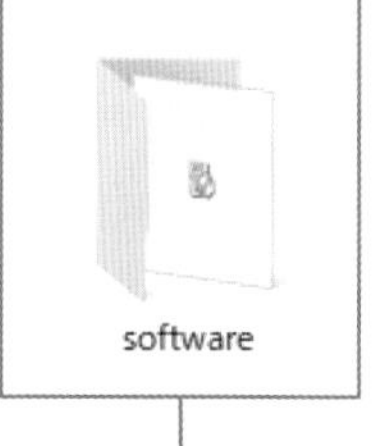

◉ 「software」フォルダー

Case Study 4、6で利用するソフトウェアを収録したフォルダー

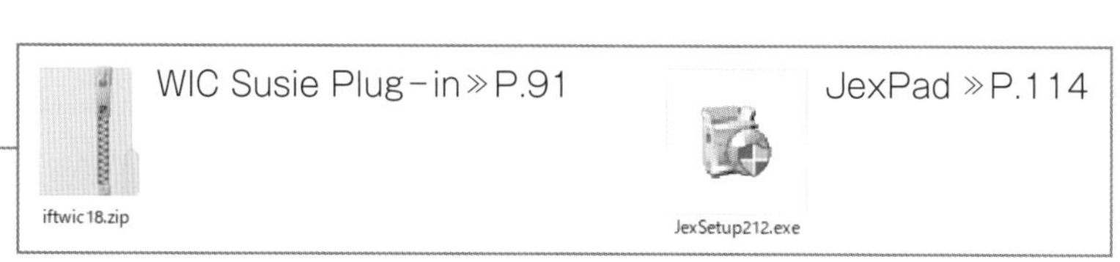

《図形》office-テーブル・椅子

オフィスのレイアウト検討にすぐ使えるテーブル、椅子の実寸法の平面図形20点を収録。図形データはブロック（≫P.143）になっており、テーブルの右下には外形サイズを補助文字で記載してある。

利用例≫P.132　Case Study 7

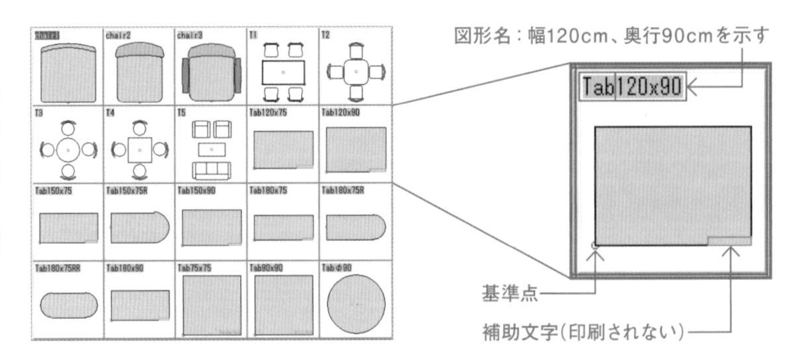

《図形》office-机

各種サイズ（実寸法）のオフィス用デスクの平面図形49点を収録。図形データはブロック（≫P.143）になっており、その右下に外形サイズを補助文字（印刷されない文字）で記載してある。

利用例≫P.134　Case Study 7

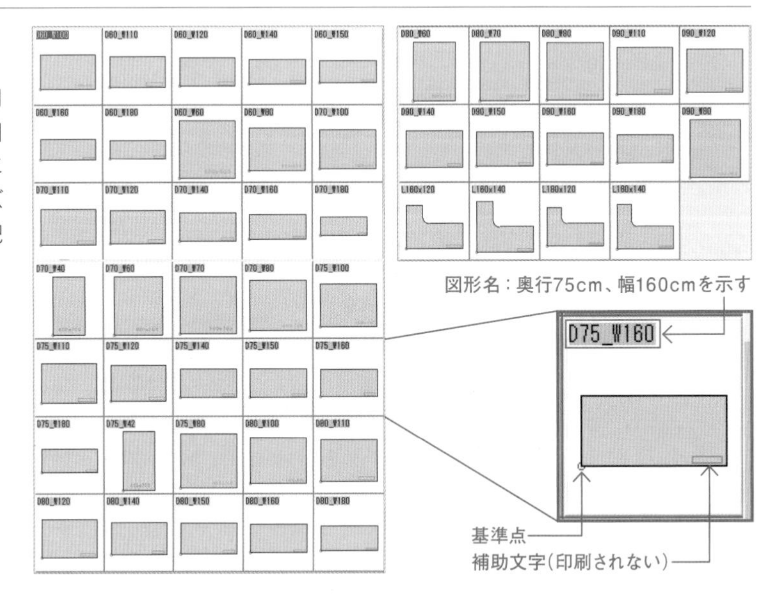

《図形》office-機器他

オフィス用パーテーション、パソコン、電話機、FAX、プリンター、複合機などの実寸法の平面図形28点を収録。図形データはブロック（≫P.143）になっている。

利用例≫P.126　Case Study 7

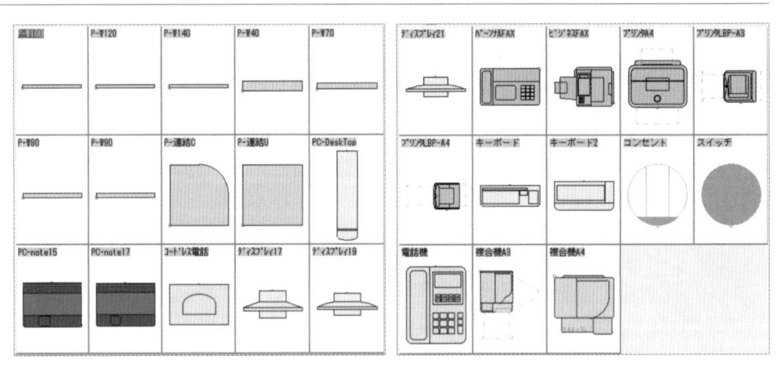

《図形》office-収納

オフィス用のキャビネット、ロッカーなどの実寸法の平面図形18点を収録。図形データはブロック（≫P.143）になっており、その右上に外形サイズを補助文字で記載してある。

利用例≫P.127　Case Study 7

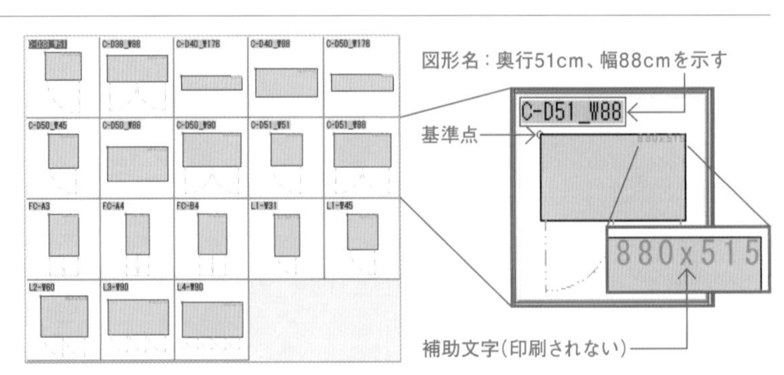

《図形》イラスト

S＝1/1での利用を前提としたイラスト図形59点を収録。図形データには、これらを1要素として扱うための曲線属性（≫P.88）を付けている。

利用例≫P.202

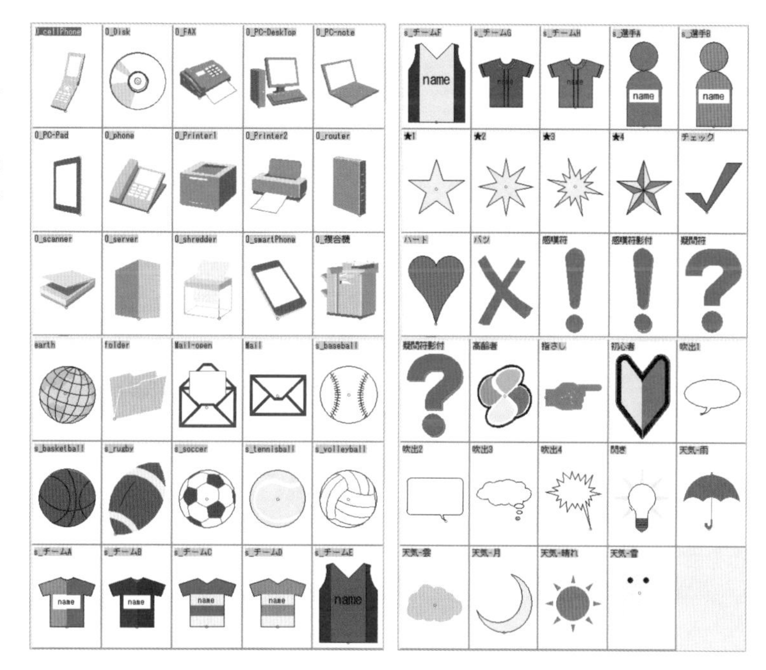

《図形》チャート記号

S＝1/1での利用を前提としたチャート図用の記号図形38点を収録。図形データにはこれらを1要素として扱うための曲線属性（≫P.88）を付けている。

利用例≫P.80　Case Study 3

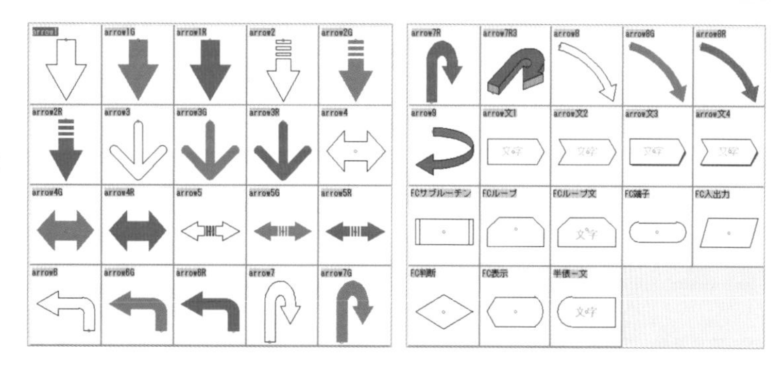

《図形》ピクトグラム

S＝1/1での利用を前提としたピクトグラム図形60点を収録。図形データにはこれらを1要素として扱うための曲線属性（≫P.88）を付けている。

利用例≫P.56　Case Study 2

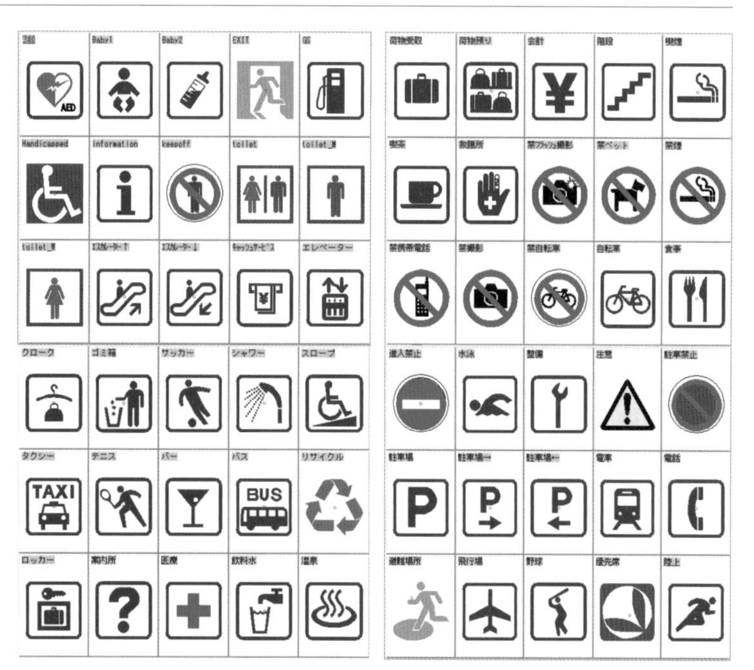

《図形》家具-ソファ

ソファの実寸法の平面、正面、側面、背面図形29点を収録。図形名末尾の「b」は背面、「f」は正面、「p」は平面、「s」は側面を示す。図形データはブロック（≫P.143）になっている。

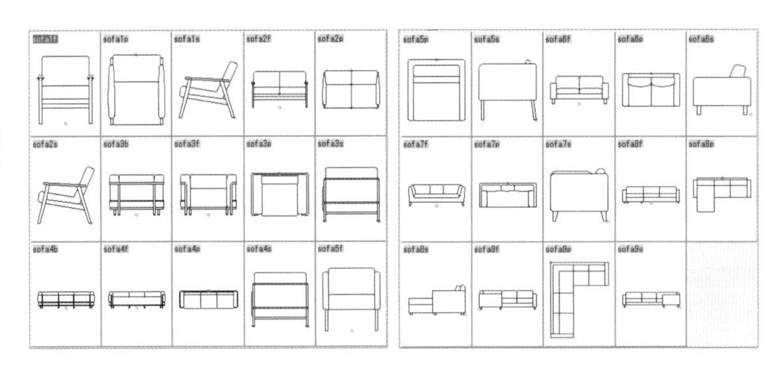

《図形》家具-テーブル・机

テーブル、机の実寸法の平面、正面、側面図形63点を収録。図形名中の「_」前の「f」は正面、「p」は平面、「s」は側面を示す。図形データはブロック（≫P.143）になっている。

幅80cm、高さ75cmを示す

fは正面を示す

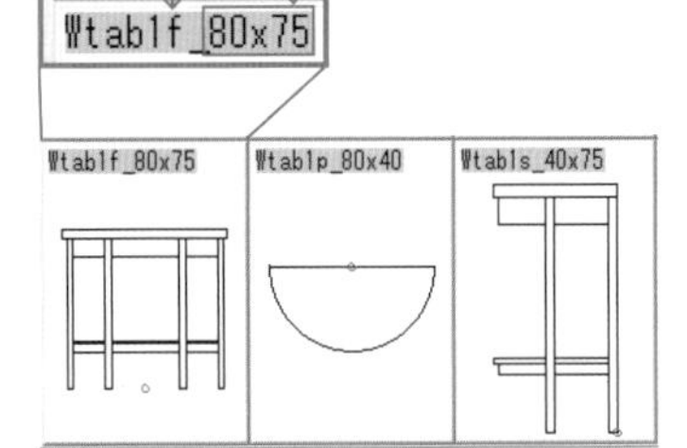

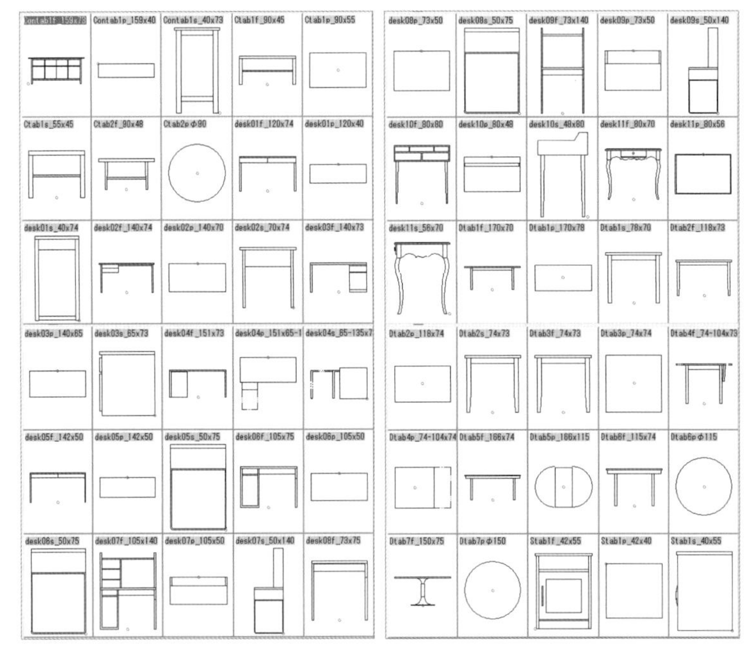

《図形》家具-テレビ台・ラック

テレビ台、ラックの実寸法の平面、正面、側面図形18点を収録。図形名中の「_」前の「f」は正面、「p」は平面、「s」は側面を示す。図形データはブロック（≫P.143）になっている。

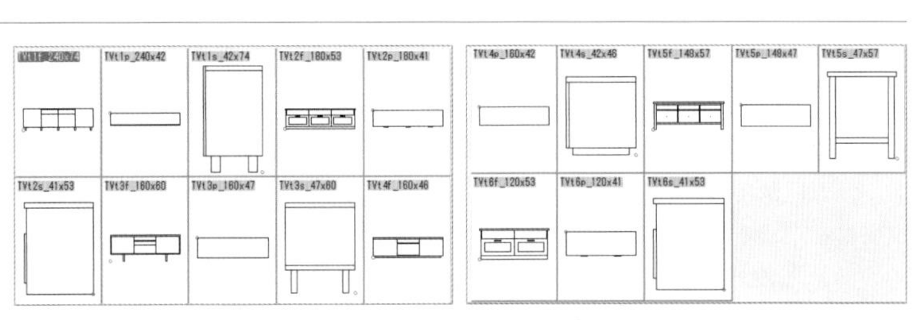

《図形》家具-ベッド

ベッドの実寸法の平面、正面、側面図形30点を収録。図形名中の「-」前の「f」は正面、「p」は平面、「s」は側面を示す。図形データはブロック（≫P.143）になっている。

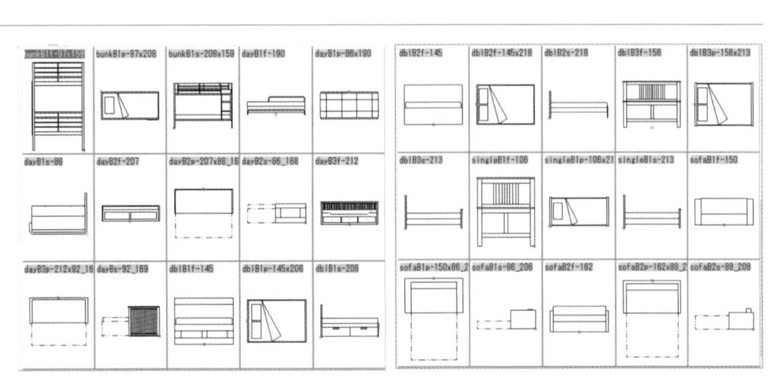

《図形》家具-椅子

椅子の実寸法の平面、正面、側面図形39点を収録。図形名末尾の「f」は正面、「p」は平面、「s」は側面を示す。図形データはブロック（≫P.143）になっている。

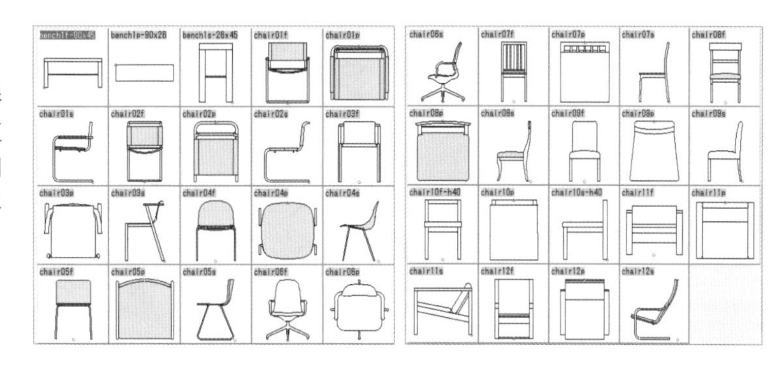

《図形》家具-他

液晶テレビの実寸法の平面、正面、側面図形9点を収録。図形名中の「_」前の「f」は正面、「p」は平面、「s」は側面を示す。図形データはブロック（≫P.143）になっている。

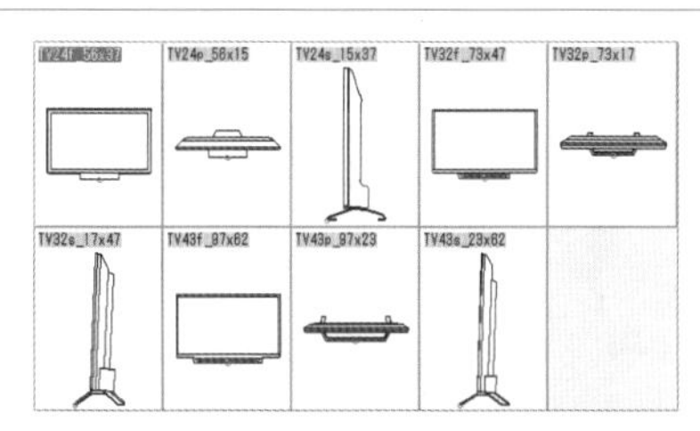

《図形》添景-車

自動車などの実寸法の平面、正面、側面図形58点を収録。図形名末尾の「f」は正面、「p」は平面、「s」は側面を示す。図形データはブロック（≫P.143）になっている。

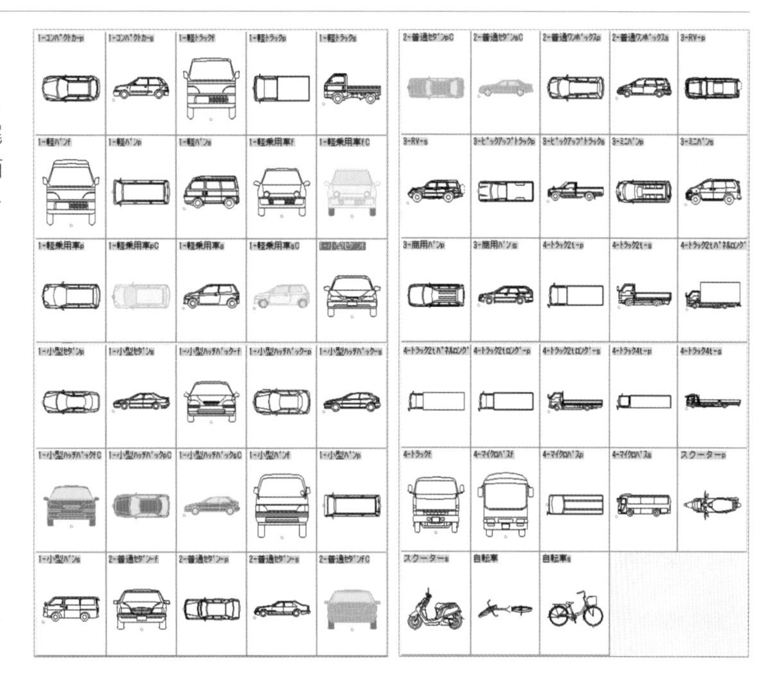

《図形》添景-植栽

植栽の実寸法の平面、立面図形（カラー版およびモノクロ版）27点を収録。図形データはブロック（≫P.143）になっているか、あるいは曲線属性（≫P.88）が付いている。

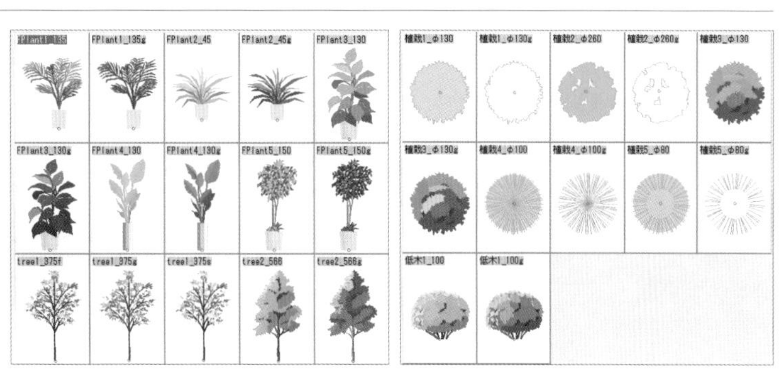

《図形》添景-人物等

人物、犬、猫の実寸法の立面図形（カラー版およびモノクロ版）58点を収録。図形データはブロック（≫P.143）になっている。

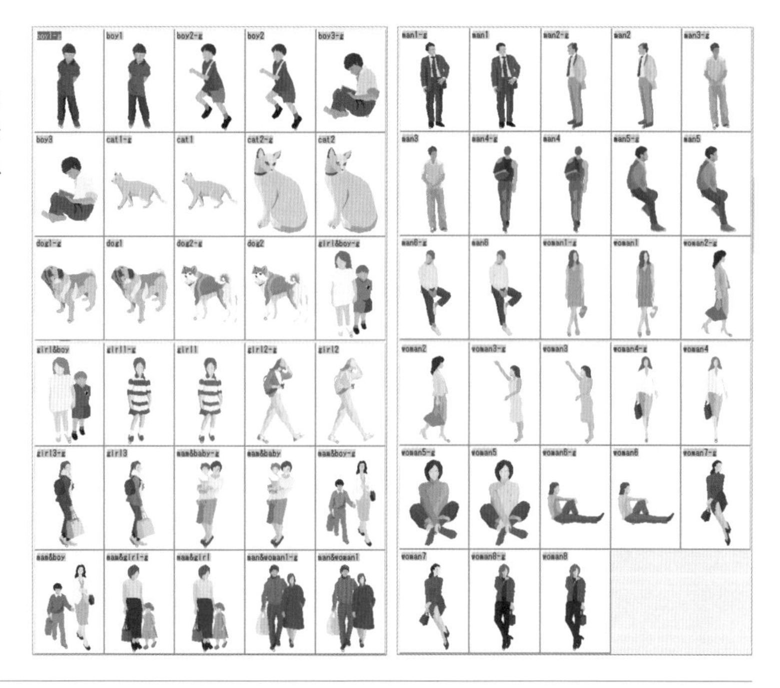

《図形》添景-他

タープテント、運動会用のテントの実寸法の平面、立面図形22点を収録。図形データはブロック（≫P.143）になっている。

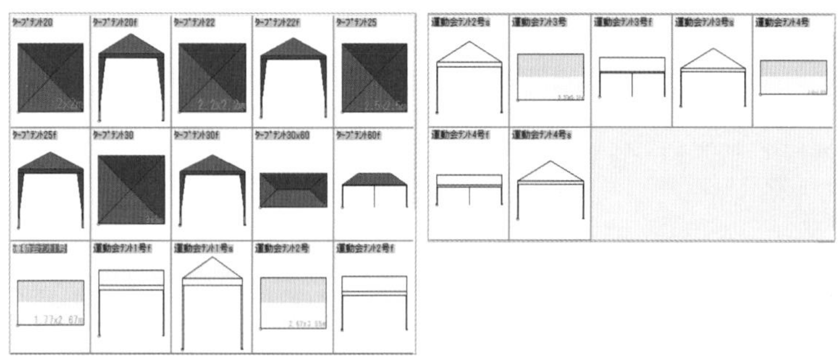

付録図面

Jw_cadの図面ファイル。「開く」コマンド（≫P.48）で開いて、適宜加筆、印刷（≫P.42）してお使いください。

28人乗り、53人乗り、57人乗りのバスの座席表。「文字」コマンドで座席の数字を名前に書き換え、ご利用ください。

利用例≫P.203

A4用紙1枚で簡単に作れるCD/DVD用の紙ジャケット。不織布ケースに入れたCD/DVDを収納できるサイズです。写真や文字を入れてオリジナルの紙ジャケットを作れます。

作り方≫P.90

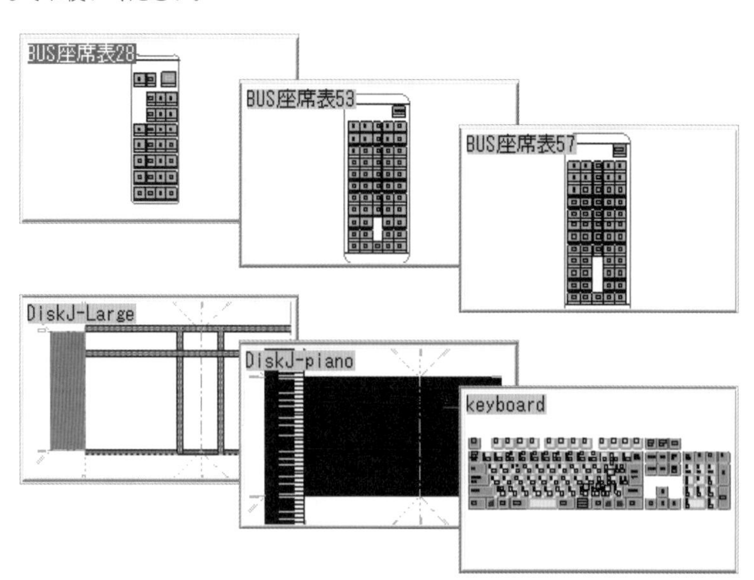

実物大日本語キーボード。キー説明などにご利用ください。

A4用紙に作図した各競技用のコート、フィールドや200ｍトラックを収録しています。フォーメーション図や運動会の案内図などにご利用ください。レイヤグループ「0」に実寸法で作図されていますが、S＝1/1で開くようになっています。サッカー、ベースボールは、少年用のサイズです。

利用例≫P.202

小箱は表示するレイヤを変更することで、複数のリボンの色やメッセージを使い分けできます。

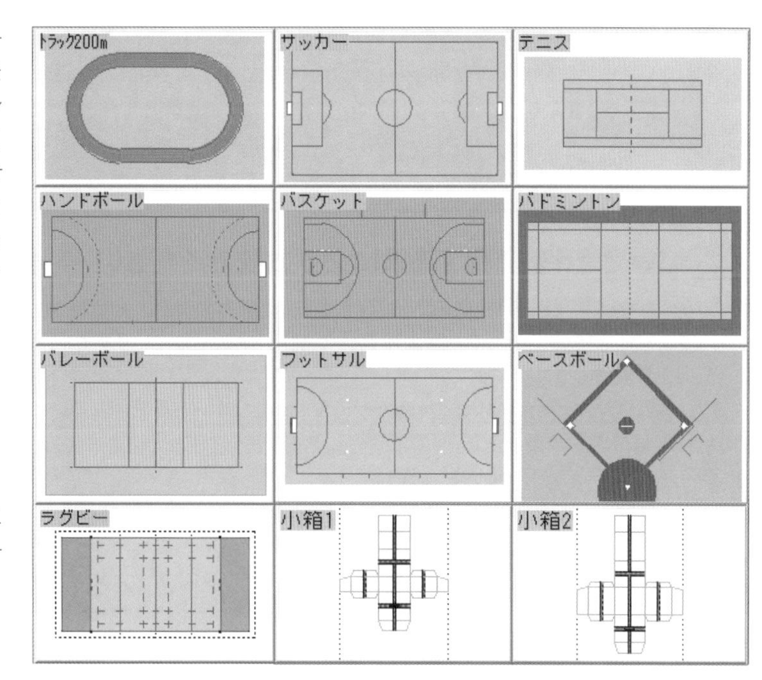

日本地図３種。A4用紙に都道府県ごとにレイヤを分けて作図しています。適宜、加工してご利用ください。「日本地図2.jww」は、都道府県ごとに高さを指定することで立体的な地図を作成できます（≫P.204参照）。

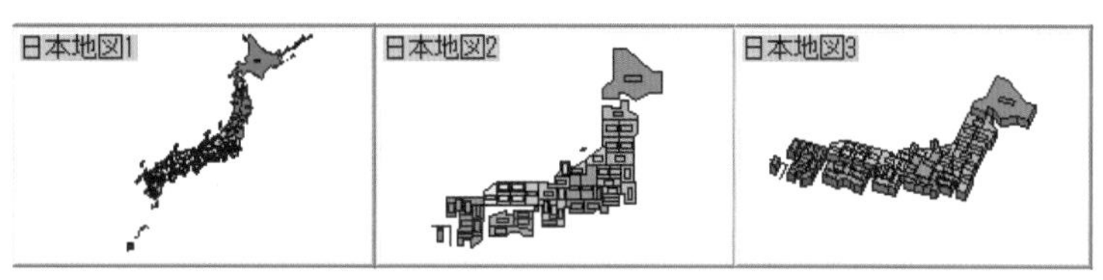

※ いずれも日本列島の形状を簡略化して作図したもので、正確な距離や形状を示すものではないことをご了承ください。

方眼紙３種。印刷（≫P.42）してご利用ください。

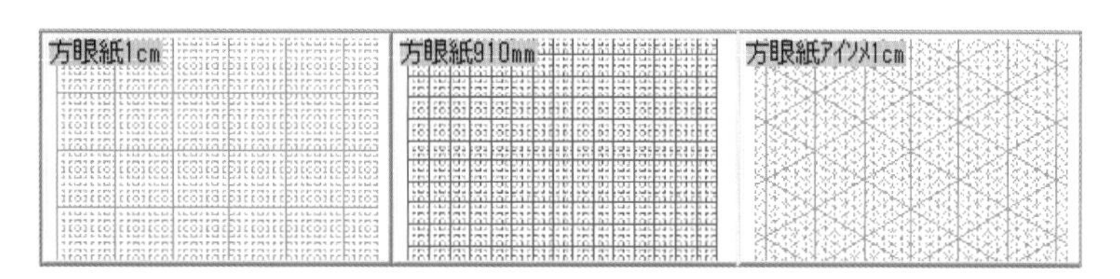

中心を割ることで、絵が３種類に変わる六角形のカード「六角返し」が作れます。

作り方≫P.205

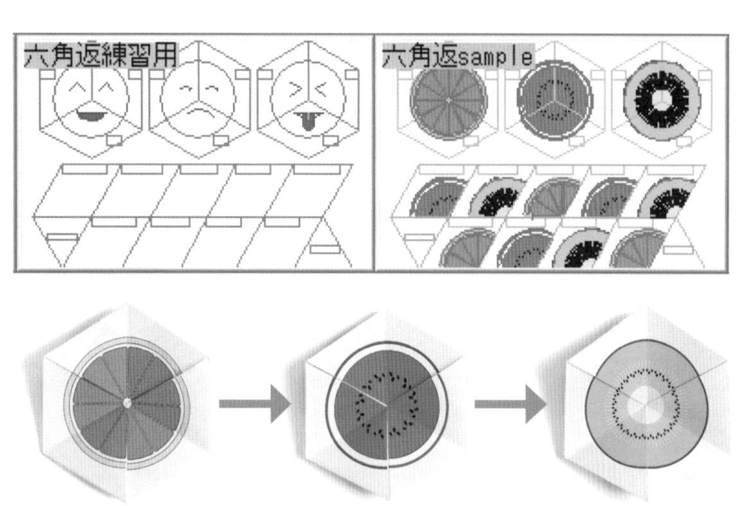

Jw_cadを使う準備をしよう

Jw_cadを使用する前に必ずお読みください

- Jw_cadは無料で使用できるフリーソフトです。そのため当社、著作権者、データの提供者（開発元・販売元）は一切の責任を負いかねます。個人の責任で使用してください。Jw_cadバージョン8.10bはWindows 10/8/7/Vista上で動作します。本書の内容についてはWindows 10での動作を確認しており、その操作画面を掲載しています。ただし、Microsoft社がWindows 7/Vistaのサポートを終了しているため、本書はWindows 7/Vistaでの使用は前提にしていません。ご了承ください。
- Jw_cadバージョン8.10bの動作環境
  Jw_cadバージョン8.10bは以下のパソコン環境でのみ正常に動作します。
  OS（基本ソフト）：上記に記載／内部メモリ容量：64MB以上／ハードディスクの使用時空き容量：5MB以上／ディスプレイ（モニタ）解像度：800×600以上／マウス：2ボタンタイプ（ホイールボタン付3ボタンタイプを推奨）

Step1 Jw_cadをインストールする

Jw_cadをインストールしましょう。

1 パソコンのCDドライブに付録CD-ROMを挿入し、CD-ROMを開く。

? CD-ROMを開くには≫P.206 Q01

表示されるアイコンの大きさや見た目は設定によって異なります。右図と違ってもインストールに支障ありません。

2 CD-ROMに収録されている「jww810b(.exe)」アイコンにマウスポインタを合わせて⊟⊟。

3 「ユーザーアカウント制御」ウィンドウの「はい」ボタンを⊟。

? 「ユーザーアカウント制御」ウィンドウのメッセージが右図と異なる≫P.206 Q02

⇨「Jw_cad-InstallShield Wizard」ウィンドウが開く。

4 「Jw_cad-InstallShield Wizard」ウィンドウの「次へ」ボタンを⊟。

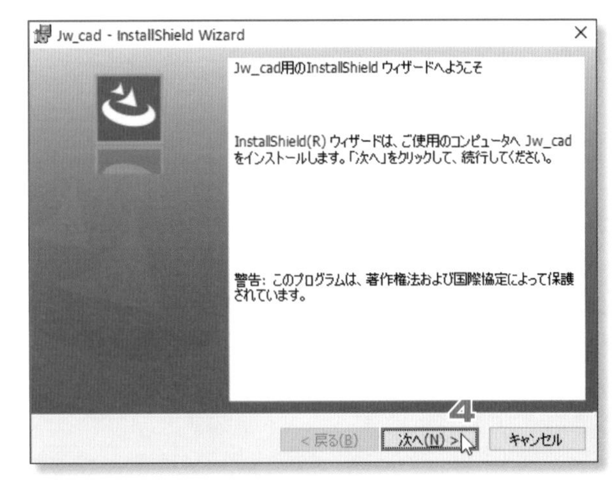

⇨「Jw_cad-InstallShield Wizard」に使用許諾契約が表示される。

?「プログラムの保守」と表記されたウィンドウが開く ≫P.206 Q03

5 使用許諾契約書を必ず読み、同意したら「使用許諾契約の条項に同意します」を⊟して選択する。

6 「次へ」ボタンを⊟。

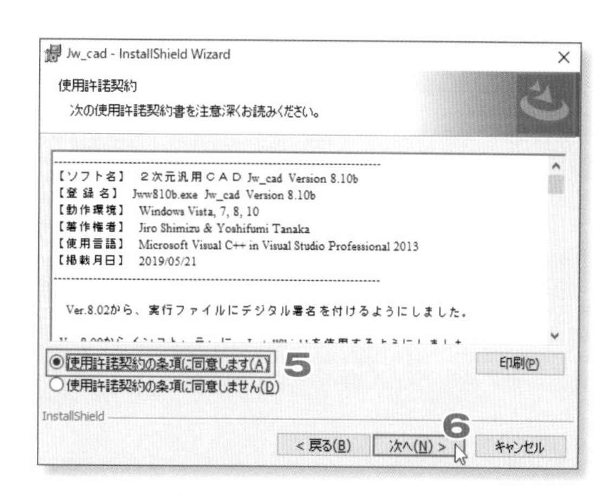

⇨「Jw_cad-InstallShield Wizard」にインストール先が表示される。

7 「次へ」ボタンを⊟。

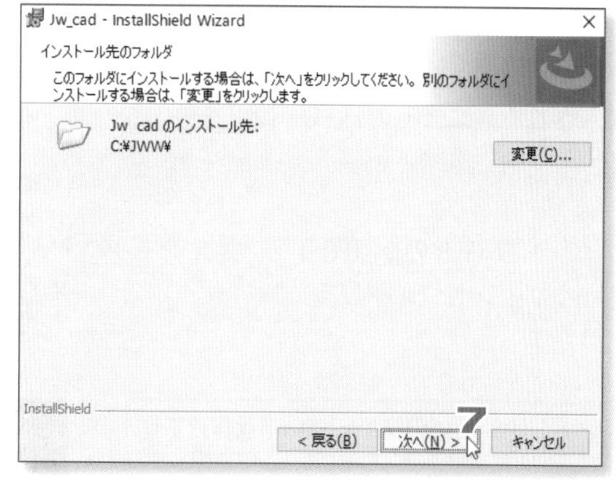

8 「インストール」ボタンを⊟。

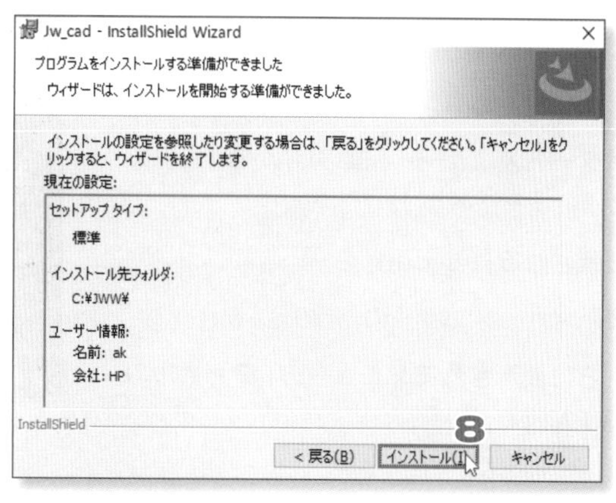

⇨インストールが完了し、右図のように、「InstallShield ウィザードが完了しました」と表示される。

9 「完了」ボタンを⊟。

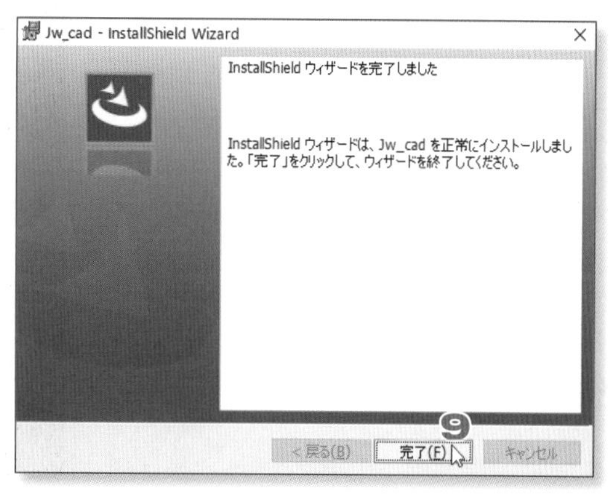

Step2 教材データをコピーする

続けて教材データを収録している「jww8_imasugu」フォルダーをCドライブにコピーしましょう。

1 CD-ROMに収録されている「jww8_imasugu」フォルダーを🖱。

2 表示されるメニューの「コピー」を🖱。

3 フォルダーツリーでパソコンのCドライブ（右図では「Windows（C:）」）を🖱。

4 何もない位置で🖱。

5 表示されるメニューの「貼り付け」を🖱。

⇨Cドライブに「jww8_imasugu」フォルダーがコピーされる。

6 ウィンドウ右上の☒（閉じる）ボタンを🖱し、ウィンドウを閉じる。

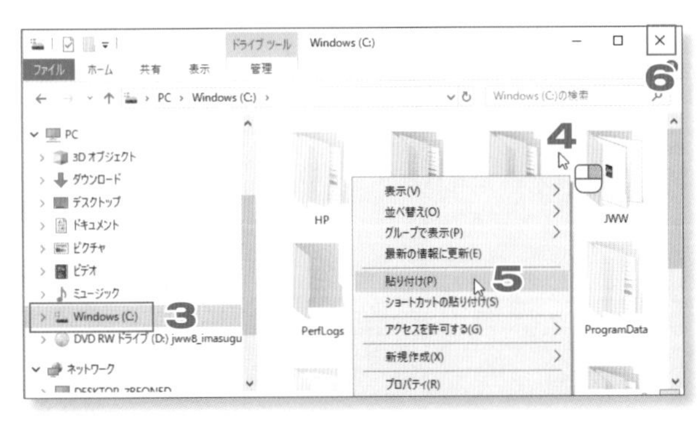

Step3 Jw_cadのショートカットを作成する

Jw_cadを起動するためのショートカットアイコンを、デスクトップに作成しましょう。

1 「スタート」ボタンを🖱。

2 スタートメニュー「J」欄の「Jw_cad」フォルダーを🖱。

3 表示される「jw_cad」を🖱。

4 表示されるメニューの「その他」を🖱。

5 さらに表示されるメニューの「ファイルの場所を開く」を🖱。

⇨「Jw_cad」ウィンドウが開く。

6 「Jw_cad」ウィンドウの「Jw_cad」を🖱。

7 表示されるメニューの「送る」を🖱。

8 さらに表示されるメニューの「デスクトップ（ショートカットを作成）」を🖱。

⇨デスクトップに、Jw_cadのショートカットアイコンが作成される。

9 ウィンドウ右上の☒（閉じる）ボタンを🖱し、ウィンドウを閉じる。

Step4 Jw_cadを起動する

Jw_cadはデスクトップに作成したショートカットアイコンを🖱🖱することで起動します。Jw_cadを起動しましょう。

1 デスクトップのJw_cadのショートカットアイコンを🖱🖱。

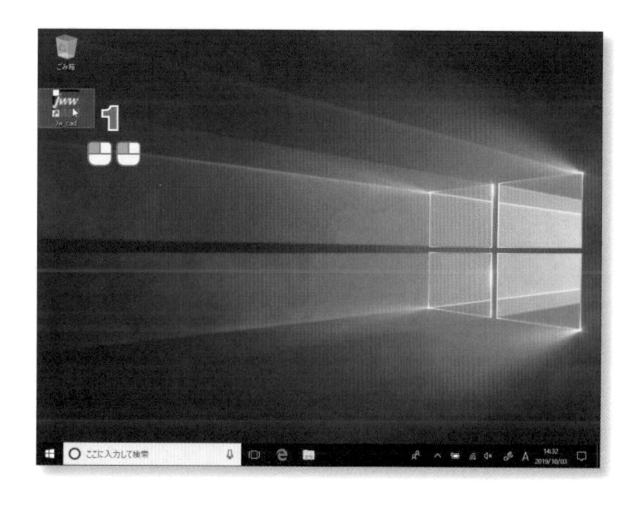

⇨ Jw_cadが起動し、右図のJw_cad画面が表示される。

ディスプレイの解像度により、Jw_cad画面の左右のツールバーの配置が右図と異なる場合があります。その場合もP.20「Step 6 ツールバーを設定する」を行うことで、本書と同じ画面に設定できます。

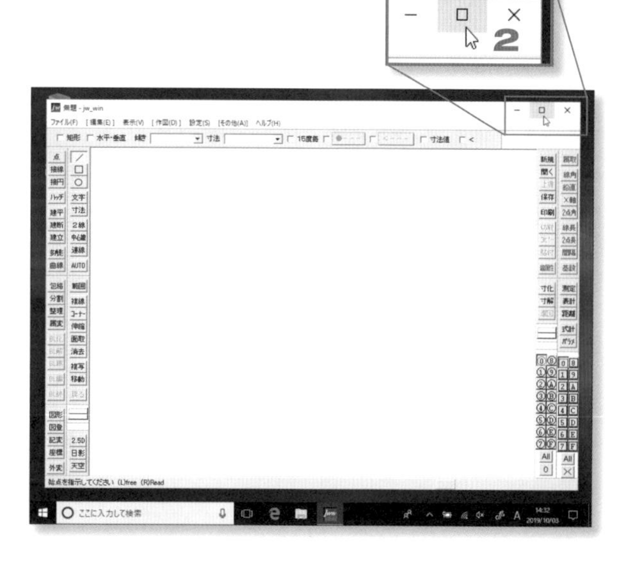

Jw_cadの画面をパソコンの画面全体に表示しましょう。

2 Jw_cadのタイトルバーの右から2番目の□(最大化)ボタンを🖱。

⇨ Jw_cadの画面が最大化され、ディスプレイ画面全体に表示される。

Step5 表示設定を変更する

表示メニューの「Direct2D」の設定を無効にしましょう。「Direct2D」は大容量データを扱うときに有効な設定です。ここでは不要なため、チェックを外しましょう。

1 メニューバー[表示]を🖱。

2 表示されるメニューでチェックが付いている「Direct2D」を🖱。

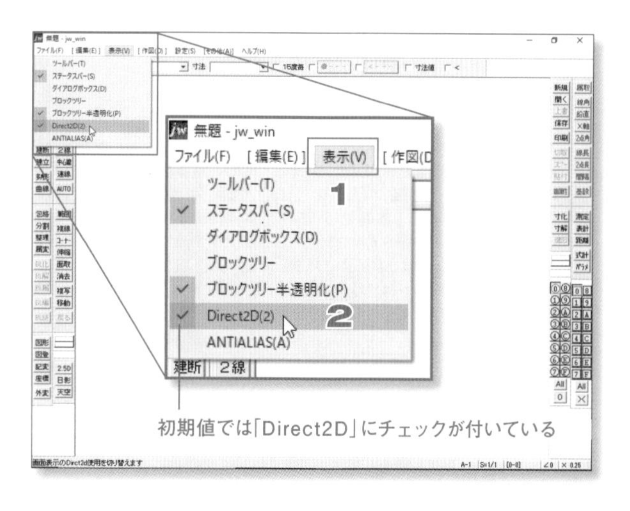

Preparation

Jw_cadを使う準備をしよう

Step6 ツールバーを設定する

このままでも利用できますが、ここでは本書でよく使用するコマンドを表示するように設定します。

1 メニューバー［表示］を🖱し、表示されるメニューの「ツールバー」を🖱で選択する。

2 「ツールバーの表示」ダイアログの「ユーザー（1）」「ユーザー（2）」を🖱し、チェックを付ける。

3 「ユーザーバー設定」ボタンを🖱。

4 「ユーザー設定ツールバー」ダイアログの「ユーザー（1）」ボックスを🖱し、既存の数値を消し、下図の数値（数値の間は半角スペース）を入力する。

POINT 数値はツールバーに並べるコマンド（ダイアログ下部に表記）を示します。

5 「ユーザー（2）」ボックスにも下図の数値を入力する。

6 「OK」ボタンを🖱。

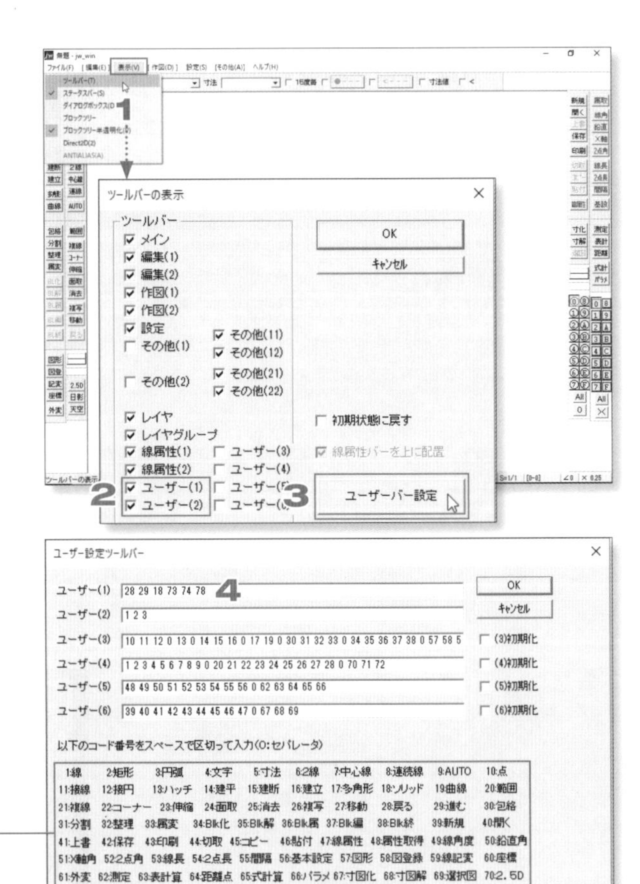

コマンドとそれを示す数値

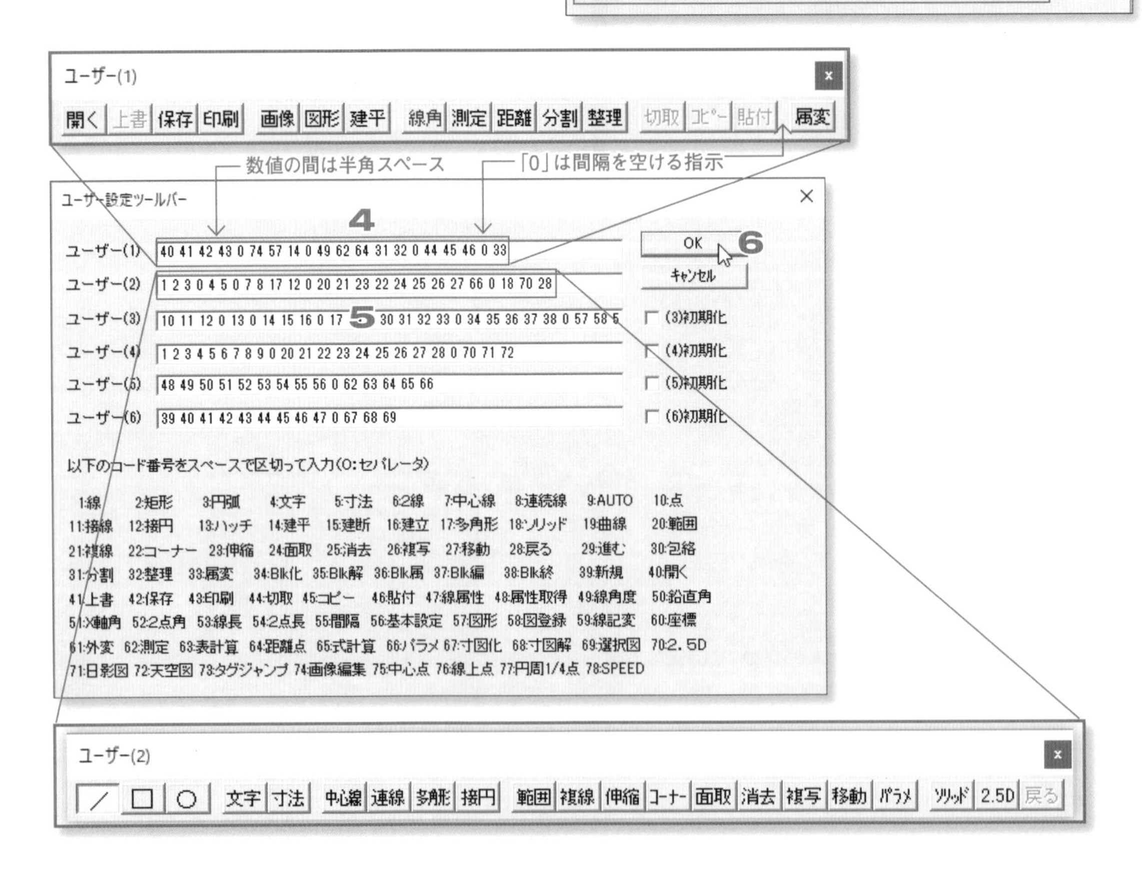

7 「ツールバーの表示」ダイアログの「レイヤ」「線属性(2)」「ユーザー(1)」「ユーザー(2)」以外のチェックを外し、右図のようにする。

POINT チェックボックスを🖰することで、チェックの有⇔無を切り替えできます。

8 「OK」ボタンを🖰。

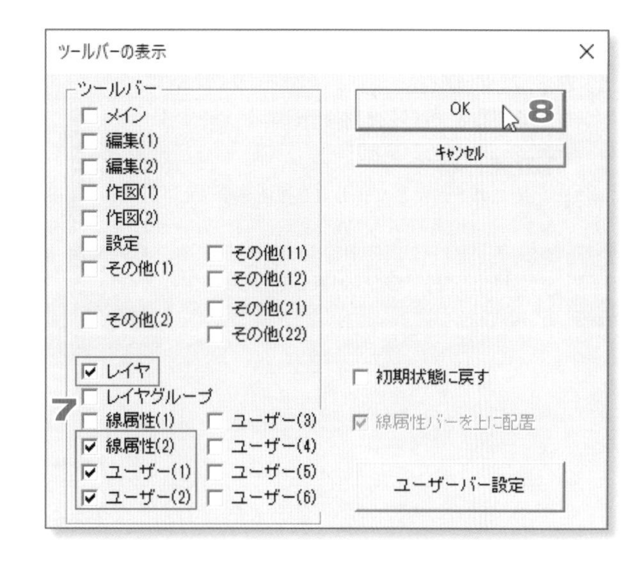

⇨「ツールバーの表示」ダイアログが閉じ、チェックを付けたツールバーのみが画面に表示される。

ツールバーを左右に配置しましょう。

9 「ユーザー(1)」バーのタイトルバーにマウスポインタを合わせ🖰↗し、画面の右上端付近で、縦長の枠が表示された時点でボタンをはなす。

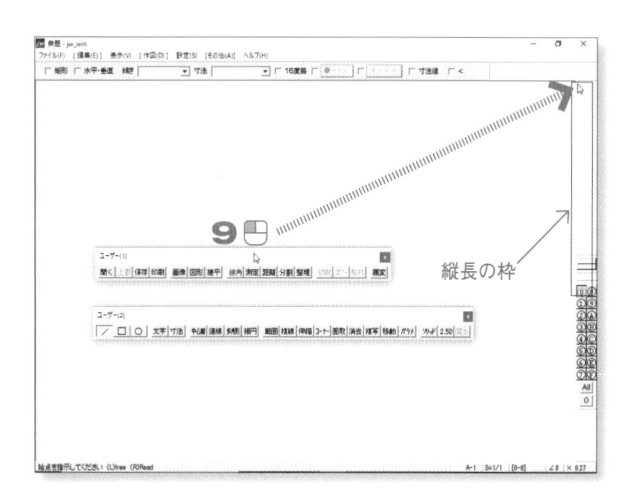

⇨「ユーザー(1)」バーが、右図のように右端に配置される。

10 同様に、「ユーザー(2)」バーを画面の左上端付近まで🖰↖し、縦長の枠が表示された時点でボタンをはなす。

? ドラッグ操作を誤り、ツールバーが本書とは違うところに配置された≫P.206 Q04

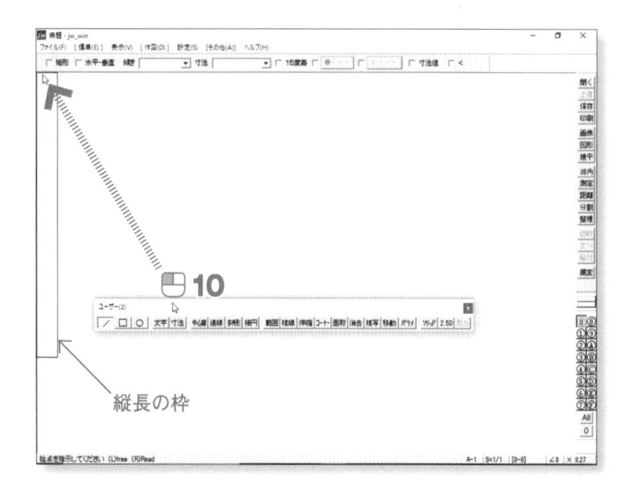

⇨「ユーザー(2)」バーが、右図のように配置される。

11 左右のツールバーの並びが右図（またはP.6の図）と同じことを確認する。

POINT 並んでいるコマンド名が違う場合は、P.20の**4**または**5**で入力する数値を間違えています。もう一度、P.20の**1**を行い、「ツールバーの表示」ダイアログで「初期状態に戻す」にチェックを付けた後、**2**〜**10**をやり直してください。

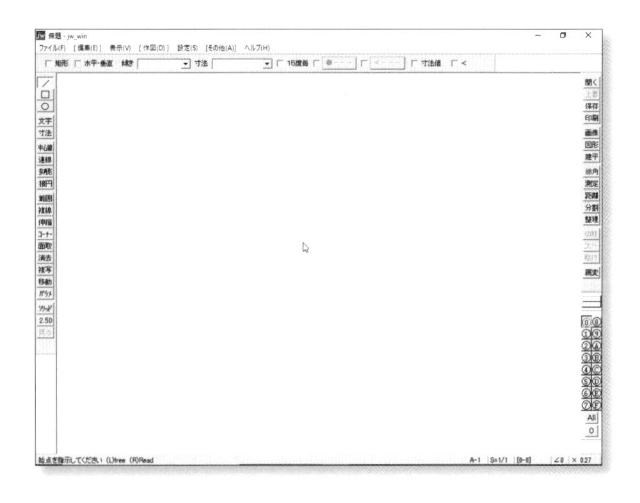

Step7 Jw_cadの基本的な設定をする

これからJw_cadを使うにあたり、必要になるいくつかの基本的な設定を行いましょう。

1 メニューバー［設定］－「基本設定」を選択する。

⇨基本設定を行うための「jw_win」ダイアログが開く。

2 「一般(1)」タブの「消去部分を再表示する」を🖱し、チェックを付ける。

3 「ファイル読込項目」の3項目にチェックが付いていることを確認。付いていない場合は🖱し、チェックを付ける。

4 「用紙枠を表示する」にチェックを付ける。

5 「入力数値の文字を大きくする」「ステータスバーの文字を大きくする」にチェックを付ける。

6 「画像・ソリッドを最初に描画」とその下の「レイヤ順」にチェックが付いていることを確認。付いていない場合は🖱し、チェックを付ける。

7 「新規ファイルのときレイヤ名…」 にチェックを付ける。

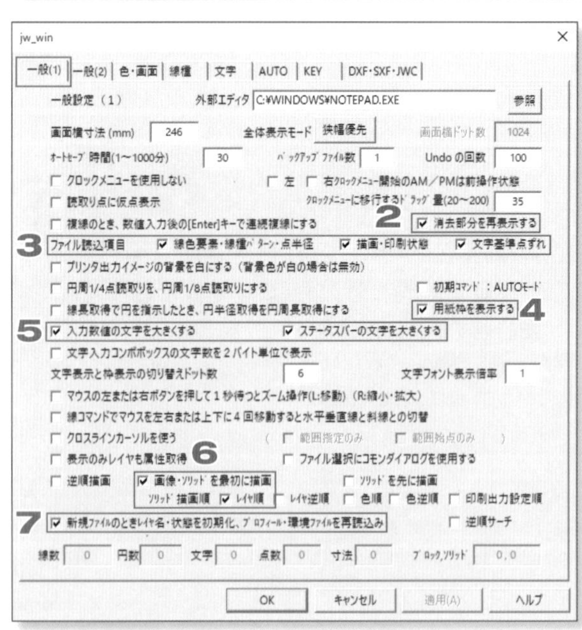

8「色・画面」タブを⊟。

⇨「色・画面」タブの設定項目が表示される。

9「選択色」ボタンを⊟。

POINT「選択色」は、Jw_cadの画面上で選択した要素を示すための表示色です。初期値の紫色は、線色5の色と見分けにくいため、ここではオレンジ色に変更します。

10「色の設定」パレットで右図のオレンジ色を⊟で選択する。

11「色の設定」パレットの「OK」ボタンを⊟。

⇨「選択色」が紫色からオレンジ色に変更される。

以上で設定は完了です。ここまでの設定を確定しましょう。

12「jw_win」ダイアログの「OK」ボタンを⊟。

⇨設定項目が確定し、ダイアログが閉じる。

POINT P.22の**4**の指定により、用紙範囲を示す用紙枠がピンク色の点線で作図ウィンドウに表示されます。用紙枠は上下左右のコントロールバー、ステータスバー、ツールバーと重なり見えない場合があります。ワイド画面では右図のように表示されます。基本的に、図は用紙枠内にかきます。

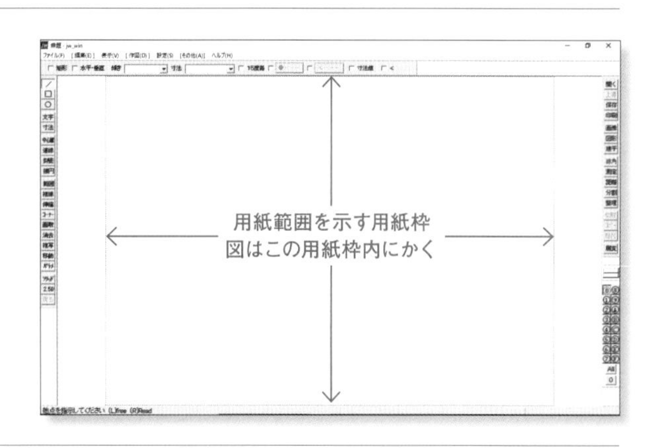

Step8 Jw_cadを終了する

ここでいったんJw_cadを終了しましょう。

1 メニューバー[ファイル]ー「Jw_cadの終了」を選択する。

⇨Jw_cadが終了する。

POINT **1**の操作の代わりにタイトルバー右上の⊠(閉じる)ボタンを⊟することでも終了できます。

Case Study 1
基本操作をマスターしよう ①

会場案内図をかこう

下図の会場案内図をモチーフに、円・弧、線、文字をかく、消すなどのCADの基本操作を学習しましょう。

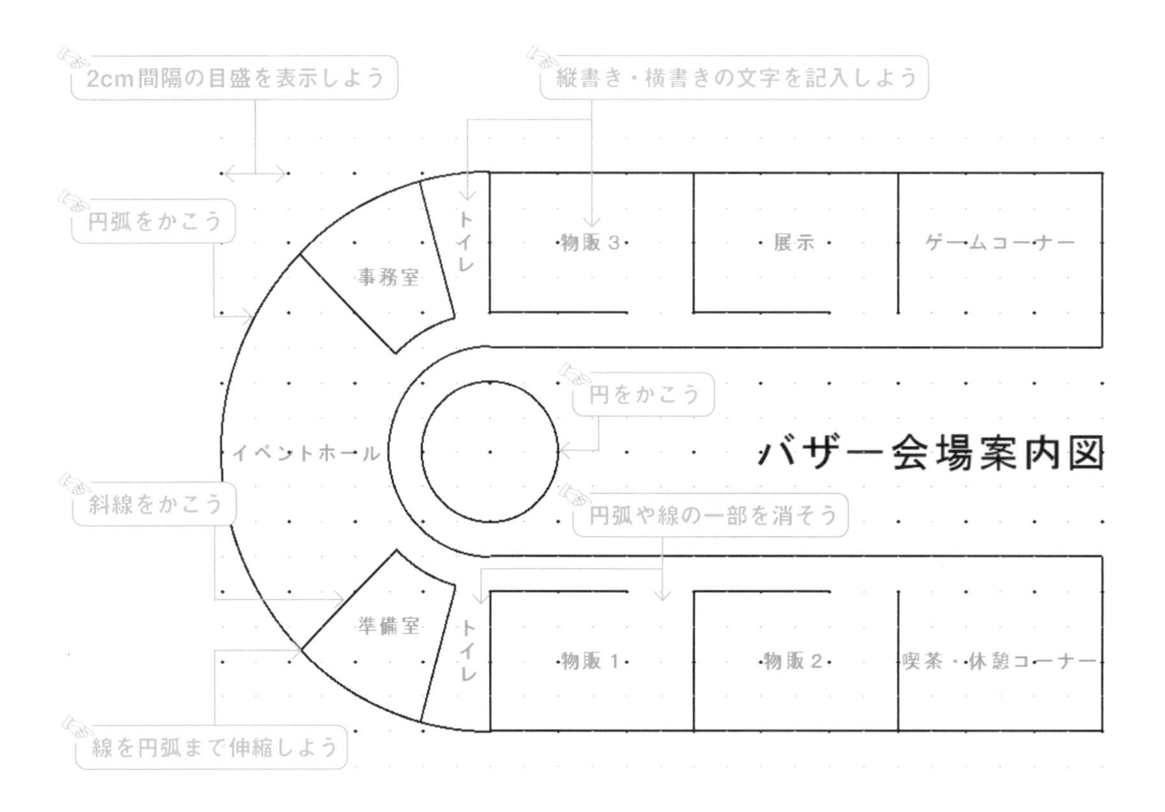

01 用紙サイズ・縮尺を設定する

ステータスバー右下の「用紙」ボタンには、現在の用紙サイズが表示されています。まずはじめに、作図する用紙のサイズを「A4」に設定しましょう。

1 ステータスバーの「用紙」ボタンを⊟。

2 表示されるリストから「A－4」を⊟で選択する。

⇨ 作図ウィンドウの用紙枠（≫P.23）がA4に設定される。

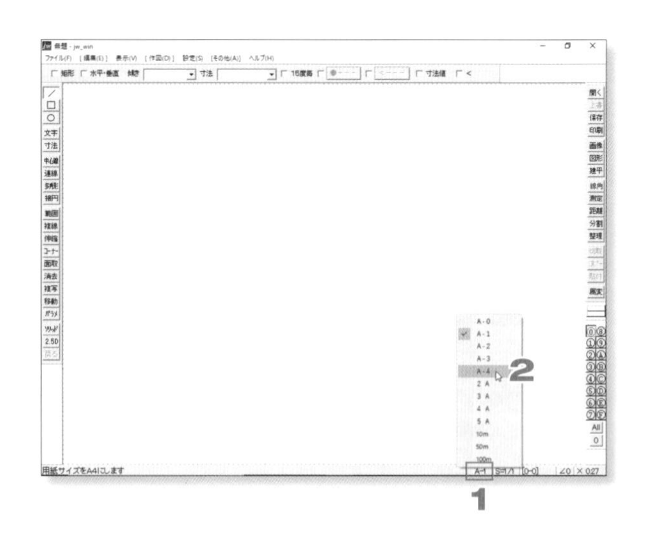

図を実際の何分の1の長さで作図するかを指定するのが縮尺です。ここでは作図物の実際の寸法(実寸)は考慮しません。印刷したときの大きさをイメージしやすいように、縮尺をS=1/1に設定します。ステータスバーの「縮尺」ボタンが「S=1/1」と表示されている場合、以下 **3** ～**4**の操作は不要です。

3 ステータスバーの「縮尺」ボタンを🖱。

4 「縮尺・読取　設定」ダイアログの縮尺の分母の数値ボックスに「1」を入力し、「OK」ボタンを🖱。

POINT Jw_cadでは、数値入力後、Enterキーは押しません。ここで「1」を入力した後Enterキーを押すと「OK」ボタンを🖱したことになり、ダイアログが閉じます。

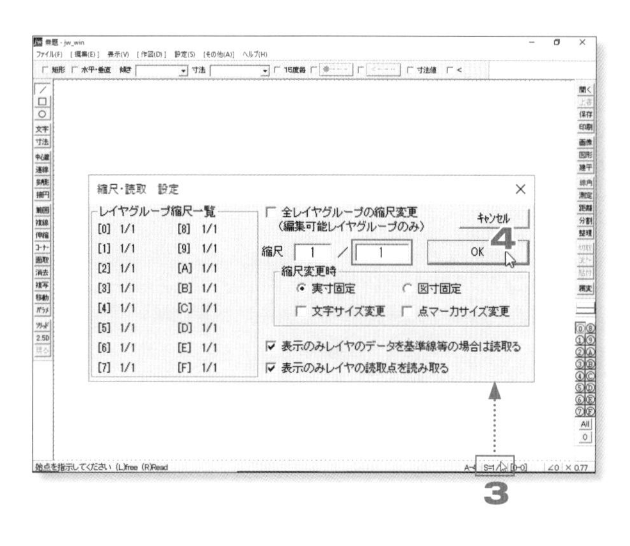

02 目盛を設定する

作図の目安として2cm間隔の目盛(ドット)を作図ウィンドウに表示しましょう。

1 ステータスバーの「軸角」ボタンを🖱。

2 「軸角・目盛・オフセット　設定」ダイアログの「目盛間隔」ボックスを🖱し、「20」を入力する。

POINT 長さ数値はすべてmm単位で指定します。尺やインチ単位で指定する方法についてはP.212 Q28を参照してください。

3 「1/2」ボックスを🖱。

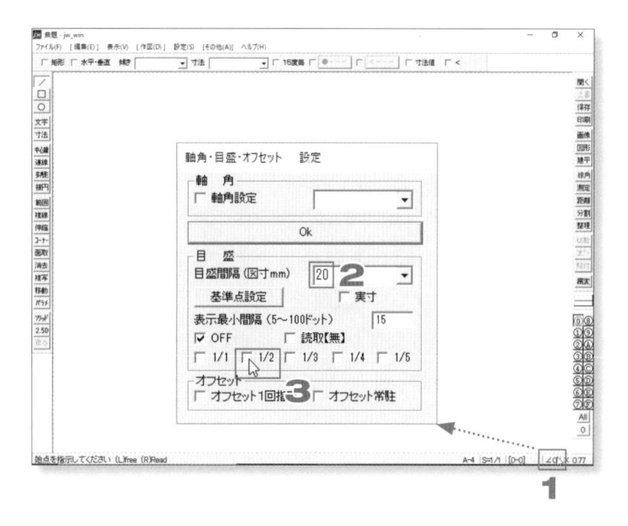

⇨ ダイアログが閉じ、作図ウィンドウに20mm間隔の目盛(黒い点)とそれを二等分する1/2目盛(水色の点)が表示される。

POINT 黒い点が**2**で指定した20mm間隔の目盛です。**3**で「1/2」を指定したため、20mmの目盛を二等分する水色の点も表示されます。以降、黒い点を「目盛点」、水色の点を「1/2目盛点」と呼びます。「1目盛」は黒い点間(20mm)を指します。

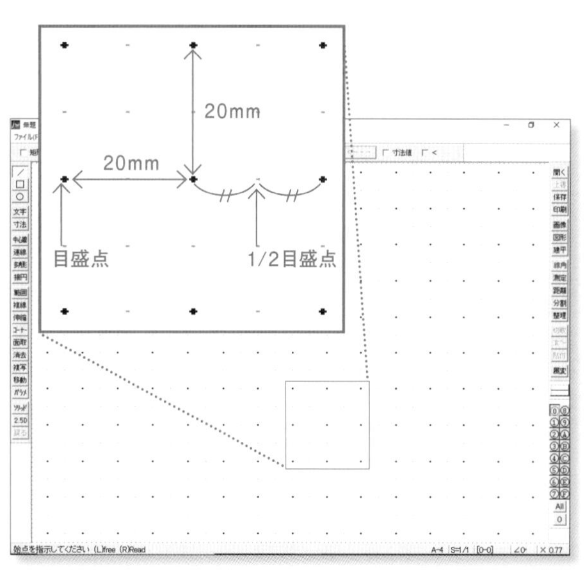

03 円をかく

「○」コマンドを選択し、円をかきましょう。円は、その中心位置と大きさ（半径）を決める位置を指示して作図します。

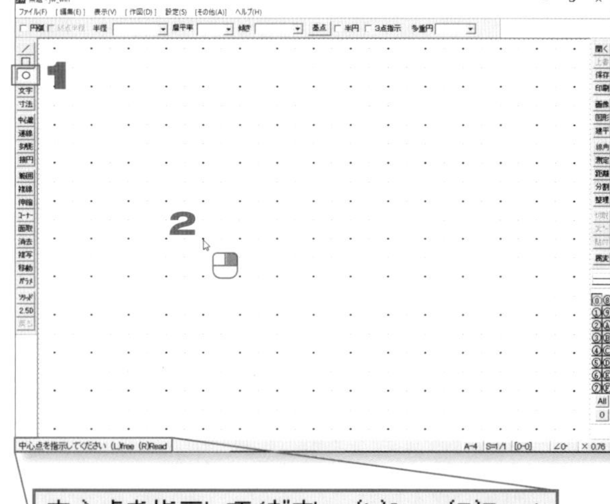

1 ツールバーの「○」コマンドを。

⇨「○」コマンドが選択され、ステータスバーの操作メッセージは「中心点を指示してください（L）free（R）Read」になる。

2 円の中心位置として作図ウィンドウ中央よりやや左寄りの目盛点（右図）にマウスポインタを合わせて。

? 点がありません と表示される≫P.207　Q05

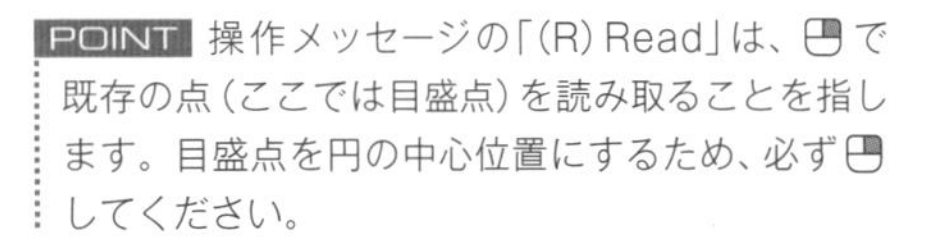

POINT 操作メッセージの「（R）Read」は、で既存の点（ここでは目盛点）を読み取ることを指します。目盛点を円の中心位置にするため、必ずしてください。

⇨ 円の中心位置が決まり、マウスポインタを移動すると、**2**の位置を中心とした赤い円がマウスポインタまで仮表示される。操作メッセージは「円位置を指示してください（L）free　（R）Read」になる。

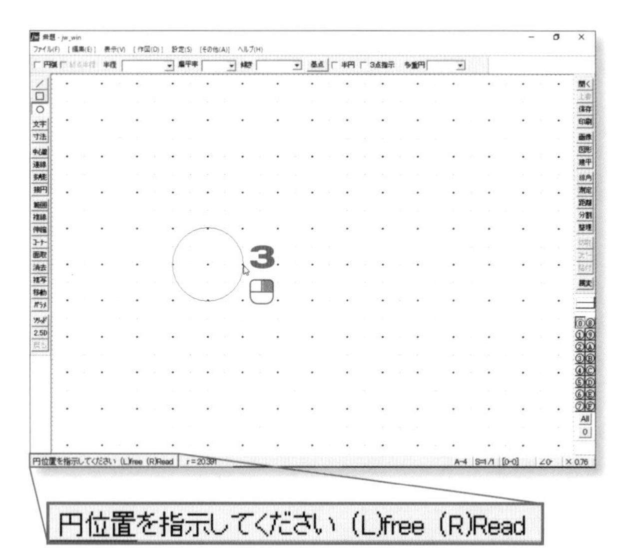

3 円の大きさを決める円位置として円中心から1目盛離れた目盛点を。

⇨ **2**の位置を中心とし、**3**でした位置を通る円が作図される。作図された円は、クリックした**2**－**3**間の長さ（20mm）を半径とする円である。

POINT ステータスバーの操作メッセージは「中心点を指示してください」と、次の円の作図指示になり、続けて次の円を作図できます。操作メッセージの後ろには「r=20.000」と、作図した円の半径が表示されます。

? ステータスバーの「r＝」の後ろの数値が図と違う ≫P.207　Q06

4 次の円の中心位置として**2**と同じ目盛点を。

⇨ **4**の位置を中心とした赤い円がマウスポインタまで仮表示される。操作メッセージは「円位置を指示してください(L)free　(R)Read」になる。

5 円の大きさを決める円位置として円中心から3.5目盛離れた水色の1/2目盛点を。

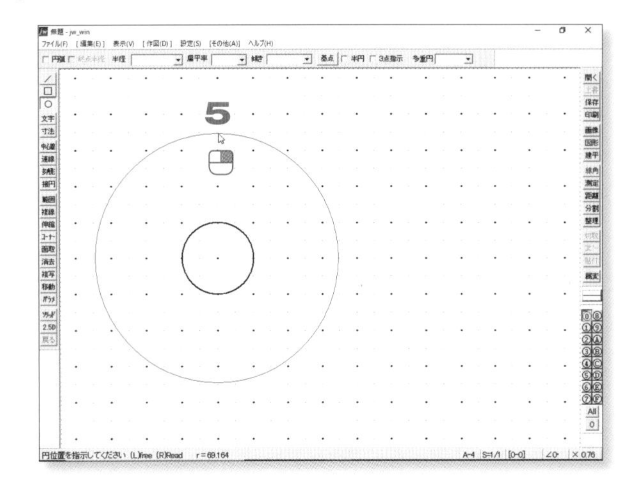

⇨ **4**を中心とし**5**の位置を通る、半径70mmの円が作図される。

6 次の円の中心位置として**2**と同じ目盛を。

7 大きさを決める円位置として円中心から2目盛離れた目盛点を。

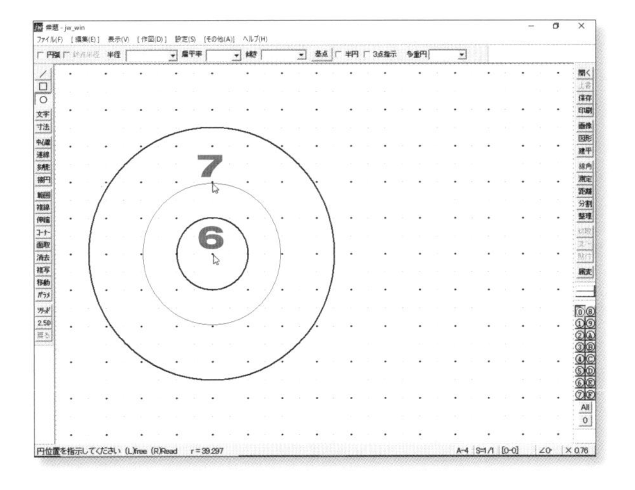

04 円を消す

作図した円を消しましょう。円を消すには「消去」コマンドで消去対象をで指示します。

1 「消去」コマンドを選択する。

2 外側の円を。

⇨した円が消去される。

? 円が消えずに色が変わった≫P.207　Q07

3 その内側の円を。

⇨した円が消去される。

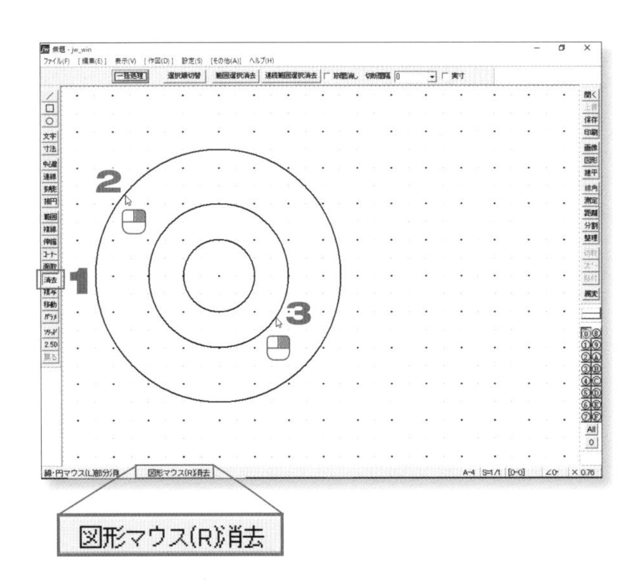

05 1つ前の操作を取り消す

前項で消去した円を消去前に戻しましょう。「戻る」コマンドを🖱することで、1つ前の操作を取り消し、操作前の状態に戻せます。

1 「戻る」コマンドを🖱。

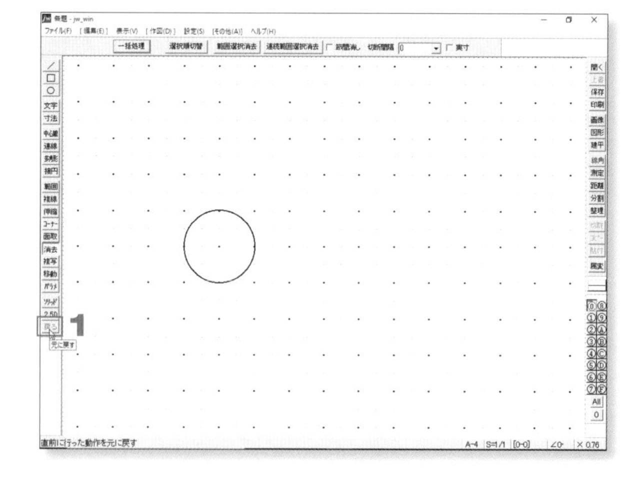

⇨ 前項の**3**で行った消去操作が取り消され、円が消去前の状態に戻る。

2 「戻る」コマンドを🖱。

POINT 「戻る」コマンドを🖱することで、🖱した回数分前の操作を取り消し、操作前の状態に戻します。「戻る」コマンドを🖱する代わりにEscキーを押しても同じ結果になります。

⇨ もう1つ前に消した円が消去前の状態に戻る。

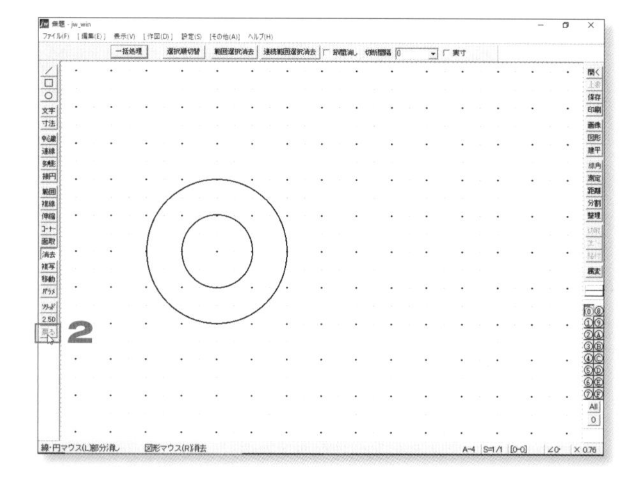

06 取り消し前に復帰する

操作を戻しすぎました。前項の**2**で戻す前の状態に復帰しましょう。

1 メニューバー[編集]－「進む」を🖱。

POINT 「戻る」コマンドで戻しすぎた場合は、メニューバー[編集]－「進む」を🖱することで、「戻る」コマンドを🖱する前の状態に復帰できます。

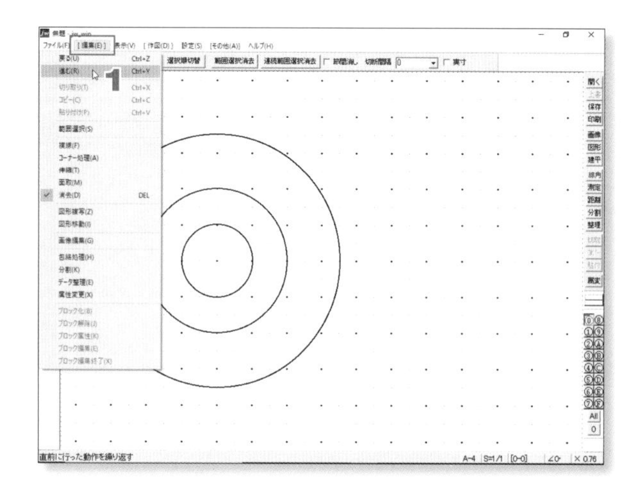

07 円の一部分を消す

「戻る」コマンドを🖱した後も、選択コマンドは、その前に使用していた「消去」コマンドのままです。「消去」コマンドで、外側の円の右半分を消して半円にしましょう。

1 「消去」コマンドで、一部分を消去する対象として右図の円を🖱。

POINT 線や円の一部分を消去する場合は、「消去」コマンドで消去対象の線・円を🖱で指示した後、消す範囲の始点と終点を指示します。

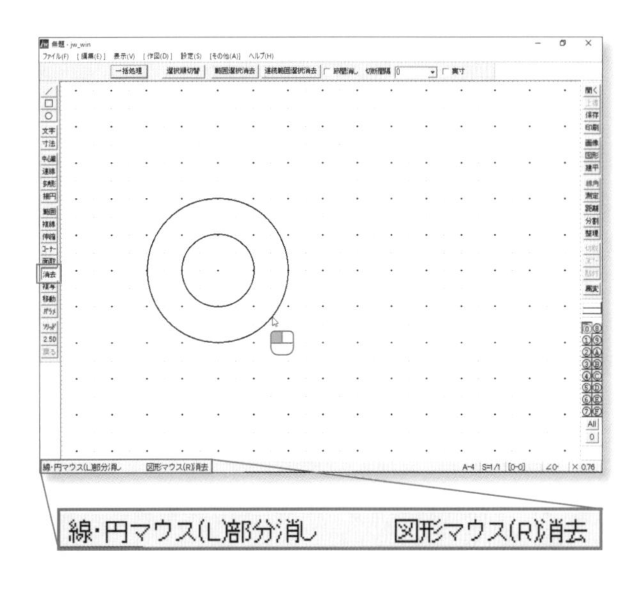

⇨ **1**で🖱した円が選択色になり、操作メッセージは「円部分消し(左回り)始点指示(L)free (R)Read」になる。

POINT 円・弧の部分消しの範囲を指示するときは、必ず始点⇒終点を左回りで指示します。

2 部分消しの始点として右図の目盛点を🖱。

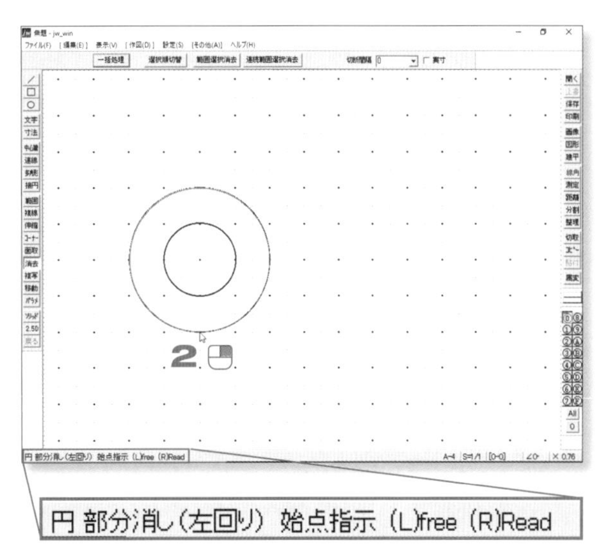

⇨ **2**に部分消しの始点を示す赤い○が仮表示され、操作メッセージは、「円部分消し(左回り)●終点指示(L)free (R)Read」になる。

3 部分消しの終点として右図の目盛点を🖱。

⇨ 結果の図のように、**1**で🖱した円の**2**－**3**間(右半分)が消去される。

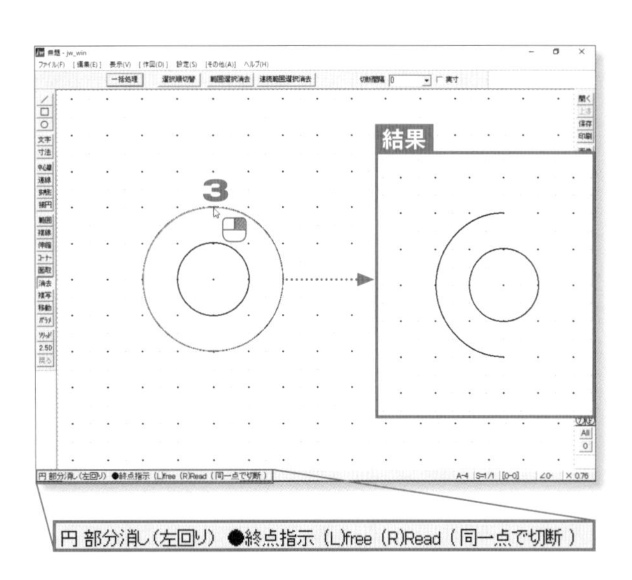

08 円弧をかく

円弧は、「○」コマンドのコントロールバー「円弧」にチェックを付け、円の中心位置⇒始点⇒終点を順に指示して作図します。

1 「○」コマンドを選択し、コントロールバー「円弧」にチェックを付ける。

2 円弧の中心位置として右図の目盛点を🖱。

⇨ **2**を中心とした円がマウスポインタまで仮表示され、操作メッセージは「円弧の始点を指示してください」になる。

3 円弧の始点位置として円弧の中心から4目盛上の目盛点を🖱。

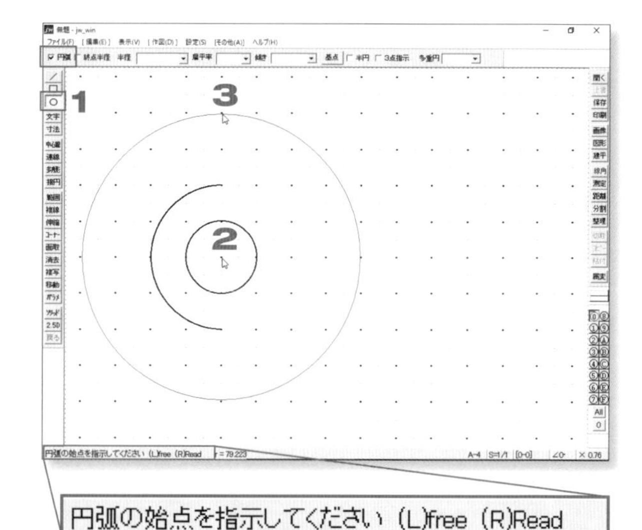

4 マウスポインタを左回りに移動する。

POINT 基本的に、円・弧上の始点⇒終点指示は左回りで行いますが、円弧の作図に限り、左回り・右回りのいずれでも可能です。マウスポインタを移動する方向に円弧を作図します。

⇨ **2**－**3**間を半径、**3**を始点とする円弧がマウスポインタまで仮表示され、操作メッセージは「終点を指示してください」になる。その後ろには仮表示の円弧の半径が表示される。

5 円弧の終点として右図の円弧の端点を🖱。

⇨ 半径が80mm（中心点**2**－始点**3**間）、始点**3**から中心点と終点**5**を結んだ延長上までの円弧が作図される。

POINT 円弧の始点指示は、円弧の始点を決めるとともに円弧の半径を確定します。終点指示は、円中心から見た円弧の作図角度を決めます。

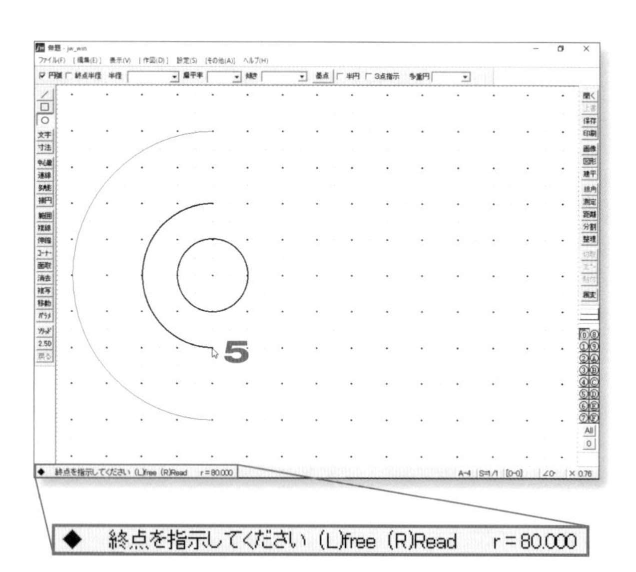

6 次の円弧の中心点を🖱。

7 始点として中心から1.5目盛上の水色の1/2目盛点を🖱。

8 左回りでマウスポインタを移動し、終点として右図の円弧端点を🖱。

⇨ 半径30mmの左半分の円弧が作図される。

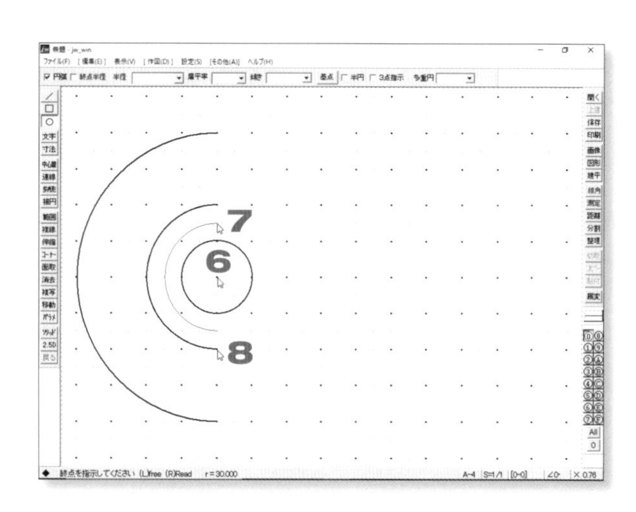

09 長方形をかく

「□」コマンドを選択し、2つの対角を指示することで、長方形の部屋をかきましょう。

1 「□」コマンドをで選択する。

2 コントロールバー「寸法」ボックスが空白の状態で、始点として右図の円弧の端点を。

? コントロールバー「寸法」ボックスに数値が入力されている≫P.207 Q08

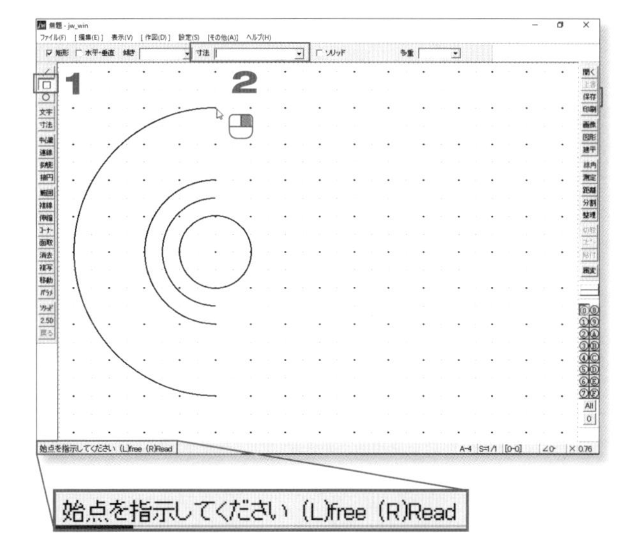

⇨ **2**を対角とした長方形がマウスポインタまで仮表示される。

3 終点として**2**から右へ3目盛（60mm）、下へ2目盛（40mm）の目盛点を。

⇨ **2**－**3**を対角とした横60mm、縦40mmの長方形が作図される。

4 始点として**3**で作図した長方形の右上角を。

5 終点として**4**から右へ3目盛（60mm）、下へ2目盛（40mm）の目盛点を。

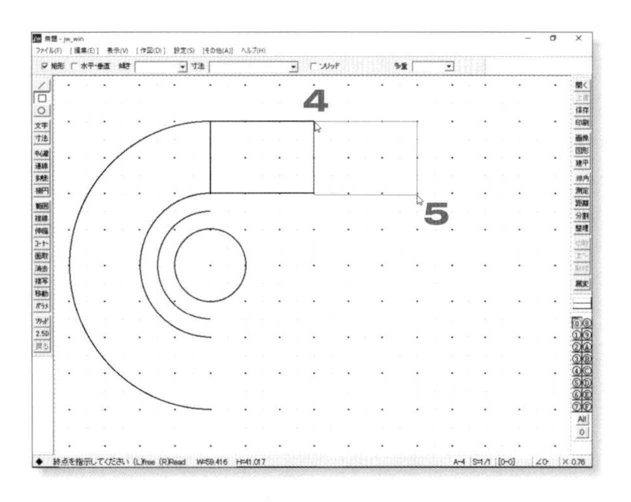

LET'S TRY!

やってみよう

同様にして、他の長方形も右図のように作図しましょう。

POINT 誤って🖱したり、違う目盛点を🖱した場合は、Escキーを押すか、あるいは「戻る」コマンドを🖱してください。1つ前の操作が取り消され、やり直しができます。

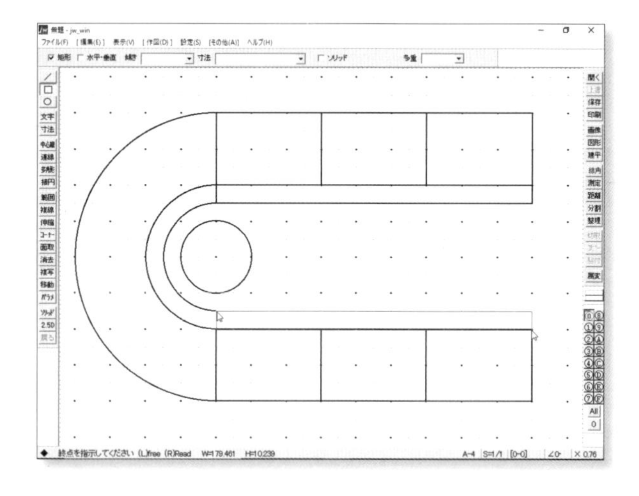

10 重なった線を1本の線にする

隣り合う長方形の辺は二重に線が作図されています。また、横に3つ並ぶ長方形の上辺、下辺は、1本の水平線に見えますが、実際には別々に作図した3本の線が連なっています。これらの重複作図された線や同じ点を境に分かれている線を1本にしましょう。

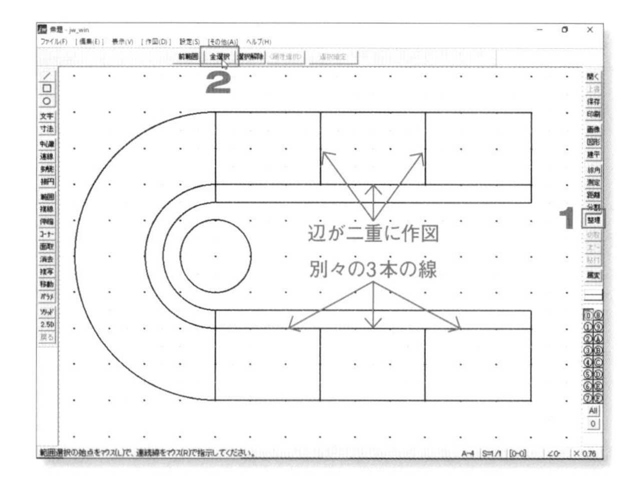

1 右のツールバーの「整理」(データ整理)コマンドを選択する。

? 「整理」コマンドがツールバーにない ≫P.208 Q10

2 コントロールバー「全選択」ボタンを🖱。

POINT はじめに整理対象を選択します。コントロールバー「全選択」ボタンを🖱することで、すべての要素を選択します。

⇨ すべての線・円・弧要素が対象として選択色になる。

3 対象を確定するため、コントロールバー「選択確定」ボタンを🖱。

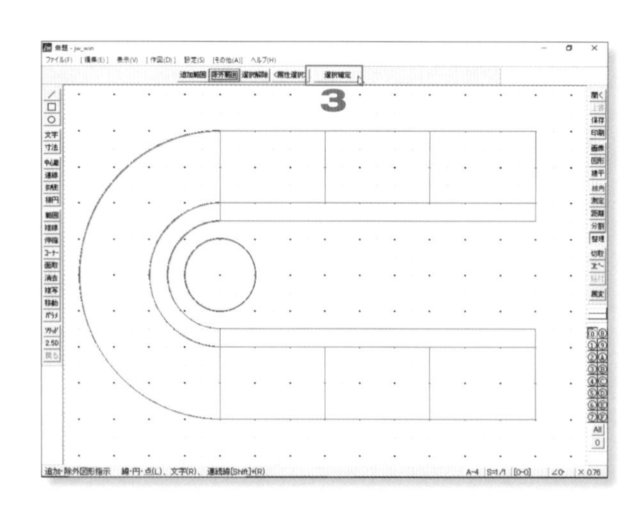

4 整理方法としてコントロールバーの「連結整理」ボタンを⊟。

POINT コントロールバー左端の「重複整理」は、重ねて作図されている線を1本に整理します。「連結整理」は、「重複整理」の機能に加え、同じ点を境に分かれている線も1本に連結します。

⇨ 整理が行われ、作図ウィンドウ左上に－（マイナス数値）で、減った線の本数が表示される。

? **4**の結果、表示される数値が右図と異なる ≫P.207　Q09

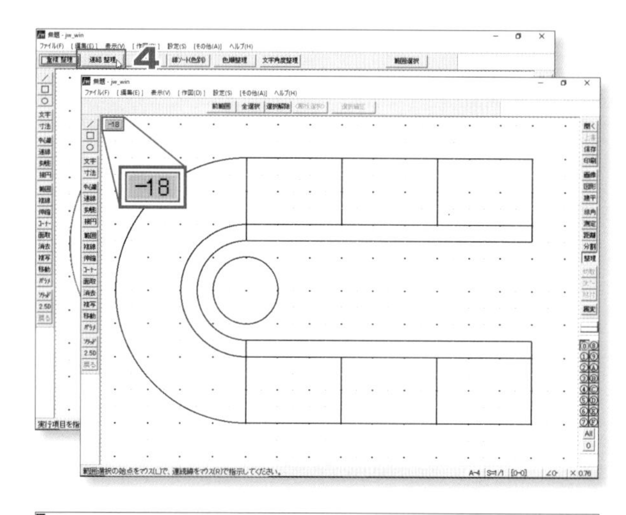

11 図面ファイルとして保存する

作図途中ですが、ここまでを図面ファイルとして保存しましょう。

1 「保存」コマンドを選択する。

⇨「ファイル選択」ダイアログが開く。

2 保存先のフォルダーとして左のフォルダーツリーの「jww8_imasugu」フォルダーを⊟。

? 「jww8_imasugu」フォルダーがない ≫P.208　Q11

⇨「jww8_imasugu」フォルダーが開き、その中の図面ファイルが右に一覧表示される。

3 「新規」ボタンを⊟。

⇨「新規作成」ダイアログが開き、「名前」ボックスで入力ポインタが点滅する。

4 半角/全角キーを押し、日本語入力を有効にする。

5 キーボードから図面の名前（ファイル名）として「会場案内図」を入力する。

POINT 名前の漢字変換を確定した後さらにEnterキーを押す必要はありません。Enterキーを押すと「OK」ボタンを⊟したことになり、ダイアログが閉じ、図面が保存されます。

6 半角/全角キーを押し、日本語入力を無効にする。

7 「OK」ボタンを⊟。

⇨ダイアログが閉じ、ここまで作図した図がパソコンのCドライブの「jww8_imasugu」フォルダーに「会場案内図.jww」というファイル名で保存される。タイトルバーには「会場案内図」、または「会場案内図.jww」と図面ファイル名が表示される。

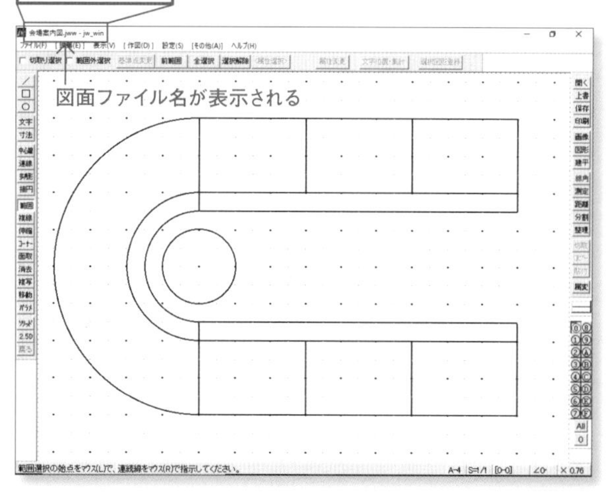

12 線の一部分を消す

部屋の入口部分の線を消しましょう。円弧の部分消し（≫P.29）と同様に、「消去」コマンドで対象線を⊟後、消す範囲の始点と終点を指示します。

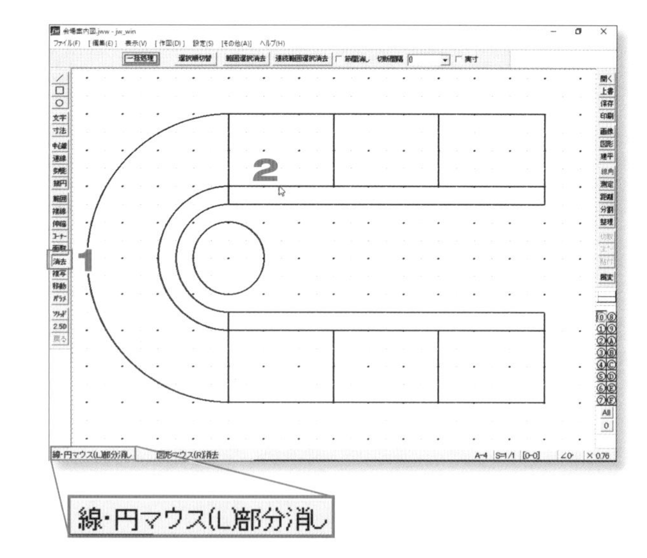

1 「消去」コマンドを選択する。

2 部分消しの対象線として右図の線を⊟。

⇨ ⊟した線が、部分消しの対象線として選択色で表示される。ステータスバーの操作メッセージは「線部分消し　始点指示（L）free　（R）Read」になる。

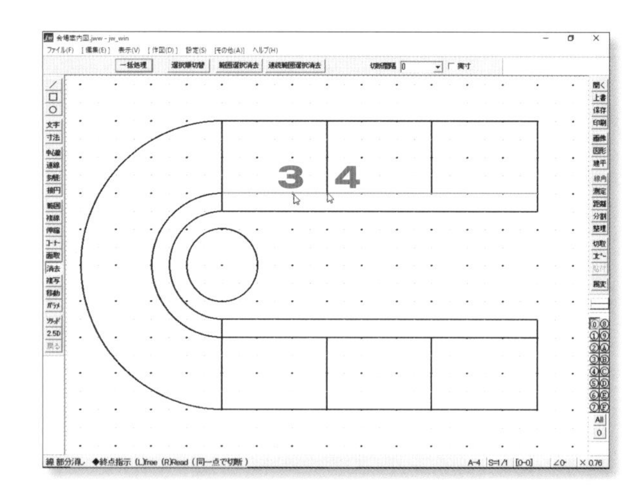

3 消し始めの位置（始点）として右図の目盛点を⊟。

⇨ ⊟した位置が消し始めの点に確定し、赤い○が仮表示される。操作メッセージは「線部分消し　◆終点指示（L）free　（R）Read」になる。

4 消し終わりの位置（終点）として右図の交点を⊟。

⇨ 選択色で表示されていた水平線の**3**－**4**間が消され、元の色になる。

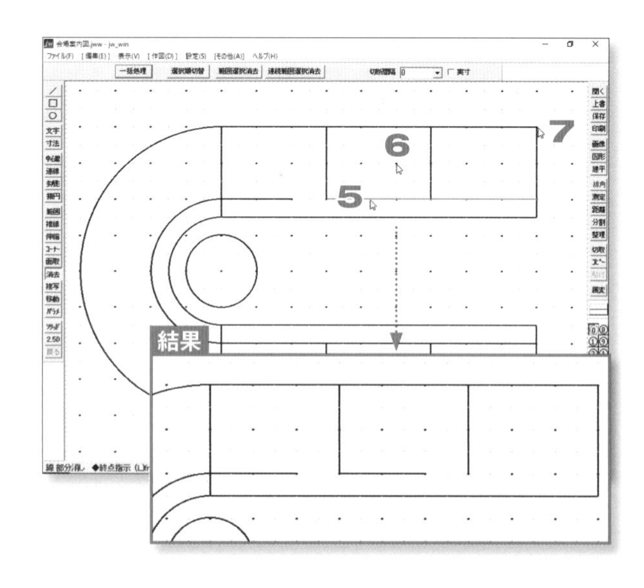

5 部分消しの対象線として右図の線を⊟。

6 部分消しの始点として右図の目盛点を⊟。

POINT 始点・終点は、部分消しの対象線以外の位置で指示することもできます。

7 部分消しの終点として右図の角を⊟。

⇨ 結果の図のように部分消しされる。

LET'S TRY!

やってみよう

同様にして、他の2カ所の入り口部分の線を右図のように部分消ししましょう。

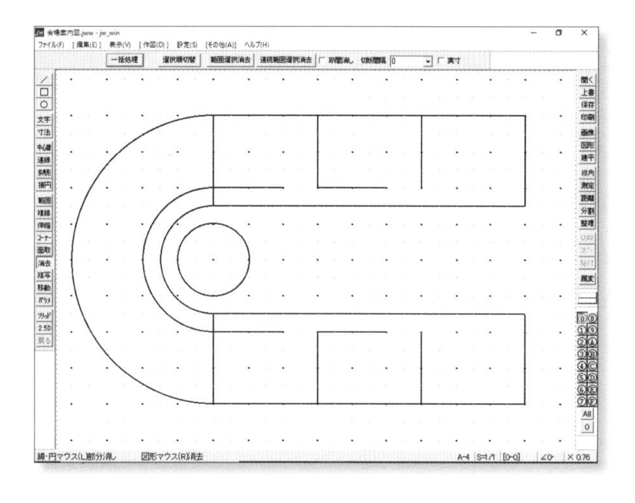

13 角度を15度ごとに固定した線をかく

事務室とトイレの境の線として、円の中心から外側の円弧に向かって線を作図しましょう。線は「／」コマンドで始点と終点を指示して作図します。

1 「／」コマンドを選択する。

2 始点として円中心の目盛点を。

⇨ **2**を始点とした線がマウスポインタまで仮表示される。

3 コントロールバー「15度毎」をし、チェックを付ける。

POINT 「15度毎」にチェックを付けることで、0度⇒15度⇒30度⇒45度…と15度ごとの角度の線を作図できます。

⇨ **2**を始点とした線がマウスポインタの位置に従い、15度ごとに変化する。

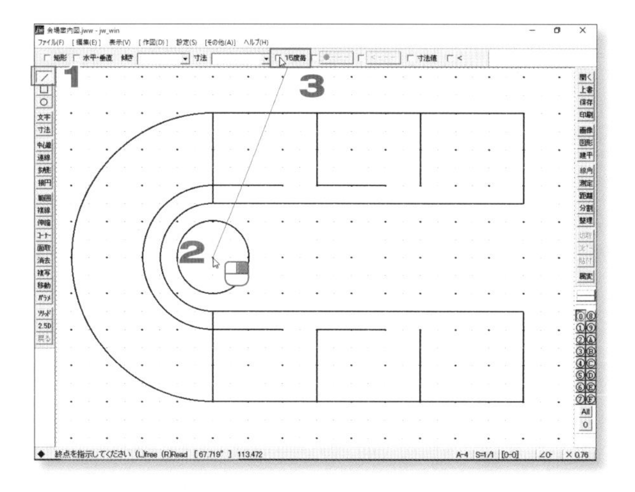

円弧上には読取点はないため、円弧上を終点とした線をかくことはできません。ここでは任意の位置を終点とした線をかき、後で円弧まで伸縮します。

4 右図のように105度の線を仮表示し、終点として外側の円弧の内側で。

POINT 既存の点（目盛点や端点）以外の位置は（free）で指示します。

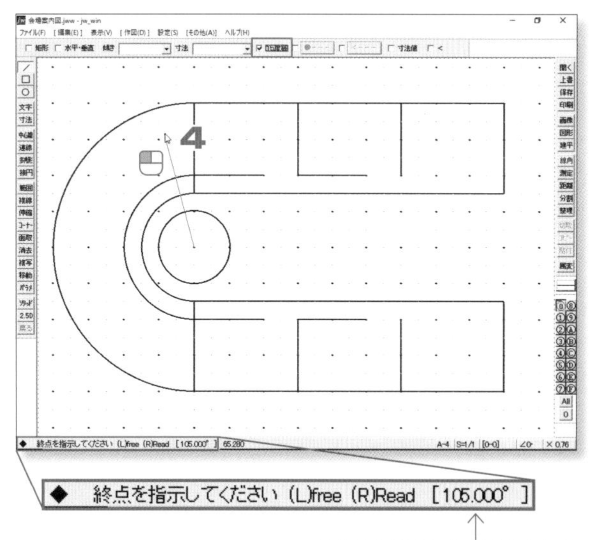

仮表示の線の角度が表示される

⇨ **2**から**4**まで105度の線が作図される。

5 次の始点として円中心の目盛点を。

⇨ **5**を始点とした線がマウスポインタまで仮表示される。

6 右図のように135度の線を仮表示し、終点として円弧の内側で。

⇨ **5**から**6**まで135度の線が作図される。

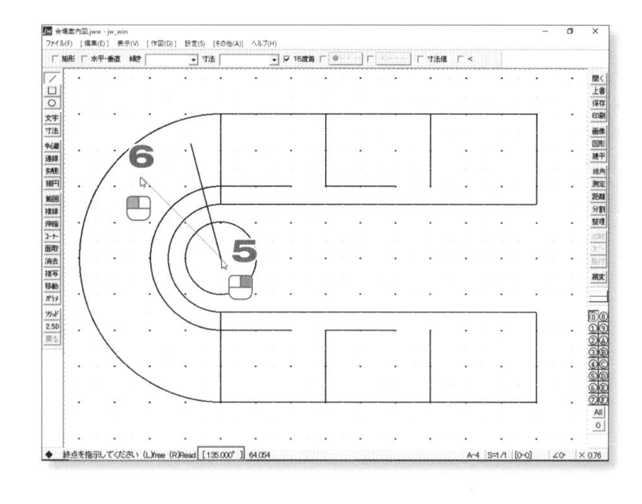

LET'S TRY!
やってみよう

5〜**6**と同様にして、円中心から角度が−105度の線と−135度の線を右図のように作図しましょう。

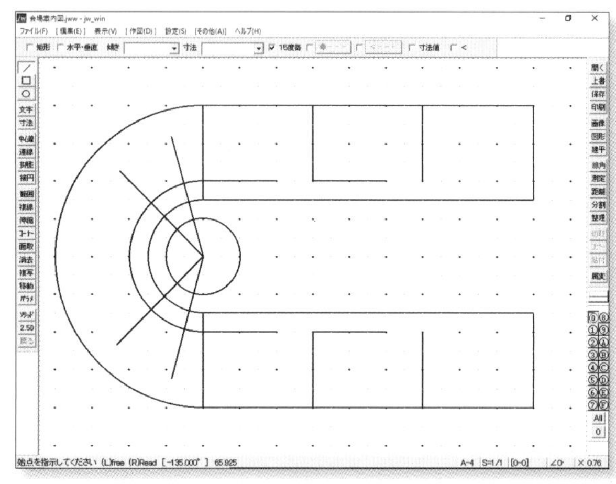

POINT 「□」「／」コマンドの始点・終点指示時や「○」コマンドの中心点・円位置指示時の操作メッセージの後ろには、「(L) free (R) Read」と表記されます。この(L)は、(R)はを指します。

右図の操作メッセージでは……

- (L：free)は、位置を始点にする
- (R：Read)は、位置の近くの点（目盛点や線の端点など）を読み取り、始点にする

で読み取りできる点は、目盛点以外に、線・円弧の「端点」と線や円・弧が交差する位置の「交点」・線と円・弧が接する位置の「接点」があります（右図）。

線上や円周上には読み取りできる点はありません。読み取りできる点がない位置でした場合には、点がありませんとメッセージが表示されます。

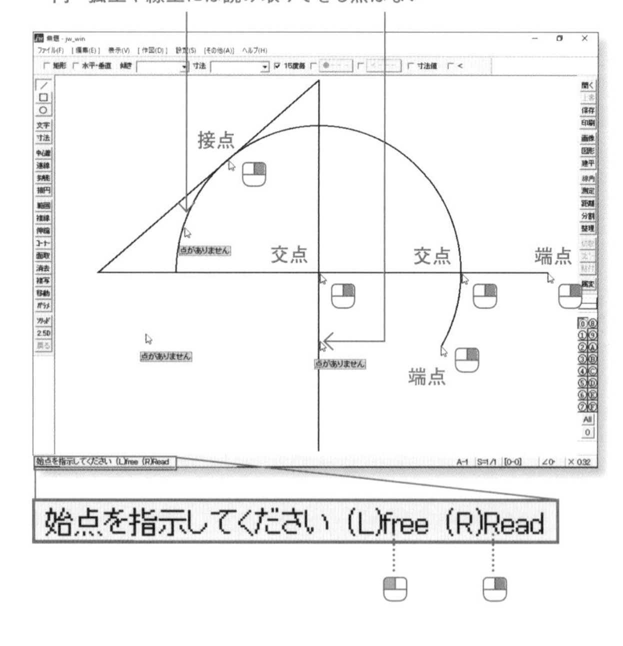

14 線を伸縮する

「伸縮」コマンドで、4本の斜線を外側の円弧まで伸ばしましょう。

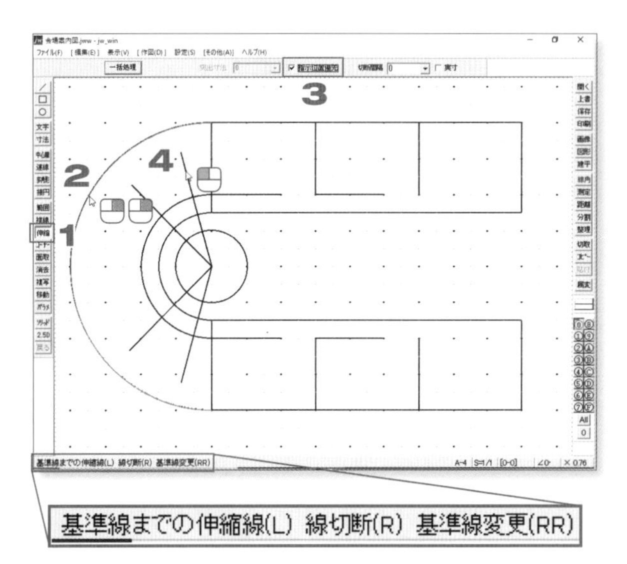

1 「伸縮」コマンドを選択する。

2 伸縮の基準線として外側の円弧を⊟⊟。

⇨ **2**の円弧が伸縮基準線として選択色になる。

? 色が変わらずに赤い○が表示される ≫P.209 Q12

3 コントロールバー「指示位置優先」にチェックを付ける。

4 伸縮する線として105度の線を⊟。

⇨ **4**の線が基準線の円弧まで伸びる。

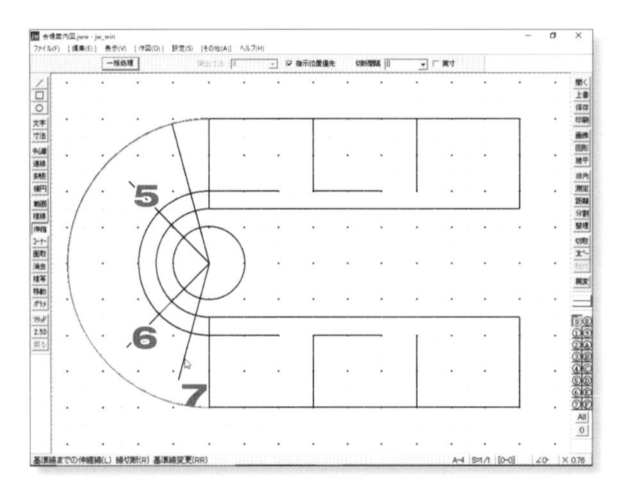

5 次の伸縮する線として135度の線を⊟。

⇨ **5**の線が基準線の円弧まで伸びる。

6 次の伸縮線として−135度の線を⊟。

⇨ **6**の線が基準線の円弧まで伸びる。

7 次の伸縮線として−105度の線を⊟。

⇨ **7**の線が基準線の円弧まで伸びる。

半径2目盛(40mm)の円弧を伸縮の基準線にし、そこまで斜線を縮めましょう。

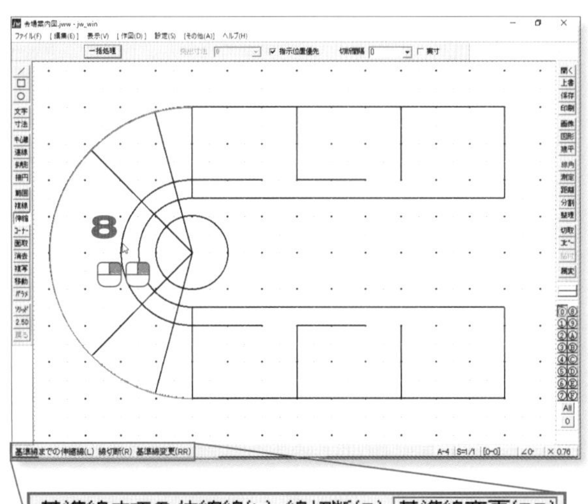

8 伸縮の基準線として半径2目盛の円弧を⊟⊟。

⇨🖱🖱した円弧が伸縮基準線として選択色になり、**2**で指示した基準線は元の色に戻る。

? 色が変わらずに赤い○が表示される

≫P.209　Q12

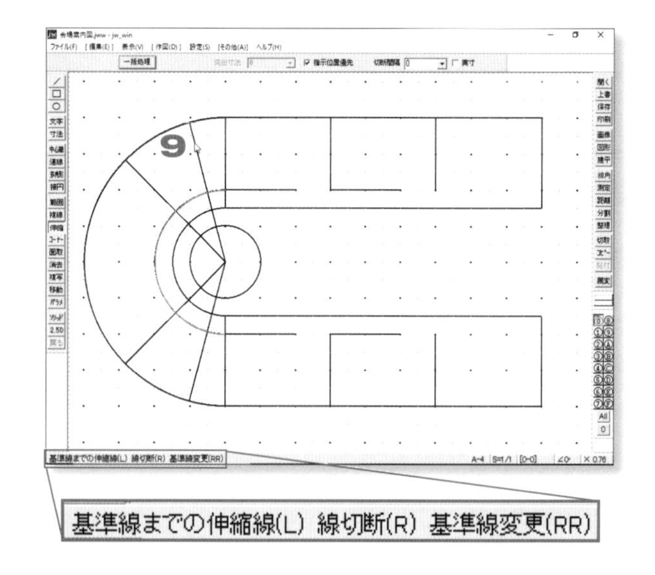

9 伸縮線として105度の線を基準線の円弧の外側で🖱。

POINT 線を縮める場合、伸縮線を指示する位置が重要です。伸縮線の指示は、選択色の基準線に対して残す側で🖱してください。

⇨基準線に対して🖱した側を残し、**9**の線が基準線の円弧まで縮む。

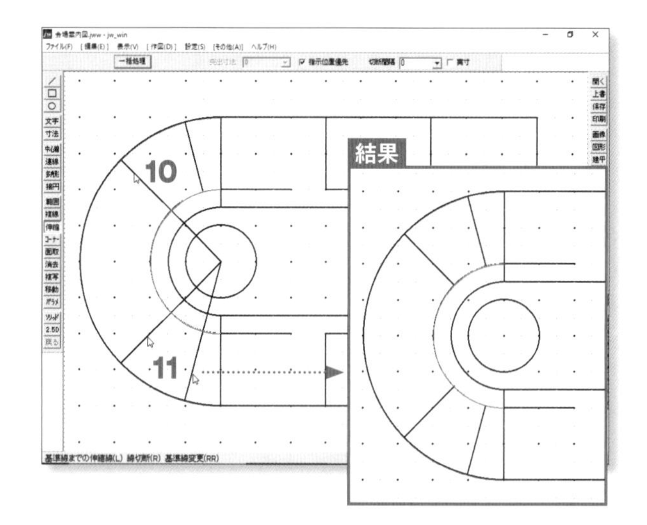

10 次の伸縮線として135度の線を基準線の円弧の外側で🖱。

⇨🖱した側を残し、基準線の円弧まで縮む。

11 同様にして、残りの2本の斜線も結果の図のように縮める。

POINT 基準線の円弧の表示色は、他のコマンドを選択すると、元の色に戻ります。

15 「節間消し」で円弧の一部を消す

イベントホールとトイレ入口部分の円弧を消しましょう。P.29と同様の方法で部分消しすることもできますが、ここでは新たに「節間消し」を覚えましょう。

1 「消去」コマンドを選択する。

2 コントロールバー「節間消し」にチェックを付ける。

POINT 「節間消し」にチェックを付けると、🖱は節間消しの指示になり、線・円・弧の🖱位置の両側の一番近い点間（目盛点は対象外）を部分消しします。

3 節間消しの対象として円弧の右図の位置を🖱（節間消し）。

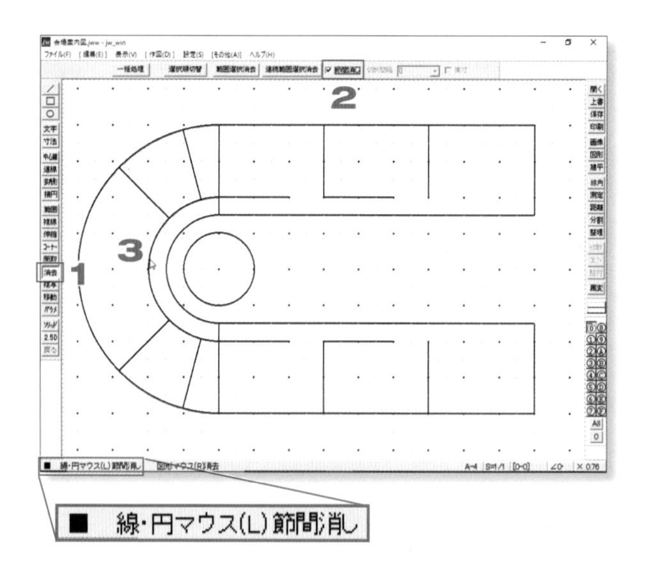

⇨右図のように位置両側の一番近い点間の円弧部分が消える。

4 節間消しの対象として右図の位置で線を。

⇨位置両側の一番近い点間の線が消える。

5 同様にして、節間消しの対象をし、結果の図のように整える。

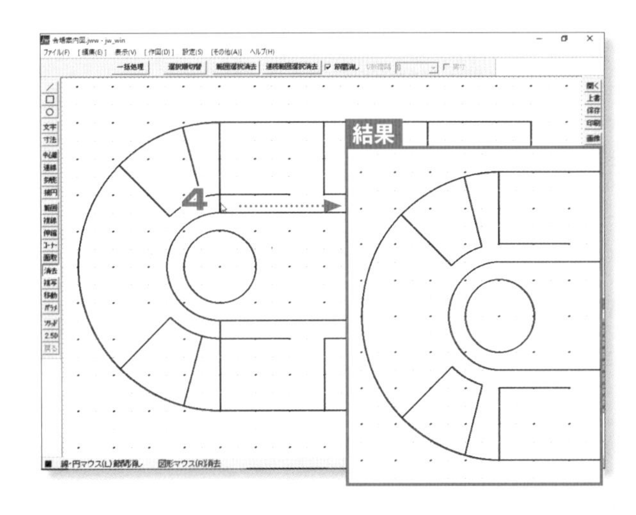

16 部屋名を記入する

文字の記入は、「文字」コマンドで「文字入力」ボックスに文字を入力した後、記入位置を指示します。

1 「文字」コマンドを選択する。

2 「文字入力」ボックスに「物販１」を入力する。

⇨文字外形枠がマウスポインタに仮表示され、操作メッセージは「文字の位置を指示して下さい」になる。

文字サイズを大きくましょう。

3 コントロールバー「書込文字種」ボタンを。

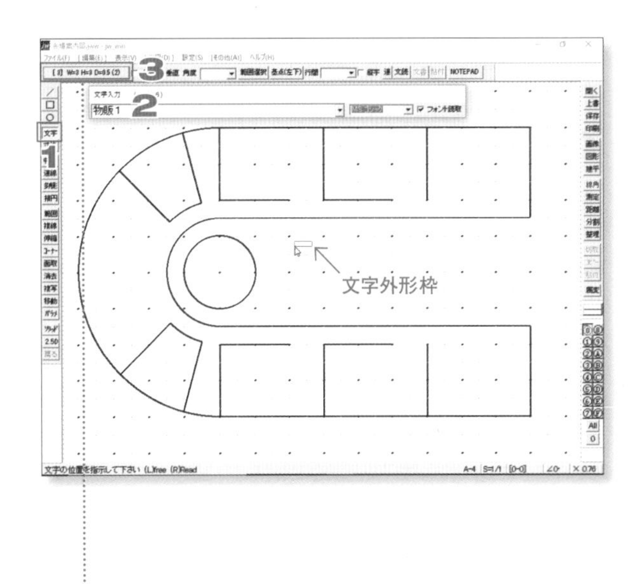

⇨「書込み文字種変更」ダイアログが開く。

POINT 文字の種類は、文字サイズが固定された「文字種[1]」～「文字種[10]」の10種類と、サイズを指定して記入できる「任意サイズ」があります。文字のサイズを決める「幅」「高さ」「間隔」は、図面の縮尺に関わらず、実際に印刷される幅・高さ・間隔（mm）で指定します。このような縮尺に左右されない寸法をJw_cadでは図寸（図面寸法）と呼びます。

4 幅と高さがともに6mmの「文字種[6]」をで選択する。

⇨「書込み文字種変更」ダイアログが閉じ、コントロールバー「書込文字種」ボタンの表記が現在の書込文字種「[6] W=6 H=6 D=0.5(3)」に変わる。マウスポインタに表示される文字外形枠も文字種6の大きさになる。

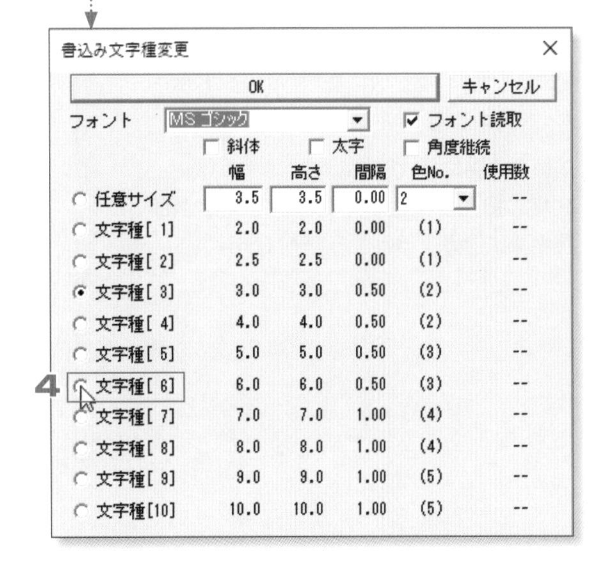

	幅	高さ	間隔	色No.	使用数
任意サイズ	3.5	3.5	0.00	2	--
文字種[1]	2.0	2.0	0.00	(1)	--
文字種[2]	2.5	2.5	0.00	(1)	--
文字種[3]	3.0	3.0	0.50	(2)	--
文字種[4]	4.0	4.0	0.50	(2)	--
文字種[5]	5.0	5.0	0.50	(3)	--
文字種[6]	6.0	6.0	0.50	(3)	--
文字種[7]	7.0	7.0	1.00	(4)	--
文字種[8]	8.0	8.0	1.00	(4)	--
文字種[9]	9.0	9.0	1.00	(5)	--
文字種[10]	10.0	10.0	1.00	(5)	--

文字外形枠に対するマウスポインタの位置を「基点」と呼びます。現在、外形枠の左下にある基点を中心に変更しましょう。

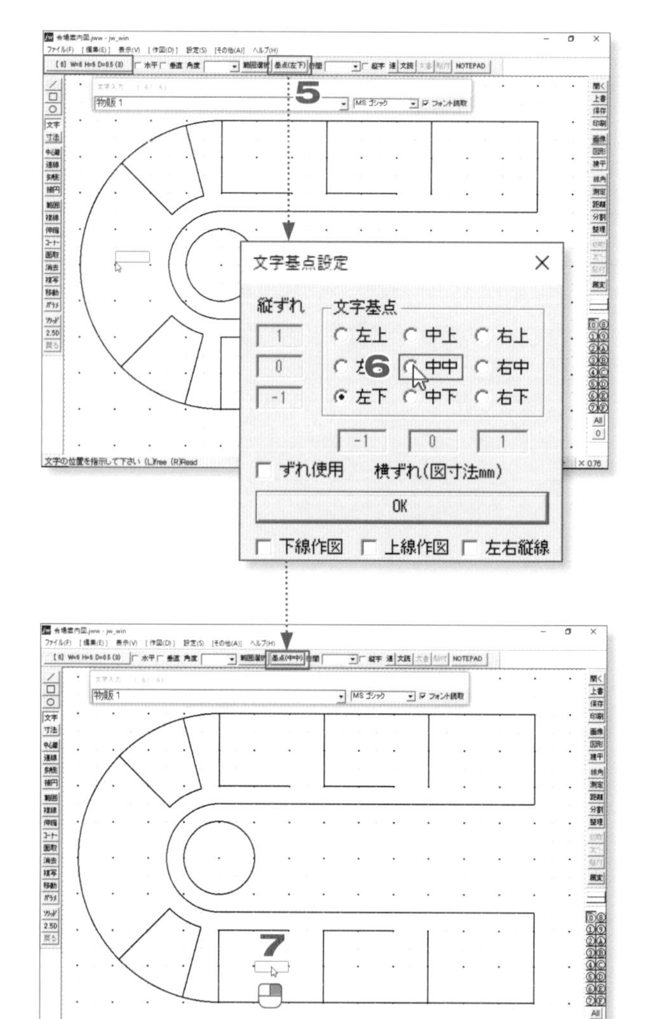

5 コントロールバー「基点(左下)」ボタンを。

6 「文字基点設定」ダイアログの「中中」を。

POINT 文字の基点として以下の9カ所を指定できます。

⇨ ダイアログが閉じ、文字の基点が「中中」(外形枠の中心)になる。

7 文字「物販1」の記入位置として右図の部屋中央の1/2目盛点を。

⇨ 位置に基点(中中)を合わせ、文字種6の文字「物販1」が記入される。

他の部屋名も記入しましょう。

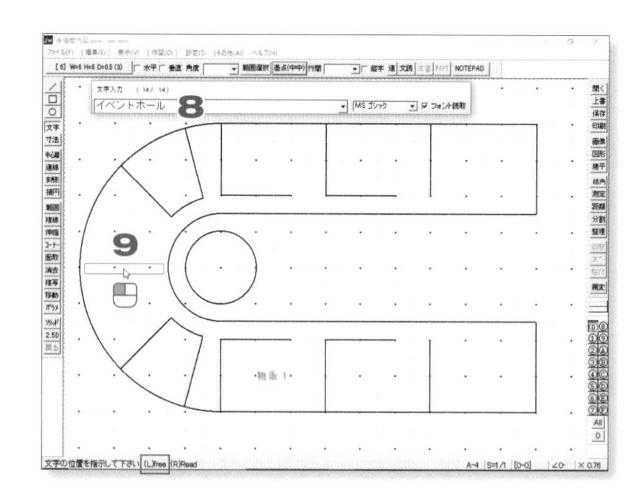

8 「文字入力」ボックスに文字「イベントホール」を入力する。

9 部屋の中央にできる目盛点がないため、文字の記入位置としておおよそ文字が部屋中央に位置するところで(free)。

LET'S TRY!
やってみよう

同様にして、他の部屋名（トイレ以外）も右図のように記入しましょう。

POINT 部屋の中央に目盛点がある「物販2」「物販3」「展示」「ゲームコーナー」「喫茶・休憩コーナー」は、部屋中央の目盛点を🖱して指示します。中央に目盛点がない「事務室」「準備室」は、文字記入位置指示時に、おおよそ文字が部屋中央に位置するところで🖱して指示します。

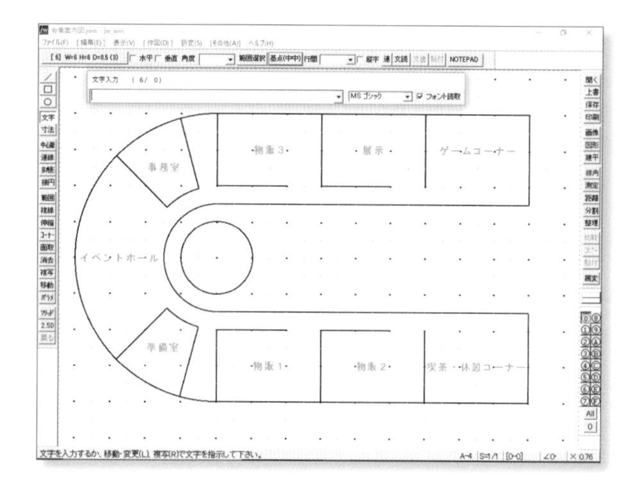

部屋名「トイレ」は縦書きで記入しましょう。縦書きの文字は、コントロールバー「縦字」と「垂直」（文字の角度90度）にチェックを付けて記入します。

10 コントロールバー「縦字」と「垂直」にチェックを付ける。

11 「文字入力」ボックスに「トイレ」を入力する。

⇨ マウスポインタに縦長な文字外形枠が表示される。

12 文字の記入位置を🖱。

⇨ 文字「トイレ」が縦書きで記入される。

13 もう一方の文字「トイレ」も、**11**～**12**と同様にして、記入する。

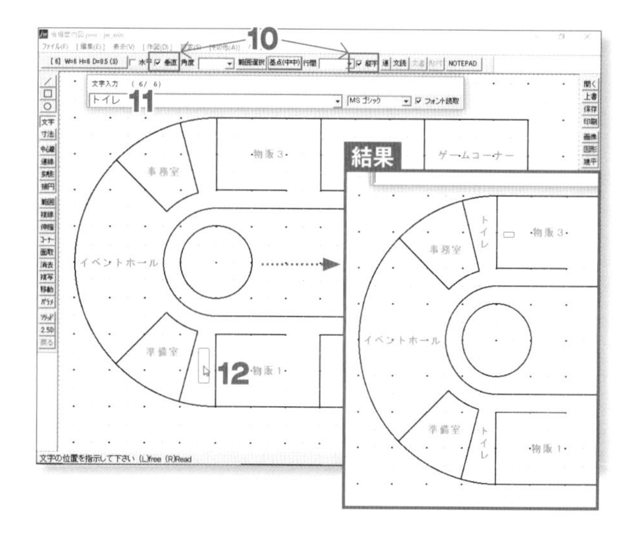

17 タイトルを記入する

タイトル「バザー会場案内図」を大きい文字（12mm角）で記入しましょう。

1 コントロールバー「書込文字種」ボタンを🖱。

2 「書込み文字種変更」ダイアログの「任意サイズ」を🖱で選択する。

3 「任意サイズ」の「幅」ボックスを🖱し、既存の数値を消して「12」を入力する。

❓ 数値が全角文字で入力される≫P.209 Q13

4 同様にして、「高さ」「間隔」ボックスにそれぞれ「12」「1」を入力する。

5 「OK」ボタンを🖱。

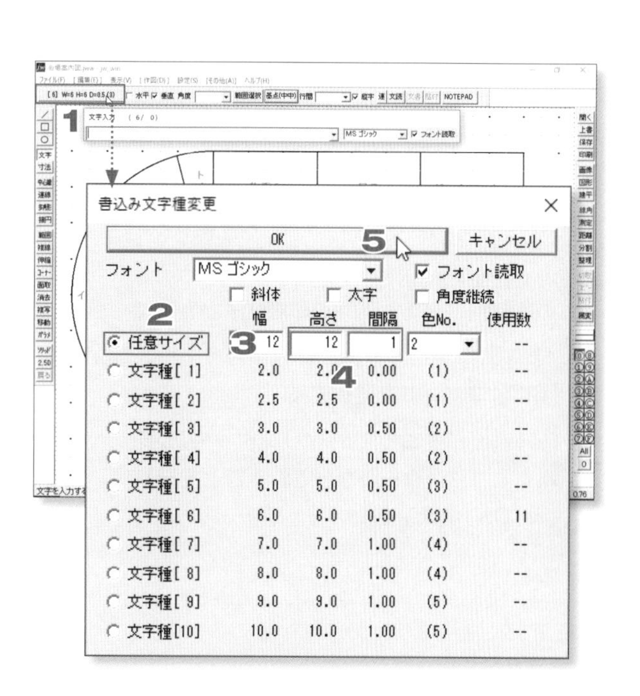

6 コントロールバー「垂直」「縦字」のチェックを外す。

7 「文字入力」ボックスに「バザー会場案内図」を入力する。

8 記入位置として右図の1/2目盛点を🖰。

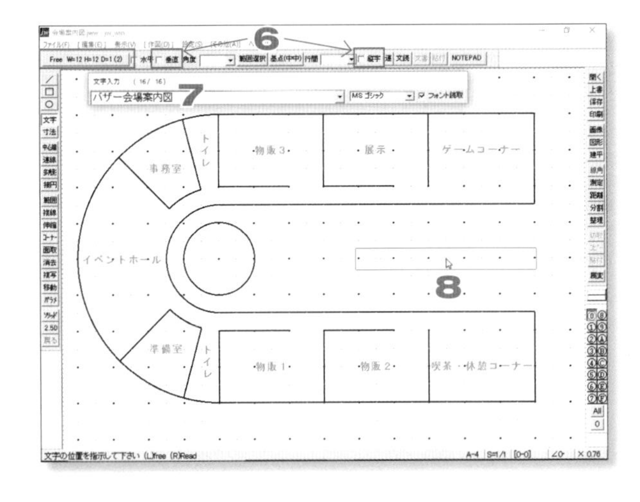

18 上書き保存する

図面を上書き保存しましょう。

1 「上書」コマンドを🖰。

⇨作図ウィンドウの図面が、図面ファイル「会場案内図.jww」に上書き保存される。

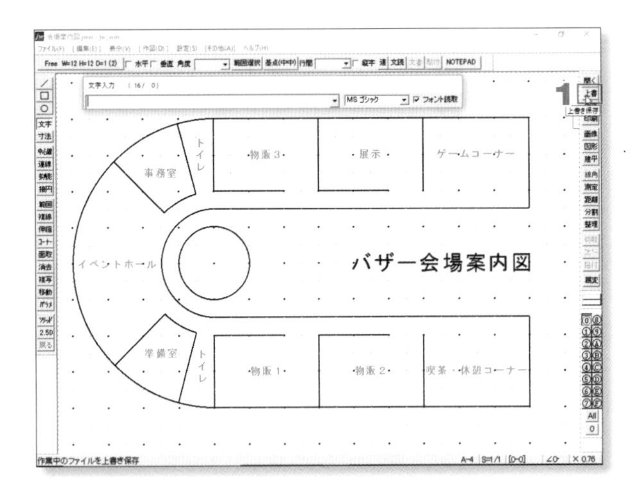

19 A4用紙に印刷する

作図した図面をA4用紙に印刷しましょう。プリンターの準備をしたうえで、以下の印刷操作を行ってください。

1 「印刷」コマンドを選択する。

2 「印刷」ダイアログで、「プリンター名」が印刷するプリンターになっていることを確認し、「OK」ボタンを🖰。

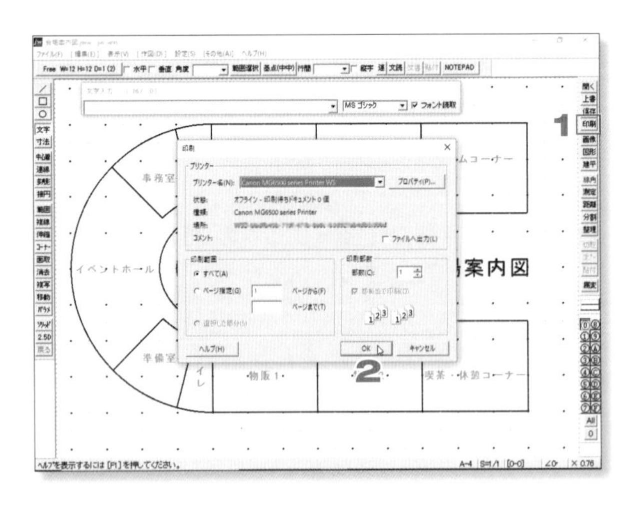

⇨ 現在設定されているプリンターの用紙サイズ、用紙の向きで、赤い印刷枠が表示される。

POINT 「印刷」コマンドでは印刷色を反映して図面が表示されるため、コントロールバー「カラー印刷」にチェックがない状態ではすべての線・円・弧・文字要素が黒で表示されます。

3 用紙サイズと印刷の向きを確認、変更するため、コントロールバー「プリンタの設定」ボタンを⊟。

4 「プリンターの設定」ダイアログで用紙サイズ「A4」、印刷の向き「横」を選択し、「OK」ボタンを⊟。

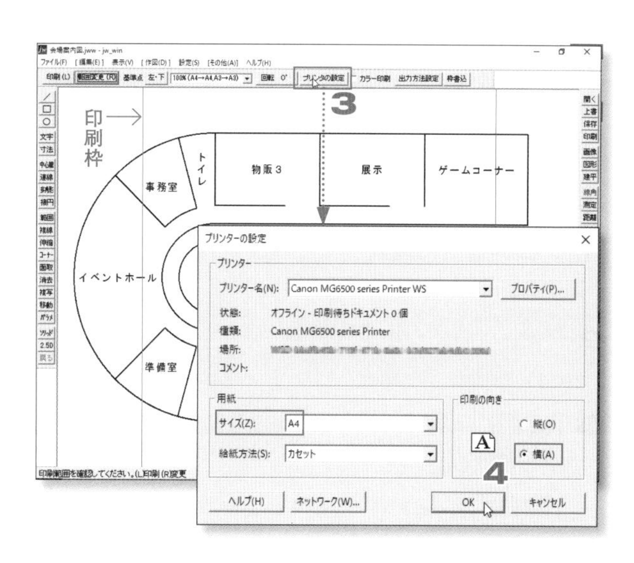

⇨ 印刷枠がA4・横になる。

POINT 印刷枠は、指定プリンターの印刷可能な範囲を示します。指定用紙サイズより小さく、プリンター機種によっても、その大きさは異なります。

5 A4・横の印刷枠に図面全体が収まることを確認し、コントロールバーの「印刷」ボタンを⊟。

? 図面が印刷枠から外れている≫P.209　Q14

⇨ 図面が印刷される。

6 「／」コマンドを選択して「印刷」コマンドを終了する。

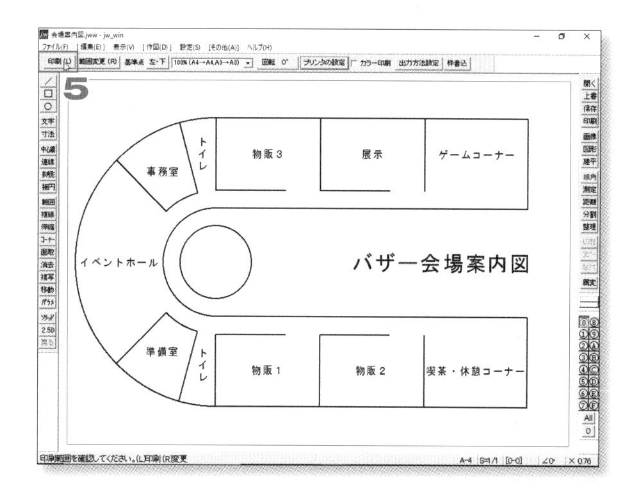

印刷結果から

印刷した図面の線はすべて同じ太さです。これはすべての線を同じ線色（黒）で作図したためです。Jw_cadには、これまで作図した線色（黒）を含め8色の標準線色があり、印刷する線の太さを線色ごとにmm単位で指定できます。8色の線色を使い分けることで、細線・中線・太線など8種類の線の太さを表現できます。

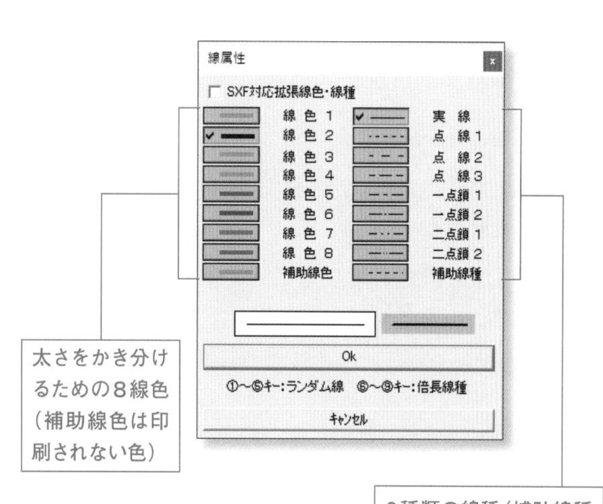

20 印刷時の線幅を設定する

線色2（黒）の線幅を1.5mmに、線色3（緑）の線幅を0.25mmに設定しましょう。

1 メニューバー［設定］－「基本設定」を選択する。

2 「jw_win」ダイアログの「色・画面」タブを🖱。

3 「線幅を1/100mm単位とする」にチェックを付ける。

POINT 「色・画面」タブの右「プリンタ出力　要素」欄で線色ごとに印刷線幅を指定します。印刷線幅をmm単位で指定するには「線幅を1/100mm単位とする」にチェックを付け、各線色の「線幅」ボックスに「印刷時の線幅×100」の数値を入力します（0.1mmで印刷するには10）。

4 「線色2」の「線幅」ボックスを🖱し、既存の数値を消して「150」を入力する。

5 「線色3」の「線幅」ボックスを「25」にする。

6 「OK」ボタンを🖱。

⇨印刷線幅が確定し、ダイアログが閉じる。

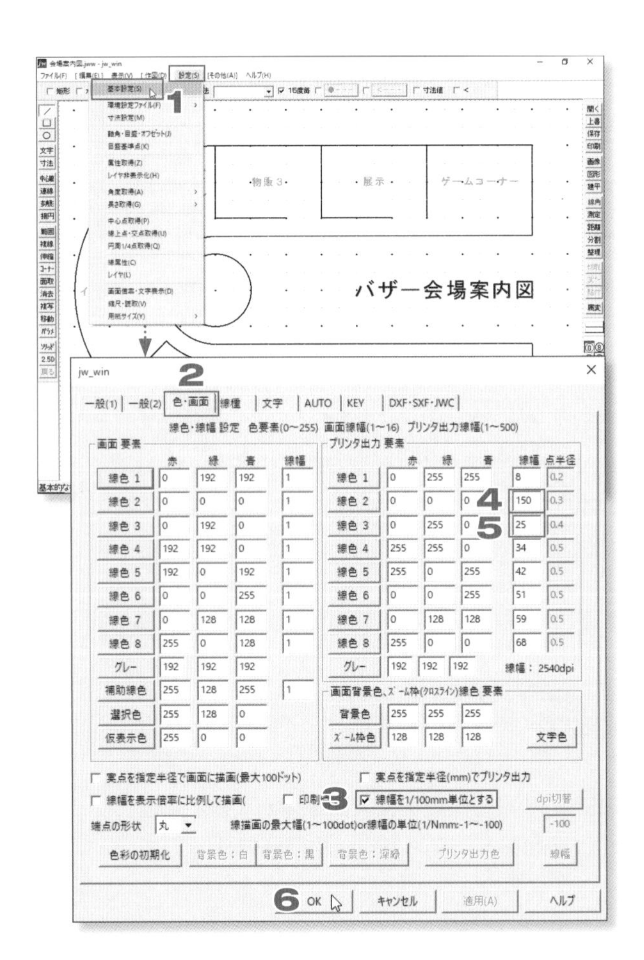

21 円の線色を変更する

細く印刷したい円の線色を印刷線幅0.25mmの線色3に変更しましょう。はじめに、書込線の線色を線色3にします。

POINT 書込線は、これから作図する線の線色と線種を指します。

1 「線属性」バーを🖱。

2 「線属性」ダイアログで「線色3」ボタンを🖱で選択する。

3 「実線」が選択されていることを確認し、「Ok」ボタンを🖱。

⇨書込線色が線色3になり、線属性バーの表示も線色3（緑）になる。

POINT 右図の「0：基本幅（25）」の表示は、**2**で選択した「線色3」の印刷線幅0.25mm（前項で設定）を示します。

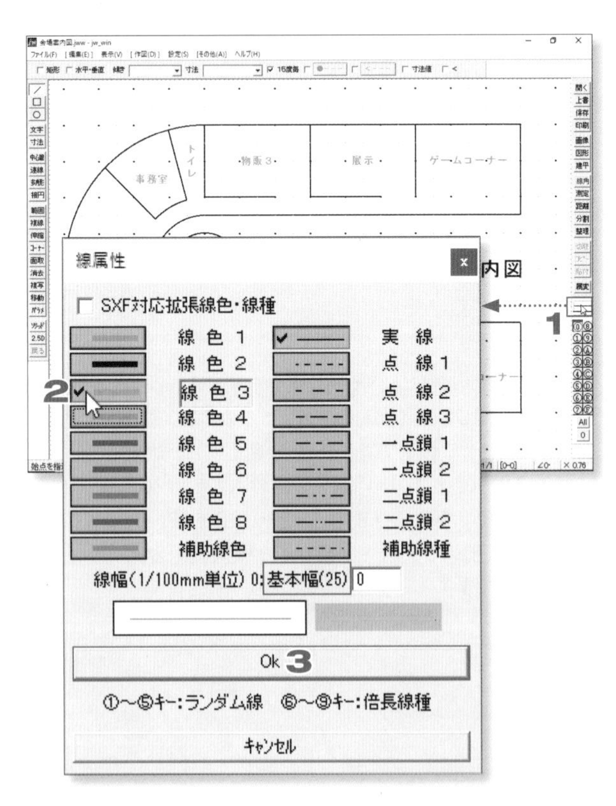

「属変」コマンドで変更対象の線・円・弧を🖱することで、その線色・線種を書込線色・線種に変更します。

4 「属変」コマンドを選択する。

❓「属変」コマンドがツールバーにない
≫P.208　Q10

5 コントロールバー「線種・文字種変更」にチェックが付いていることを確認し、変更対象の円を🖱。

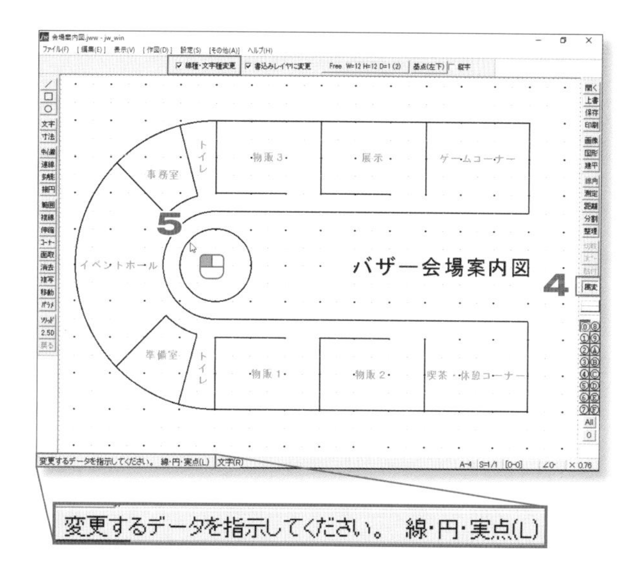

⇨ 🖱した円が線色3（緑）に変わる。

「上書」コマンドで図面を上書き保存しましょう。P.44で行った印刷線幅の設定情報もともに上書き保存されます。

6 「上書」コマンドを🖱。

⇨ 作図ウィンドウの図面が図面ファイル「会場案内図.jww」に上書き保存される。

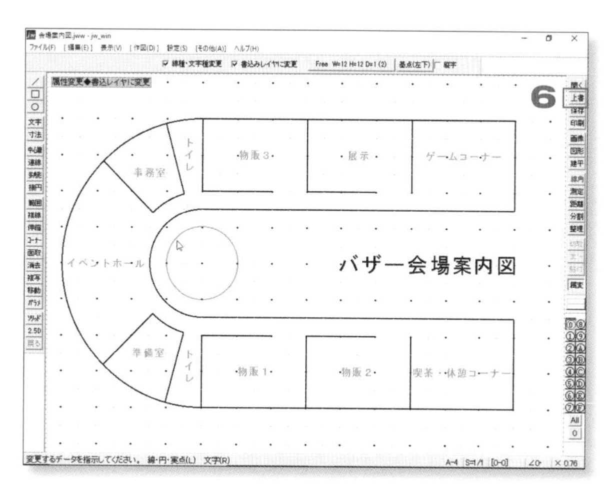

LET'S TRY!
やってみよう

P.42と同様の手順で、A4用紙に印刷し、線色2と線色3の線がそれぞれ指定した太さで印刷されることを確認しましょう。

POINT 「印刷」コマンドでは、図面は実際に印刷される色で表示されます。コントロールバー「カラー印刷」にチェックが付いていない場合は、すべて黒で印刷されるため、右図のように線色3に変更した円や、線色3の色（緑）で表示されていた文字も黒で表示されます。

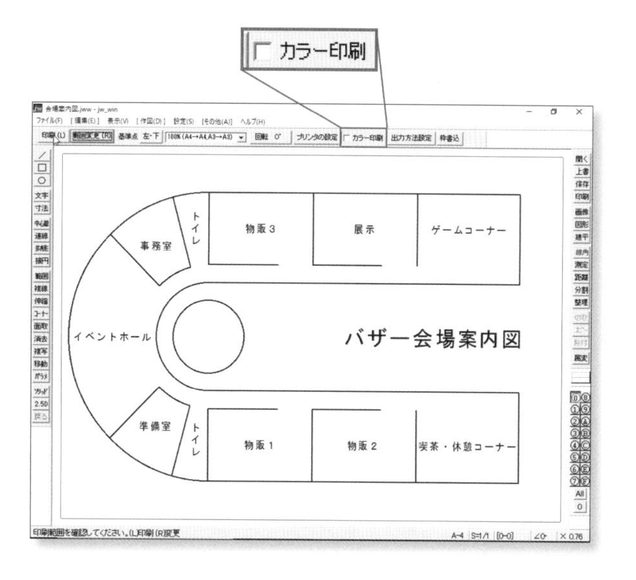

STEPUP

画面の拡大・縮小（ズーム操作）

図の一部を拡大表示したり、用紙全体を表示したりといったズーム操作は、両ドラッグ（マウスの左右両方のボタンを押したまま移動する）で行います。円周辺を拡大表示しましょう。

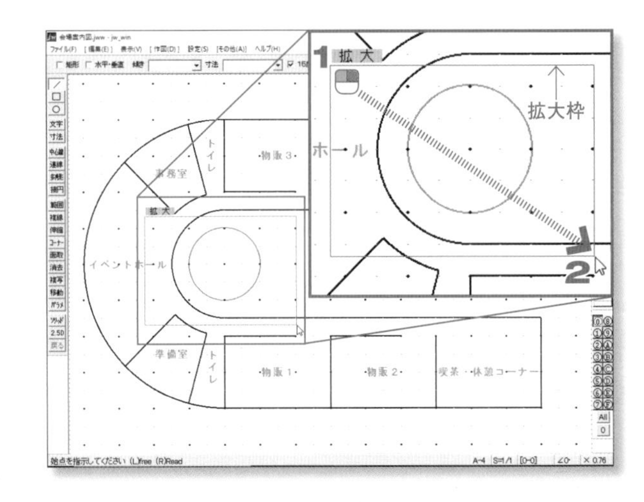

1 拡大する範囲の左上にマウスポインタをおき、↘（マウスの左右両方のボタンを押したまま右下方向へ移動）。

⇨ 拡大 と**1**の位置を対角とする拡大枠がマウスポインタまで表示される。

2 右図のように拡大する範囲を囲み、マウスボタンをはなす。

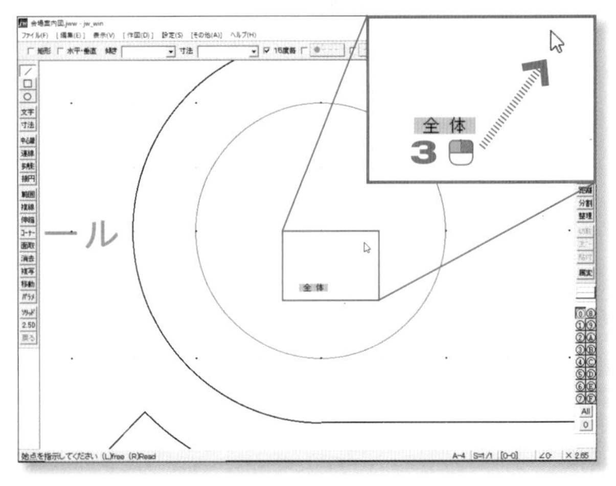

⇨ 拡大枠で囲んだ範囲が作図ウィンドウに拡大表示される。

? 拡大枠が表示されず図が移動する、または図が消える≫P.209　Q15

用紙全体の表示にしましょう。

3 作図ウィンドウにマウスポインタをおき、↗ 全 体 （マウスの左右両方のボタンを押したまま右上方向にマウスを移動し、 全 体 が表示されたらボタンをはなす）。

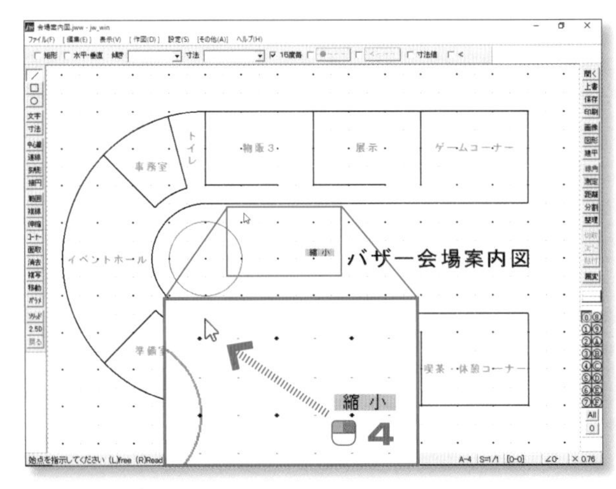

⇨ 作図ウィンドウに用紙全体が表示される。

用紙の外も見えるように縮小表示しましょう。

4 作図ウィンドウにマウスポインタをおき、↖ 縮 小 （マウスの左右両方のボタンを押したまま左上方向にマウスを移動し、 縮 小 が表示されたらボタンをはなす）。

⇨ **4**の位置を中心に、右図のように縮小表示される。

1つ前の表示範囲にしましょう。

5 作図ウィンドウにマウスポインタをおき、↙ 前倍率（マウスの左右両方のボタンを押したまま左下方向にマウスを移動し、前倍率が表示されたらボタンをはなす）。

⇨ 1つ前の用紙全体表示になる。

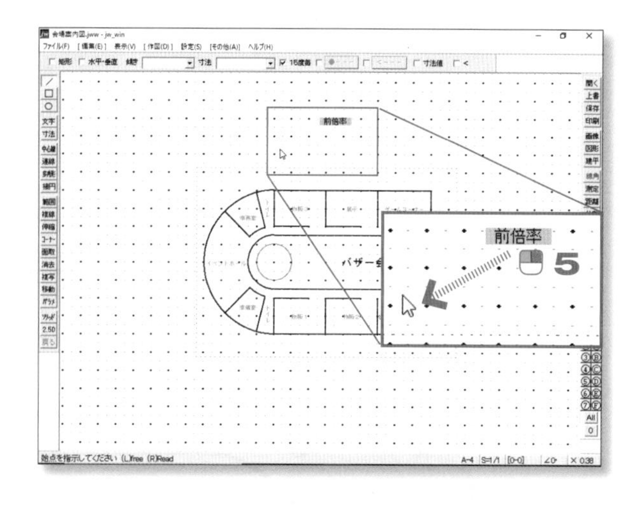

POINT 両ボタンドラッグによるズーム操作は、選択コマンドの操作途中いつでも行えます。初期設定では、両ボタンドラッグの4方向に右図に示すズーム機能が割り当てられています。

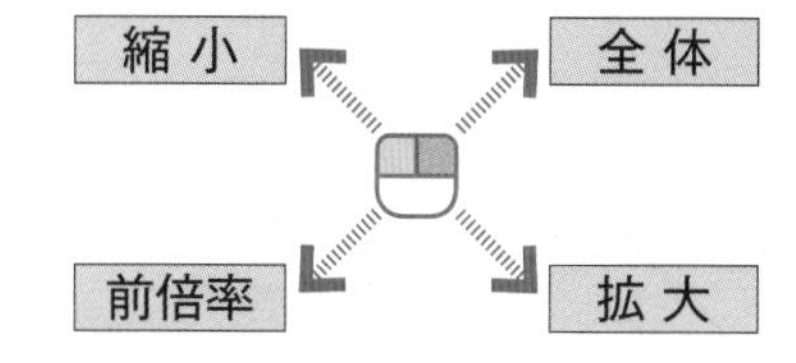

Hint キーボードやマウスホイールによるズーム操作

メニューバー［設定］－「基本設定」を選択し、「jw_win」ダイアログの「一般（2）」タブで右図の指定を行うことで、キーボードからのズーム操作やマウスホイールでの拡大・縮小操作などが行えます。

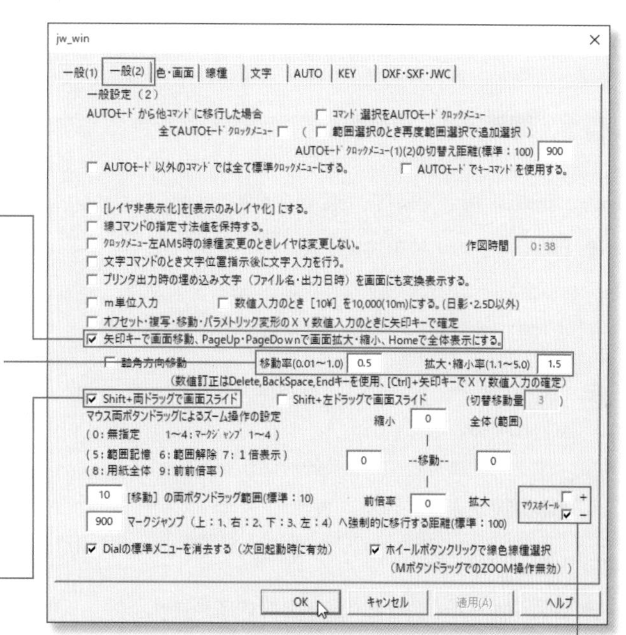

↑↓←→キーによる画面のスクロール

PgUp（PageUp）キーによる拡大

PgDn（PageDown）キーによる縮小

Home キーによる全体表示

矢印キーによる上下左右の移動距離（初期値の「0.5」では画面の1/2 の距離をスクロールする）

拡大率と縮小率（初期値の「1.5」では PgUp キーを押すごとに1.5倍に拡大、PgDn キーを押すごとに1/1.5（0.66…）倍に縮小される）

Shift キーを押したまま両ドラッグすることでドラッグ方向に表示画面をスライドする

マウスのホイールボタンによる拡大・縮小設定。「＋」にチェックを付けると、マウスのホイールボタンを前方に回せば縮小表示、後方に回せば拡大表示するようになる。「－」にチェックを付けると、その逆になる

Case Study 2
塗りつぶしと図形・レイヤをマスターしよう

会場案内図に色を塗ろう

Case Study 1で作図した会場案内図に以下のように色を塗り、図形データとして用意されたピクトグラムを配置しましょう。また、CAD特有の機能である「レイヤ」についても学習します。

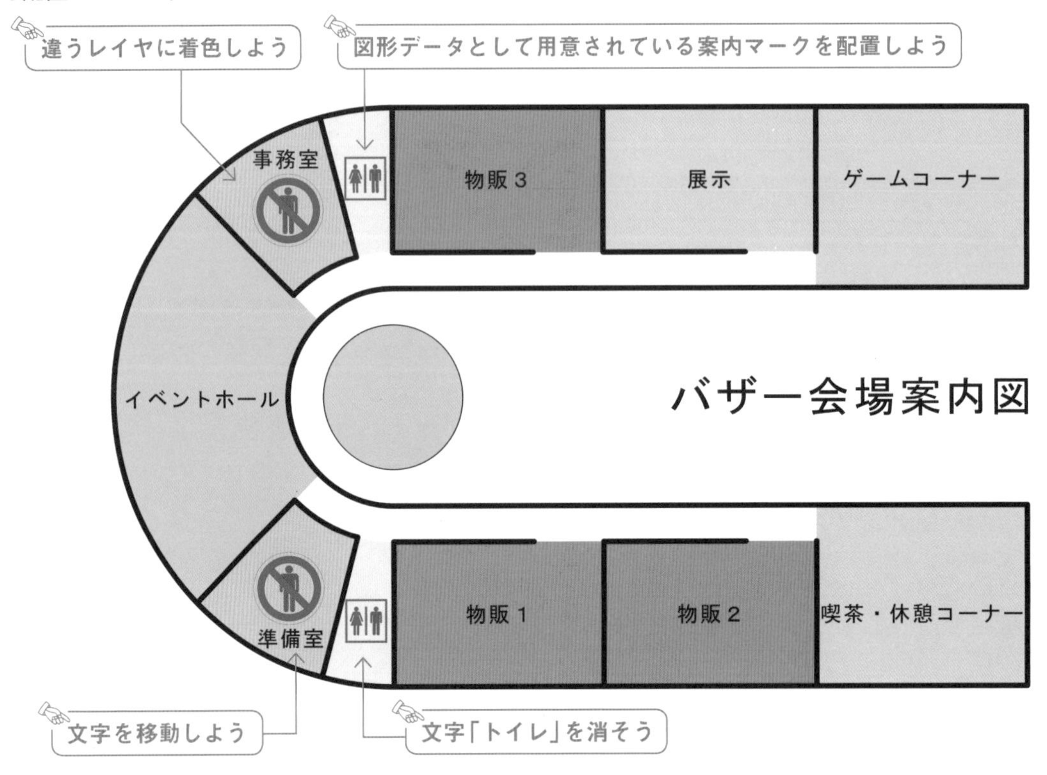

01 図面ファイルを開く

Case Study 1で保存した図面を開きましょう。

1 「開く」コマンドを選択する。

⇨「ファイル選択」ダイアログが開く。前回指定(≫P.33)した「jww8_imasugu」フォルダーが開き、右側にはその中の図面ファイルが一覧表示される。

2 「文字サイズ」ボックスの▲ボタンを🖱し、「1」にする。

⇨図面ファイル名の文字が1段階大きくなる。

POINT 図面ファイル名の表示サイズは、「文字サイズ」ボックスの数値(−3〜3)により調整できます。

3 図面ファイル「会場案内図」の枠内で🖱🖱。

? 図面ファイル「会場案内図」がない≫P.210 Q16

⇨図面ファイル「会場案内図.jww」が開き、作図ウィンドウに表示される。

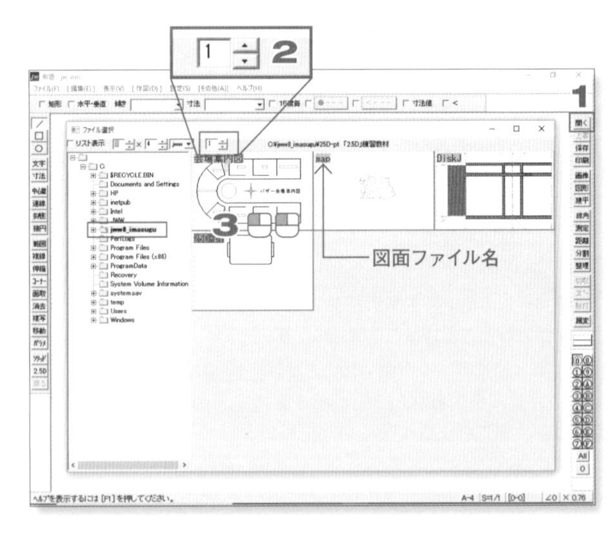

POINT この後、図の各部屋を着色しますが、着色後も、着色した図と着色なしの図の両方を印刷できるように、これまで作図した図に別の透明なシートを重ね合わせ、そこに着色します。その透明なシートにあたるものが「レイヤ」です。着色後も、着色したレイヤを非表示にすることで、着色なしの図を表示・印刷できます。
Jw_cadでは、画面右下のレイヤバーに「0」「1」…「E」「F」の16枚のレイヤがあらかじめ用意されています。線・円・弧・文字などの要素は、すべて作図時の書込レイヤ（番号が凹表示）に作図されます。これまで作図した要素は、「0」レイヤに作図されています。

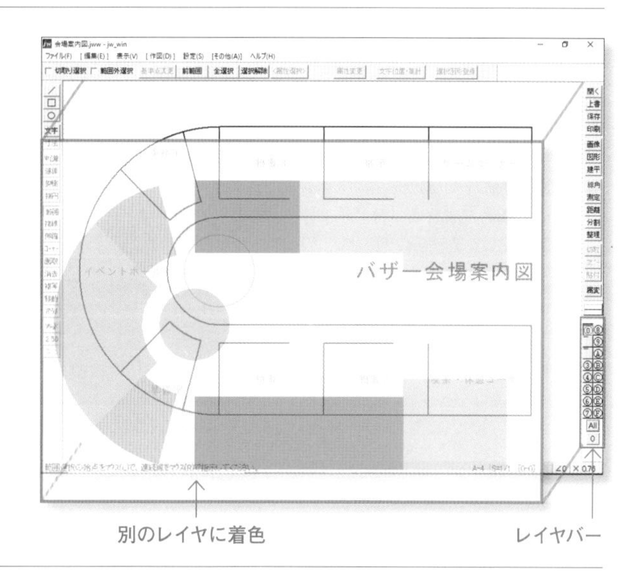

02 書込レイヤを指定する

画面右下のレイヤバーで凹表示されている番号が現在の書込レイヤです。着色用のレイヤとして「1」レイヤを書込レイヤにしましょう。

1 レイヤバーの「1」レイヤボタンを⊟。

⇨「1」レイヤが書込レイヤ（凹表示）になる。

POINT 書込レイヤを指定（変更）するには、レイヤバーのレイヤ番号ボタンを⊟します。レイヤバーでの操作は「戻る」コマンドでは取り消せません。誤って⊟したり、他の番号を⊟した場合は、「戻る」コマンドを選択せずに、再度書込レイヤにするレイヤ番号ボタンを⊟してください。

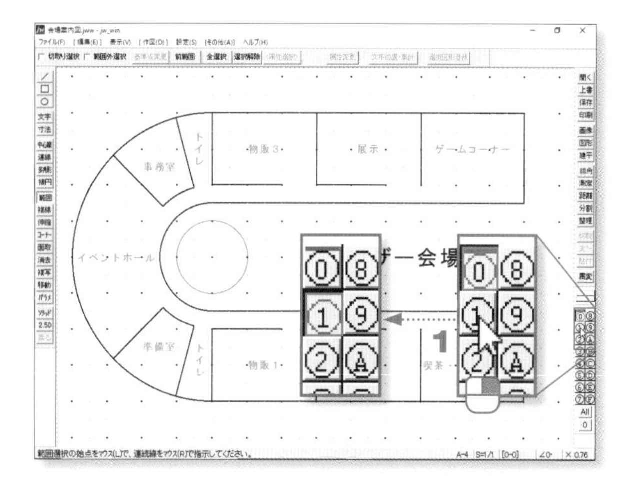

03 円を塗りつぶす

円内部を緑色で塗りつぶしましょう。

1 「ソリッド」コマンドを選択する。

?「ソリッド」コマンドがない≫P.208　Q10

2 コントロールバー「任意色」にチェックを付け、「任意■」ボタンを⊟。

3 「色の設定」パレットで、塗りつぶし色として緑色を⊟で指定する。

4 「OK」ボタンを⊟。

⇨ コントロールバー「任意■」（現在のソリッド色）が**3**で指定した色になる。

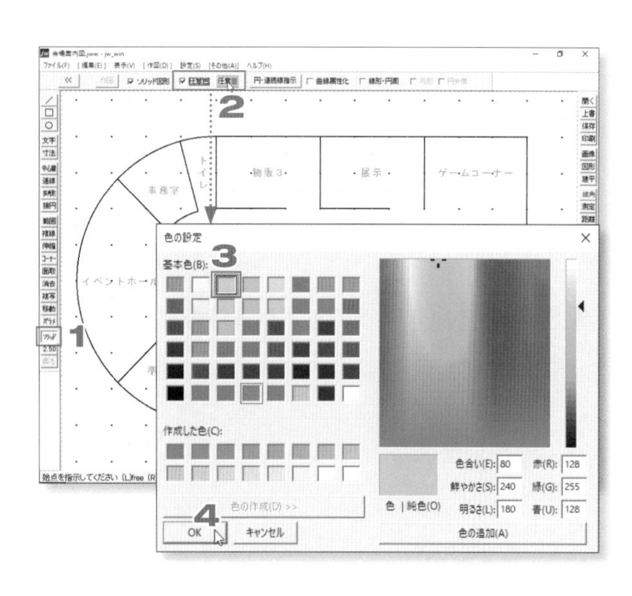

5 コントロールバー「曲線属性化」にチェックを付ける。

6 コントロールバー「円・連続線指示」ボタンを🖱。

POINT 「円・連続線指示」ボタンで、塗りつぶす範囲の指示方法を切り替えます。「円・連続線指示」は円や閉じた連続線に囲まれた内部を塗りつぶします。

⇨ステータスバーのメッセージが「ソリッド図形にする円・連続線を指示してください」になる。

7 右図の円周部を🖱。

⇨円内が現在のソリッド色（**3**で指定した色）で塗りつぶされる。

POINT Jw_cadでは、塗りつぶした部分（着色部）を「ソリッド」と呼びます。

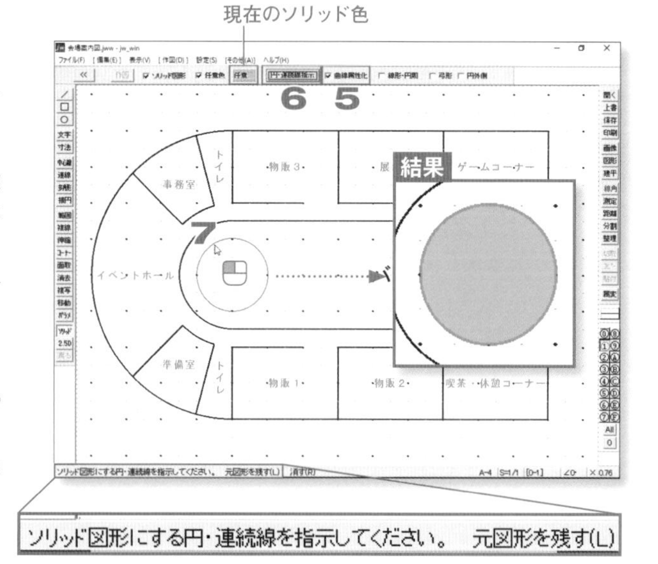

04 外周点を指示して塗りつぶす

塗りつぶす範囲が線で囲まれていない場合は、その外周点を指示することで塗りつぶします。「物販3」のスペースを塗りつぶしましょう。

1 🖱↘ 拡大 （≫P.46）で、右図のように拡大表示する。

2 「ソリッド」コマンドのコントロールバー「円・連続線指示」ボタンを🖱。

⇨ステータスバーのメッセージが「始点を指示してください（L）free　（R）Read」になる。

3 塗りつぶし範囲の始点として左上角を🖱。

4 中間点として左下角を🖱。

5 終点として右下角を🖱。

6 終点として右上角を🖱。

7 コントロールバー「作図」ボタンを🖱。

⇨**3**－**4**－**5**－**6**を結んだ内部が塗りつぶされる。

❓ソリッド（着色部）に重なる文字が表示されない ≫P.210　Q17

8 🖱↗ 全体 （≫P.46）で、用紙全体表示にする。

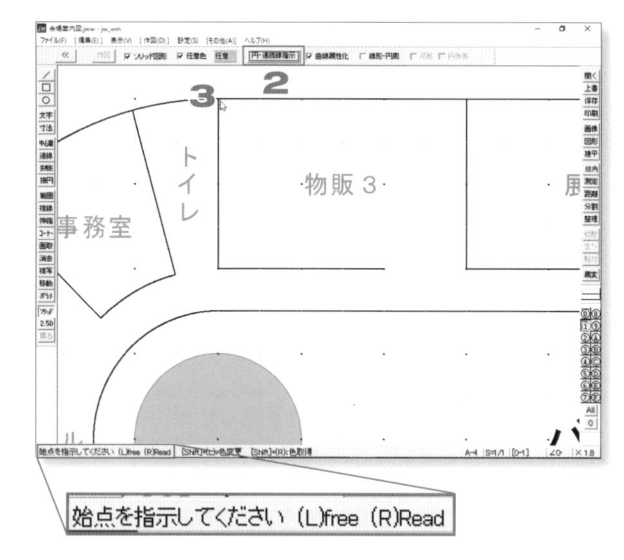

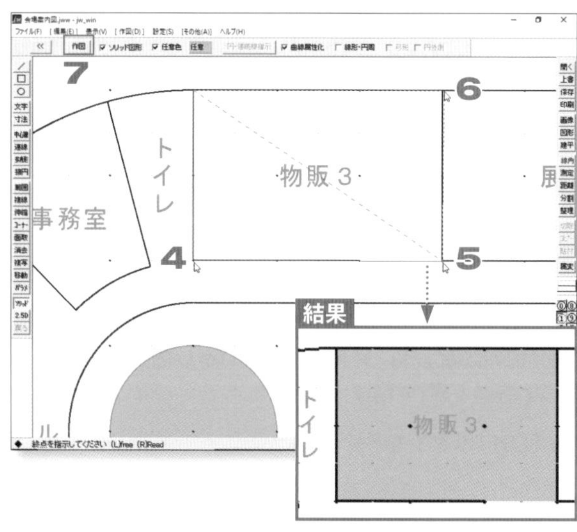

05 長方形を塗りつぶす

塗りつぶす範囲が長方形の場合は、「□」コマンドで対角を指示することで塗りつぶせます。「ゲームコーナー」のスペースを水色で塗りつぶしましょう。

1 「□」コマンドを選択し、コントロールバー「ソリッド」にチェックを付ける。

POINT このチェックを付けることで長方形のソリッドを作図します。コントロールバーの「任意色」のチェックと「任意■」の色は「ソリッド」コマンドの設定と連動しています。

2 コントロールバー「任意■」ボタンを🖰。

3 「色の設定」パレットで水色を指定し、「OK」ボタンを🖰。

⇨ コントロールバーの現在のソリッド色が**3**で指定した色になる。

4 コントロールバー「寸法」ボックスが空白であることを確認し、塗りつぶす範囲の左上の角を🖰。

? 「寸法」ボックスに数値が入力されている
≫P.207 Q08

5 終点として右下角を🖰。

⇨ **4**－**5**を対角とする長方形の範囲が現在のソリッド色で塗りつぶされる。

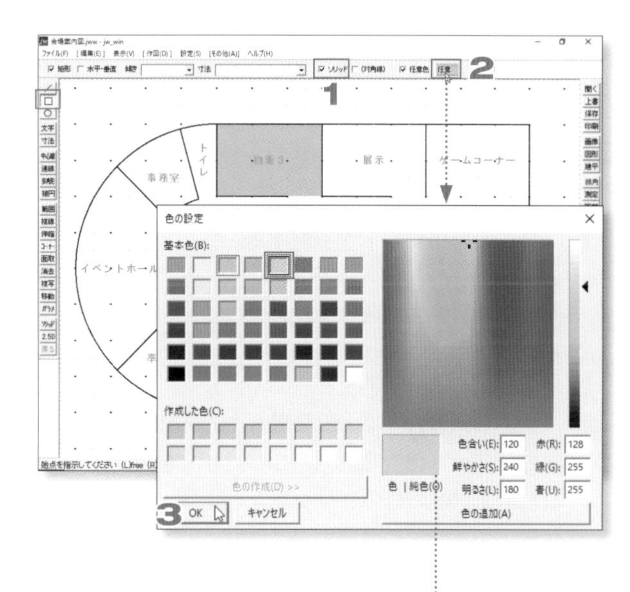

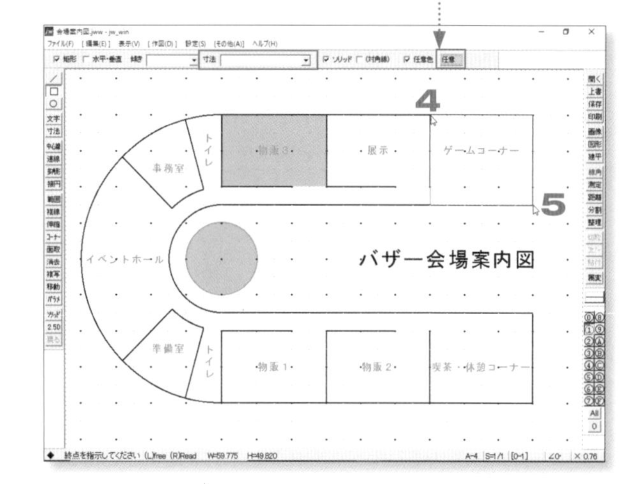

LET'S TRY!

やってみよう

同様にして、他の長方形のスペースを右図の色分けで塗りつぶしましょう。

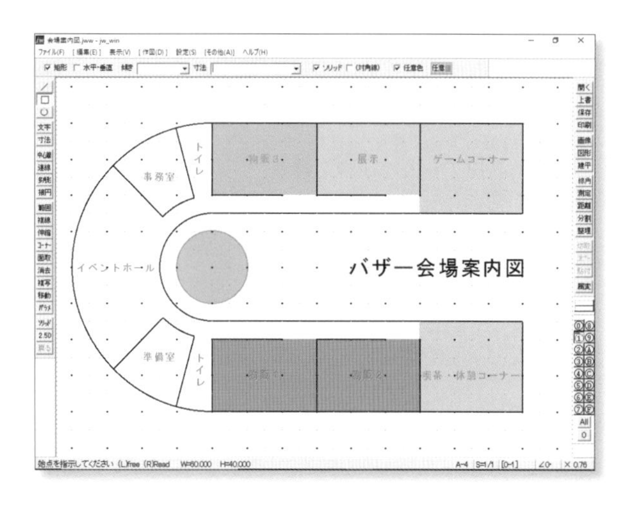

06 ソリッド(着色部)の色を変更する

「物販3」のソリッドの色を、「物販1」と同じ色に変更しましょう。

1 「ソリッド」コマンドを選択する。

> **POINT** 操作メッセージの「[Shift]+(L):色変更」は、Shiftキーを押したまま既存のソリッドを🖱することで、その色を現在のソリッド色に変更することを意味します。

2 コントロールバーの「任意■」ボタンで現在のソリッド色を確認し、Shiftキーを押したまま「物販3」のソリッドを🖱。

⇨ **2**のソリッドが、現在のソリッド色に変更される。

現在のソリッド色は「□」コマンドで最後に塗りつぶしたソリッドの色

2 Shift キー + 🖱

バザー会場案内図

始点を指示してください (L)free (R)Read [Shift]+(L):色変更

07 円弧部分を塗りつぶす

中央の円内のソリッド(着色部)と同じ緑色で、イベントホールの範囲を塗りつぶしましょう。はじめに現在のソリッド色を円内のソリッドと同じ色にしましょう。

1 「ソリッド」コマンドでステータスバーの操作メッセージ末尾に「[Shift] +(R):色取得」と表記されていることを確認し、円内のソリッド(着色部)を、Shiftキーを押したまま🖱。

❓ ステータスバーのメッセージが図と違う ≫P.210 Q18

> **POINT** 操作メッセージの「[Shift]+(R):色取得」は、Shiftキーを押したまま🖱したソリッドの色を現在のソリッド色にすることを意味します。

⇨ コントロールバー「任意■」の色(現在のソリッド色)が取得した**1**のソリッドの色になる。

2 コントロールバー「円・連続線指示」ボタンを🖱。

⇨ ステータスバーのメッセージが「ソリッド図形にする円・連続線を指示してください」になる。

3 右図の円弧を🖱。

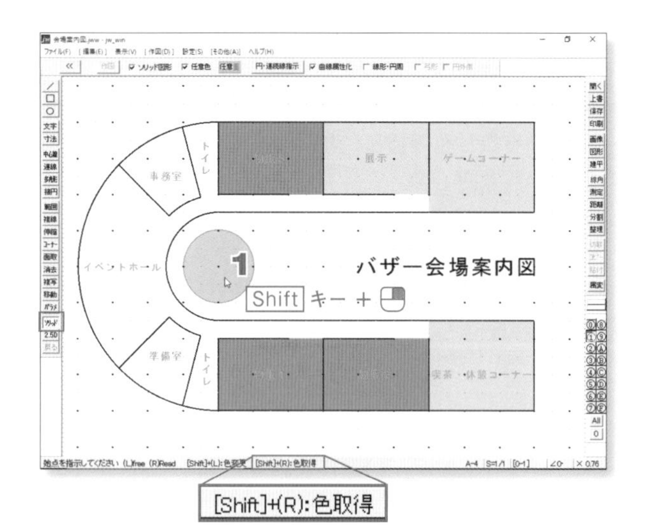

1のソリッドの色

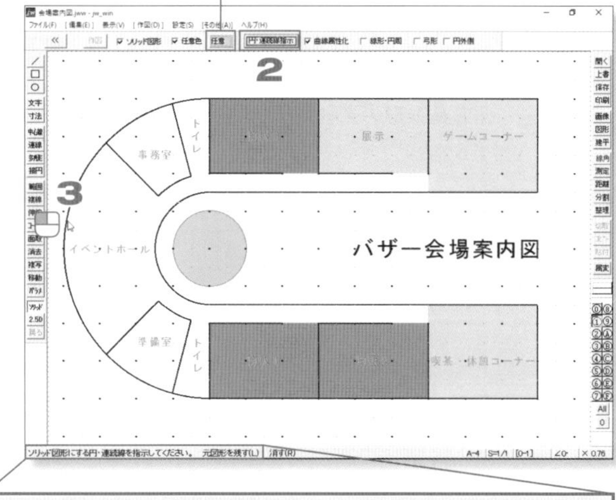

⇨ 右図のように半円の範囲が塗りつぶされる。

POINT 円弧を⊟すると、その円弧と円弧両端点から円中心を結んだ線に囲まれた範囲が塗りつぶされます。イベントホール、事務室、トイレなどの部屋別に塗りつぶすには、イベントホールと事務室、トイレなどの部屋ごとに円弧を分割します。また、内側の部屋でないスペースを塗りつぶさないよう、円弧をドーナツ状に塗りつぶす指定をします。

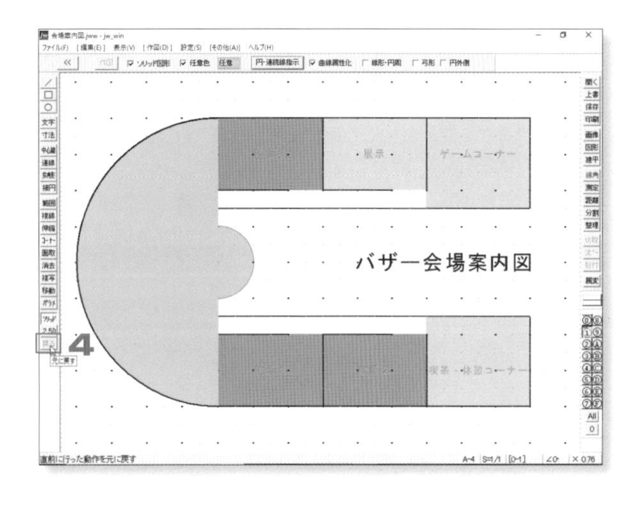

塗りつぶしを取り消しましょう。

4 「戻る」コマンドを⊟。

⇨ 1つ前の塗りつぶし操作が取り消され、塗りつぶし前に戻る。

08 円弧を分割する

1つの円弧を部屋ごとに分割するため、その境で切断しましょう。

1 「消去」コマンドを選択する。

2 コントロールバー「節間消し」のチェックを外す。

3 部分消しの対象として右図の円弧を⊟。

⇨ 円弧が部分消しの対象として選択色になる。

切断点（線と円弧の交点）の近くに目盛点がある

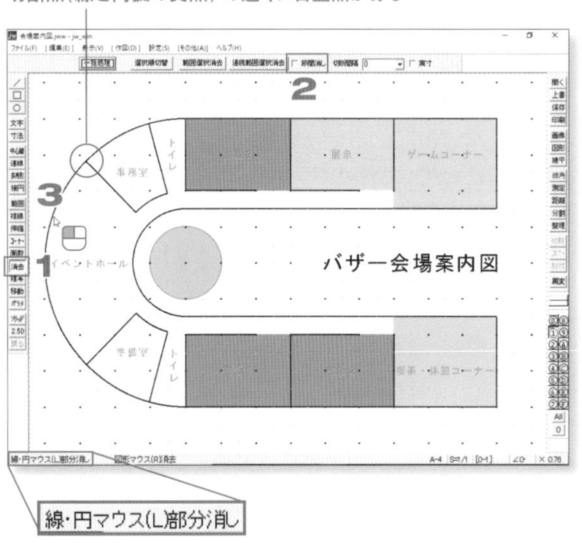

POINT 部分消しの始点・終点として同じ点を指示することで、線・円・弧をその点で切断し、2つに分割します。この図では始点・終点として⊟する交点の近くに目盛点があります。目盛点は、端点や交点よりも優先的に読み取りされる性質があります。

部分消しの始点・終点として線の交点を間違いなく指示するために目盛を非表示にしましょう。

4 ステータスバー「軸角」ボタンを⊟。

5 「軸角・目盛・オフセット　設定」ダイアログの「OFF」を⊟。

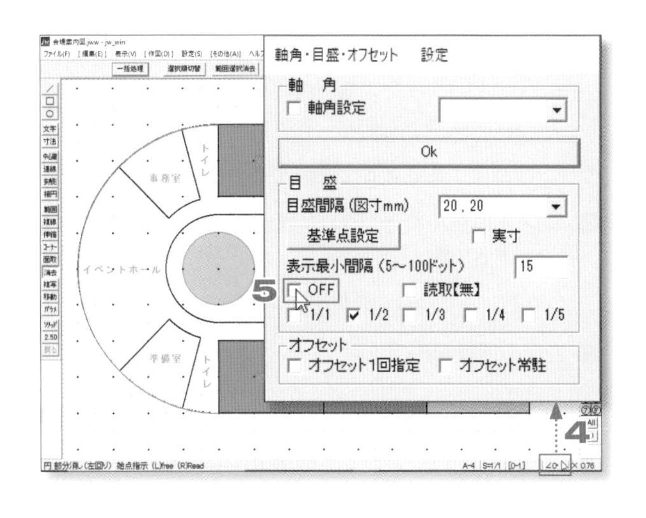

⇨ 目盛が非表示（OFF）となり、作図ウィンドウから目盛が消える。

POINT 再度、「軸角・目盛・オフセット　設定」ダイアログを開き、「1/2」を🖱することで、同じ間隔の目盛を表示できます。

6 部分消しの始点として右図の交点を🖱。

7 部分消しの終点として**6**と同じ交点を🖱。

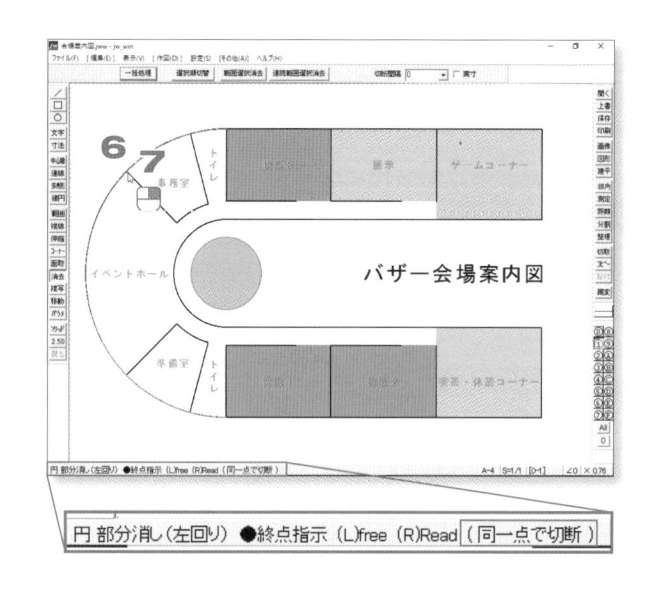

⇨ 作図ウィンドウ左上に 切断 と表示され、**3**の円弧が**6**の点を境に2つに分割される。

POINT 部分消しの始点・終点として同じ点を指示することで、対象とした線や円・弧をその点で切断し、2つに分割します。

8 同様にして、右図の3カ所を切断し、5つの円弧に分割する。

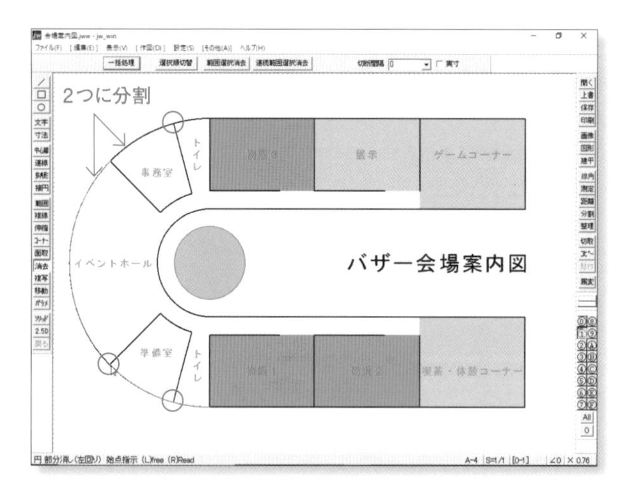

09 ドーナツ状に中を抜いて塗りつぶす

「円環ソリッド」モードで内側の円の半径を指定し、ドーナツ状に中を抜いて塗りつぶします。

1 「ソリッド」コマンドを選択する。

2 コントロールバー「円・連続線指示」ボタンを🖱（円環ソリッド）。

⇨ 作図ウィンドウ左上に 円環ソリッド と表示される。

3 右図の円弧を🖱。

⇨ **3**でクリックした円の半径寸法を色反転表示した「数値入力」ウィンドウが開く。

4 「数値入力」ボックスに内側の円の半径「30」を入力し、「OK」ボタンを🖱。

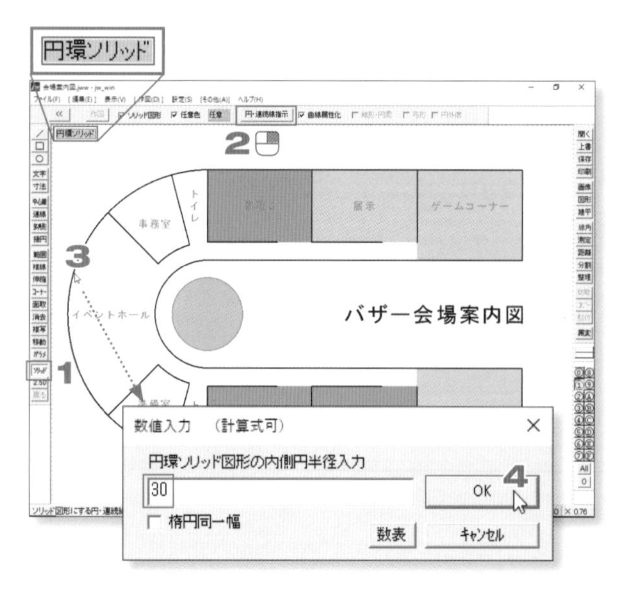

⇨ 半径30mmの円弧内を抜いて右図のようにドーナツ状に塗りつぶされる。

ソリッドに重なる文字や線が見えなくなった場合には、全体表示をしましょう。

5 ↗ 全体 で、用紙全体を再表示する。

POINT 全体表示をすることで、作図ウィンドウの要素が正しい順序で再描画されます。

?ソリッドに重なる文字や線が表示されない
≫P.210 Q17

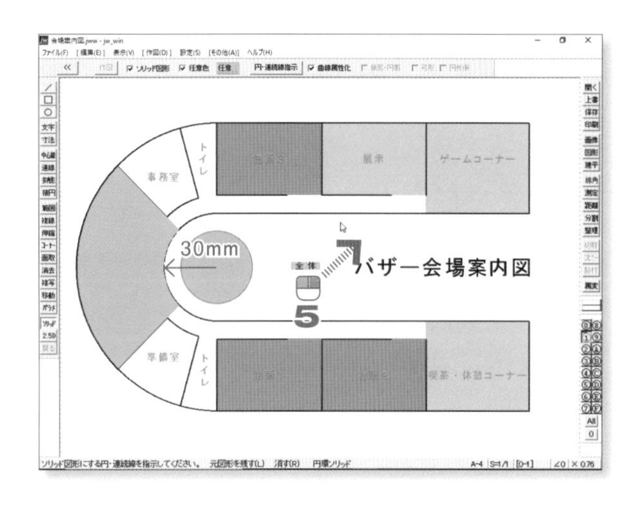

トイレを黄色で塗りつぶしましょう。

6 コントロールバー「任意■」ボタンをし、「色の設定」パレットで黄色を指定する。

7 トイレ外周の円弧を。

8 「数値入力」ボックスに中抜きする内側の円の半径として「40」を入力し、「OK」ボタンを。

⇨ 次図のようにドーナツ状に塗りつぶされる。

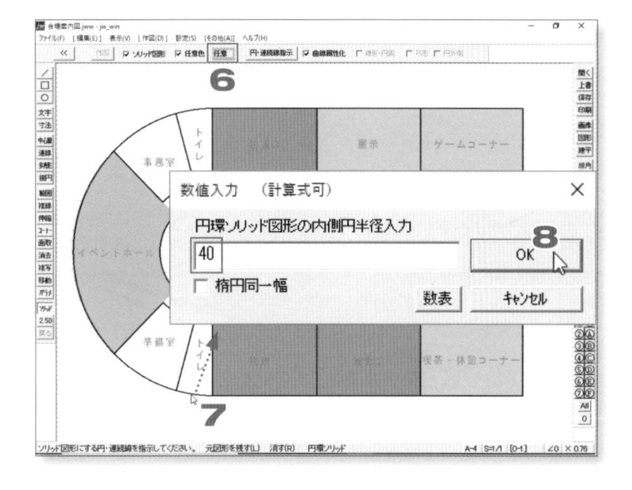

LET'S TRY!
やってみよう

6～**8**と同様にして、もう1カ所のトイレ、事務室、準備室を右図のように塗りつぶしましょう。

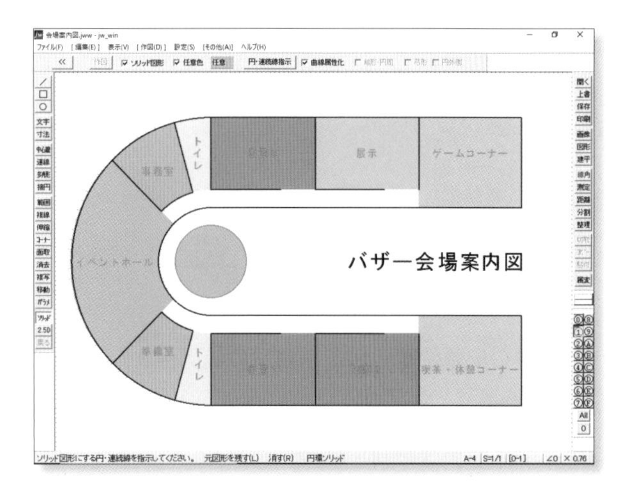

10 図形データを配置する

立入禁止やトイレのマークは、あらかじめ用意されている図形データを配置します。

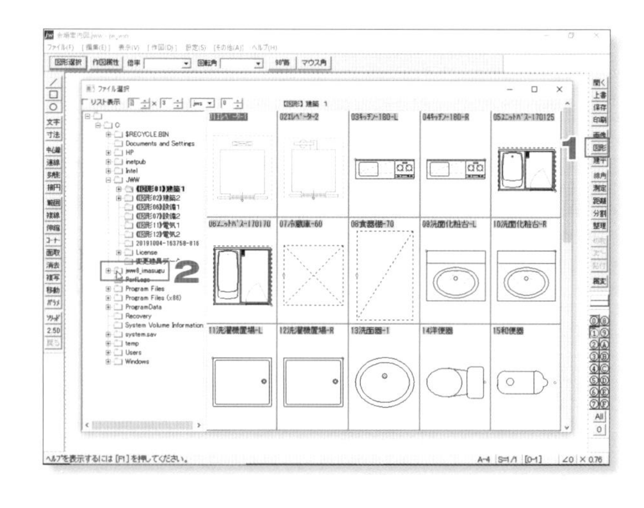

1 「図形」コマンドを選択する。

?「図形」コマンドがない≫P.208 Q10

2 「ファイル選択」ダイアログのフォルダーツリーの「jww8_imasugu」フォルダーを⊟⊟。

?「jww8_imasugu」フォルダーがない ≫P.208 Q11

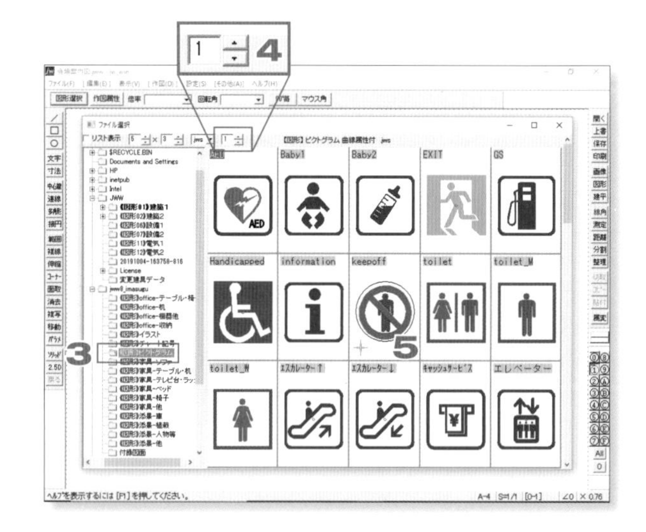

3 「jww8_imasugu」フォルダー下に表示された「《図形》ピクトグラム」フォルダーを⊟。

⇨「《図形》ピクトグラム」フォルダーが開き、右側にフォルダー内の図形が一覧表示される。

POINT 図形一覧には、図形名と図形の姿図が表示されます。姿図上に表示される赤い○は図形の基準点を示します。

4 「文字サイズ」ボックスの▲ボタンを⊟し、「1」にする。

POINT 図形名の表示サイズは、「文字サイズ」ボックスの数値（－3～3）により調整できます。

5 図形「keepoff」の枠内にマウスポインタをおき⊟⊟。

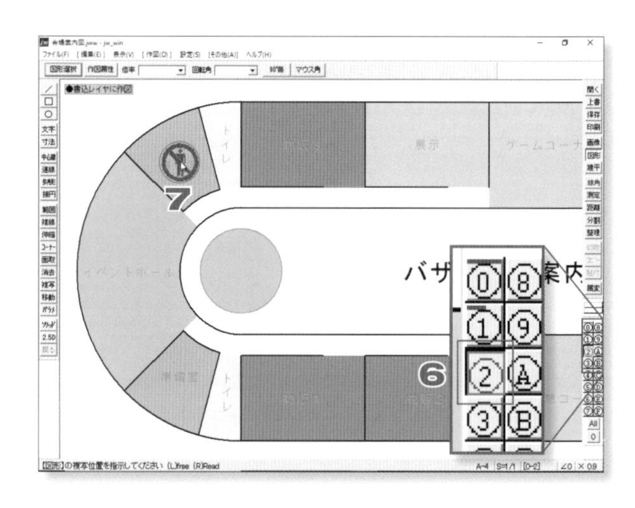

⇨マウスポインタに基準点を合わせ、5で⊟⊟した図形「keepoff」が仮表示される。

ソリッド（着色部）とは別のレイヤに配置するため、書込レイヤを「2」にしましょう。

6 レイヤバーの「2」レイヤボタンを⊟。

⇨「2」が書込レイヤになり、凹表示になる。

7 図形の配置位置として事務室のほぼ中央で⊟。

⇨**5**で選択した図形が**7**の位置に基準点を合わせて配置される。

他の図形を選択するか、他のコマンドを選択するまでは、配置位置をクリックすることで、続けて同じ図形を配置できます。準備室にも同じ図形を配置しましょう。

8 図形の配置位置として準備室のほぼ中央で⊟。

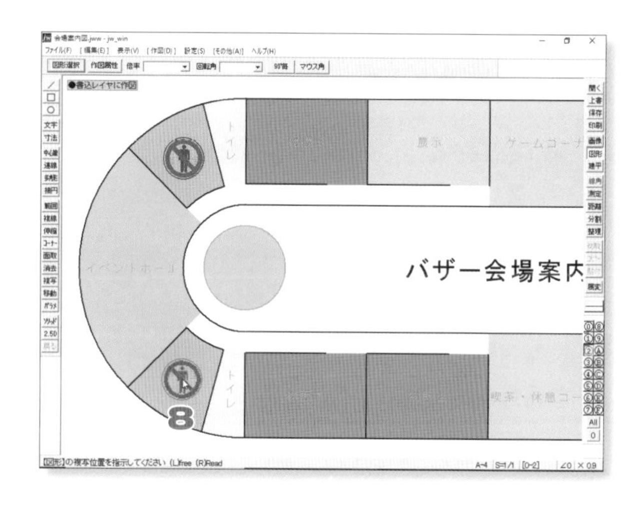

トイレマークを配置しましょう。

9 コントロールバー「図形選択」ボタンを⊟。

10「ファイル選択」ダイアログで図形「toilet」を⊟⊟で選択する。

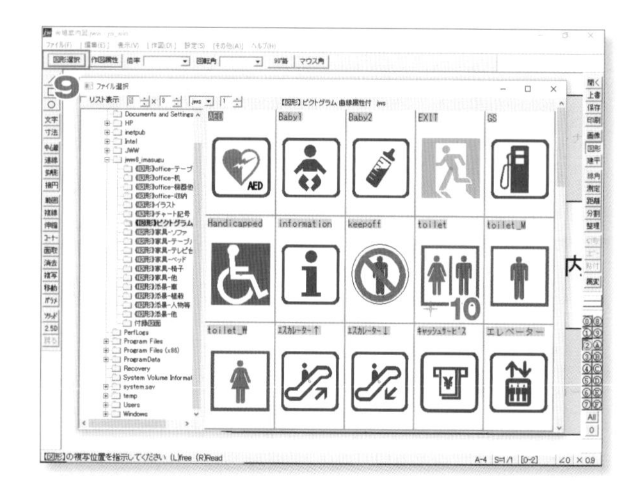

トイレスペースに対してマークが大きいため、ひとまわり小さくして配置しましょう。

11 コントロールバー「倍率」ボックスを⊟し、「0.8」を入力する。

⇨ 仮表示の図形が0.8倍の大きさになる。

POINT 「倍率」ボックスに倍率を入力することで、図形の大きさを変えて作図できます。「横倍率, 縦倍率」を「,」(カンマ)で区切って入力することで、縦横比を変えることも可能です。

12 図形の作図位置としてトイレのほぼ中央で⊟。

13 もう一方のトイレの中央でも⊟し、同じ図形を配置する。

14「／」コマンドを選択し、「図形」コマンドを終了する。

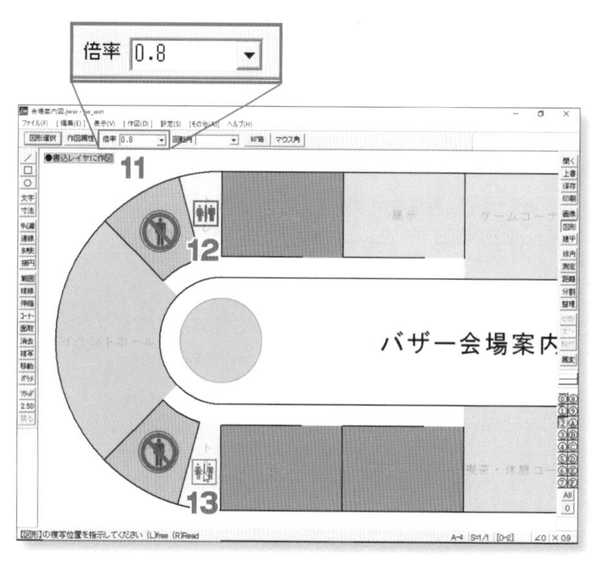

11　文字を移動する

立入禁止マークに重なる文字「準備室」「事務室」をマークに重ならない位置に移動しましょう。

1 「文字」コマンドを選択する。

POINT 「文字」コマンドでは、「文字入力」ボックスに文字を入力せずに、既存の文字を[左クリック]することで文字の移動や書き換え（変更）が行えます。

2 移動対象の文字「準備室」を[左クリック]。

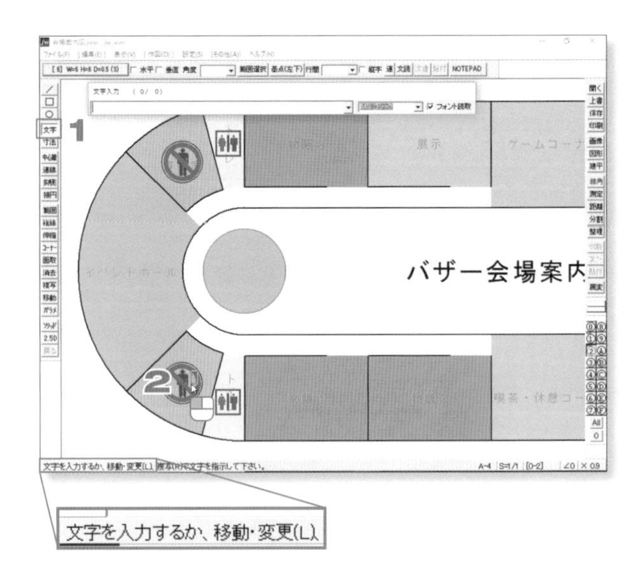

⇨ 現在の基点をマウスポインタに合わせて文字外形枠が仮表示され、「文字変更・移動」ボックスに文字「準備室」が色反転して表示される。

3 移動先として文字の外形枠がマークに重ならない位置で[左クリック]。

4 文字「事務室」も、**2**～**3**と同様にして、マークに重ならないところに移動する。

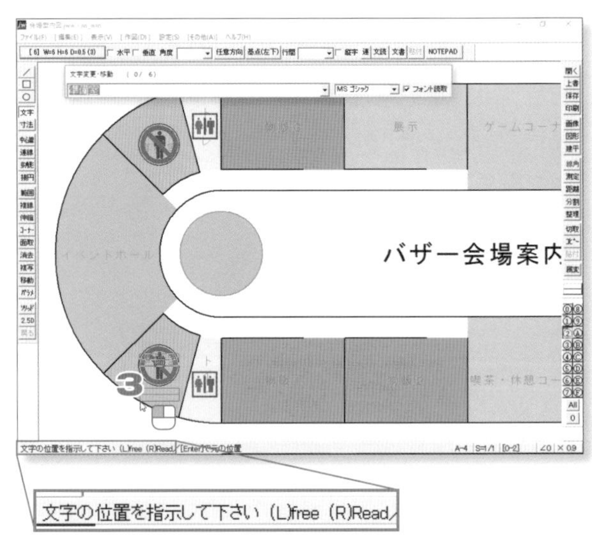

12　文字を消す

トイレマークに重なる文字「トイレ」を消しましょう。

1 「消去」コマンドを選択する。

POINT 文字も線も[左クリック]で消すため、文字ではなく、付近の線が消えることがあります。確実に文字を消すには、文字を優先的に消す設定にします。

2 コントロールバー「選択順切替」ボタンを[左クリック]。

⇨ 作図ウィンドウ左上に【文字】優先選択消去と表示され、文字を優先的に消す設定になる。

3 消去する文字「トイレ」を[左クリック]。

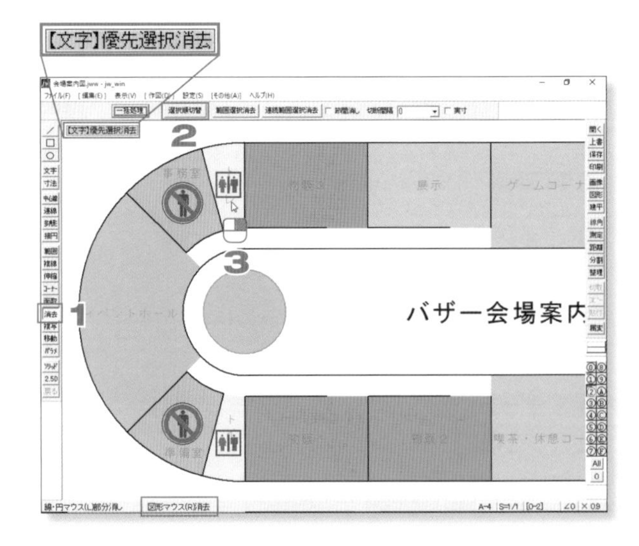

⇨ ⊟した文字「トイレ」が消える。

4 もう一方の文字「トイレ」も⊟で消去する。

上書き保存しましょう。

5 「上書」コマンドを⊟。

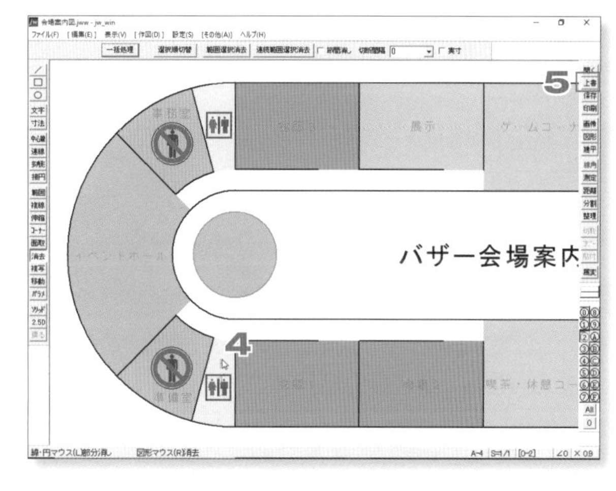

13 印刷する

着色した図面を印刷しましょう。

1 「印刷」コマンドを選択し、図面を印刷する。

参 印刷の手順≫P.42

? ソリッド（着色部）に線が印刷される ≫P.210 Q19

2 印刷が完了したら、「／」コマンドを選択し、「印刷」コマンドを終了する。

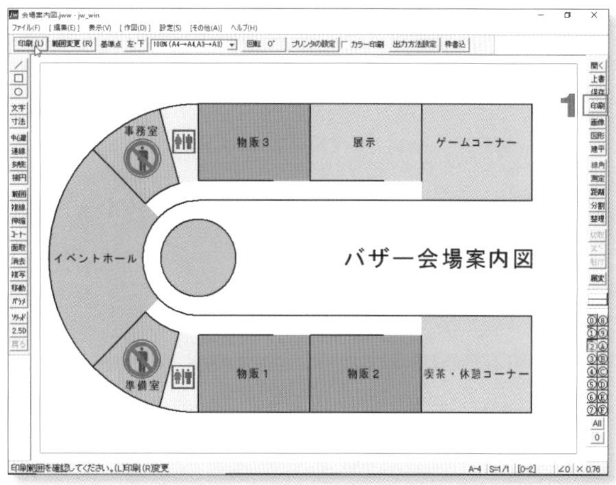

Hint 太線の端部を四角く印刷する

線色2（印刷線幅1.5mm）で作図された部屋の外形線の端部は、右図のように丸く印刷されます。これを四角く印刷するには、メニューバー[設定]－「基本設定」を選択し、「jw_win」ダイアログの「色・画面」タブの「端点の形状」ボックスの▾ボタンを⊟し、リストから「四角」を選択して、「OK」ボタンを⊟したうえで印刷します。ただし、「端点の形状」を「丸」以外にすると、作図ウィンドウでの表示が遅くなったり、本来突出していない線が突出して表示されることがあります。印刷時以外は、「端点の形状」は「丸」に設定しておくことをおすすめします。「端点の形状」の設定は図面には保存されません。印刷の都度、確認・設定をしてください。

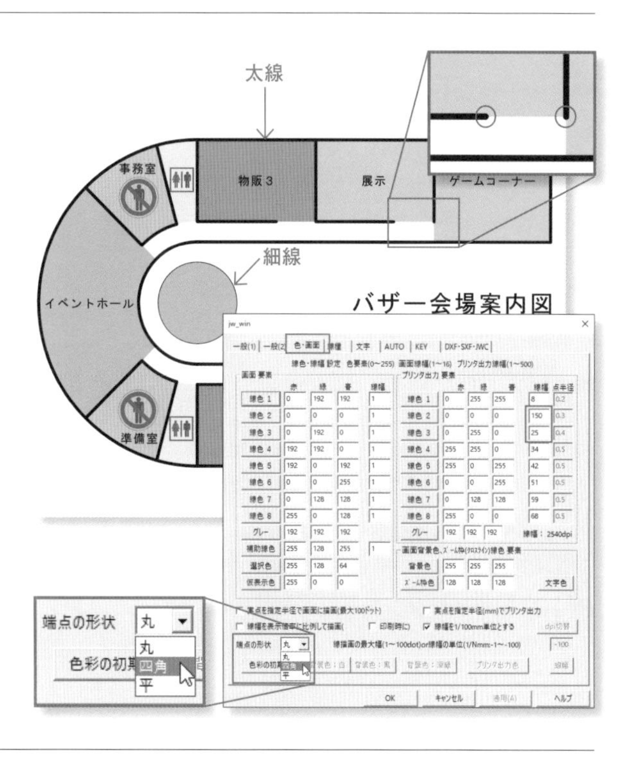

14 レイヤ操作を学習する

各レイヤに何が作図されているか、レイヤ一覧を表示して確認しましょう。

1 レイヤバーの書込レイヤ「2」レイヤボタンを🖱。

⇨各レイヤに作図されている要素を表示する「レイヤ一覧」ウィンドウが開く。

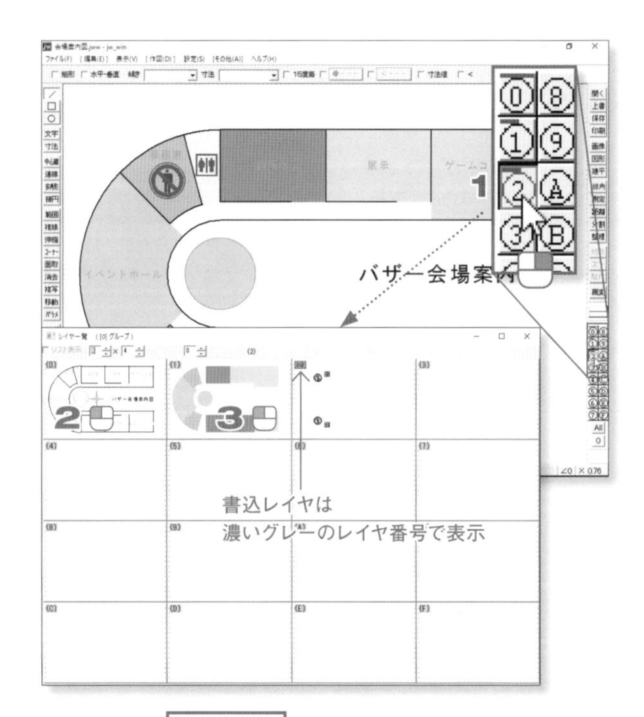

書込レイヤ以外のレイヤの要素を作図ウィンドウから一時的に消すことができます。「0」「1」レイヤを一時的に消しましょう。

2 「0」レイヤの枠内にマウスポインタをおき🖱。

POINT レイヤ番号以外の位置で🖱してください。

⇨レイヤ番号の表記「(0)」が消える。

3 「1」レイヤの枠内で🖱。

⇨レイヤ番号の表記「(1)」が消える。

レイヤ番号の表示を大きくしましょう。

4 「文字サイズ」ボックスの▲ボタンを🖱し、「1」にする。

⇨レイヤ番号を表示する文字が1段階大きくなる。

POINT レイヤ番号の表示サイズは、「文字サイズ」ボックスの数値(−3〜3)により調整できます。

5 「レイヤ一覧」ウィンドウ右上の☒(閉じる)ボタンを🖱。

⇨「レイヤ一覧」ウィンドウが閉じ、作図ウィンドウ、レイヤバーの表示が右図のようになる。

POINT レイヤバーにレイヤボタンの番号が表示されていないレイヤの状態を「非表示」と呼びます。非表示レイヤに作図された要素は画面に表示されません。また、非表示レイヤの要素は印刷されず、消去や伸縮などの編集操作の対象にもなりません。

「0」レイヤの表示状態を変更しましょう。レイヤの表示状態の変更は、レイヤバーでも行えます。

6 「0」レイヤボタンを🖱。

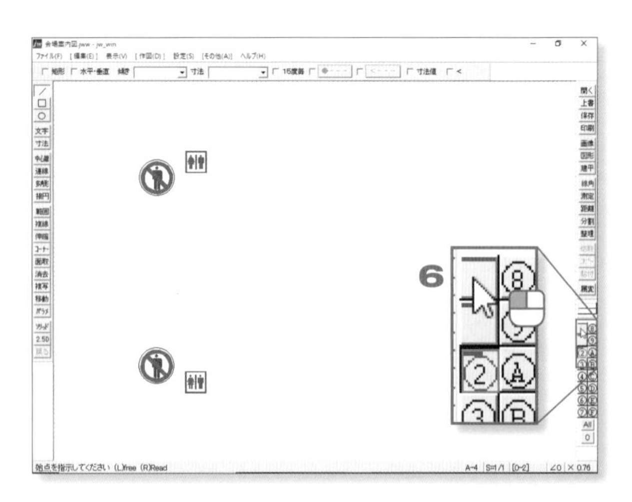

⇨ レイヤボタンに番号「0」が表示され、作図ウィンドウにマウスポインタを移動すると、「0」レイヤの線・円・弧・文字要素が作図ウィンドウにグレー表示される。

「消去」コマンドでグレー表示の線を⊟してみましょう。【文字】優先選択消去の設定でも線を消去できます。

7 「消去」コマンドを選択し、グレー表示の線を⊟。

⇨ 図形がありません と表示され、⊟した線は消えない。

POINT レイヤボタンの番号に○が付いていないレイヤの状態を「表示のみ」と呼びます。表示のみレイヤの要素は作図ウィンドウにグレーで表示されます。また、表示のみレイヤの要素は、消去や伸縮などの編集操作の対象にはなりません。

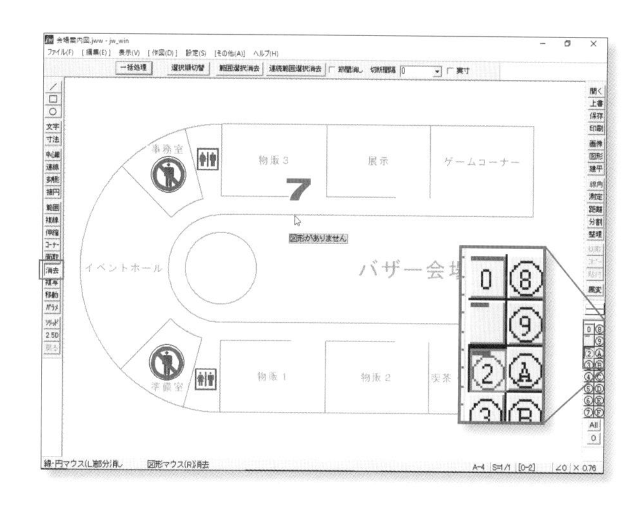

「0」レイヤの表示状態をさらに変更しましょう。

8 「0」レイヤボタンを⊟。

⇨ レイヤ番号「0」に○が付き、作図ウィンドウにマウスポインタを移動すると「0」レイヤの線・円・弧・文字要素が作図した色で表示される。

POINT レイヤボタンの番号に○が付いているレイヤの状態を「編集可能」と呼びます。編集可能レイヤの要素は、書込レイヤの要素と同様に、消去など、すべての編集操作ができます。

POINT この状態で印刷すれば、着色なしの図が印刷されます。

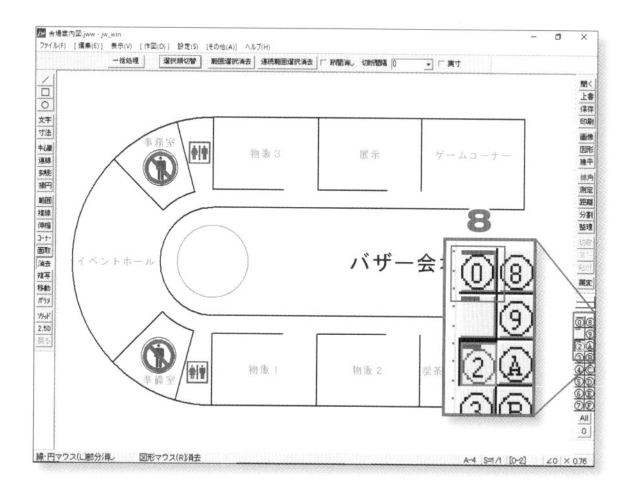

すべてのレイヤを編集可能にしましょう。

9 レイヤバーの「All」ボタンを⊟。

⇨ すべてのレイヤ番号に○が付き、作図ウィンドウにマウスポインタを移動すると、すべてのレイヤの要素が作図時の色で表示される。

POINT 「All」ボタンを⊟すると、すべてのレイヤが「編集可能」になります。また「All」ボタン⊟すると、書込レイヤ以外のレイヤの状態を一括して「非表示」⇒「表示のみ」⇒「編集可能」に切り替えできます。

以上で、この単元の練習は終了です。

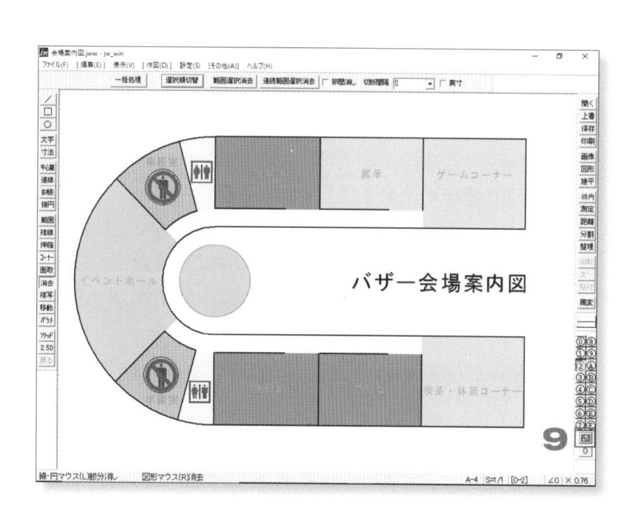

Case Study 3
基本操作をマスターしよう ②

チャート図をかこう

A4・縦用紙に下図のチャート図をかきましょう。
この単元ではレイヤを使い、寸法を指定して円・楕円・長方形・多角形などを作図する方法をマスターします。
また、図の移動・複写についても学習します。

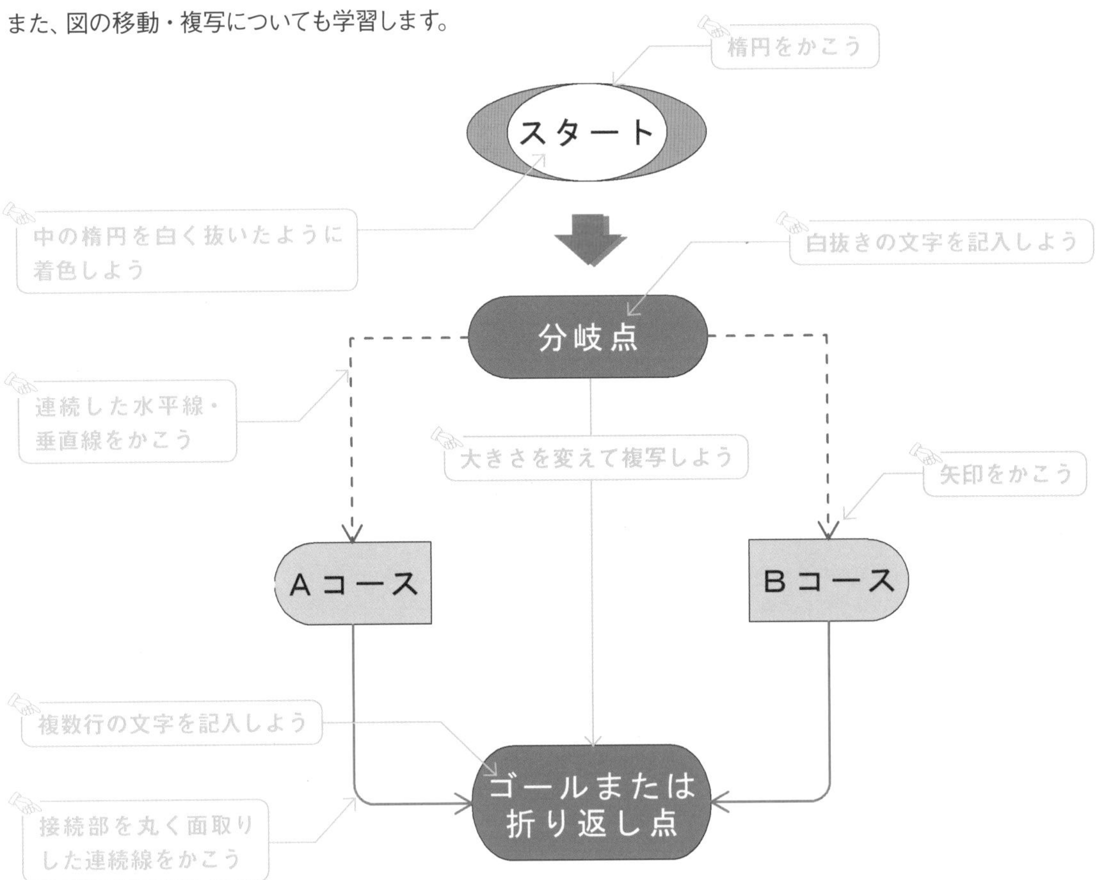

01 A4・縦に作図する準備をする

Jw_cadでは用紙の縦置き設定はありません。A4・縦を使うには、用紙サイズをそれよりも大きいA3に設定し、A4・縦の印刷枠を作図してその中に図をかきます。用紙サイズA3、縮尺1/1に設定し、20mm間隔の目盛を1/2で表示しましょう。

1 用紙サイズをA3に、縮尺を1/1に設定する。

参 用紙サイズ・縮尺の設定≫P.24/P.25

2 20mm間隔の目盛を1/2で表示する。

参 目盛の表示設定≫P.25

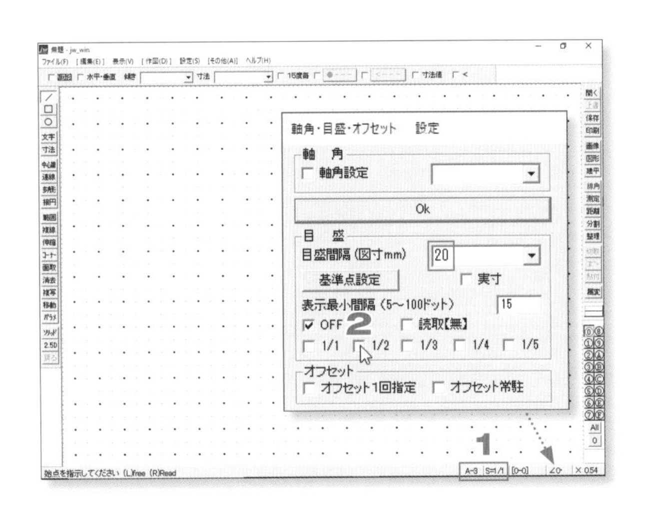

「0」レイヤにA4・縦の印刷枠を補助線（印刷されない線）で作図しましょう。

3 「印刷」コマンドを選択し、「印刷」ダイアログの「プリンター名」を確認し、「OK」ボタンを⊟。

4 用紙サイズを確認（または変更）するため、コントロールバー「プリンタの設定」ボタンを⊟。

5 「プリンターの設定」ダイアログで用紙サイズ「A4」、印刷の向き「縦」を選択し、「OK」ボタンを⊟。

⇨ 印刷枠がA4・縦になる。

6 「線属性」バーを⊟。

7 「線属性」ダイアログの「線色７」ボタンを⊟。

8 「補助線種」ボタンを⊟。

9 「Ok」ボタンを⊟。

⇨ 書込線種が線色７の補助線種になる。

10 書込レイヤが「0」になっていることを確認し、コントロールバー「枠書込」ボタンを⊟。

⇨ 書込レイヤ「0」に書込線（線色７・補助線）でA4・縦の印刷枠が作図される。

11 「／」コマンドを選択し、「印刷」コマンドを終了する。

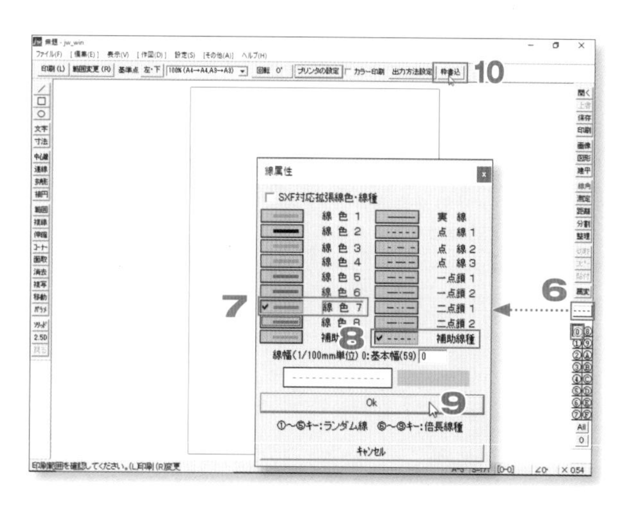

02 名前を付けて保存する

ここまでを「jww8_imasugu」フォルダーに名前「チャート図」として保存しましょう。

1 「保存」コマンドを選択する。

2 保存先として「jww8_imasugu」フォルダーが選択されていることを確認し、「新規」ボタンを⊟。

3 半角/全角キーを押して日本語入力を有効にし、図面の名前として「チャート図」を入力する。

4 半角/全角キーを押して日本語入力を無効にし、「OK」ボタンを⊟。

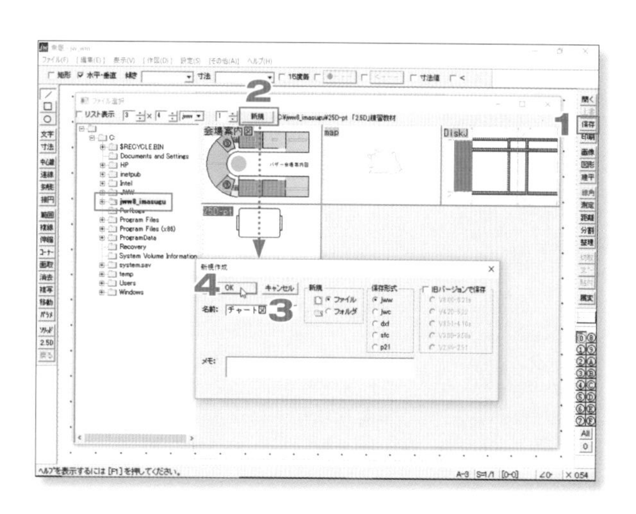

03 半径を指定して円をかく

「1」レイヤに半径20mmの円を線色2・実線でかきましょう。

1 「1」レイヤを🖱し、書込レイヤにする。

2 「線属性」バーを🖱し、「線属性」ダイアログで書込線として「線色2・実線」を指定する。

3 「○」コマンドを選択し、コントロールバー「半径」ボックスに「20」を入力する。

⇨ マウスポインタに半径20mmの円が仮表示される。

4 円の作図位置として印刷枠ほぼ中央の目盛点を🖱。

⇨ 🖱位置に中心を合わせて半径20mmの円が作図される。

POINT マウスポインタに対する円の位置（現在は円中心）を基点と呼びます。基点はコントロールバーの基点ボタンを🖱することで、左回りに9カ所（右図）に変更できます。

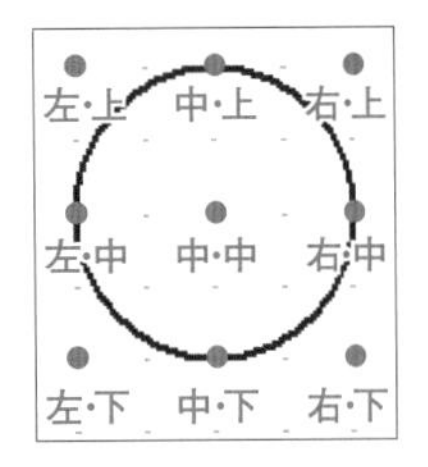

5 コントロールバーの「中・中」（基点）ボタンを2回🖱し、基点を「左・中」にする。

6 作図位置として印刷枠左辺上の目盛点を🖱。

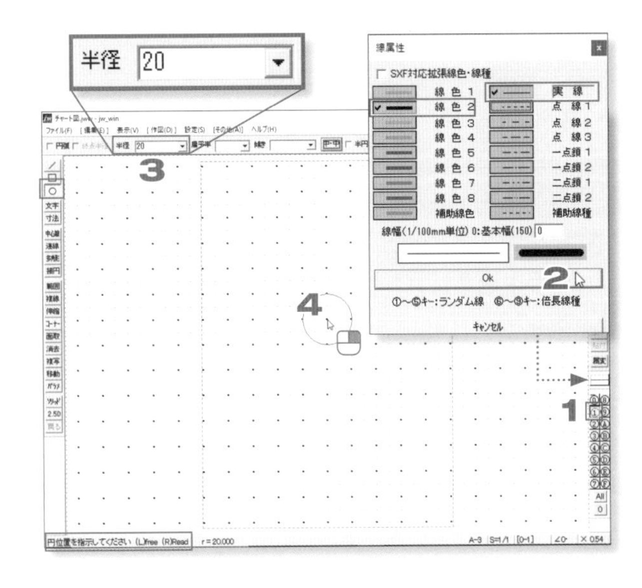

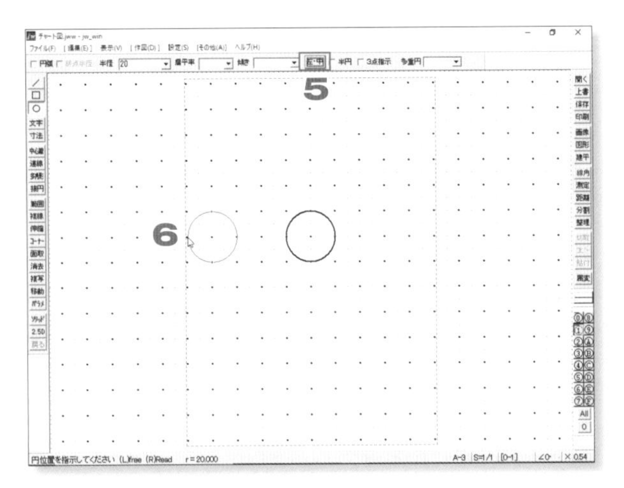

LET'S TRY!
やってみよう

「○」コマンドのコントロールバー「多重円」ボックスに「3」や「-3」などの数値を入力して、二重や三重の円を下半分の空いているスペースに作図してみましょう。

POINT 「○」コマンドのコントロールバー「多重円」ボックスに「3」を入力すると、指定半径を3等分する三重の円を作図します。また、「-3」のように（マイナス）値を入力すると、指定半径の円と、そこから「多重円」ボックスで指定の寸法分だけ内側に入った円を作図します。

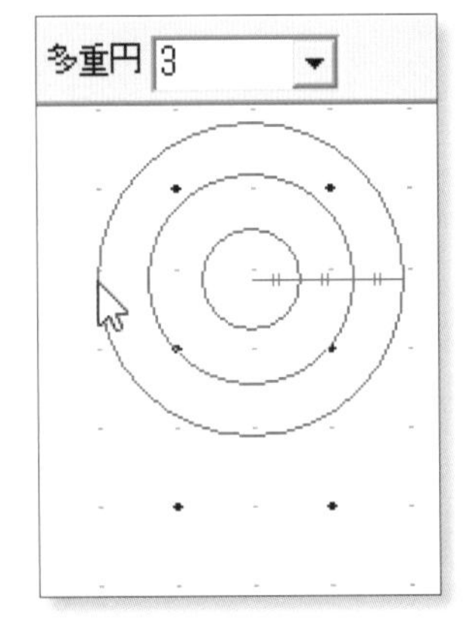

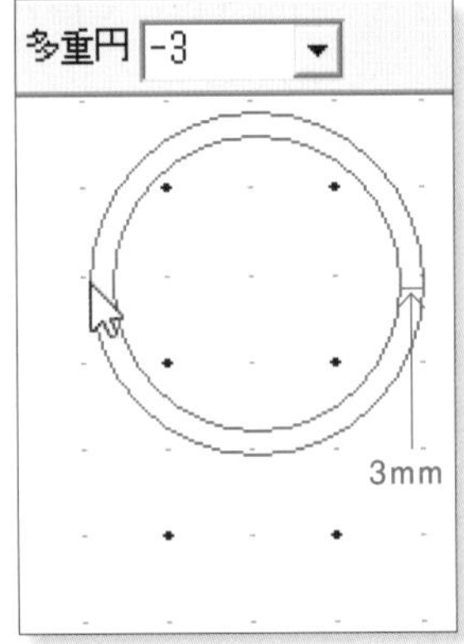

Case Study 3

基本操作をマスターしよう② ― チャート図をかこう

04 横と縦の長さを指定して長方形をかく

「□」コマンドで横40mm、縦20mmの長方形を作図しましょう。

1 「□」コマンドを選択し、コントロールバー「寸法」ボックスに「40, 20」を入力する。

POINT 「寸法」ボックスには「横, 縦」の順に「,」(カンマ)で区切った2数を入力します。

⇨ マウスポインタに横40mm、縦20mmの長方形が仮表示される。

2 基準点位置として右図の目盛点を左クリック。

3 マウスポインタを上下左右に移動し、仮表示の長方形の位置の変化を確認する。

POINT 基準点位置を指示後、マウスポインタを移動することで長方形の基準点9カ所(右図)のいずれかを**2**で指示した点に合わせて作図します。

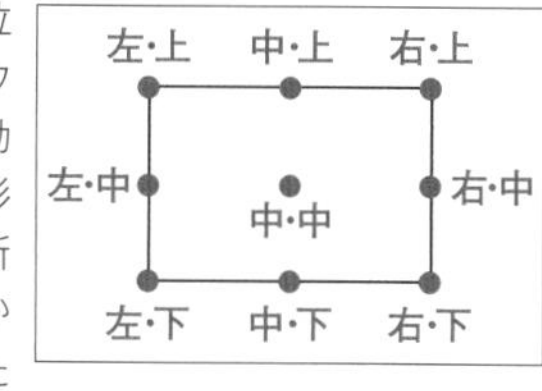

4 マウスポインタを左上に移動し、**2**で左クリックした目盛点に仮表示の長方形の「右下」を合わせ、作図位置を決める左クリック。

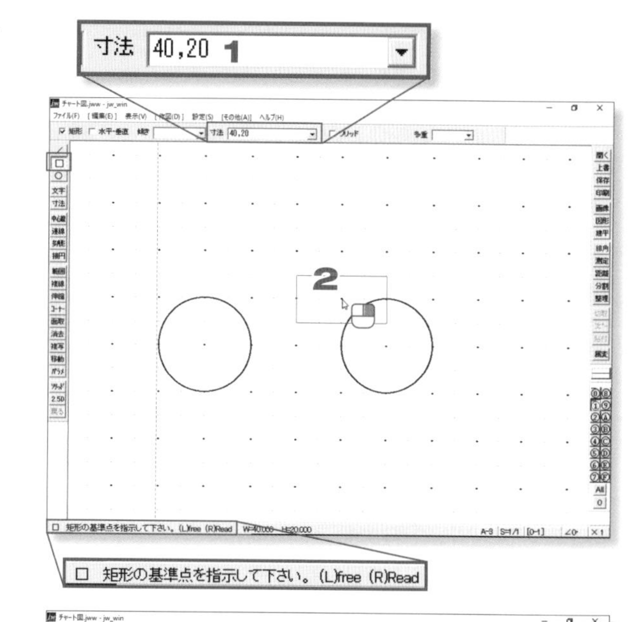

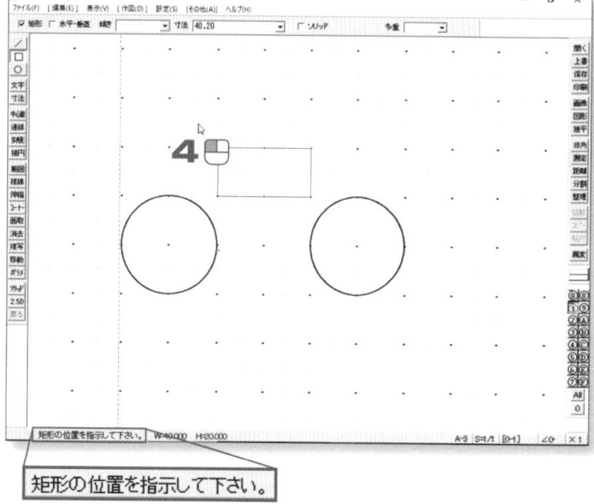

LET'S TRY! やってみよう

「□」コマンドのコントロールバー「多重」ボックスに「3」や「-3」または「0,5」などの「,」(カンマ)で区切った2数を入力して、三重の長方形や二重の長方形、角を面取りした長方形などを下半分の空いているスペースに作図してみましょう。

POINT 「□」コマンドのコントロールバー「多重」ボックスに「3」を入力すると、指定寸法を3等分する三重の長方形を作図します。「-3」のように(マイナス)値を入力すると、指定寸法の長方形と、そこから「多重」ボックスで指定した寸法分だけ内側に入った長方形を作図します。「0,5」を入力すると、角を半径5mmで丸く面取りした長方形を作図します。「0,-5」を入力すると、角から5mmの位置で45度に面取りした長方形を作図します。

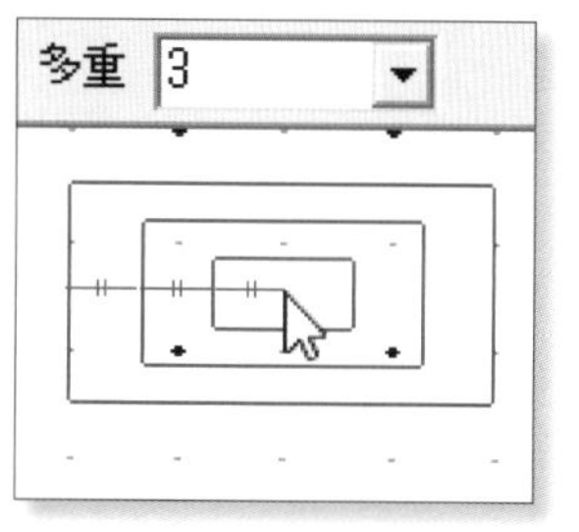

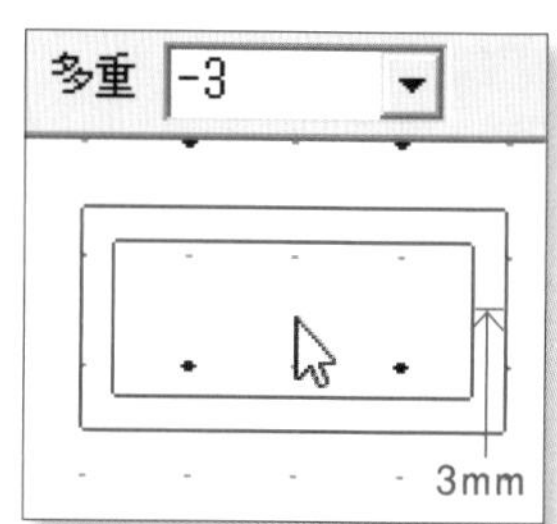

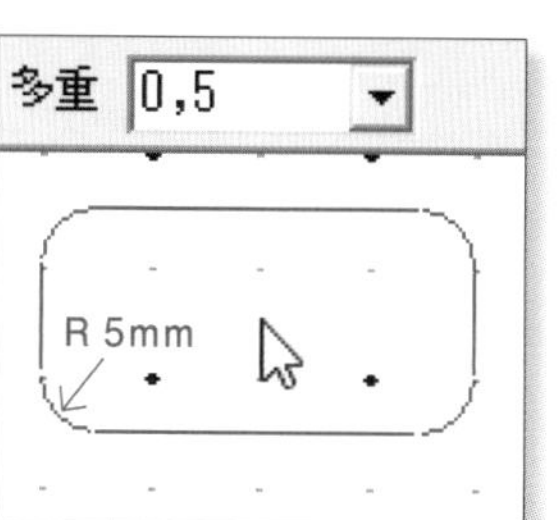

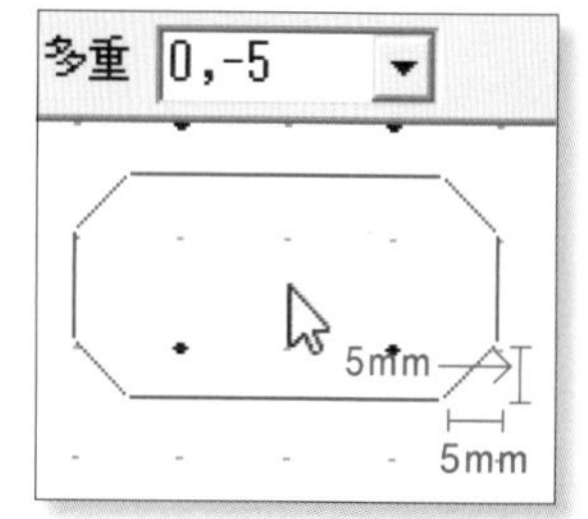

05 正多角形をかく

「多角形」コマンドで正五角形をかきましょう。

1 「多角形」コマンドを選択する。

?「多角形」コマンドがない≫P.208 Q10

2 コントロールバー「角数」ボックスに「5」を入力し、「寸法」ボックスの▼ボタンを🖱して表示されるリストから「(無指定)」を選択する（または空欄にする）。

3 コントロールバー「中心→頂点指定」が選択されていることを確認し、中心点として左の円中心の目盛点を🖱。

4 位置として円周上の目盛点を🖱。

⇨ 4の位置を角とし、円に内接する正五角形が作図される。

5 コントロールバー「中心→辺指定」を選択する。

6 中心点として右の円中心の目盛点を🖱。

7 位置として円周上の目盛点を🖱。

⇨ 7の位置を辺の中点とし、円に外接する正五角形が作図される。

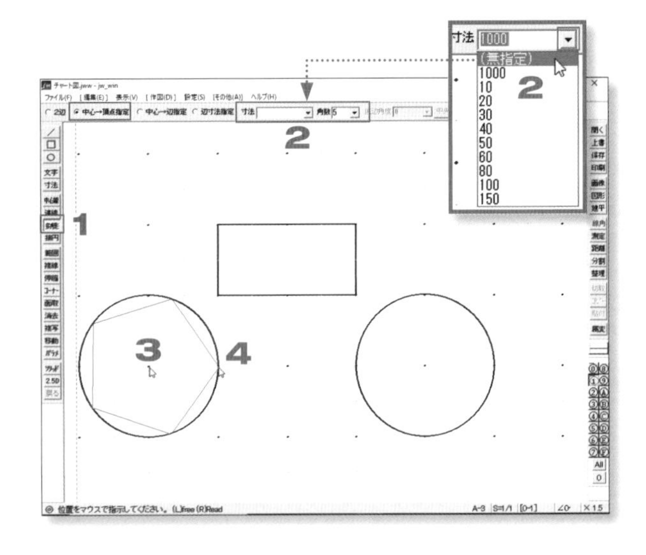

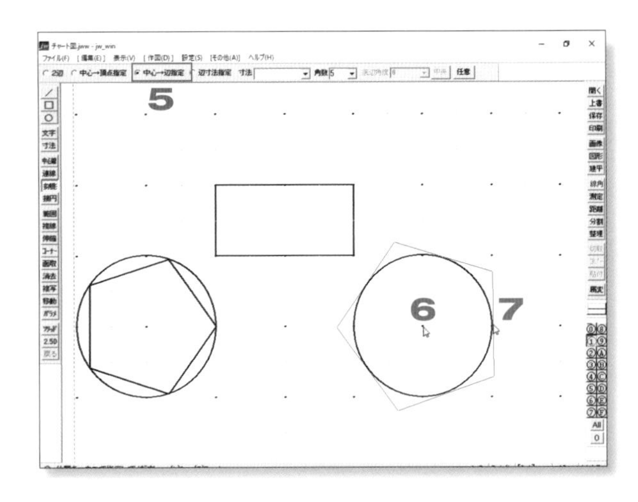

LET'S TRY! やってみよう

「多角形」コマンドのコントロールバー「寸法」ボックスに「20」を入力して、コントロールバーの「中心→頂点指定」「中心→辺指定」「辺寸法指定」をそれぞれ選択し、正五角形を下半分の空いているスペースに作図してみましょう。

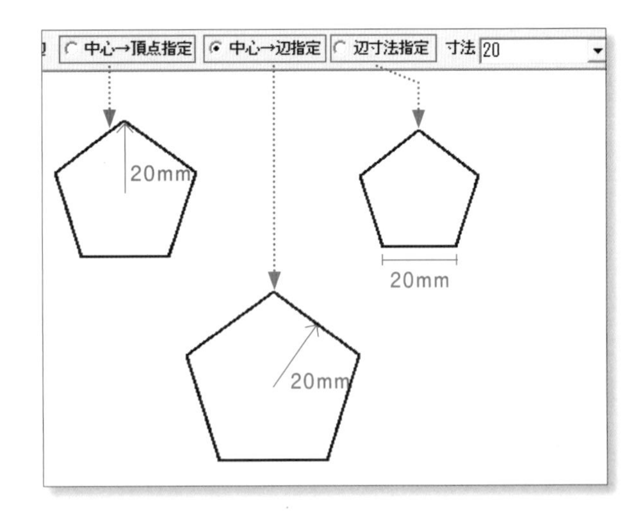

06 楕円をかく

楕円は「○」コマンドのコントロールバー「扁平率」ボックスに扁平率（半径に対する短軸径の比率）を%単位（または小数）で入力します。

1 「○」コマンドを選択する。

2 コントロールバー「半径」ボックスに「20」が入力されていることを確認し、「扁平率」ボックスに「40」を入力する。

⇨ 半径（長軸径）20mm、短軸径8mm（20の40%）の楕円がマウスポインタに仮表示される。

3 円位置として右図の目盛点を左クリック。

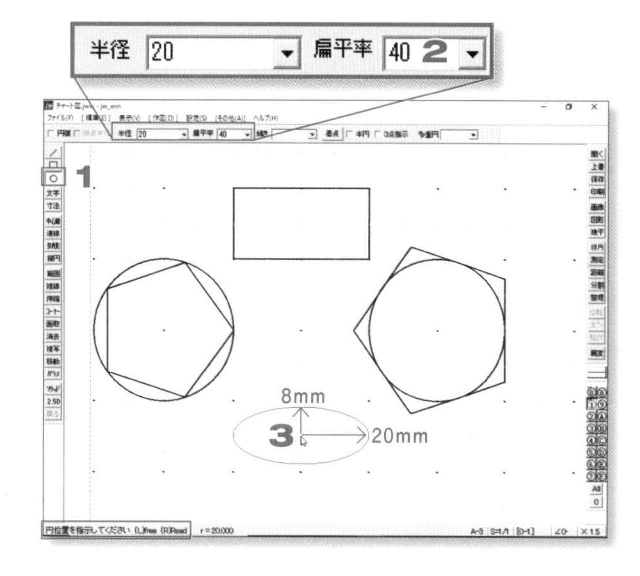

07 円・五角形を消す

「消去」コマンドの右クリック（図形消去）で、左側の円と五角形を消しましょう。

1 「消去」コマンドを選択する。

2 左側の円を右クリック。

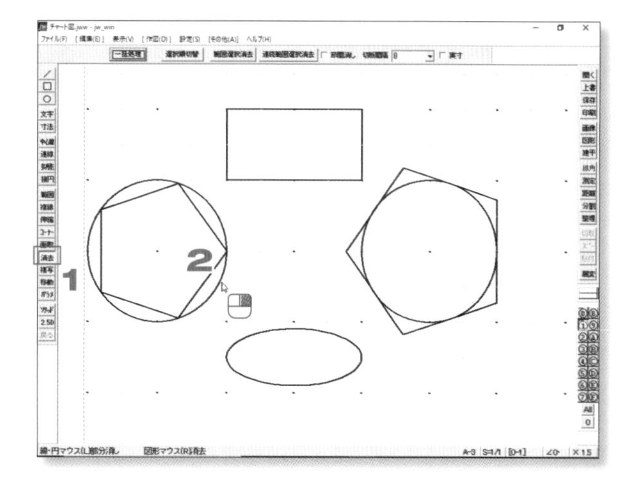

⇨ 右クリックした円が消える。

3 右図の五角形の辺を右クリック。

⇨ 五角形の右クリックした1辺が消える。

POINT 五角形は5本の線要素で構成されているため、「消去」コマンドで右クリックした1辺（線要素）のみが消去されます。

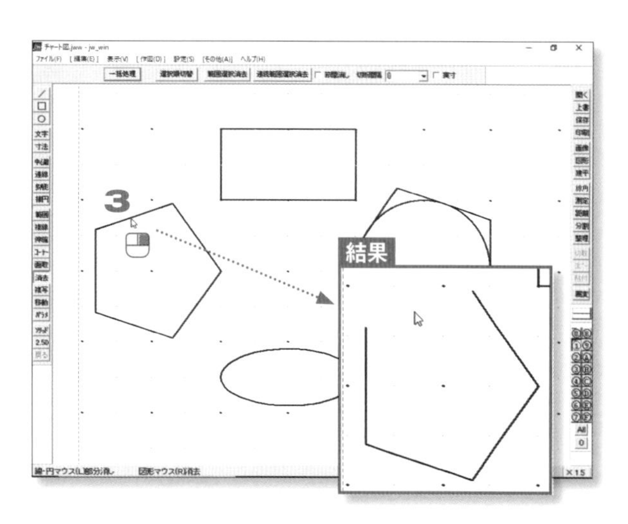

08 複数の要素をまとめて消す

「消去」コマンドの「範囲選択消去」は、選択範囲枠で囲んだ複数の要素をまとめて消します。上部の長方形を残して、他の図形を消しましょう。

1 「消去」コマンドのコントロールバー「範囲選択消去」ボタンを。

2 印刷枠を消さないようにするため、「0」レイヤを2回し、表示のみにする。

3 右図の位置で。

⇨ **3**の位置を対角とする選択範囲枠がマウスポインタまで表示される。

4 選択範囲枠で消去対象要素を右図のように囲み終点を。

⇨ 選択範囲枠に全体が入る線・円が消去対象として選択色になる。

POINT このように選択範囲枠で囲んで対象を指定する方法を「範囲選択」と呼びます。

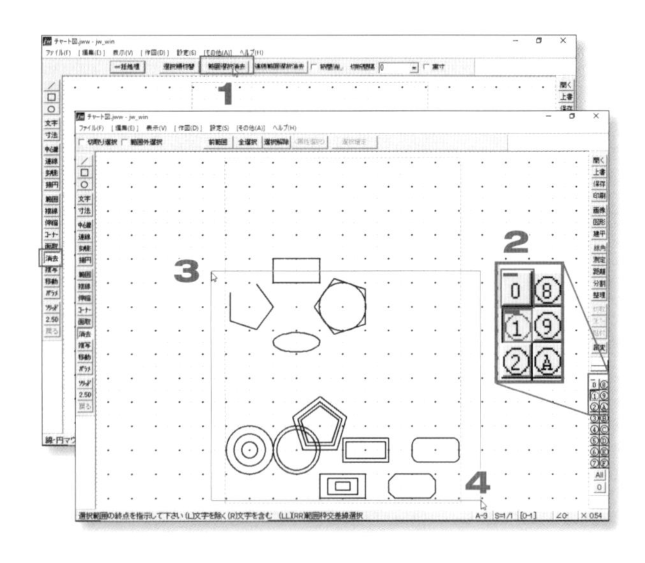

選択色の長方形下辺を消去対象から除外しましょう。

5 選択色の長方形の下辺を。

POINT ステータスバーに「追加・除外図形指示…」の操作メッセージが表示されているときは、選択色の要素をすることで対象から除外でき、選択されていない要素をすることで対象に追加できます。

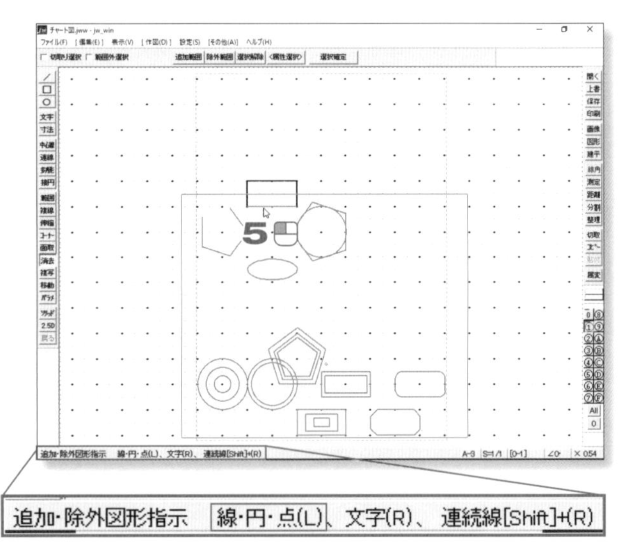

⇨ した下辺が消去対象から除外され、元の色に戻る。

消去対象を確定して消しましょう。

6 コントロールバー「選択確定」ボタンを。

⇨ 選択色の要素が消去される。

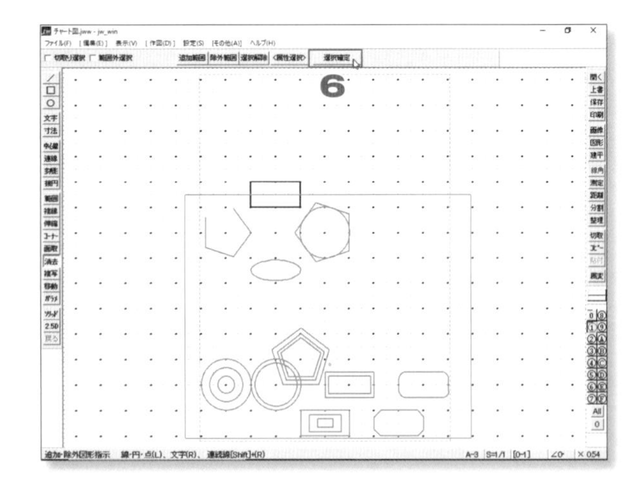

09 長方形を俵型にする

長方形の左右に半円を作図し、俵型にしましょう。

1 「○」コマンドを選択し、コントロールバー「半円」にチェックを付ける。

2 1点目として左上角を🖰。

3 2点目として左下角を🖰。

4 マウスポインタを左に移動し、長方形左に半円が仮表示された状態で作図方向を決める🖰。

5 右側にも、半円を**2**～**4**と同様にして作図する。

6 「消去」コマンドを選択し、長方形の左辺と右辺を🖰して消去する。

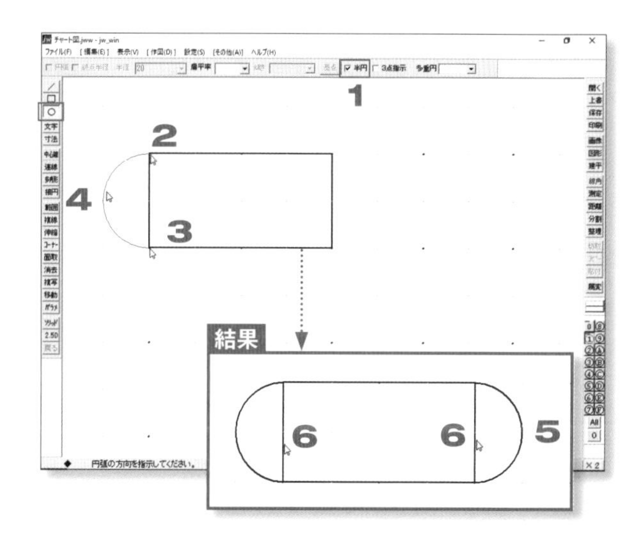

10 長軸径と短軸径を指定して楕円をかく

「○」コマンドのコントロールバー「半径」ボックスに長軸径20mm、「扁平率」ボックスにマイナス数値で短軸径12mmを入力して作図します。

1 「○」コマンドを選択する。

2 コントロールバー「半径」ボックスに長軸径の「20」を、「扁平率」ボックスに「−12」を入力する。

⇨ コントロールバー「扁平率」ボックスが「短軸径」ボックスになり、長軸径20mm、短軸径12mmの楕円がマウスポインタに仮表示される。

3 円位置として右図の目盛点を🖰。

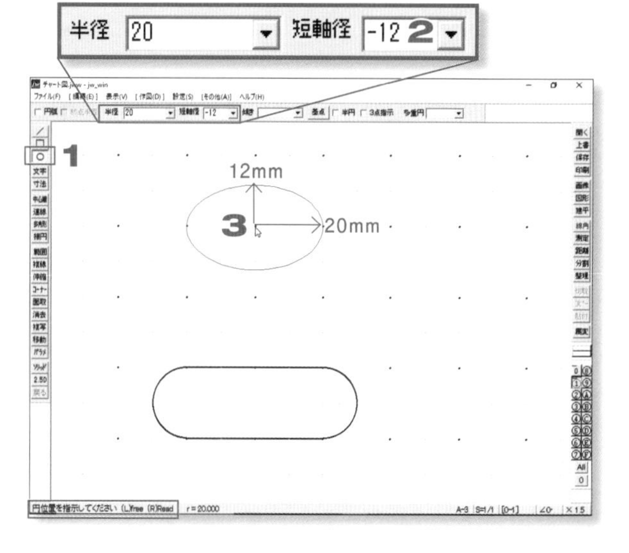

短軸径は12mmのままで、長軸径30mmの楕円を同じ位置に作図しましょう。

4 コントロールバー「半径」ボックスに「30」を入力する。

5 円位置として**3**と同じ目盛点を🖰。

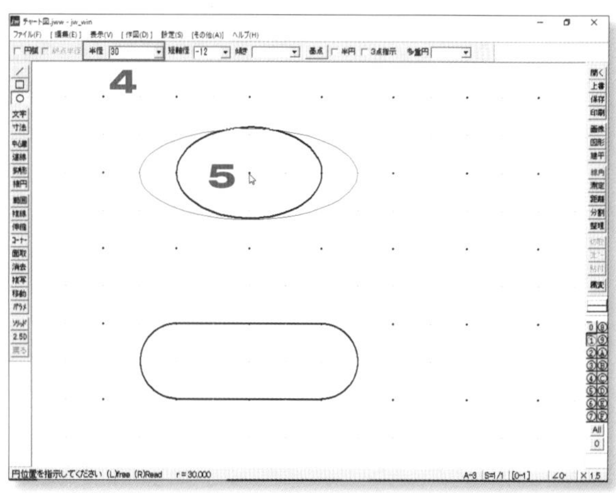

11 半俵型の図形を配置する

あらかじめ図形データとして用意されている半俵型の図形を配置しましょう。

1 「図形」コマンドを選択する。

2 「ファイル選択」ダイアログの「jww8_imasugu」フォルダー下に表示される「《図形》チャート記号」フォルダーを🖱。

3 右端のスクロールバーで、図形一覧ウィンドウをスクロールして図形「半俵－文」を🖱🖱で選択する。

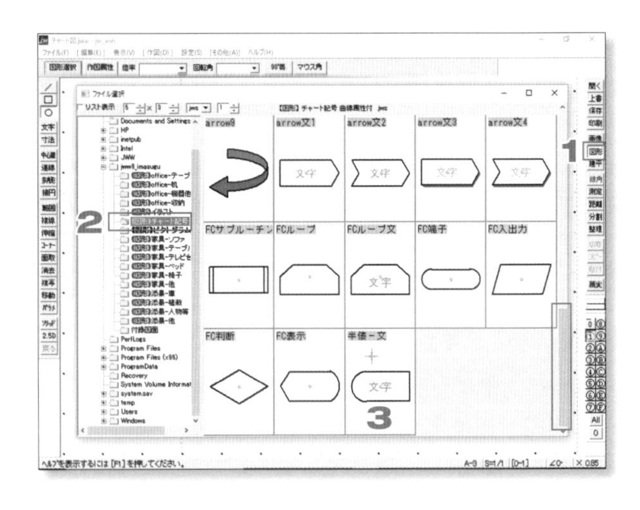

⇨ 3で選択した図形がマウスポインタに仮表示される。

4 配置位置として右図の目盛点を🖱。

POINT 図形は用紙枠からはみ出した状態で配置してかまいません。後で全体を移動して調整します。

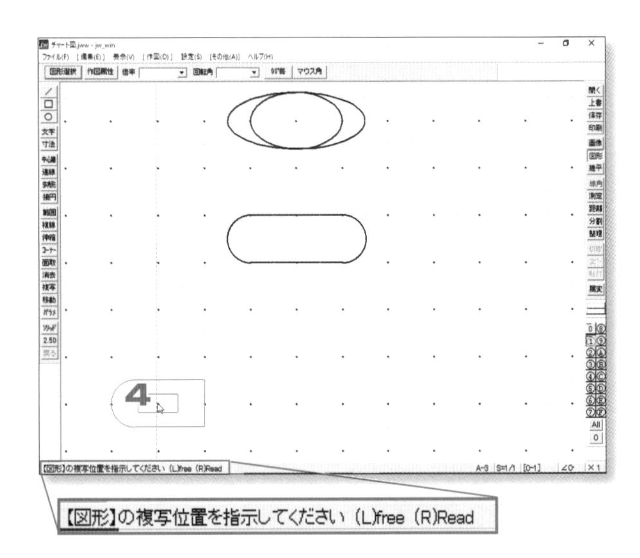

同じ図形を左右反転して右側に配置しましょう。

5 コントロールバー「倍率」ボックスの▼ボタンを🖱し、リストから「-1,1」を🖱で選択する。

⇨ 左右反転した図形がマウスポインタに仮表示される。

POINT 元の図形に対する倍率「X(横), Y(縦)」を「倍率」ボックスに入力することで図形の大きさを変えて作図できます。また、X(横)の倍率を－(マイナス)数値で指定することで左右反転、Y(縦)の倍率を－(マイナス)数値で指定することで上下反転して作図できます。

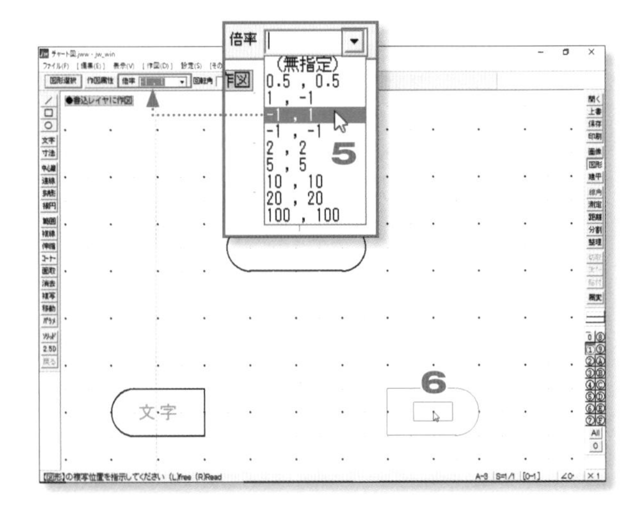

6 配置位置として右図の目盛点を🖱。

7 「／」コマンドを選択し、「図形」コマンドを終了する。

12 図全体を移動する

ここまで作図した図全体を印刷枠の中央寄りに移動しましょう。「移動」コマンドではじめに移動する要素を範囲選択します。

1 「移動」コマンドを選択する。

2 移動対象の左上で(L)。

3 表示される選択範囲枠で移動対象を右図のように囲み、終点を(R)（文字を含む）。

POINT 選択範囲枠内の文字も移動対象にするため、必ず(R)してください。(L)した場合、文字は移動対象にならず、選択色になりません。

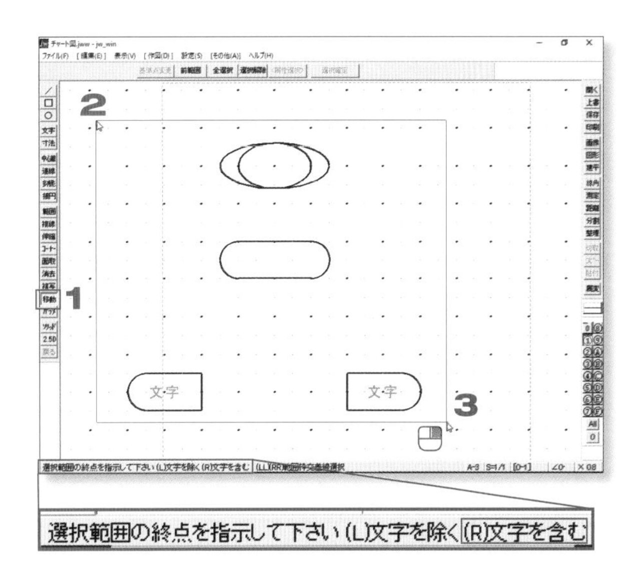

⇨ 選択範囲枠に全体が入るすべての要素が移動対象として選択色になる。

移動対象を確定しましょう。

4 コントロールバー「選択確定」ボタンを(L)。

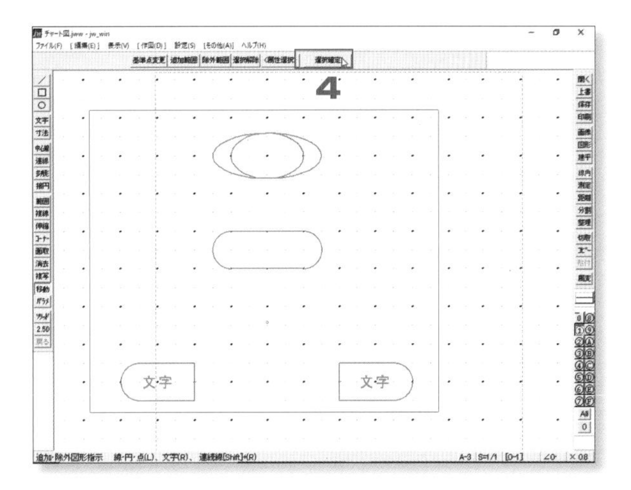

⇨ 移動対象が確定し、右図のようにマウスポインタに移動の基準点を合わせ移動要素が仮表示される。

POINT 4の「選択確定」ボタンを(L)する段階で、作図ウィンドウに仮表示されている赤い○の位置が自動的に基準点になります。

現在の基準点では、移動先として正確な位置を指定できないため、移動の基準点を楕円の中心に変更しましょう。

5 コントロールバー「基点変更」ボタンを(L)。

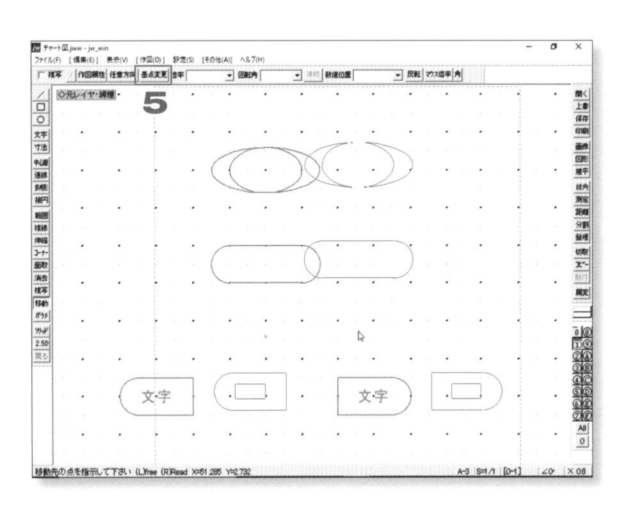

⇨ ステータスバーに「基準点を指示して下さい」と操作メッセージが表示される。

6 移動の基準点として楕円の中心の目盛点を。

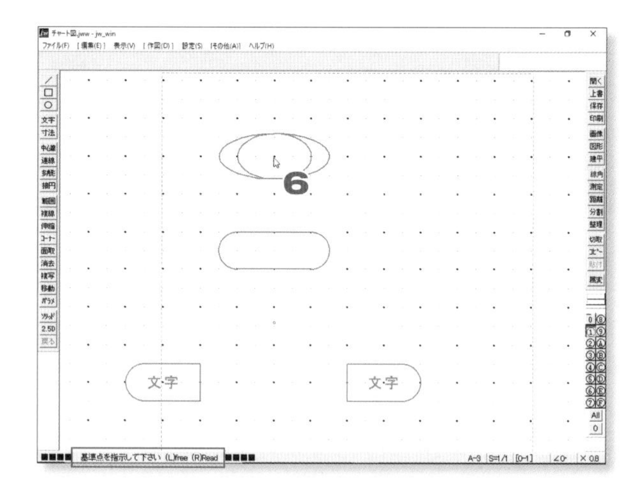

⇨ **6**の位置を基準点として移動要素がマウスポインタに仮表示される。

7 移動先の点として右図の目盛点を。

⇨ **7**の位置に基準点を合わせ移動される。マウスポインタには移動要素が仮表示され、操作メッセージは「移動先の点を指示して下さい」と表示される。

POINT 他のコマンドを選択するまでは、次の移動先をクリックすることで同じ要素を続けて移動できます。

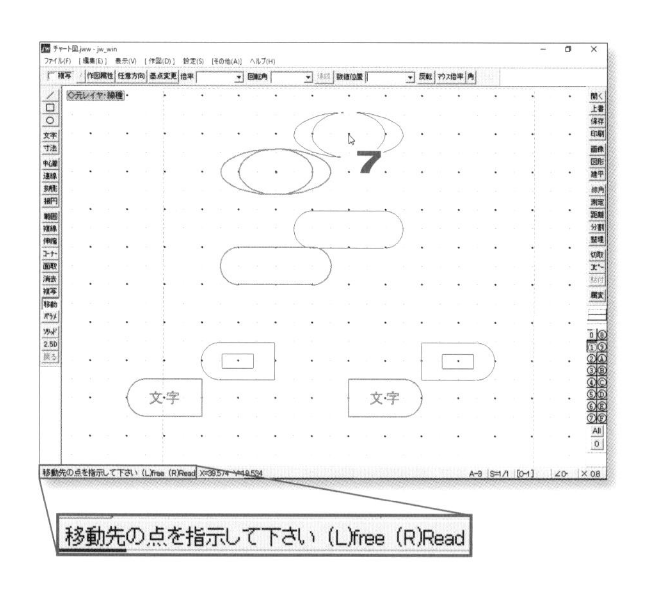

8 「／」コマンドを選択し、「移動」コマンドを終了する。

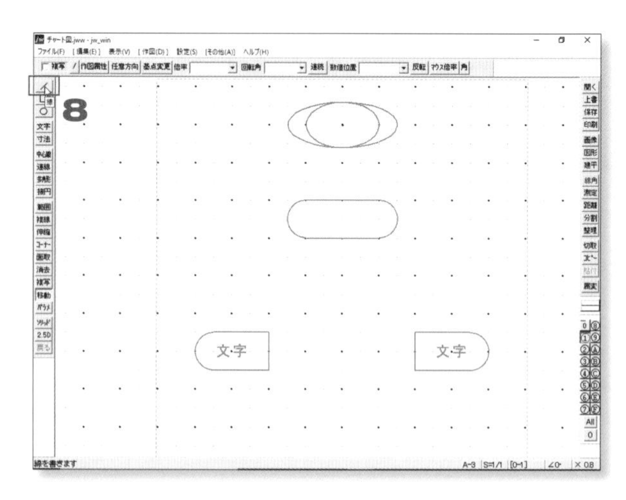

13 図形を塗りつぶす

各図形を塗りつぶしましょう。

1 「2」レイヤを🖱し、書込レイヤにする。

2 「ソリッド」コマンドを選択する。

3 コントロールバー「任意色」にチェックを付け、「任意■」ボタンを🖱し、「色の設定」パレットで、青系の色を指定する。

4 コントロールバー「曲線属性化」にチェックを付け、「円・連続線指示」ボタンを🖱。

5 右図の俵型を🖱。

POINT 円弧部分ではなく、直線部分を🖱してください。

6 適宜、コントロールバー「任意■」ボタンを🖱し、色を指定して他の図形も右図のように塗りつぶす。

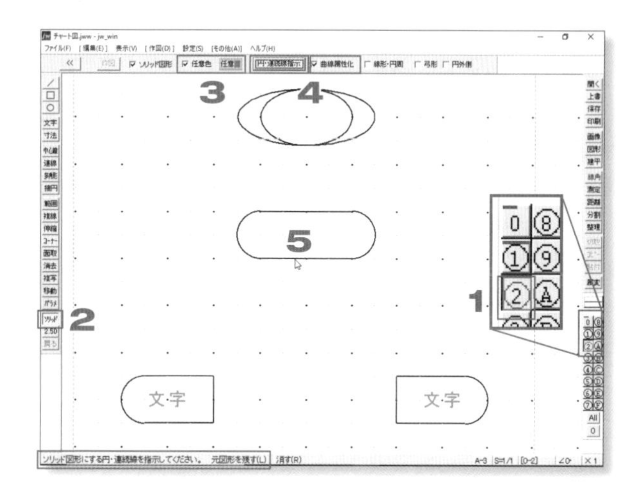

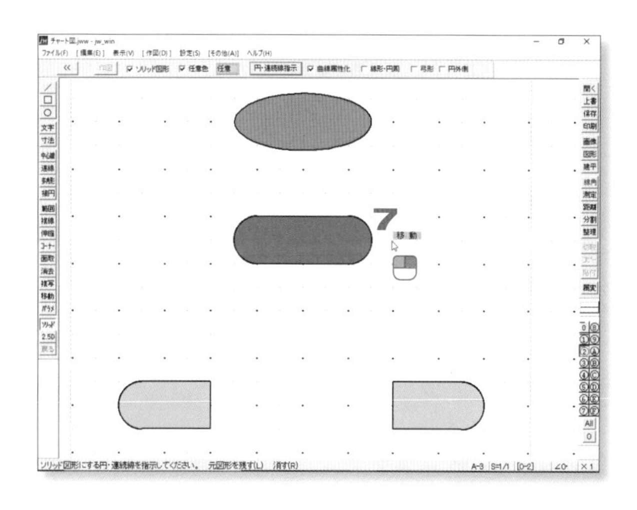

ソリッド（着色部）に隠れた円や文字を再描画しましょう。

7 作図ウィンドウの右図の位置で🖱し、移動と表示されたらマウスボタンをはなす。

POINT 作図ウィンドウで🖱移動することで、その位置が作図ウィンドウの中心になるよう画面が移動し、再描画されます。

⇨ 7の位置が作図ウィンドウの中心になり再描画される。

?ソリッドに重なる線や文字が表示されない
≫P.210 Q17

内側の楕円を白で塗りつぶしましょう。外側の楕円のソリッド（着色部）よりも白のソリッドが手前に表示されるよう、外側の楕円のソリッドのレイヤ「2」よりも後ろのレイヤを書込レイヤにして塗りつぶします。

8 「3」レイヤを🖱し、書込レイヤにする。

9 コントロールバー「任意■」ボタンを🖱し、「色の設定」パレットで白を指定する。

10 内側の楕円を🖱。

⇨ 右図のように内側の楕円が白く塗りつぶされる。

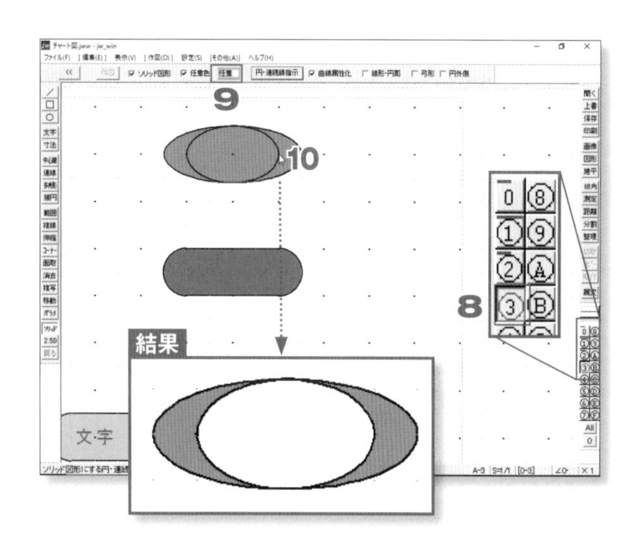

14 レイヤ名を設定する

「レイヤー覧」ウィンドウでレイヤ分けを確認し、各レイヤに以下のレイヤ名を設定しましょう。

0：印刷枠　　　2：塗りつぶし
1：図形＋文字　3：白塗りつぶし

1 レイヤバーで書込レイヤの「3」を⊟。

2 「レイヤー覧」ウィンドウの「0」レイヤの番号を⊟。

3 「レイヤ名設定」ウィンドウの入力ボックスに「0」レイヤのレイヤ名として「印刷枠」を入力し、「OK」ボタンを⊟。

⇨「0」レイヤのレイヤ名「印刷枠」が設定される。

4 「1」～「3」レイヤのレイヤ名を2～3と同様にして設定する。

5 「レイヤー覧」ウィンドウ右上の☒（閉じる）ボタンを⊟し、ウィンドウを閉じる。

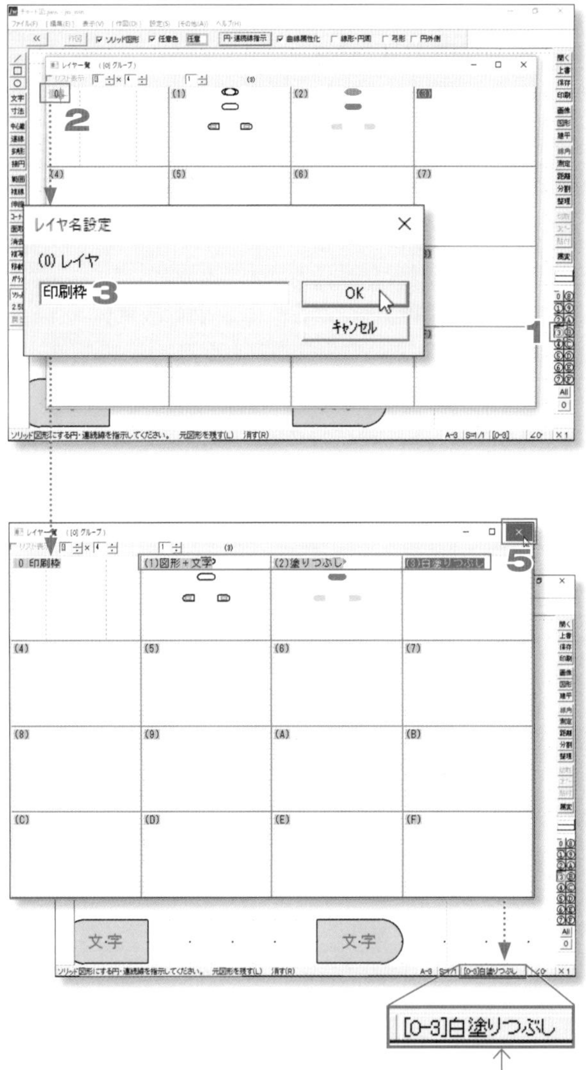

書込レイヤの番号とレイヤ名が「書込レイヤ」ボタンに表示される

15 文字を書き換える

2つの半俵型内の文字を「Aコース」と「Bコース」に書き換えましょう。

1 「文字」コマンドを選択する。

2 左の半俵型の文字「文字」を⊟。

POINT 「文字入力」ボックスに何も入力せずに、既存の文字を⊟することで、その文字の移動または書き換え（変更）ができます。

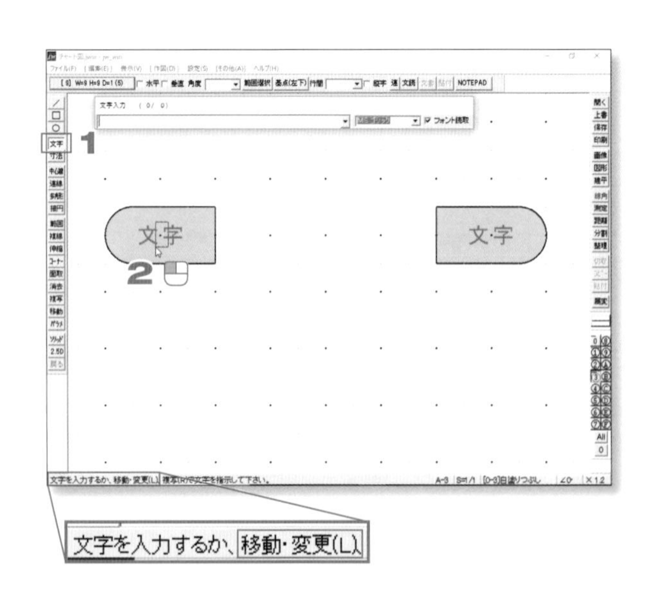

⇨「文字変更・移動」ボックスに**2**で🖱した「文字」が色反転して表示される。

3 「文字変更・移動」ボックスの「文字」を「Aコース」に書き換える。

POINT 文字は現在の基点（左・下）を基準に書き換えられます。ここでは2文字を4文字に書き換えるため、左下を基準とした文字の外形枠が右図のように図形からはみ出して仮表示されます。

基点を文字の中心（中中）に変更しましょう。

4 コントロールバー「基点（左下）」ボタンを🖱。

5 「文字基点設定」ダイアログの「中中」を🖱。

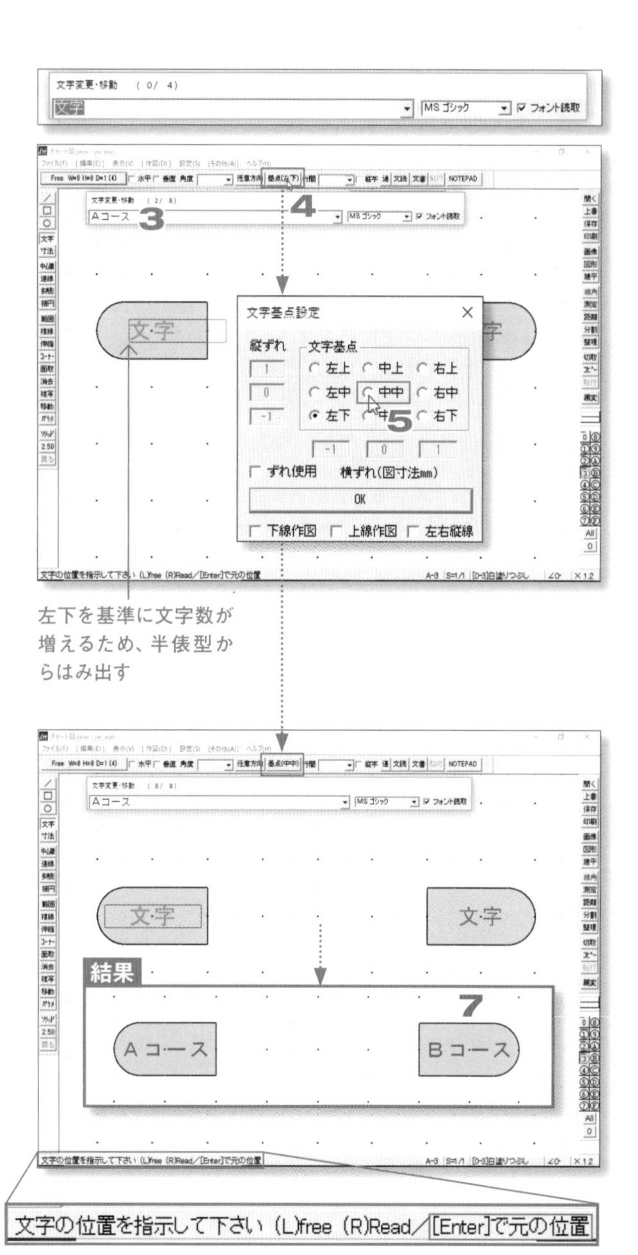

左下を基準に文字数が増えるため、半俵型からはみ出す

⇨文字の基準が中中になり、仮表示の文字外形枠も右図のように半俵型内に収まる。

6 Enterキーを押し、書き換えを確定する。

7 同様に、もう一方の半俵型の「文字」を🖱し、「Bコース」に書き換える。

LET'S TRY!

やってみよう

書込レイヤを「1」にし、楕円の中心に文字「スタート」を記入しましょう。前ページ「15 文字を書き換える」の操作で書き換えた文字の文字種が書込文字種になっているので、そのまま記入してください。

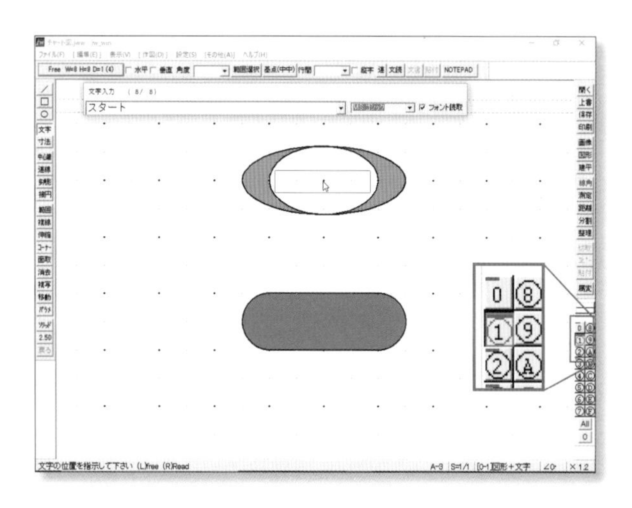

16 白抜き文字を記入する

俵型には、白抜きの文字「分岐点」を記入しましょう。

1 「文字」コマンドのコントロールバー「書込文字種」ボタンを🖱。

2 「書込み文字種変更」ダイアログで「任意サイズ」が選択されていることを確認し、「色No.」ボックスの▼ボタンを🖱して、リストから「sxf8」を🖱で選択する。

POINT 「色No.」は画面表示上の色とカラー印刷時の印刷色の区別です。「sxf8」は印刷色「白」の色No.です。

3 「OK」ボタンを🖱。

4 「文字入力」ボックスに「分岐点」を入力する。

5 記入位置として俵型の中心の目盛点を🖱。

⇨ 文字「分岐点」が黒い文字で記入される。

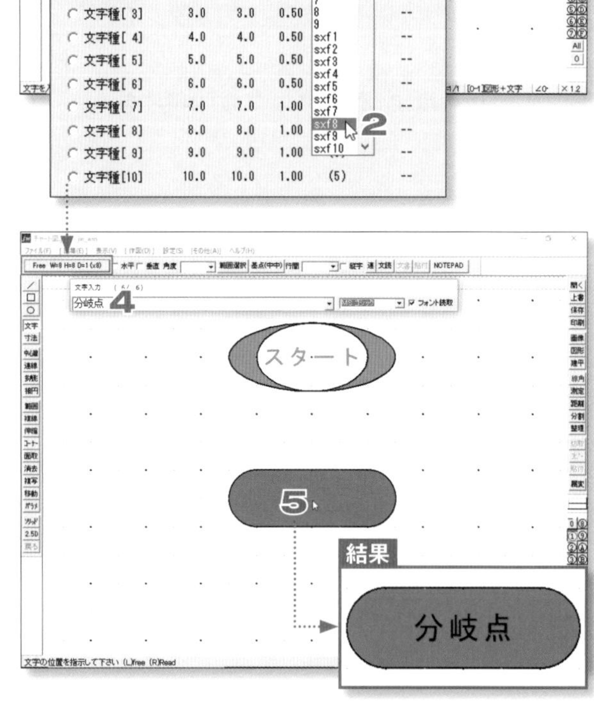

記入した文字を白で表示するため、基本設定を変更しましょう。

6 メニューバー[設定]－「基本設定」を選択し、「jw_win」ダイアログの「DXF・SXF・JWC」タブを🖱。

7 「背景色と同じ色を反転する」のチェックを外し、「OK」ボタンを🖱。

⇨ 文字「分岐点」が白い文字で表示される。

17 俵型の大きさを変えて複写する

俵型の縦を1.4倍の高さにし、下側に複写しましょう。複写の操作は、移動操作とほぼ同様です。はじめに複写対象を範囲選択します。

1 「複写」コマンドを選択する。

2 複写対象の左上で🖱。

3 表示される選択範囲枠で俵型を右図のように囲み、終点を🖱（文字を含む）。

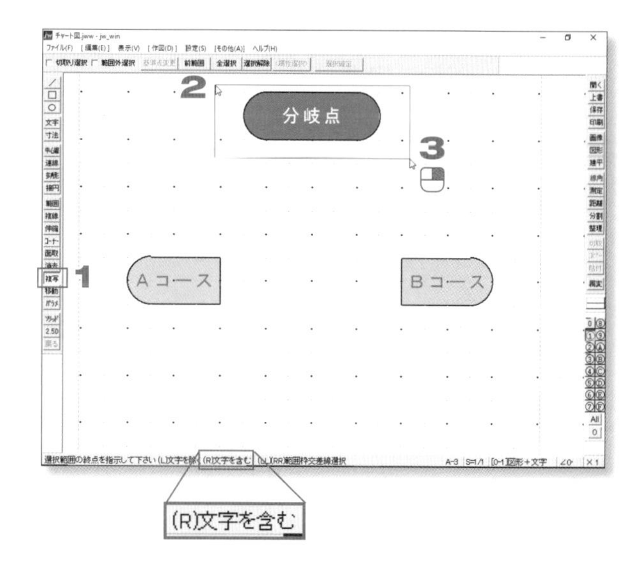

複写対象を確定して複写の基準点を指示しましょう。

4 コントロールバー「基準点変更」ボタンを🖱。

POINT コントロールバー「選択確定」ボタンを🖱して選択確定した後、コントロールバーの「基点変更」ボタンを🖱するという2つの操作を、**4**では1回の🖱で行えます。

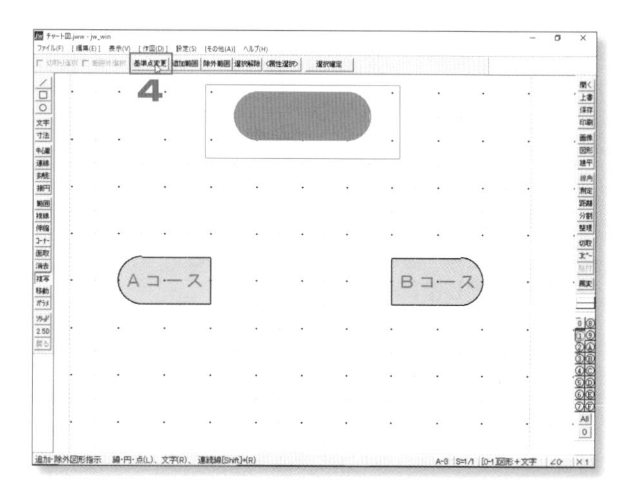

⇨ 複写対象が確定され、複写の基準点を指示する状態になる。

5 複写の基準点として右図の目盛点を🖱。

⇨ **5**を基準点として複写要素がマウスポインタに仮表示される。

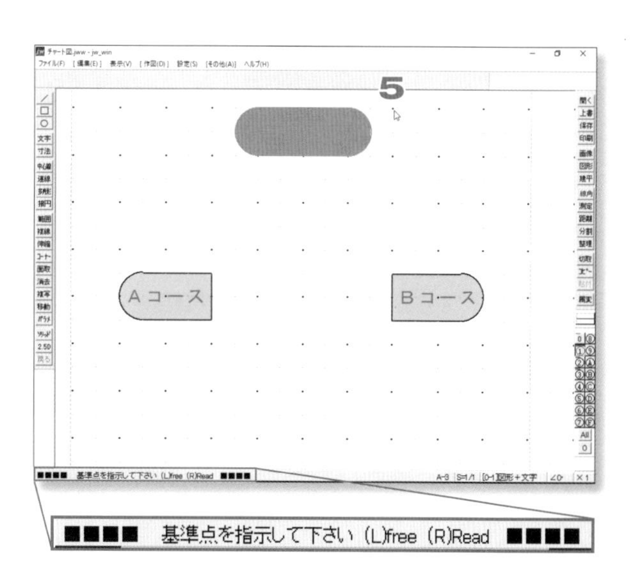

横幅はそのまま(1倍)、縦の高さを1.4倍にし、左右の位置をずらさず下側に複写しましょう。

6 コントロールバー「倍率」 ボックスに「1,1.4」を入力する。

7 複写先として右図の目盛点を⊟。

8 「／」コマンドを選択し、「複写」コマンドを終了する。

POINT 複写された俵型は、横は同じ幅で縦が1.4倍の高さになりますが、文字は図寸で管理されているため、その大きさは変更されません。

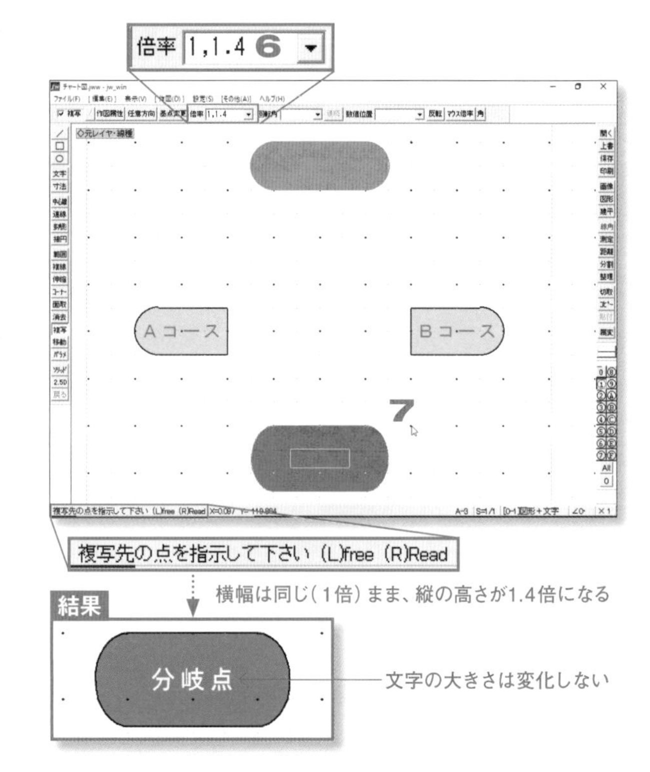

Hint 複写・移動で文字の大きさも同じ倍率で変更する

「複写」や「移動」コマンドで倍率指定をしたときに、文字要素の大きさもともに変更するには、作図属性の設定が必要です。
上記**7**の操作前に、以下の手順で設定します。

1 コントロールバー「作図属性」 ボタンを⊟。

2 「作図属性設定」ダイアログの「文字も倍率」 にチェックを付け、「Ok」 ボタンを⊟。

POINT **2**の指定は、Jw_cadを終了するまで有効です。

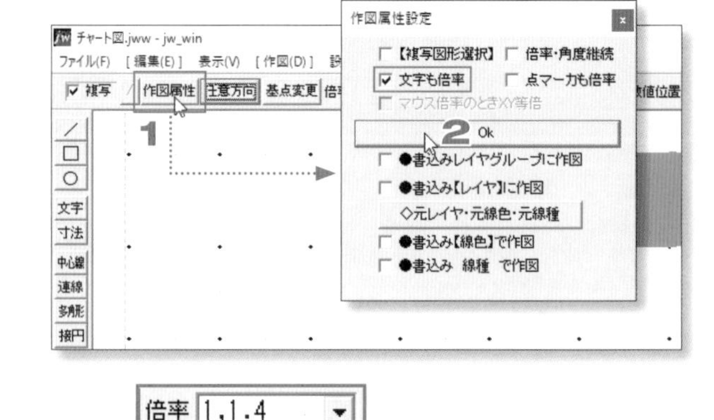

続けて、**7**(複写先の指定)の操作を行うことで、複写対象にした文字要素も、コントロールバー「倍率」ボックスで指定の倍率で大きさが変更されます。

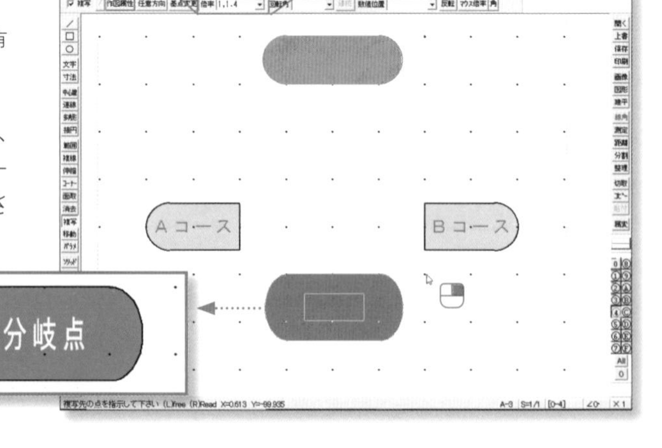

18 文字を書き換え、2行にする

複写した図形の文字「分岐点」を、「ゴールまたは折り返し点」に書き換えましょう。書き換え後の文字は1行に収まらないため2行にします。

1 「文字」コマンドを選択する。

2 書き換える文字として複写した図形の文字「分岐点」を⊟。

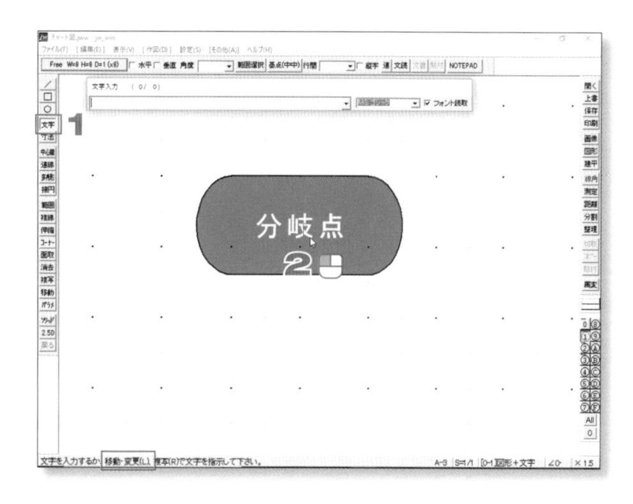

3 コントロールバー「行間」ボックスに「9」を入力する。

POINT 文字の書き換え時や記入時、コントロールバー「行間」ボックスに行間を指定することで、複数行の文字を記入できます(≫P.172)。ここでは高さ8mmの書込文字種で記入するため、行間を9mmに指定します。

4 「文字変更・移動」ボックスの「分岐点」を「ゴールまたは」に書き換える。

5 コントロールバーの「基点(中中)」を確認し、文字位置として右図の1/2目盛点を⊟。

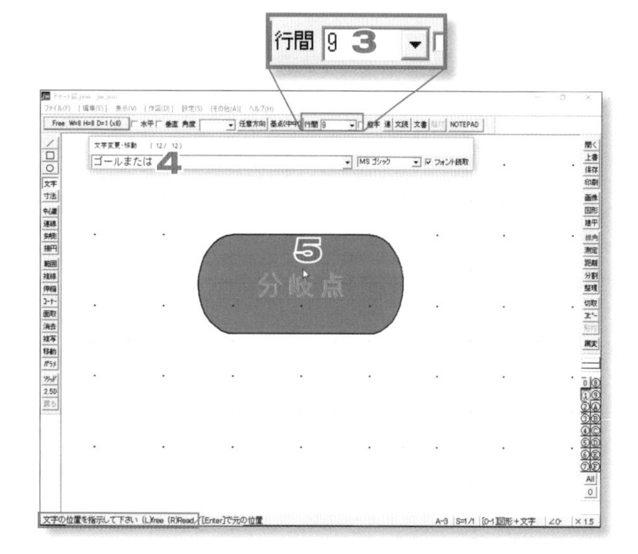

⇨ ⊟位置に「基点(中中)」を合わせて文字「ゴールまたは」が記入され、その9mm下に文字枠が表示されて「文字入力」ボックスが入力待ちになる。

6 2行目の文字として「折り返し点」を入力し、Enterキーを押して確定する。

⇨ 2行目に文字「折り返し点」が記入され、その9mm下に文字枠が表示されて3行目の文字を入力する状態になる。

7 「文字」コマンドを⊟し、複数行の連続入力を終了する。

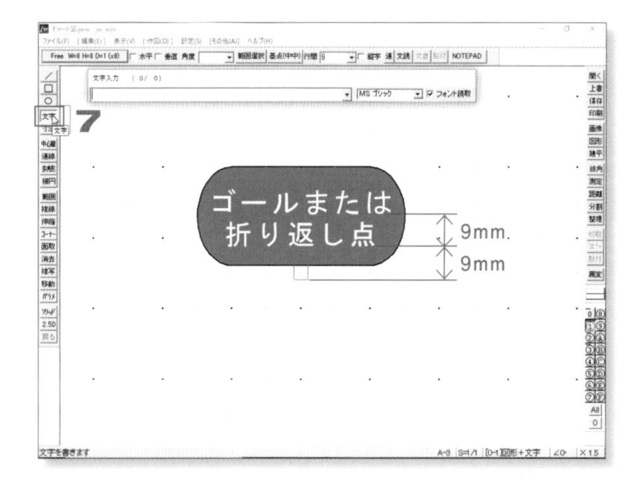

19 矢印を配置する

「スタート」からの矢印は、あらかじめ用意されている図形データを配置しましょう。

1 「4」レイヤを書込レイヤにする。

2 「図形」コマンドを選択する。

3 「ファイル選択」ダイアログの「《図形》チャート記号」フォルダーから図形「arrow1R」を選択する。

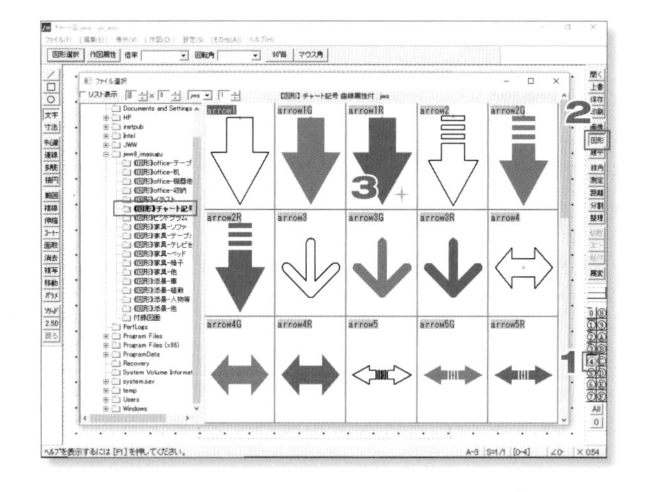

矢印の横幅はこのままで、縦を半分の高さにして配置しましょう。

4 コントロールバー「倍率」ボックスに「1,0.5」(横倍率,縦倍率)を入力する。

5 配置位置として右図の目盛点を⊟。

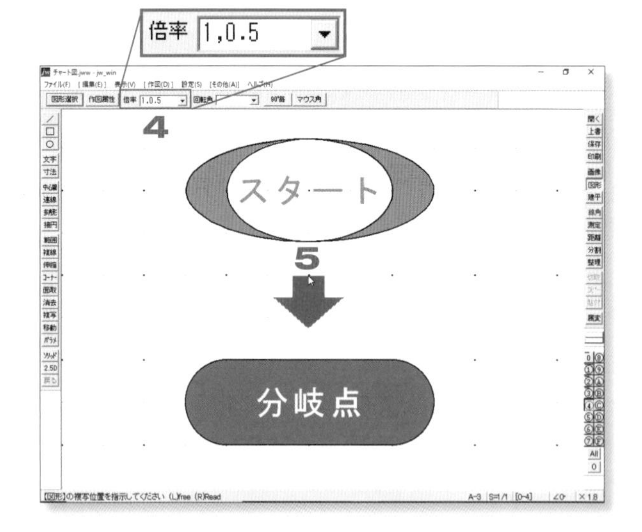

矢印に影を付けたように見せるため、「4」より前のレイヤにグレーの矢印を配置しましょう。

6 「3」レイヤを書込レイヤにする。

7 コントロールバー「図形選択」ボタンを🖱し、「ファイル選択」ダイアログから図形「arrow1G」を選択する。

⇨ **4**で指定した倍率のまま「arrow1G」がマウスポインタに仮表示される。

8 配置位置として**5**で配置した矢印から右下にずらした位置で🖱。

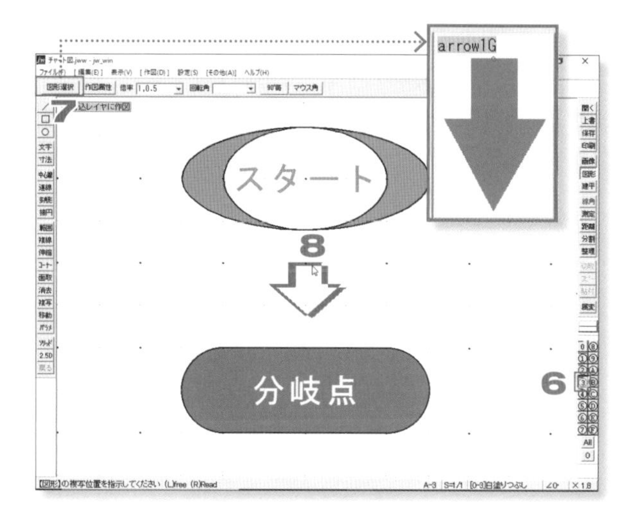

9 「／」コマンドを選択し、「図形」コマンドを終了する。

右図のようにグレーの矢印が手前に表示されますが、画面を再描画することで正しい表示順序（後ろのレイヤのものが手前に表示される）になります。

10 作図した矢印の近くで🖱 移動。

⇨ 🖱位置を作図ウィンドウの中心として画面が再描画され、赤い矢印が手前に表示される。

?赤い矢印が手前に表示されない≫P.210　Q20

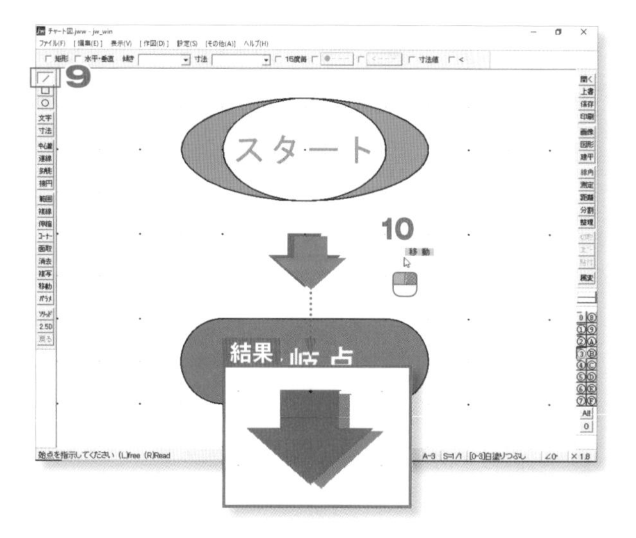

20 図形をつなぐ連続線を作図する

図形をつなぐ線を「4」レイヤに線色6の点線で作図しましょう。

1 「4」レイヤを書込レイヤにし、書込線を「線色6・点線2」にする。

2 「／」コマンドを選択し、コントロールバー「水平・垂直」にチェックを付ける。

POINT 「水平・垂直」にチェックを付けることで、作図する線の角度を水平または垂直に固定します。

3 始点として俵型左円弧の1/2目盛点を🖱。

4 終点として右図の1/2目盛点を🖱。

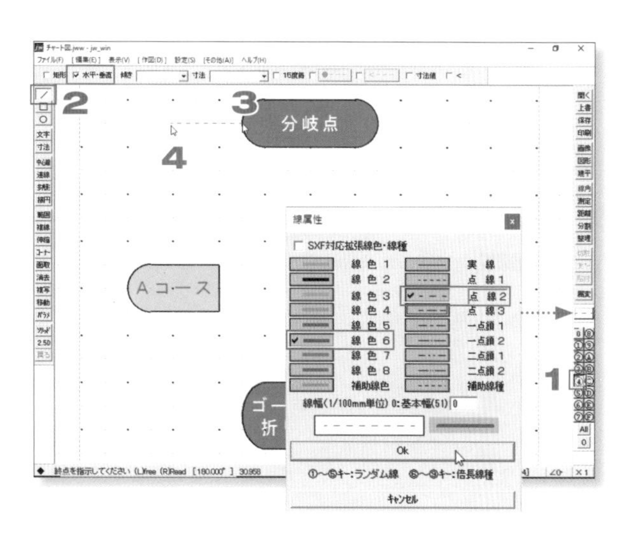

⇨ **3**－**4**間に水平線が作図される。

5 次の始点として**4**と同じ1/2目盛点を🖱。

6 終点として左の半俵型上辺の1/2目盛点を🖱。

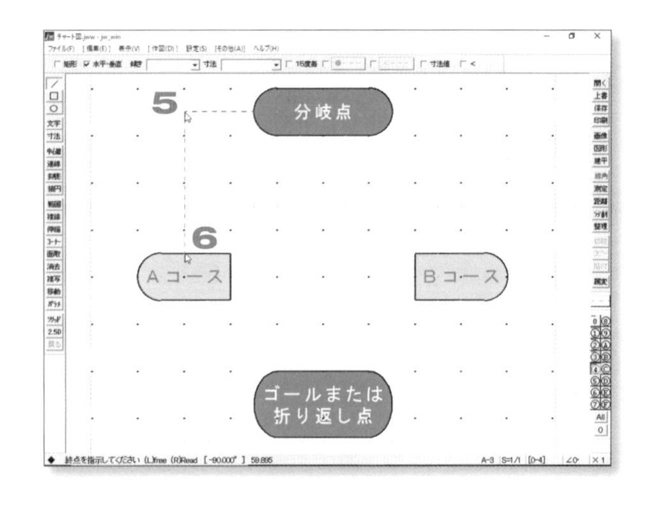

右側の線は「連線」コマンドで作図しましょう。

7 「連線」コマンドを選択する。

8 コントロールバー「基準角度」ボタンを2回🖱、「基点」ボタンを🖱し、作図ウィンドウ左上の表示を角度45度毎《基準点：マウス位置》にする。

POINT 「連線」コマンドは連続線を作図します。「基準角度」ボタンを🖱で連続線の作図角度を「無指定」⇒「15度毎」⇒「45度毎」に切り替えます。「基点」ボタンを🖱で連続線の接続位置の確定方法を「前線終点」⇔「マウス位置」に切り替えます。

9 始点として俵型右円弧の1/2目盛点を🖱。

⇨ **9**を始点とした線がマウスポインタまで仮表示される。線の角度はマウスポインタの位置により45度ごとに変化する。

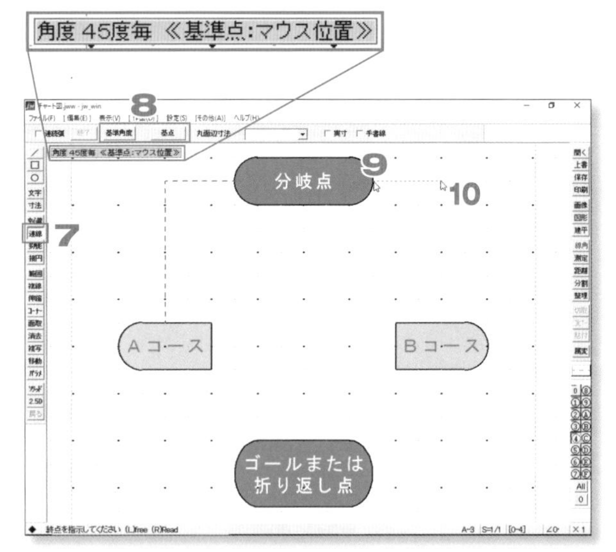

10 次の点として右図の1/2目盛点を🖱。

⇨ **9**からの水平線と連続した線がマウスポインタまで仮表示される。水平線の長さと接続部の位置は、マウスポインタの位置によって変化する。

11 次の点として半俵型上辺の右図の1/2目盛点を🖱🖱（終了）。

POINT 連続線の作図を終了するには、最後の点をダブルクリックするか、コントロールバー「終了」ボタンを🖱します。

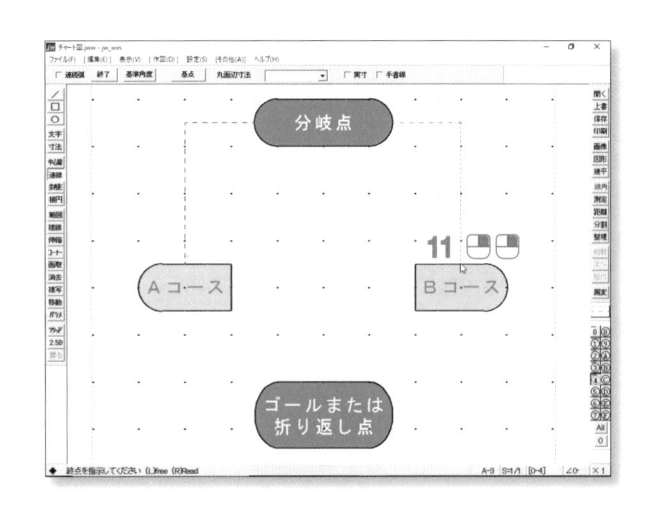

■■

21 角を丸めた連続線を作図する

接続部を丸く面取りした連続線を線色8の実線で作図しましょう。

1. 書込線を「線色8・実線」にする。
2. コントロールバー「丸面辺寸法」ボックスに「5」を入力する。
3. 始点として半俵型下辺の1/2目盛点を。
4. 次の点として右図の位置で。

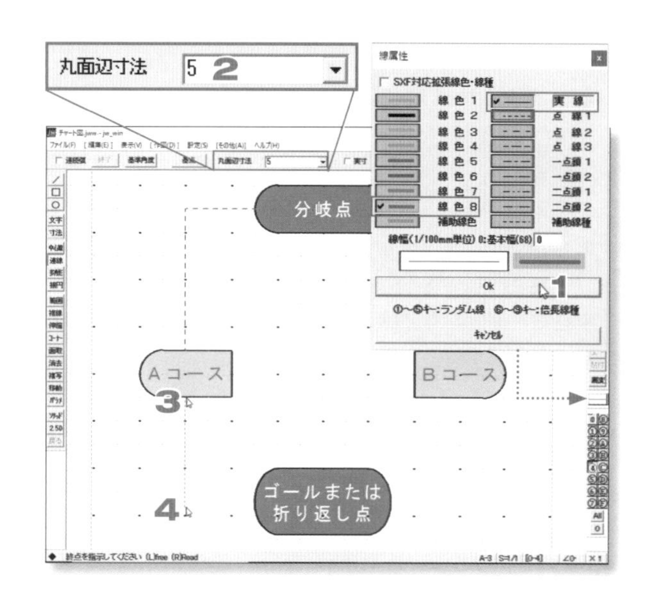

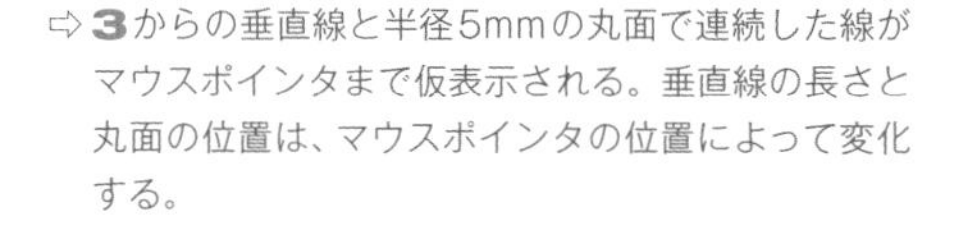

⇨ 3からの垂直線と半径5mmの丸面で連続した線がマウスポインタまで仮表示される。垂直線の長さと丸面の位置は、マウスポインタの位置によって変化する。

終点とする俵型左の円弧上には、読み取りできる点がありません。円弧上を終点にするため、↑（右ドラッグ）操作をします。

5. 終点として俵型左の円弧を↑（右ボタンを押したまま上方向にドラッグ）し 円上点&終了 が表示されたらマウスボタンをはなす。

⇨ 俵型左の円弧上を終点とした連続線が作図される。

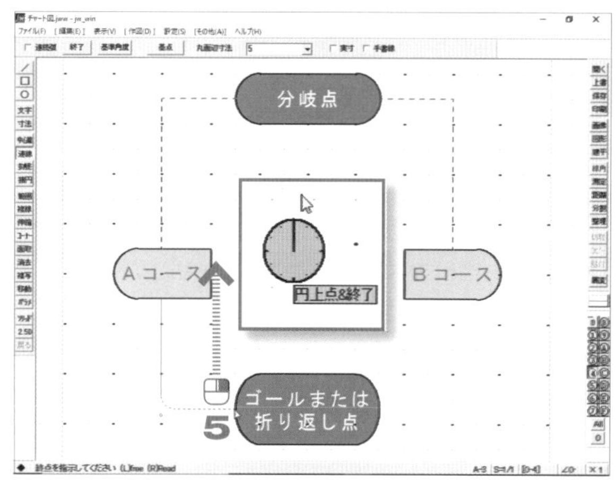

POINT 5で↑（右ドラッグ）して表示された時計の文字盤を模した円盤を「クロックメニュー」と呼びます。
クロックメニューで 円上点&終了 のように機能が表示された時点でマウスボタンをはなすことで、その機能を選択します。機能は時計の文字盤0時～11時にそれぞれ割り当てられており、ドラッグとドラッグでは、表示される機能も異なります。また、選択コマンドによっても表示される機能が一部異なります。以降、ドラッグする左右ボタンの別、ドラッグする方向、機能が割り当てられた時間と機能名から、

↑ AM0時 円上点&終了

のように表記します。

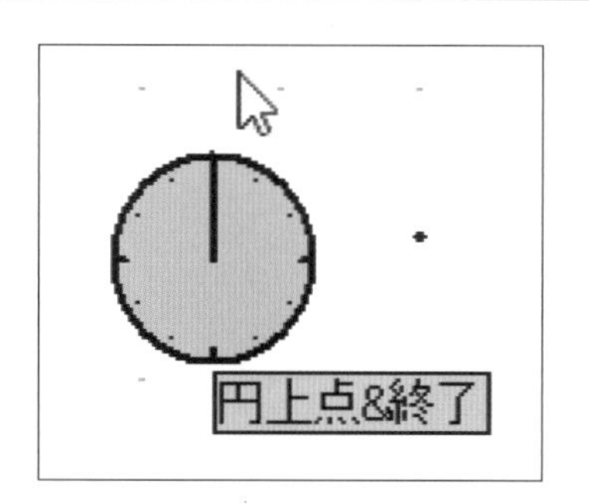

右側にも同様に連続線を作図しましょう。

6 始点として俵型右の円弧を🖱↑AM0時 円上点&終了。

⇨**6**の円弧上を始点とした線がマウスポインタまで仮表示される。

7 次の点として右図の位置で🖱。

⇨**6**からの水平線と半径5mmの丸面で連続した線がマウスポインタまで仮表示される。水平線の長さと丸面の位置は、マウスポインタの位置によって変化する。

8 終点として半俵型下辺の1/2目盛点を🖱🖱。

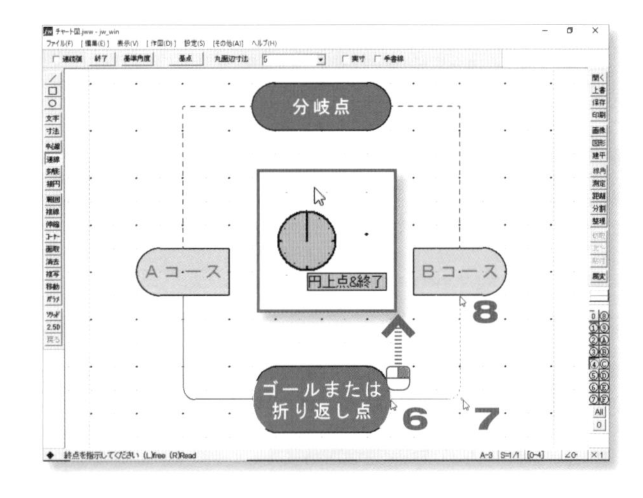

22 線の端部に矢印を作図する

「／」コマンドのコントロールバー「<」にチェックを付け、線や円弧を🖱することで端部に矢印を作図します。矢印の大きさなどは「寸法設定」コマンドで指定します。

1 「／」コマンドを選択し、コントロールバー「<」にチェックを付ける。

2 メニューバー［設定］－「寸法設定」を選択し、「寸法設定」ダイアログの「矢印設定」の「長さ」ボックスに「5」、「角度」ボックスに「30」を入力して「OK」ボタンを🖱。

3 右図の位置で線を🖱。

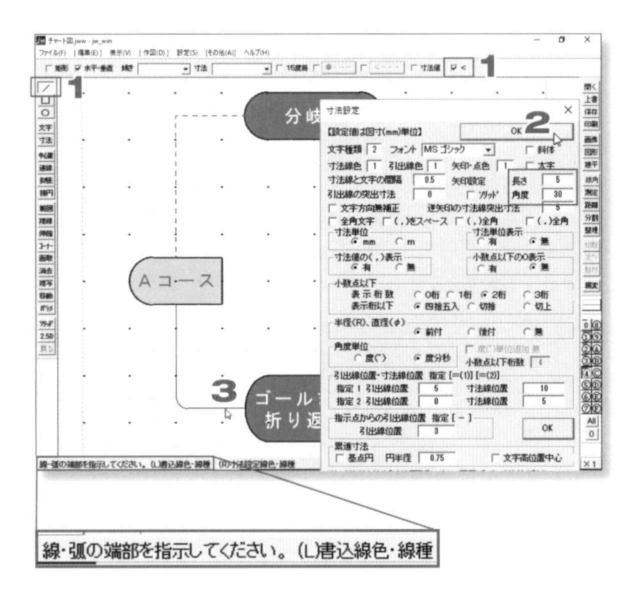

⇨🖱した線端部に右図のように書込線色・線種の矢印が作図される。

4 右図の位置で線を🖱。

POINT 線の半分よりも矢印を作図する端部側で🖱します。

⇨🖱した線端部に矢印が作図される。

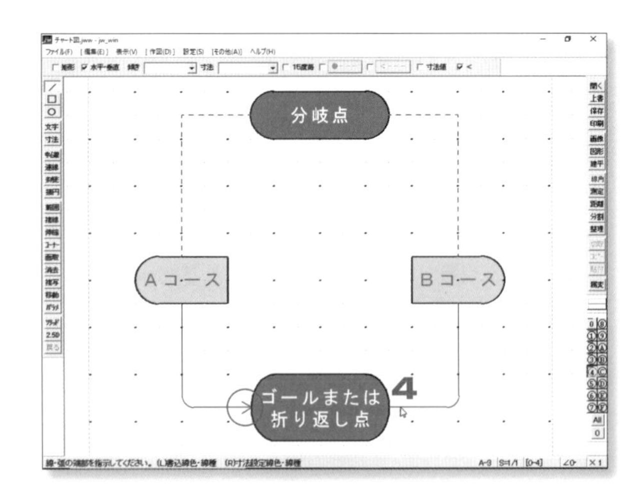

線色6（青）の線の端部にも線色6の矢印を作図しましょう。

5 書込線を線色6にする。

6 矢印を作図する端部側で線を⊟し、右の2カ所に矢印を作図する。

7 コントロールバー「<」のチェックを外す。

8 「上書」コマンドを⊟。

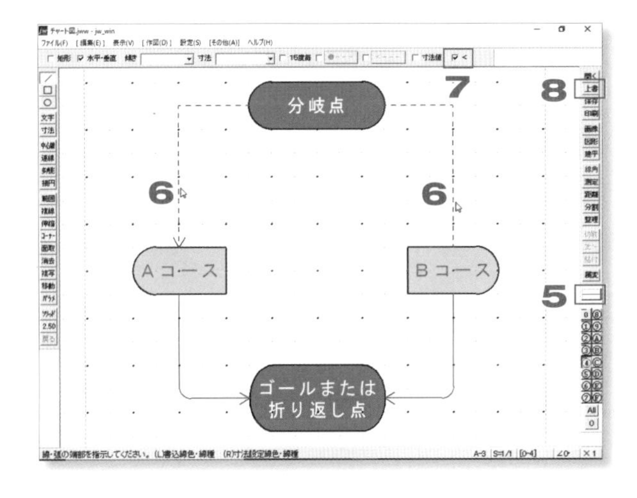

23 図の一部を縮める

作図後に修正・変更が容易なこともCADで図をかく利点の1つです。ここでは、右図の⟷の距離を縮めることで図全体の縦の長さを縮めてみましょう。

1 「パラメ」コマンドを選択する。

?「パラメ」コマンドがない≫P.208　Q10

2 範囲選択の始点として右図の位置で⊟。

3 表示される選択範囲枠で右図のように囲み終点を⊟（文字を含む）。

POINT 伸縮する線が選択範囲枠に交差するように囲みます。選択範囲枠に全体が入る要素が選択色になり、選択範囲枠に交差する線が選択色の点線になります。この後の指示で選択色の要素が移動し、選択色の点線はそれに伴い伸び縮みします。

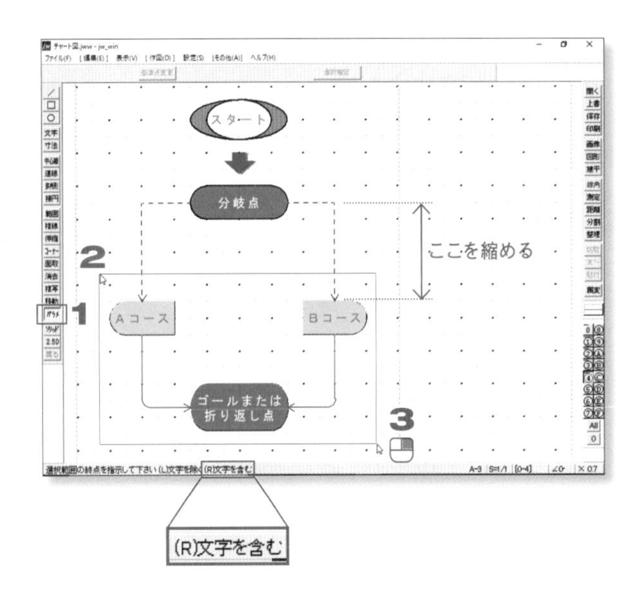

4 コントロールバー「基準点変更」ボタンを⊟。

5 基準点として右図の角を⊟。

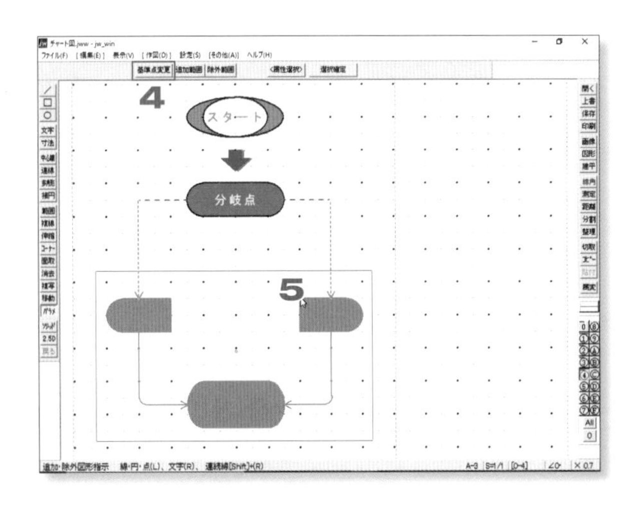

6 コントロールバーの伸縮方向ボタンが「XY方向」になっていることを確認し、右図の目盛点を🖱。

> POINT コントロールバー「XY方向」では、伸縮方向が横方向または縦方向に固定されます。「XY方向」ボタンを🖱することで、⇒「任意」(固定なし)⇒「X方向」(横方向固定)⇒「Y方向」(縦方向固定)に切り替わります。

7 「／」コマンドを選択し、「パラメ」コマンドを終了する。

8 「上書」コマンドを🖱。

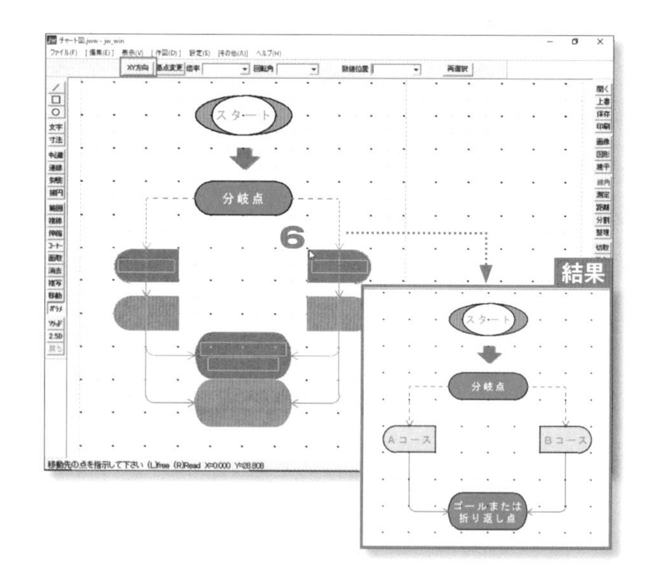

24 カラー印刷する

印刷の線幅とカラー印刷色は基本設定の「色・画面」タブで指定します。カラー印刷色を初期画面と同じ色分けにし、印刷線幅を以下のように設定しましょう。

線色2：0.3mm　　線色8：0.7mm
線色6：0.7mm

1 メニューバー[設定]－「基本設定」を選択し、「jw_win」ダイアログの「色・画面」タブの「色彩の初期化」ボタンを🖱。

2 「プリンタ出力色」ボタンを🖱。

3 「プリンタ出力 要素」欄の「線色2」「線色6」「線色8」の印刷線幅を右図のように指定する。

4 「OK」ボタンを🖱。

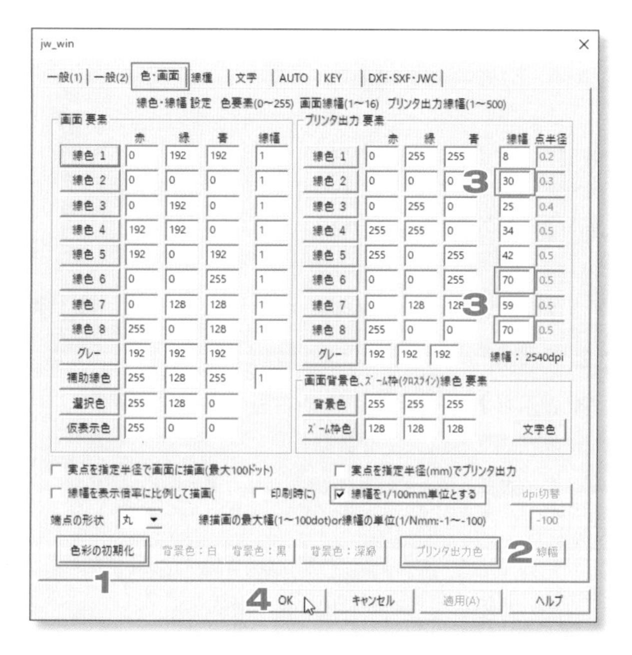

カラーで印刷しましょう。

5 「印刷」コマンドを選択し、「印刷」ダイアログの「OK」ボタンを🖱。

> POINT コントロールバー「カラー印刷」にチェックがない状態では、線・円・弧・文字はすべて黒で印刷されます。そのため、線色6、線色8の線も白抜き文字も黒で表示されます。

6 コントロールバー「カラー印刷」を🖱し、チェックを付ける。

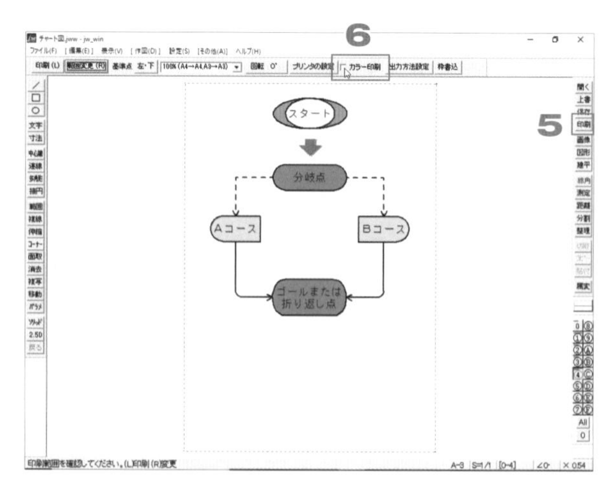

Case Study 3

基本操作をマスターしよう② ― チャート図をかこう

⇨「jw_win」ダイアログの「色・画面」タブで指定した印刷色で表示される。線色4で記入されている文字は、右図のように黄色になる。

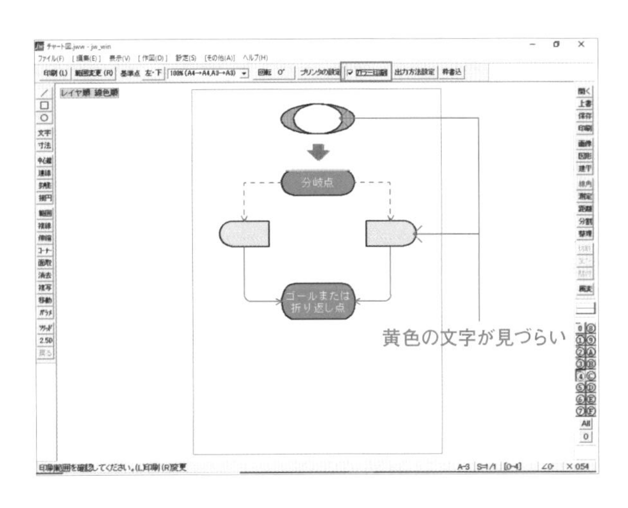

線色4の黄色の文字は見づらいため、線色4の印刷色を黒に変更しましょう。

7 メニューバー［設定］－「基本設定」を選択し、「jw_win」ダイアログの「色・画面」タブで、「プリンタ出力 要素」欄の「線色4」ボタンを🖱。

8 「色の設定」パレットで黒を指定し、「OK」ボタンを🖱。

⇨「線色4」の印刷色が黒に変更される。

9 「jw_win」ダイアログの「OK」ボタンを🖱。

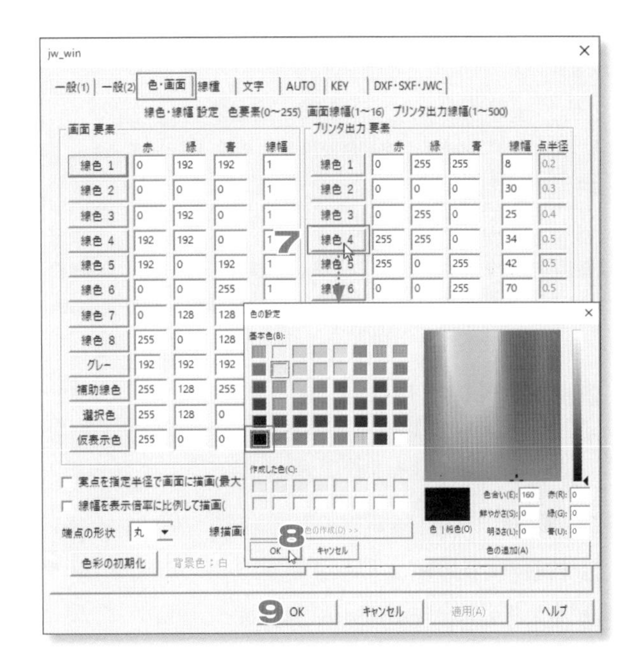

⇨線色4の文字が印刷色の黒で表示される。

10 印刷枠にチャート図が入っていることを確認し、コントロールバー「印刷」ボタンを🖱して印刷する。

設定したカラー印刷色も図面とともに保存するため、ここで再度、上書き保存をしましょう。

11 「上書」コマンドを🖱。

以上でこの単元の練習は終了です。

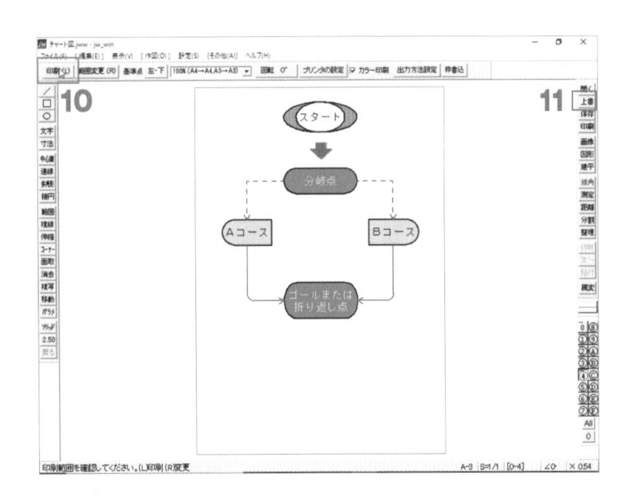

STEPUP ひとまとまりで扱える図形データの作成と登録

■ ワンクリックで消える図形データ

P.56で配置したピクトグラムの図形データやP.70で配置した図形データ「半俵ー文」の一辺を「消去」コマンドですると、図形全体が消去されます。で図形全体が消えるのは、複数の要素をひとまとまりとして扱う「曲線属性」がその図形に付いているためです。

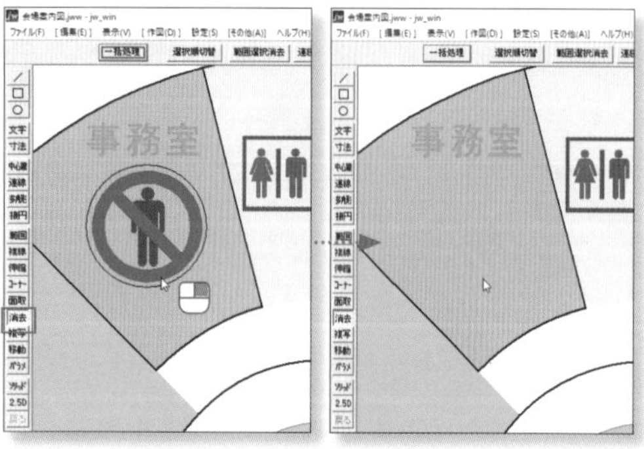

ピクトグラムの図形データには曲線属性が付いているため、で全体が消える

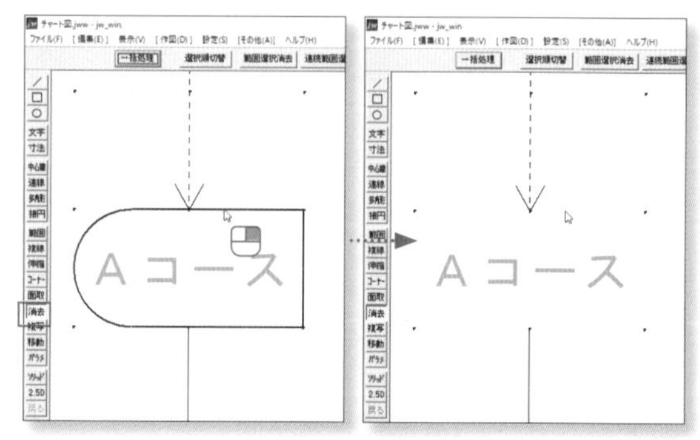

図形データ「半俵ー文」にも曲線属性が付いているため、で文字以外が消える。文字は、P.74で書き換えたことで曲線属性から外れたため、消えずに残る

曲線属性は独自に作図した要素に付加することができます。図面「チャート図.jww」を開き、ソリッド（着色部）を除いた二重の楕円とその中の文字に曲線属性を付けましょう。

■ 曲線属性を付ける

1 「1」レイヤを書込レイヤにし、「2」「3」「4」レイヤを非表示にする。

2 「範囲」コマンドを選択する。

3 楕円の左上で。

4 表示される選択範囲枠で楕円を囲み、終点を（文字を含む）。

⇨選択範囲枠に全体が入る要素が選択色になる。

5 コントロールバー「属性変更」ボタンを。

6 開いたダイアログの「曲線属性に変更」にチェックを付け、「OK」ボタンを。

⇨**4**で選択した要素に曲線属性が付く。

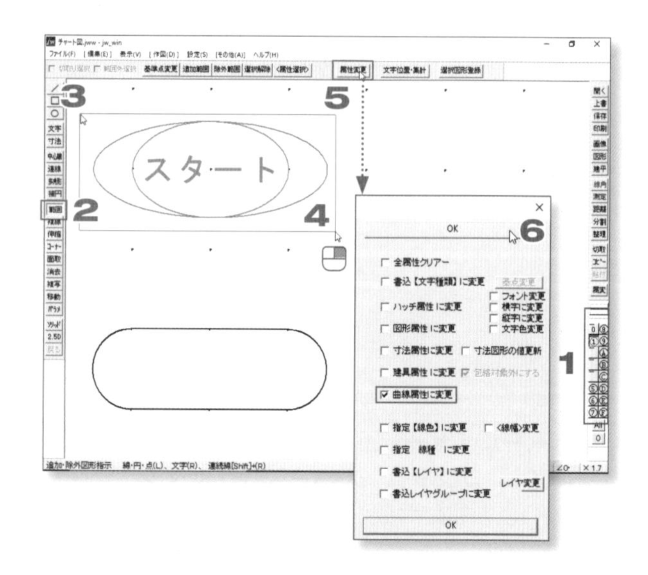

ここでは、図形をひとまとまりで扱えるようにするため、曲線属性を付けたうえで図形登録をしますが、曲線属性を付けずに図形登録することもできます。

■ 図形登録する

1 メニューバー［その他］－「図形登録」を選択する。

2 登録対象の左上で🖱。

3 表示される選択範囲枠で登録対象を囲み、終点を🖱（文字を含む）。

⇨選択範囲枠に全体が入る要素が図形登録の対象として選択色になる。

4 コントロールバー「選択確定」ボタンを🖱。

POINT 円や長方形などの上下左右が対称な図形を範囲選択すると、基準点はその中心になります。ここでは文字も含めたため、基準点はその中心から少しずれています。

5 図形の登録基準点として楕円中心の目盛点を🖱。

6 コントロールバー「《図形登録》」ボタンを🖱。

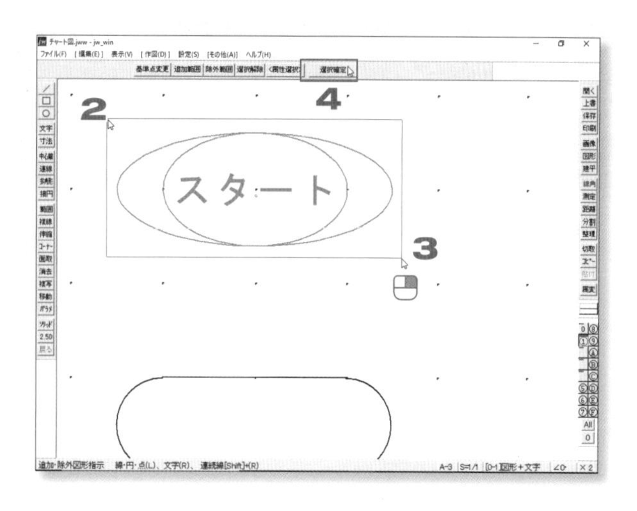

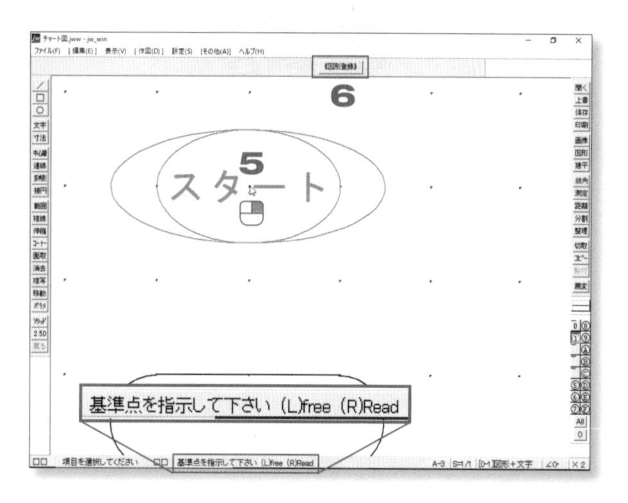

7 「ファイル選択」ダイアログのフォルダーツリーで保存先のフォルダーとして「【図形】チャート記号」フォルダーを選択する。

8 「新規」ボタンを🖱。

9 「新規作成」ダイアログの「名前」ボックスに「start」と入力し、「OK」ボタンを🖱。

POINT 日本語で名前を入力するには半角/全角キーを押して日本語入力を有効にします。

⇨**2**～**3**で範囲選択した要素が図形登録される。

POINT 実寸法で図形登録されます。そのため、図形「start」は作図図面において常に長径30mm、短径12mmの大きさで配置されます。

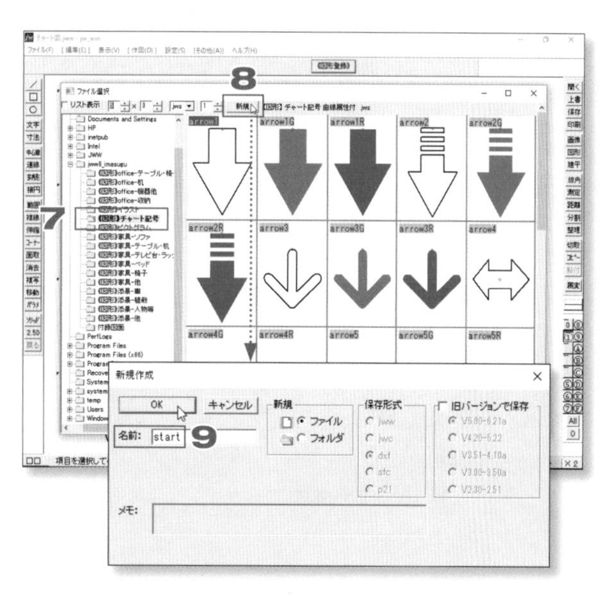

「図形」コマンドを選択し、登録した図形「start」を確認しましょう。

Case Study 4

写真を挿入してCD/DVDの紙ジャケットを作ろう

デジカメで撮影した写真やスキャナーで読込んだ写真、イラストなどの画像をJw_cad図面に挿入できます。
ここでは、教材図面「DiskJ.jww」を開き、デジカメで撮影した画像を挿入・レイアウトして、CD/DVDのオリジナル紙ジャケットを作ってみましょう。

JPG画像を挿入し、トリミング・大きさ調整・移動をしよう

子猫 2019

折る順番に番号を付け、┈┈┈ 谷折り、‐・‐・‐ 山折りを記載

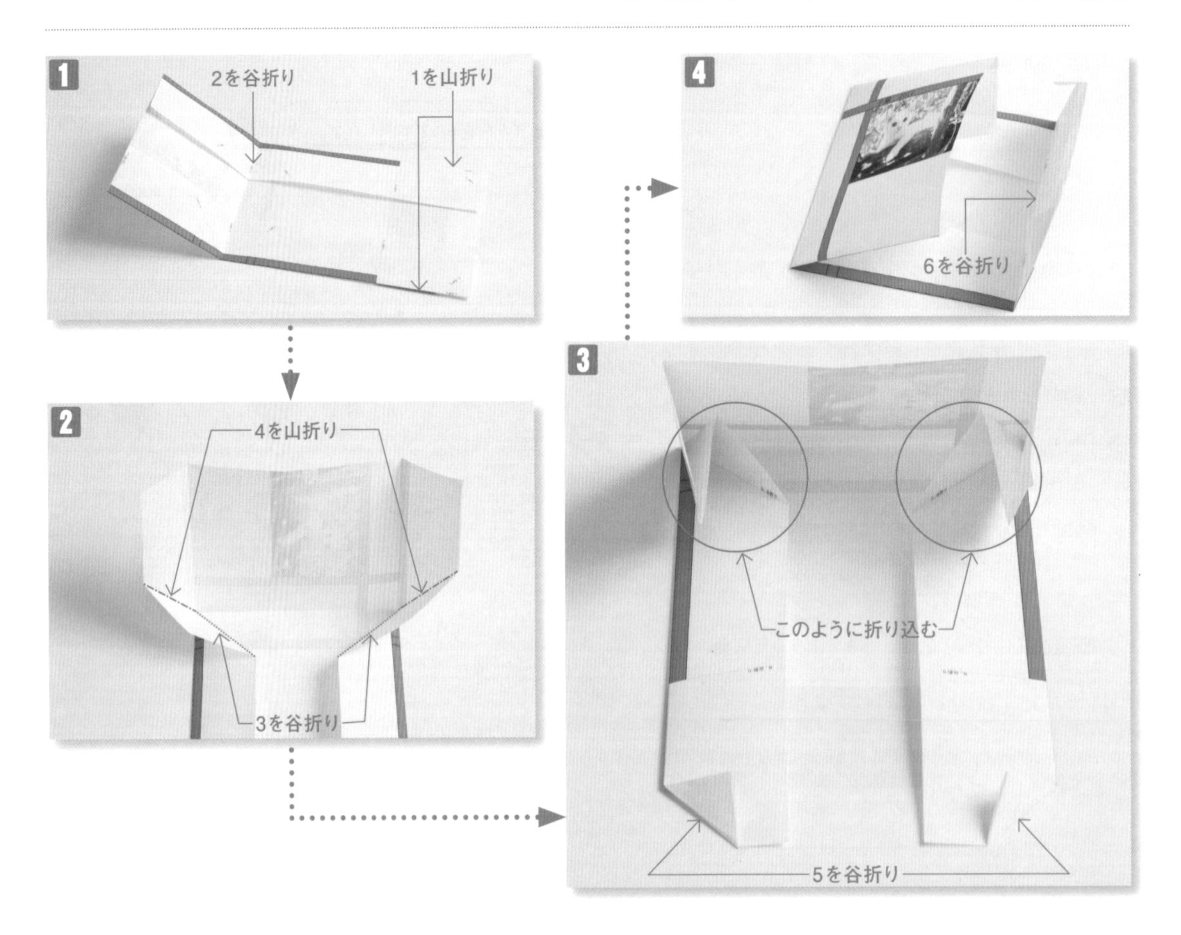

01 WIC Susie Plug-inのインストール

Jw_cadでは、BMP形式の画像に限り、図面に挿入できます。デジカメで撮った写真をはじめ、一般に広く利用されているJPEG形式の画像を挿入するには、WIC Susie Plug-inをインストールします。Jw_cadを起動している場合は、Jw_cadを終了した後、インストールしてください。

WIC Susie Plug-in ver1.8
［収録ファイル名］iftwic18.zip
［作者］TORO
［料金］無料
［対応OS］Windows 2003/XP以降
※Windows 10（64bit版）で動作確認済み
［URL］http://toro.d.dooo.jp/

1 CD（またはDVD）ドライブに付録CD-ROMを挿入し、CD-ROMを開く。

2 「software」フォルダーを⊟⊟で開く。

3 「iftwic18(.zip)」を⊟⊟。

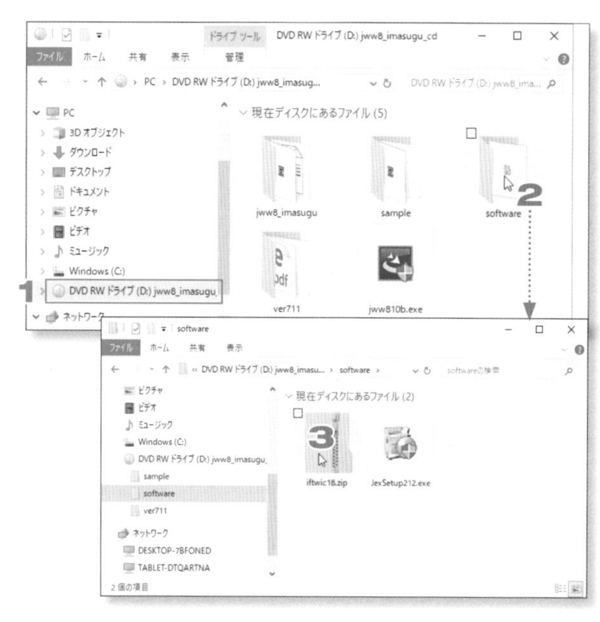

4 「iftwic18.zip」ウィンドウが開き、内部のファイルが表示されるので、「iftwic.spi」を⊟。

5 表示されるメニューの「コピー」を⊟。

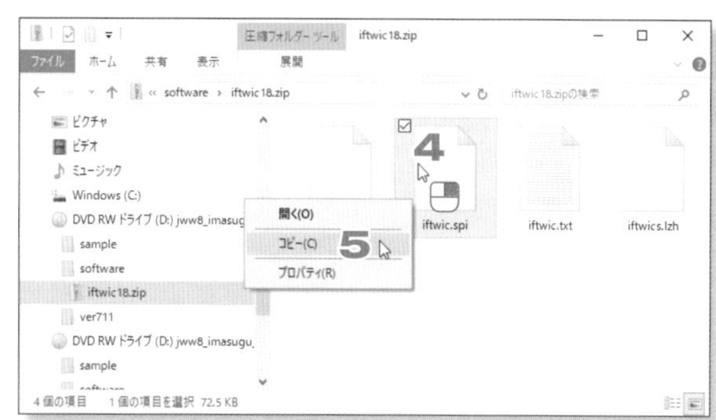

6 フォルダーツリーでCドライブの「JWW」フォルダーを⊟。

7 「JWW」フォルダー内の何もない位置で⊟。

8 表示されるメニューの「貼り付け」を⊟。

⇨「iftwic.spi」が「JWW」フォルダーに貼り付けられる。

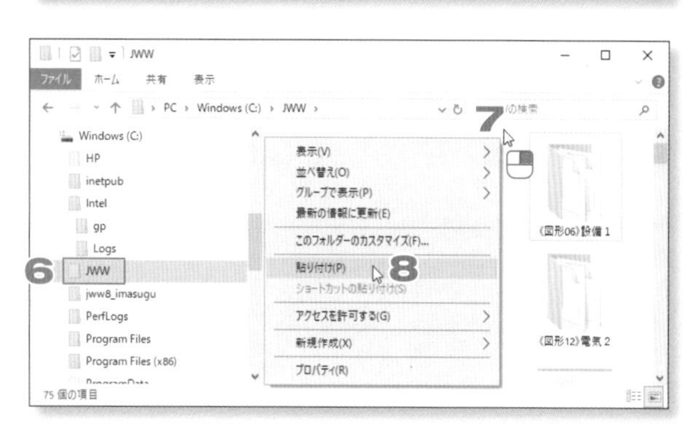

以上で完了です。ウィンドウを閉じ、CD-ROMを取り出してください。

02 画像を挿入する

「jww8_imasugu」フォルダーから教材図面「DiskJ.jww」を開き、「jww8_imasugu」フォルダーに収録しているJPEG画像を挿入しましょう。

1 「開く」コマンドを選択し、「jww8_imasugu」フォルダーの教材図面「DiskJ.jww」を開く。

2 「画像」コマンドを選択する。

?「画像」コマンドがない≫P.208 Q10

3 コントロールバー「画像挿入」ボタンを🖱。

4 「開く」ダイアログの「ファイルの種類」ボックスの⌄ボタンを🖱し、リストから「WIC (*.bmp;*.dib;*.rle…)」を🖱で選択する。

?リストに「WIC (*.bmp;*.dib;*.rle…)」がない ≫P.211 Q21

5 フォルダーツリーで「Windows (C:)」(Cドライブ)を🖱🖱。

6 「Windows (C:)」下に表示される「jww8_imasugu」フォルダーを🖱。

7 画像「Image079(.jpg)」を🖱で選択する。

8 「開く」ボタンを🖱。

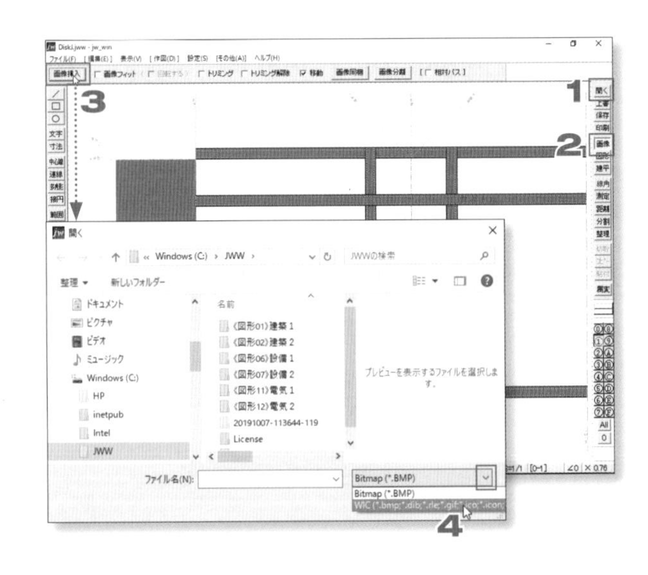

Windowsの「プレビューウィンドウ」を有効にすると選択した画像がプレビューされる

⇨「開く」ダイアログが閉じ、ステータスバーには「基準点を指示して下さい」と操作指示が表示される。

POINT 画像は、次で指示する点にその左下角を合わせ、横幅が図寸100mm(縮尺に関わりなく印刷時の横幅)になるように挿入されます。仮の位置に配置した後、トリミングや大きさ調整、移動を行います。

9 基準点(画像の左下角)として右図の角を🖱。

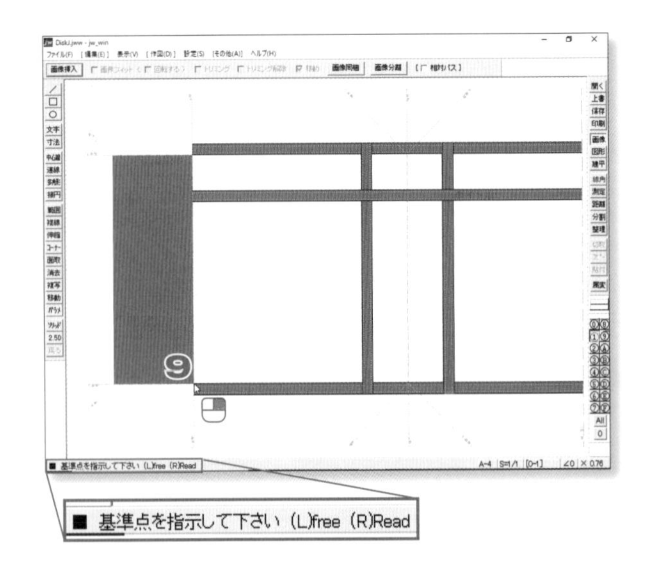

⇨ **9**の基準点に左下角が位置する状態で、**7**で選択した画像が横幅100mm（図寸）で挿入される。

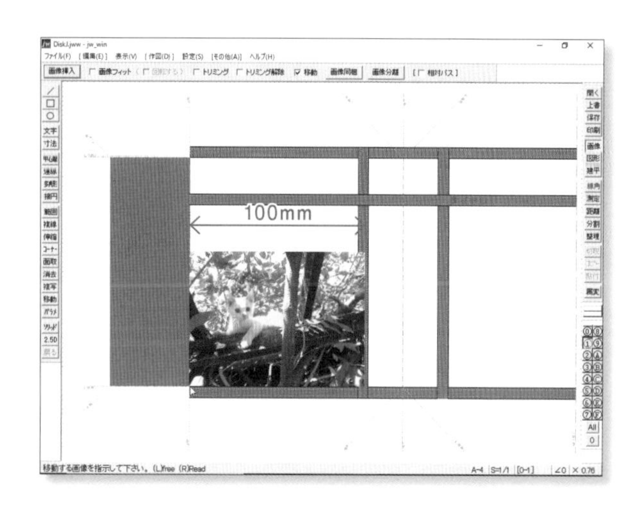

03 画像をトリミングする

画像の使用する部分（子猫のまわり）をトリミングしましょう。

1 「画像」コマンドのコントロールバー「トリミング」を🖱し、チェックを付ける。

2 トリミング範囲の始点として右図の位置（使用する範囲の左下）を🖱。

⇨ **2**を対角とした範囲枠がマウスポインタまで表示される。

3 範囲枠で画像の使用する範囲を囲み、終点を🖱。

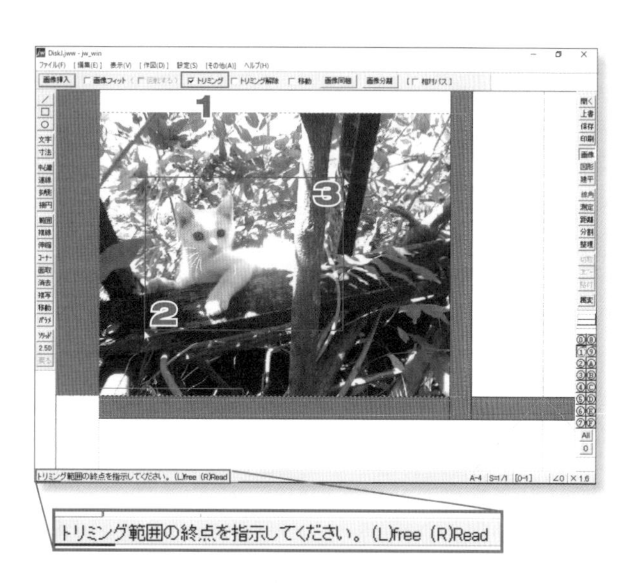

⇨ 右図のように、**2**－**3**で囲んだ範囲がトリミングされる。

POINT 「トリミング」では、画像の指定範囲をJw_cad上で表示します。画像自体は加工されないため、コントロールバー「トリミング解除」を選択し、解除対象の画像を🖱することで、トリミング前の画像全体の表示に戻せます。

04 画像の大きさを調整する

前項でトリミングした画像の大きさを調整し、右の空白に収めましょう。

1 「画像」コマンドのコントロールバー「画像フィット」にチェックを付ける。

2 フィットさせる画像の範囲の始点として画像の左下角を🖱。

3 フィットさせる画像の終点として右上角を🖱。

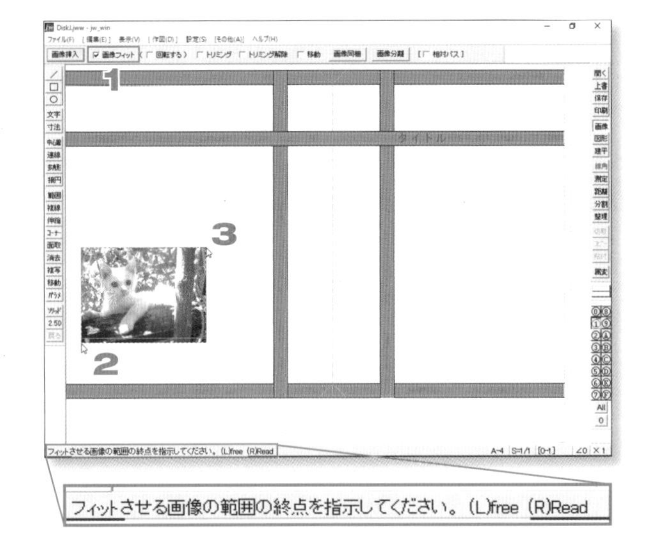

4 フィットさせる範囲の始点として右図のリボンの交点を🖱。

5 フィットさせる範囲の終点として右図のリボンの端点を🖱。

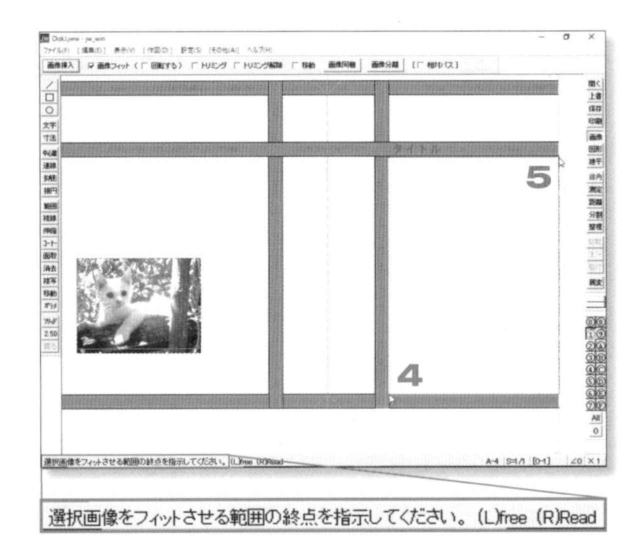

⇨ 画像の横幅が**4**－**5**の左右の幅になり、**4**と**5**の中央に右図のように収まる。

POINT 画像とフィットさせる範囲の縦横比が異なる場合、画像の縦横比を保ち、画像の長い辺の方向（この例では横）をフィットさせる範囲の長さに合わせてサイズ変更します。

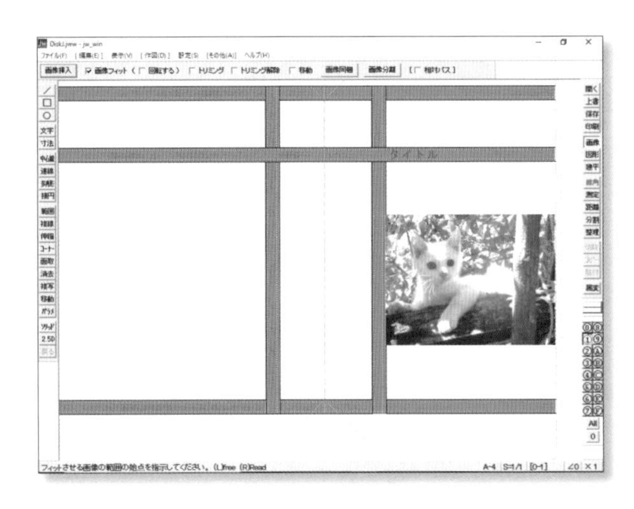

05 画像を移動する

大きさ変更した画像の上辺を上のリボン下辺に合わせましょう。

1 「画像」コマンドのコントロールバー「移動」にチェックを付ける。

2 移動する画像の基準点として画像の右上角を⊟。

POINT 2の操作で、移動する画像が指定されると同時に2の位置が移動の基準点になります。

3 移動先として右図のリボンの端点を⊟。

⇨ 右図のように移動される。

06 画像を図面ファイルに同梱する

挿入した画像は、図面ファイルとは別のファイルに分かれています。図面ファイルと一緒に画像も保存するために、図面ファイルを保存する前に「画像同梱」を行います。

1 「画像」コマンドのコントロールバー「画像同梱」ボタンを⊟。

2 右図のメッセージウィンドウが表示されるので「OK」ボタンを⊟。

3 同梱結果のメッセージウィンドウが表示されるので「OK」ボタンを⊟。

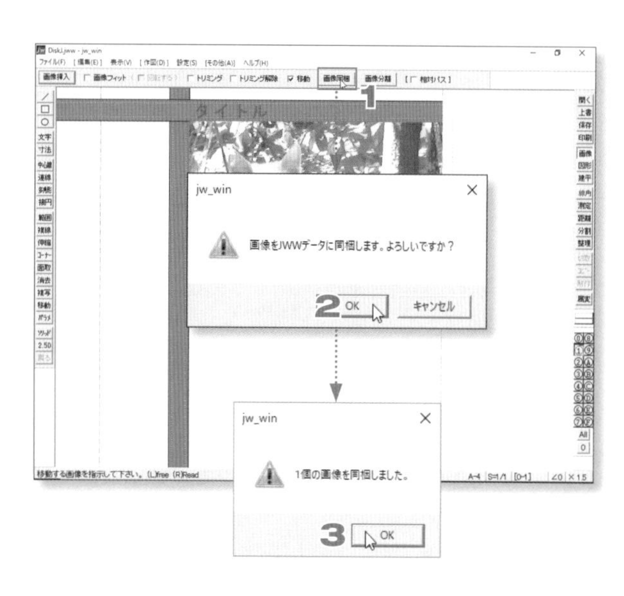

07 文字を書き換える

「タイトル」を「子猫　2019」に書き換えましょう。

1 「文字」コマンドを選択し、十分に拡大表示して書き換え対象の文字「タイトル」を🖱。

⇨「文字変更・移動」ボックスに「タイトル」が色反転して表示される。

❓「文字変更・移動」ボックスに「タイトル」ではなく、アルファベットと数字の羅列が表示される
≫P.211　Q22

2 キーボードから「子猫　2019」を入力し、Enterキーを押す。

08 別の名前で保存する

画像挿入前の図面「DiskJ.jww」を残しておくため、画像を挿入したこの図面を別の名前で保存しましょう。

1 「保存」コマンドを選択する。

2 「ファイル選択」ダイアログで「jww8_imasugu」フォルダーが選択されていることを確認し、「新規」ボタンを🖱。

⇨「新規作成」ダイアログが開き、「名前」ボックスには現在の図面名「DiskJ」が色反転して表示される。

3 「名前」ボックスの「DiskJ」の末尾を🖱。

4 「-cat」を入力し、「DiskJ-cat」に変更して「OK」ボタンを🖱。

以上で完了です。印刷し、P.90のように折ることでディスクジャケットになります。

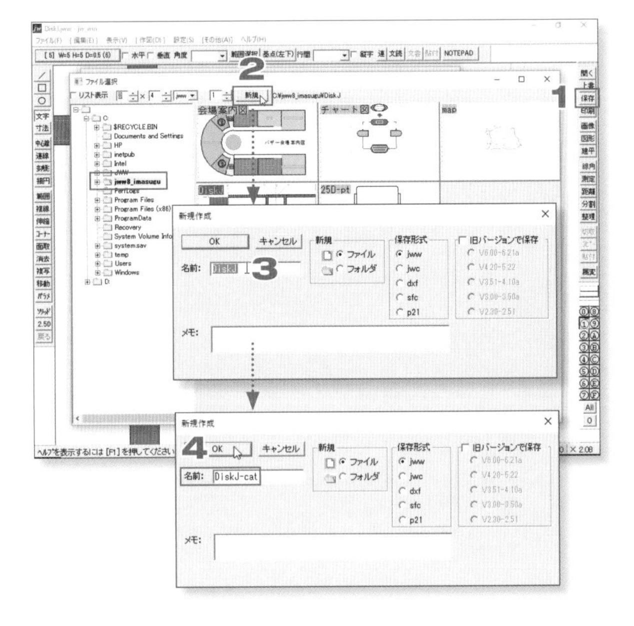

POINT 画像は、基本的に文字要素と同じ扱いです。画像を消すには、「消去」コマンドのコントロールバー「選択順切替」ボタンで【文字】優先選択消去にし、画像の左下付近を🖱してください。画像中央で🖱しても図形がありませんと表示され、消えません。
また、範囲選択するときは、選択範囲枠に画像の下辺が入るように囲み、終点を🖱（文字を含む）してください。

画像が選択されると、その左下に記述されている画像表示の命令文が選択色になる

Hint　画像を丸く表示する

画像を丸く残して回りを白く塗りつぶすことで丸く表示できます。

1 画像より後ろのレイヤ（ここでは「2」レイヤ）を書込レイヤにする。

2 「○」コマンドで画像を表示する範囲の円（ここでは半径20mm）を作図する。

3 「ソリッド」コマンドを選択する。

4 コントロールバー「任意■」の色を白に指定し、「円・連続線指示」ボタンを[左クリック]。

5 コントロールバー「円外側」にチェックを付ける。

6 作図した円を[左クリック]。

POINT 2で作図した円を消す場合は、6で円を[右クリック]（消す）してください。

⇨ 右図のように6で[左クリック]した円とそれに外接する正方形の間が白で塗りつぶされる。

7 「画像」コマンドを選択し、コントロールバー「トリミング」にチェックを付ける。

8 トリミング範囲の始点として白ソリッド（着色部）の左上角を[左クリック]。

9 トリミング範囲の終点として白ソリッドの右下角を[左クリック]。

⇨ 右図のように画像が丸く表示される。

STEPUP

曲線をトレースするときのポイント

地図やイラストの画像をJw_cadに挿入（≫P.92）し、それを下絵にして「／」「○」コマンドなどでトレースできます。ここでは、スキャナーで読み取りした手描きの案内図をトレースする例で、地図の川・山道などの曲線部やイラストのフリーハンドの線をトレースするときに便利な「スプライン曲線」の使い方を紹介します。

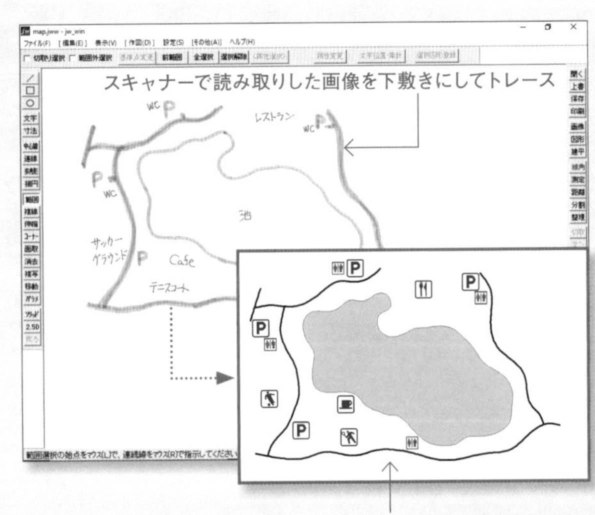

1 「jww8_imasugu」フォルダー内の図面「map.jww」を開く。

POINT この図面は「0」レイヤに、スキャナーで読み取りした手描き地図「map.jpg」を挿入してあります。画像が大きすぎると表示に支障が出る場合があります。そのため、画像は挿入時の大きさ（横幅100mm）のままトレースし、トレースした図を「移動」コマンドの倍率指定で必要な大きさに調整することをおすすめします。

2 「1」レイヤを書込レイヤにし、書込線を「線色6・実線」にする。

3 メニューバー［作図］－「曲線」を選択する。

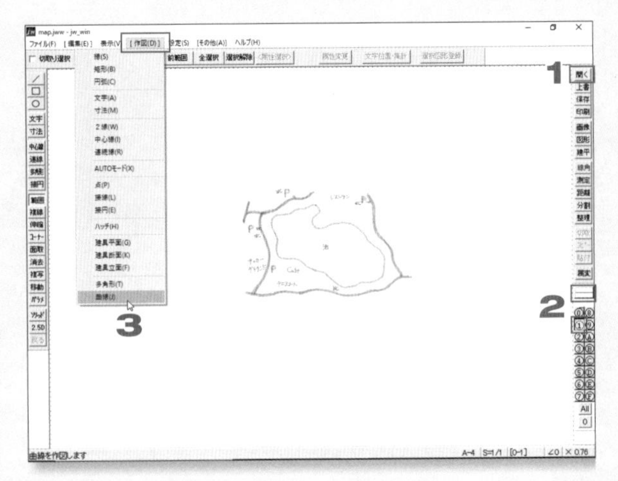

4 コントロールバー「スプライン曲線」を選択する。

POINT 「スプライン曲線」では、連続して点を指示することで、それらの指示点を通るなめらかな曲線を作図します。

5 曲線の始点位置を（左クリック）。

⇨**5**の点からマウスポインタまで仮線が表示される。

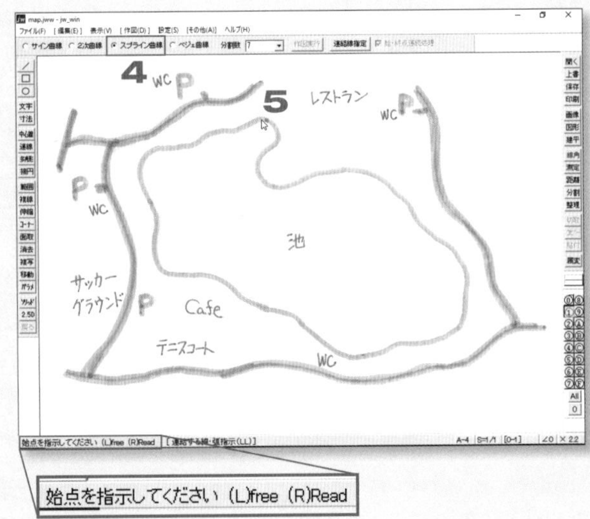

Case Study 4

写真を挿入してCD/DVDの紙ジャケットを作ろう

6 中間点を🖱。

POINT 画像上の曲線をなぞるように始点⇒中間点⇒次の点（終点）⇒次の点（終点）…と、点を指示していくことで指示点を通る曲線を作図します。画像上の線や点は🖱での読み取りはできません。すべて🖱でおおよその位置を指示してください。

⇨**5**－**6**と**6**からマウスポインタまで仮線が表示される。

7 次の点（終点）を🖱。

8 次の点（終点）を🖱。

9 次の点（終点）を🖱。

10 曲線上を連続した直線でなぞるように、順次、次の点（終点）を🖱。

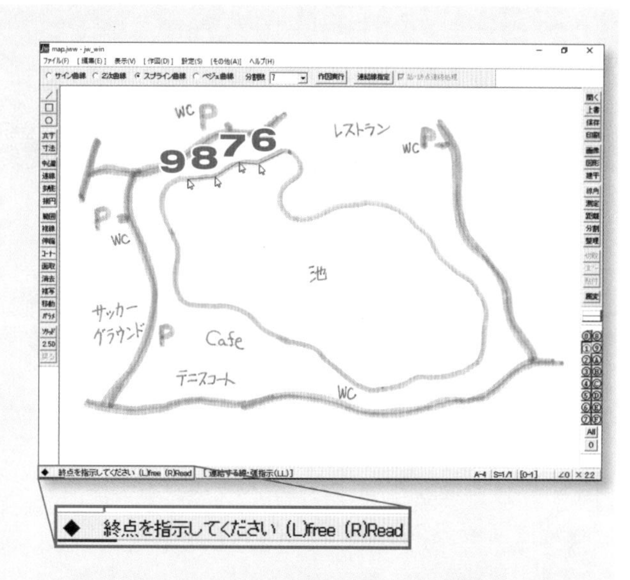

11 始点（**5**の点）を🖱。

12 コントロールバー「始・終点連続処理」にチェックが付いていることを確認する。

POINT 始点と終点で同じ点を指示した場合に限り、コントロールバー「始・終点連続処理」を指定できます。このチェックを付けることで、始点位置でなめらかにつながります。また、コントロールバー「分割数」ボックスの分割数が大きいほど曲線がなめらかに見えます。

13 コントロールバー「作図実行」ボタンを🖱。

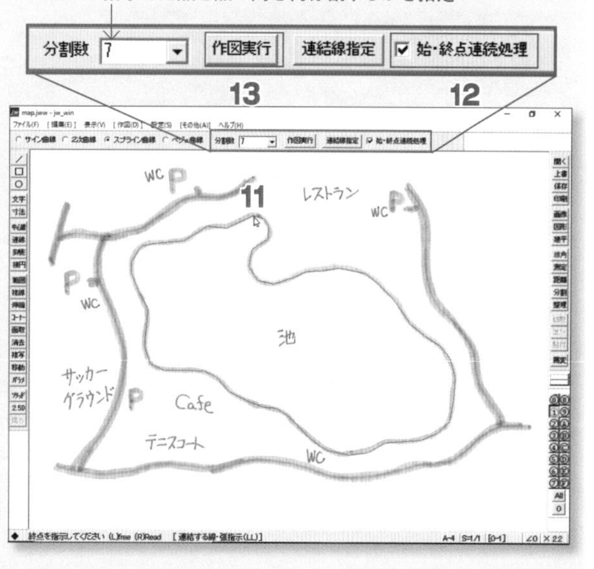

⇨🖱した位置を通るなめらかな曲線が作図される。

POINT 「曲線」コマンドで作図した曲線は、実際には連続した短い直線の集まりですが、それらをひとまとまりとして扱うための「曲線属性」（≫P.88）が付加されています。そのため、「消去」コマンドで、曲線を🖱すると、一連の操作（**5**～**13**）で作図した曲線全体が消えます。

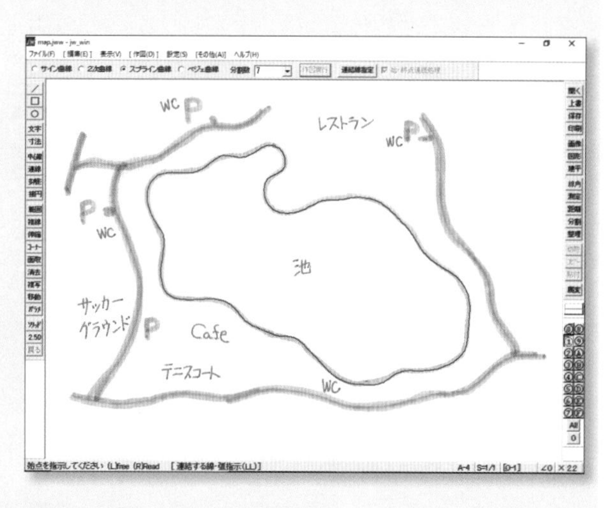

Case Study 5

住宅間取り図をかこう

はがきサイズの用紙に下図の住宅間取り図を作図しましょう。はがきサイズに収まるよう、間取り図は実物の1/100の寸法で作図します。縮尺を1/100に設定することで、わざわざ実際の寸法（実寸）を1/100に換算することなく作図できます。
ここでは実寸910mm間隔の目盛を設定して間取り図を作図します。また、Word文書「05.docx」を開き、その一部の文字をJw_cadの図面に貼り付けます。

はがきサイズの印刷枠を設定しよう

壁を2本線で作図しよう

ドア・窓を作図しよう

Wordの文字をコピー＆貼付しよう

1,820 1,820

玄関
UB
台所
収納
洋室
6帖

1,820
910
2,730

賃料：3.8万円
管理費・共益費等：1,500円
敷金・礼金：１ヶ月
保証金：－
間取：１Ｋ
占有面積：19.87㎡
建築種別／構造：アパート／木造
築年月：1986年
物件階層：２階／２階建

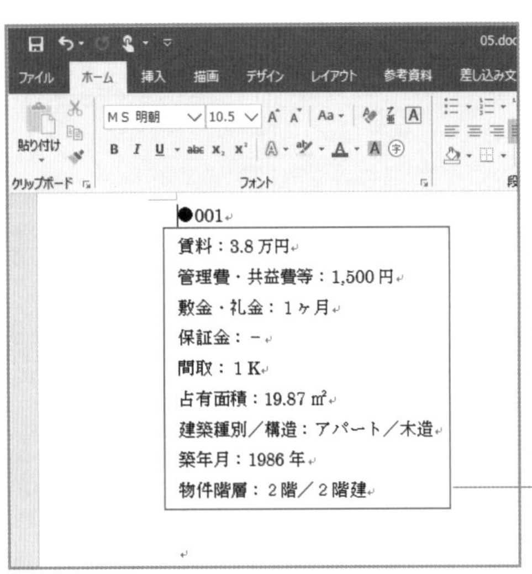

画面は「Microsoft Word」の文書「05.docx」

01 縮尺を設定する

縮尺を1/100に設定しましょう。

1 ステータスバーの「縮尺」ボタンを🖱。

2 「縮尺・読取　設定」ダイアログの縮尺の分母ボックスに「100」を入力し、「OK」ボタンを🖱。

⇨ ダイアログが閉じ、ステータスバー「縮尺」ボタンの表記が「S=1/100」になる。

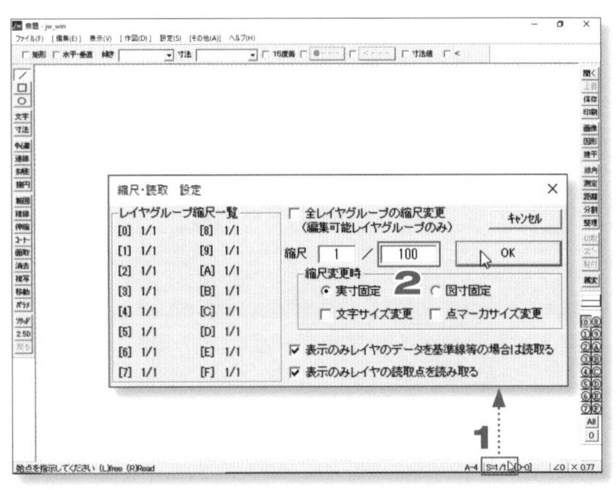

02 はがきサイズの印刷枠を準備する

Jw_cadの用紙に「はがき」はないため、A4に設定したうえで、はがきサイズを示す印刷枠を補助線（印刷されない線）で作図します。

1. 用紙サイズをA4に設定する。
   参 用紙サイズの設定≫P.24
2. 「印刷」コマンドを選択し、「印刷」ダイアログの「OK」ボタンを🖱。
3. コントロールバー「プリンタの設定」ボタンを🖱。
4. 「プリンターの設定」ダイアログで用紙サイズ「はがき」、印刷の向き「縦」を選択し、「OK」ボタンを🖱。
   ⇨ 印刷枠がはがき・縦になる。
5. 「線属性」バーを🖱し、「線属性」ダイアログで「線色7」と「補助線種」を🖱で選択し、「Ok」ボタンを🖱。
6. コントロールバー「枠書込」ボタンを🖱。
   ⇨ 書込レイヤ「0」に書込線（線色7・補助線種）ではがきサイズの印刷枠が作図される。
7. 「／」コマンドを選択し、「印刷」コマンドを終了する。

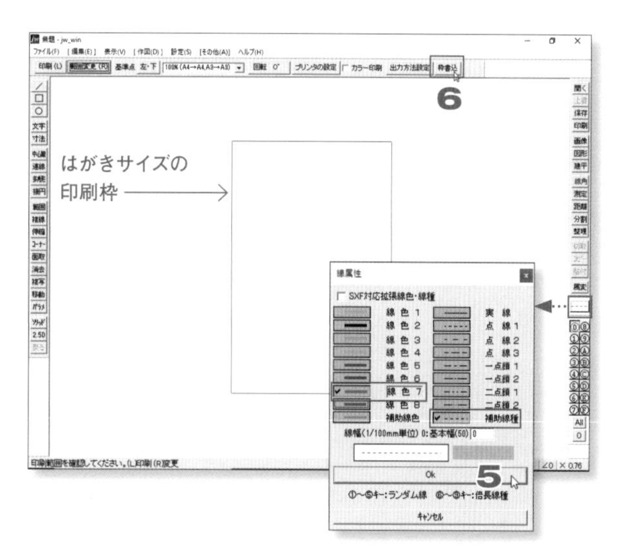

03 線色ごとの印刷線幅を設定する

線色ごとの印刷線幅を以下のように設定しましょう。

線色1：0.13mm　　線色5：0.25mm
線色2：0.15mm

1. メニューバー［設定］－「基本設定」を選択し、「jw_win」ダイアログの「色・画面」タブを🖱。
2. 「プリンタ出力　要素」欄の「線色1」「線色2」「線色5」の「線幅」を右図のように設定し、「OK」ボタンを🖱。

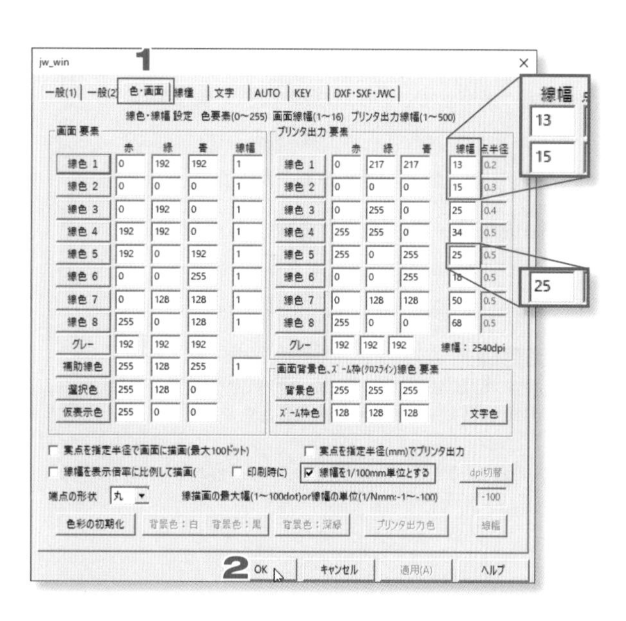

04 実寸910mm間隔の目盛を設定する

1820mm×910mmを畳1帖目安として間取り図を作図するため、実寸910mmの目盛を設定しましょう。

1 ステータスバー「軸角」ボタンを🖱。

2 「軸角・目盛・オフセット　設定」ダイアログの「実寸」ボックスにチェックを付け、「目盛間隔」ボックスに「910」を入力する。

3 「1/2」を🖱。

⇨ 実寸910mmの1/2目盛が設定される。

作図ウィンドウの拡大率によっては、目盛間隔が狭すぎるため目盛点が表示されません。はがきサイズの印刷枠を拡大表示しましょう。

4 印刷枠の左上から🖱↘ 拡 大 し、表示される拡大枠で印刷枠を囲み、マウスボタンをはなす。

⇨ 囲んだ範囲が拡大表示され、目盛も表示される。

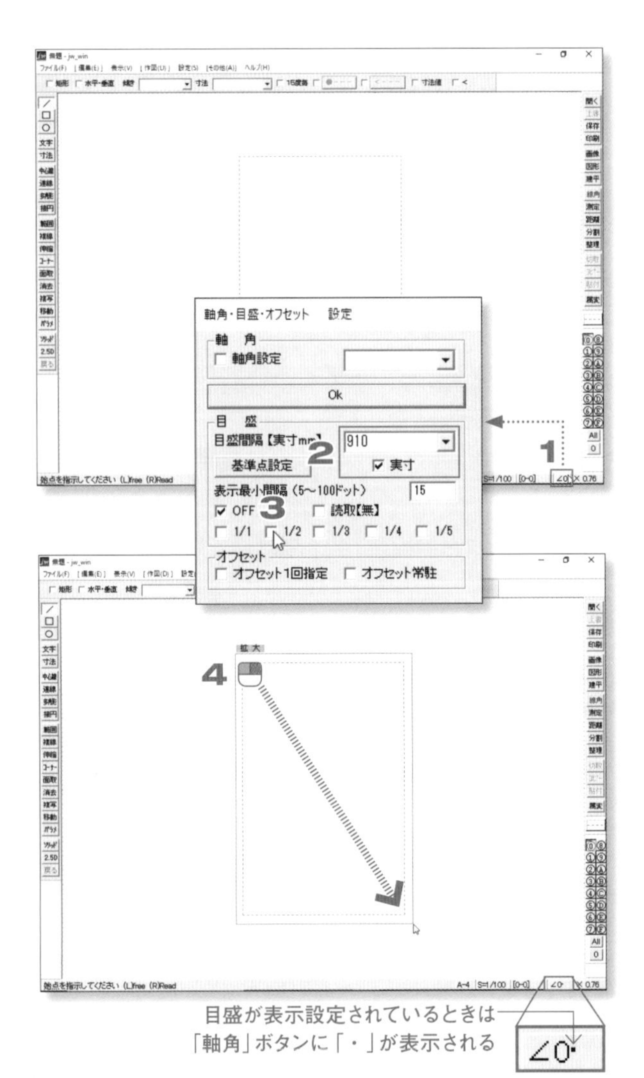

目盛が表示設定されているときは「軸角」ボタンに「・」が表示される

05 現在の表示範囲を範囲記憶する

どこを拡大表示していても、一度の操作で現在の表示範囲になるよう、範囲記憶をしましょう。

1 ステータスバー「画面倍率」ボタンを🖱。

2 「画面倍率・文字表示　設定」ダイアログの「表示範囲記憶」ボタンを🖱。

⇨ 現在の表示範囲が範囲記憶される。

POINT 通常、🖱↗ 全 体 で用紙全体が表示されますが、範囲記憶をすることで、🖱↗で（範囲）と表示され、範囲記憶した範囲が表示されます。

参 記憶した範囲を解除する方法≫P.113 Hint

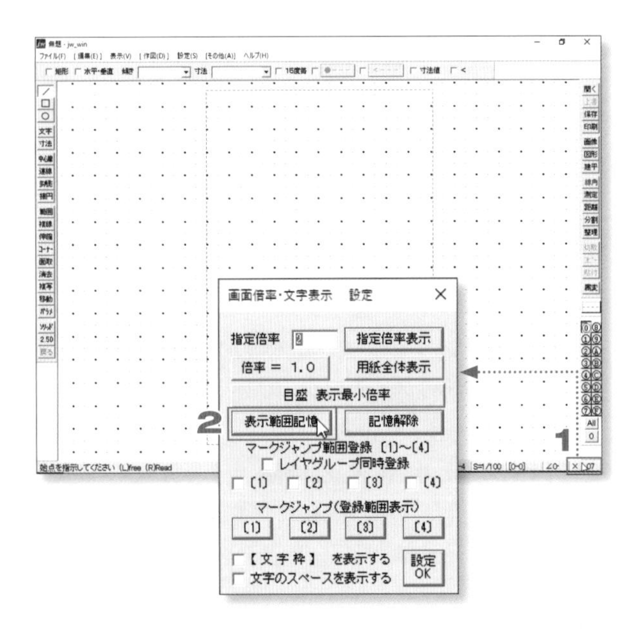

06 レイヤ名を設定する

以下のレイヤ名を設定しましょう。

0：印刷枠	2：窓・ドア	4：文字
1：壁	3：その他	5：塗りつぶし

1 レイヤバーの書込レイヤ「0」をし、「レイヤ一覧」ウィンドウを開く。

2 各レイヤに、右図のようにレイヤ名を設定する（上記も参照）。

参 レイヤ名の設定≫P.74

「1」レイヤを書込レイヤにしましょう。

3 「1」レイヤ枠内で。

4 「レイヤ一覧」ウィンドウ右上の☒（閉じる）ボタンをし、ウィンドウを閉じる。

07 各部屋の外形を作図する

会場案内図（≫P.24）と同じ要領で部屋の外形線を作図しましょう。ここで作図する外形線の両側に後で壁線を作図するため、書込線は「線色7・補助線種」のまま作図します。

1 「□」コマンドを選択し、コントロールバー「寸法」ボックスを空白または「（無指定）」にする。

2 洋室の左上角として右図の目盛点を。

3 洋室の右下角として2から右に4目盛、下に3目盛の目盛点を。

4 部屋の対角をし、他の部屋の外形を右図のように作図する。

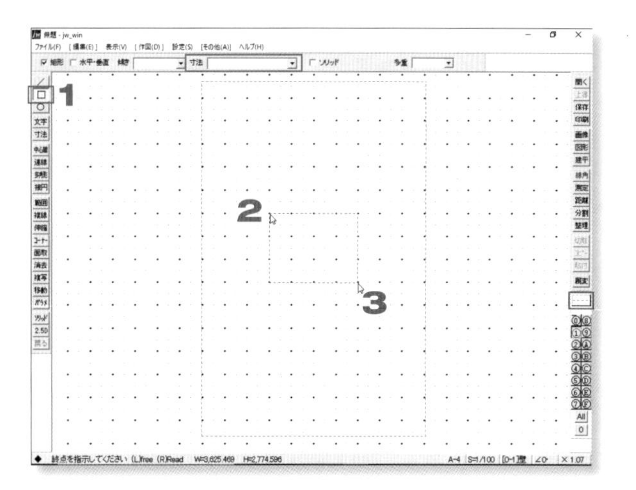

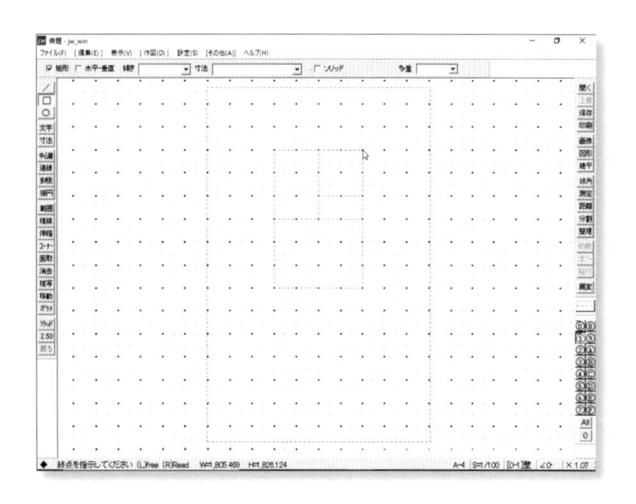

POINT 2目盛（1820mm）×1目盛（910mm）を畳1帖の目安として部屋外形の長方形を作図します。

08 部屋名を記入する

「4：文字」レイヤに部屋名を文字種3で記入しましょう。

1 「4」レイヤを🖱し、書込レイヤにする。

2 「文字」コマンドを選択し、書込文字種を文字種[3]にする。

3 右図のように各部屋名を記入する。

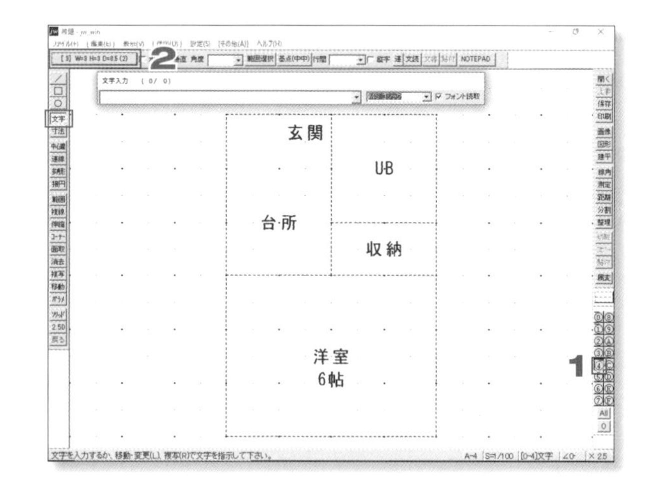

09 開口部分の線を消す

重複線を整理後、窓・出入口などの開口部の線を消しましょう。

1 「整理」コマンドを選択し、図面全体を連結整理する。

参 連結整理≫P.32

2 「消去」コマンドを選択し、右図のように、洋室の窓、収納の開口部（2目盛分＝1820mm）の線を部分消しする。

参 部分消し≫P.34

3 玄関ドア（1目盛分＝910mm）の線を部分消しする。

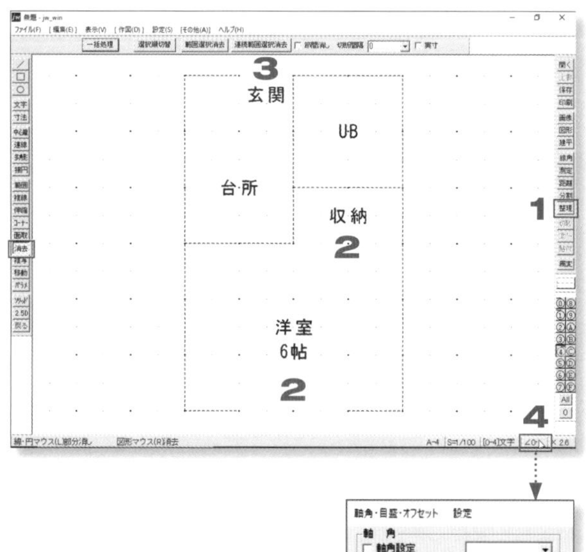

残りのドア3つは、1目盛（910mm）よりも狭い幅にするため、ここで1目盛の分割数を現在の「2」から「5」に変更しましょう。

4 ステータスバー「軸角」ボタンを🖱。

5 「軸角・目盛・オフセット　設定」ダイアログの「1/5」を🖱。

⇨ 1目盛の間を5等分する水色の点が表示される。

6 ドアの開口として右図2カ所の水色の目盛4つ分を部分消しする。

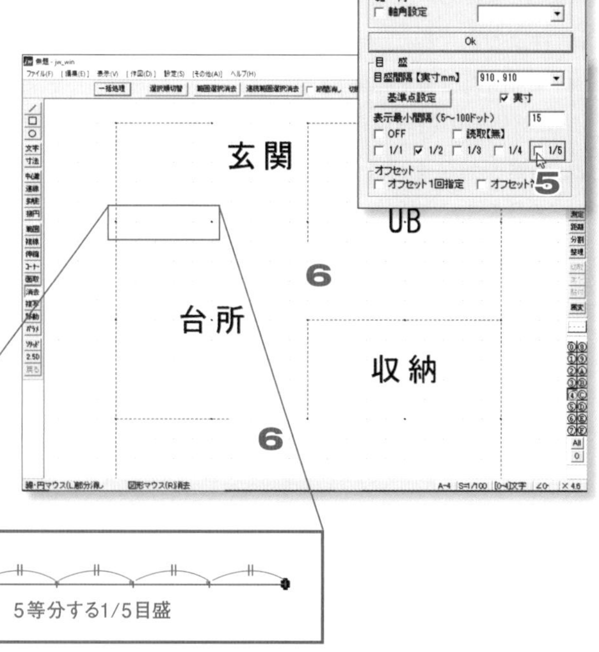

10 壁を2本線で作図する

目盛を非表示にし、部屋外形線の両側に壁線を作図しましょう。

1 ステータスバー「軸角」ボタンを⊟。

2 「軸角・目盛・オフセット　設定」ダイアログ「目盛」欄の「OFF」を⊟。

⇨ ダイアログが閉じ、目盛が非表示になる。

3 「1」レイヤを⊟し、書込レイヤにし、書込線を「線色2・実線」にする。

4 「複線」コマンドを選択する。

5 コントロールバー「範囲選択」ボタンを⊟。

6 複線の基準線を範囲選択するための始点として右図の位置で⊟。

⇨ **6**からマウスポインタまで選択範囲枠が表示される。

7 表示される選択範囲枠で外形線を囲み、終点を⊟。

⇨ 選択範囲枠に全体が入る線が選択色になる。

8 コントロールバー「選択確定」ボタンを⊟。

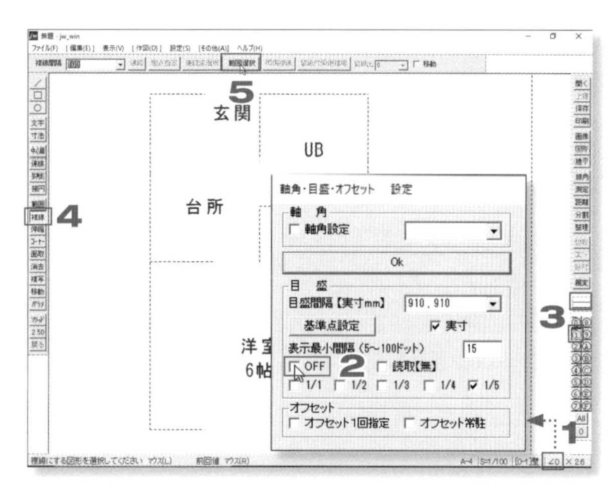

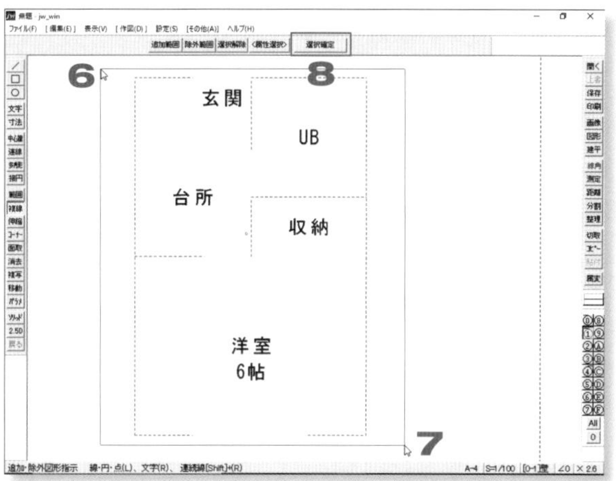

9 コントロールバー「複線間隔」ボックスと「留線出」ボックスに「75」を入力する。

10 コントロールバー「留線付両側複線」ボタンを⊟。

⇨ 結果の図のように、選択した壁線の両側に間隔75mmの連続した平行線が作図される。

POINT 「複線」コマンドは、指定した基準線から指定間隔で平行線を作図するコマンドです。**5**~**10**の操作はその応用的な使い方です（基本操作≫P.128）。

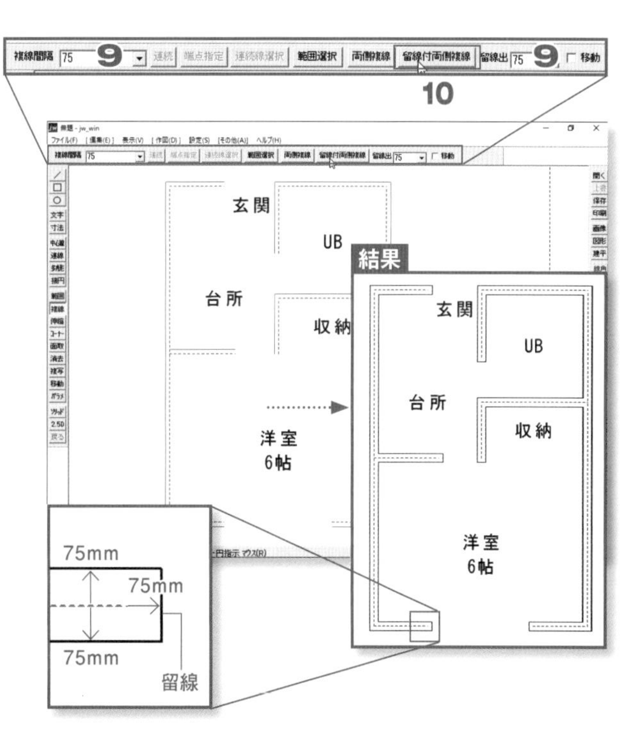

11 図面ファイルとして保存する

「jww8_imasugu」フォルダーに名前「間取り図」として保存しましょう。

1 「保存」コマンドを選択する。

2 保存先として「jww8_imasugu」フォルダーが選択されていることを確認し、「新規」ボタンを🖱。

3 半角/全角キーを押して日本語入力を有効にし、図面の名前として「間取り図」を入力する。

4 半角/全角キーを押して日本語入力を無効にし、「OK」ボタンを🖱。

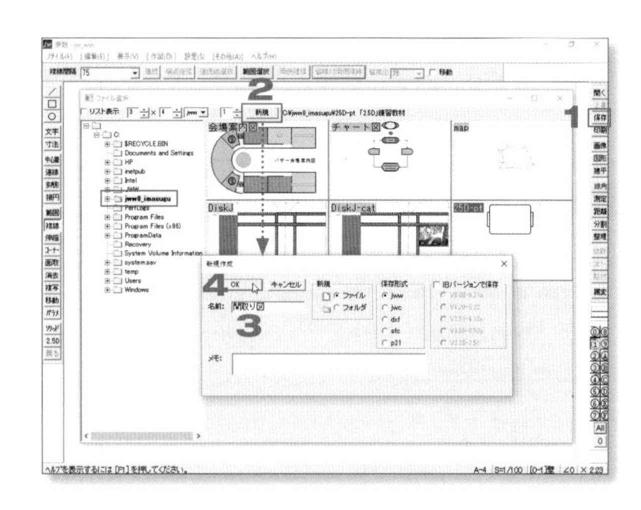

12 窓を作図する

窓は、「2」レイヤに線色5の実線で、「建平」（建具平面）コマンドを使って作図しましょう。

1 「2」レイヤを🖱し、書込レイヤにする。

2 書込線を「線色5・実線」にする。

3 「建平」コマンドを選択する。

? 「建平」コマンドがない≫P.208 Q10

4 「JWW」フォルダー下の「【建具平面A】建具一般平面図」が選択されていることを確認し、右の一覧で引き違い戸「[4]」を🖱🖱。

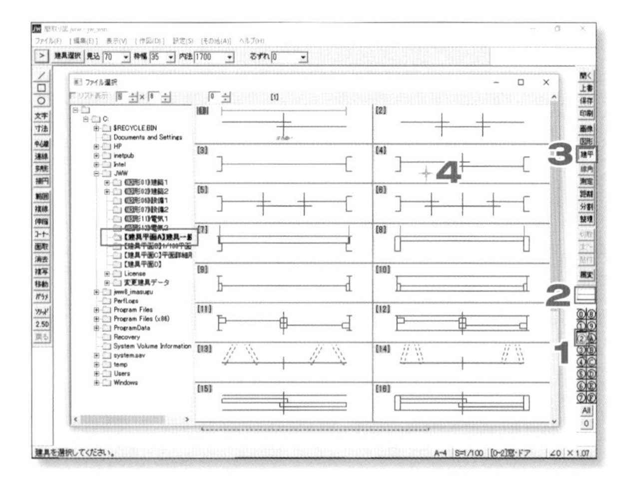

5 コントロールバー「内法」ボックスの▼ボタンを🖱し、リストから「（無指定）」を🖱で選択する。

POINT 「建平」（建具平面）コマンドは、作図時にコントロールバーで建具各部の寸法を指定します。「内法」ボックスを「（無指定）」にすると、開口の両端2点を指示することで建具の幅が決まります。

6 建具配置の基準線として右図の補助線を🖱。

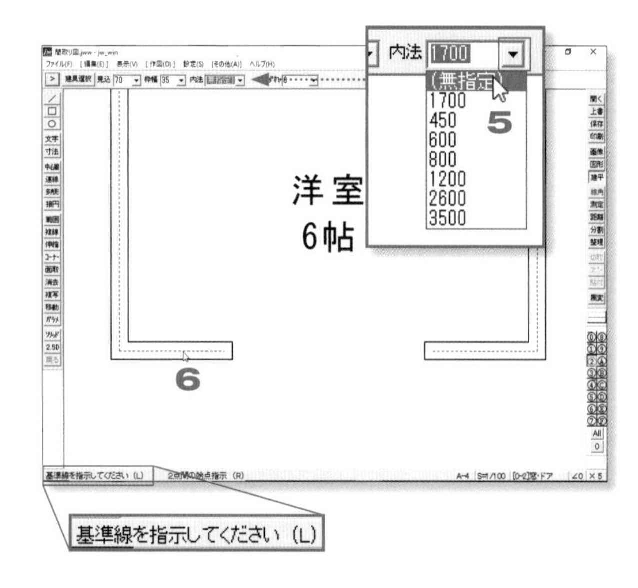

これから指示する2点間に、**4**で選択した建具が収まるよう基準点を変更しましょう。

7 コントロールバー「基準点変更」ボタンを🖱。

8 「基準点選択」ダイアログの左端の中を🖱。

POINT 「建平」コマンドでは、建具の基準点を以下の15カ所から選択できます。

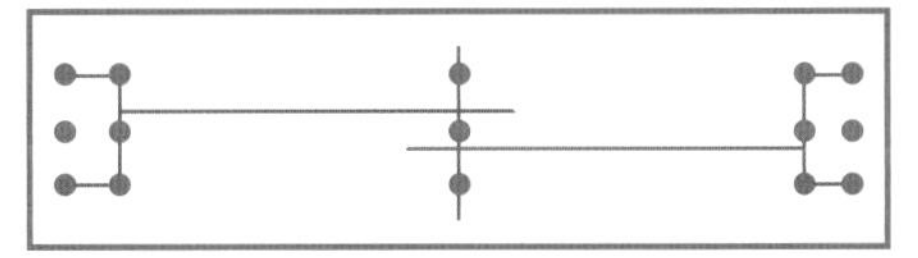

9 建具の片端点として開口部の左端を🖱。

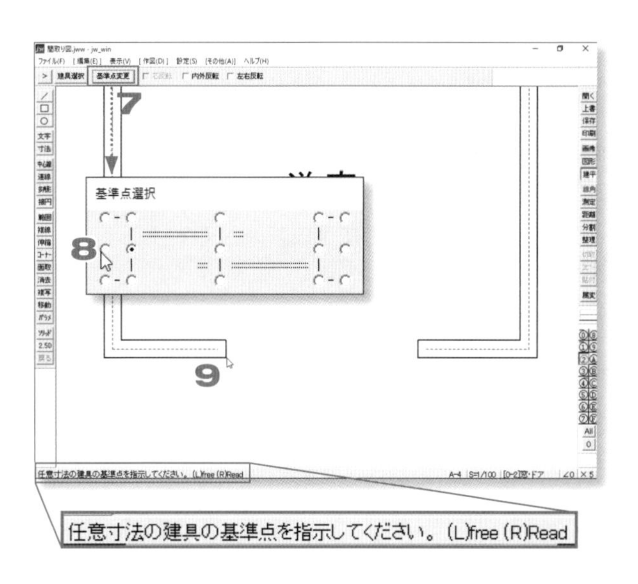

⇨ **6**の線上の**9**の位置にその左端を合わせ、マウスポインタまで建具が仮表示される。

10 もう一方の端点として開口部の右端を🖱。

⇨ **6**で🖱した線の延長上の**9**−**10**間に、**4**で選択した建具が書込線で作図される。

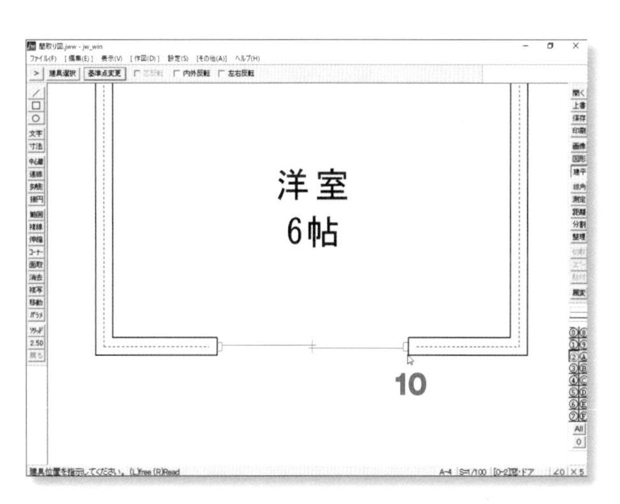

13 ドアを作図する

「建平」コマンドで続けてドアを作図しましょう。

1 コントロールバー「建具選択」ボタンを🖱。

2 「ファイル選択」ダイアログで、片開きドア「[8]」を🖱🖱で選択する。

3 基準線として右図の補助線を🖱。

4 建具の片端点として開口部の左角を🖱。

5 もう一方の端点として開口部の右角を🖱。

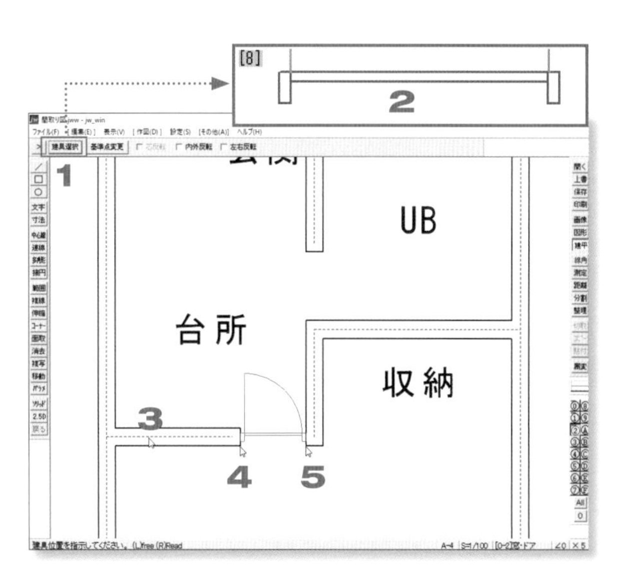

同じ形状のドアを玄関にも作図しましょう。

6 玄関ドアの基準線として右図の補助線を🖱。

7 建具の片端点として開口部の左角を🖱。

8 もう一方の端点として開口部の右角を🖱。

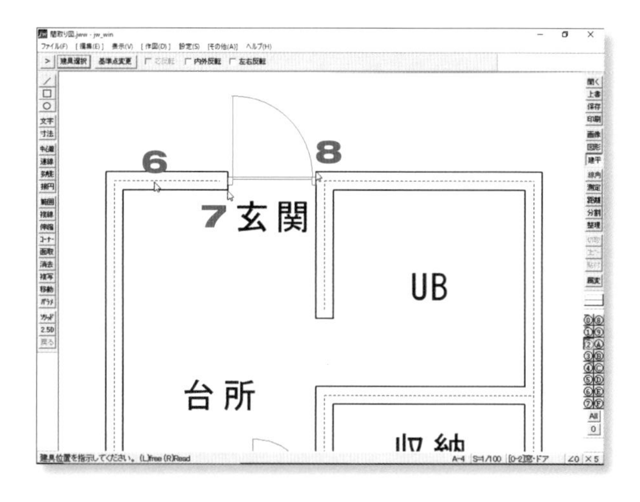

同じ形状で開きが左右逆のドアをUB（ユニットバス）に作図しましょう。開きの向きはコントロールバーで調整します。

9 UBのドアの基準線として右図の補助線を🖱。

10 ドアの片端点として開口部下の角を🖱。

11 表示される仮表示のドアの開きを逆にするため、コントロールバー「左右反転」を🖱し、チェックを付ける。

12 もう一方の端点として開口部上の角を🖱。

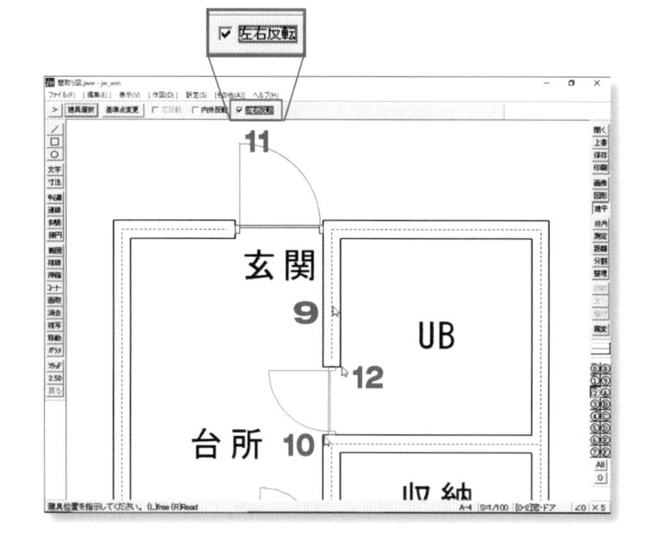

14 折れ戸を作図する

続けて、収納の折れ戸を作図しましょう。

1 コントロールバー「建具選択」ボタンを🖱し、「ファイル選択」ダイアログで折れ戸「[13]」を選択する。

2 基準線として右図の補助線を🖱。

3 建具の片端点として開口部左角を🖱。

⇨ **2**の線の延長上に、右図のように建具が仮表示される。

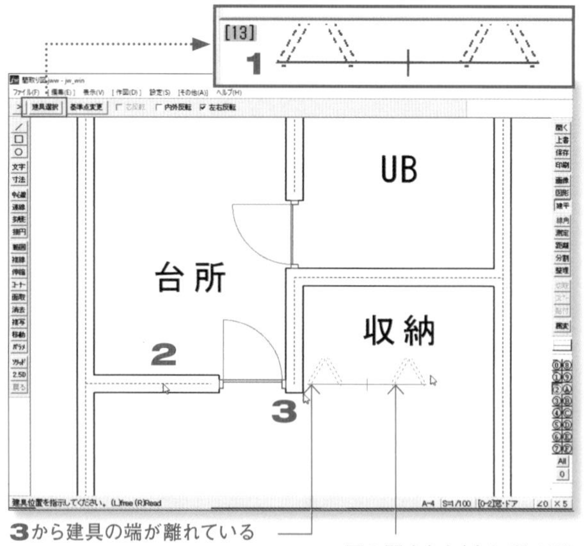

3から建具の端が離れている

扉の開く方向（内と外）が逆

4 コントロールバー「内外反転」を し、チェックを付ける。

⇨ 仮表示の折れ戸の開きが反転する。

POINT この折れ戸の基準点15カ所は以下の位置になります。

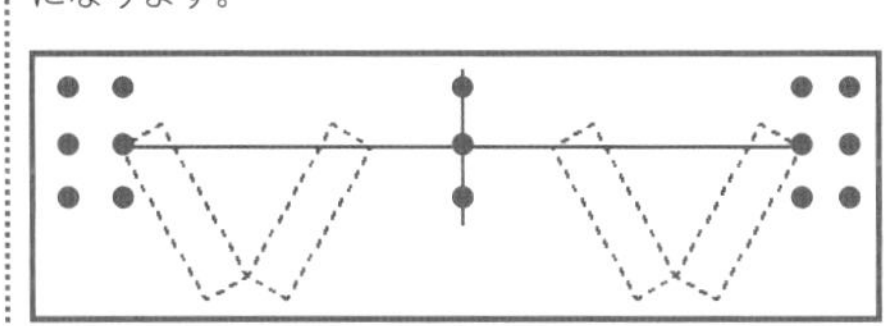

5 コントロールバー「基準点変更」ボタンを 。

6 「基準点選択」ダイアログの左内法の中を 。

7 もう一方の端点として収納の右角を 。

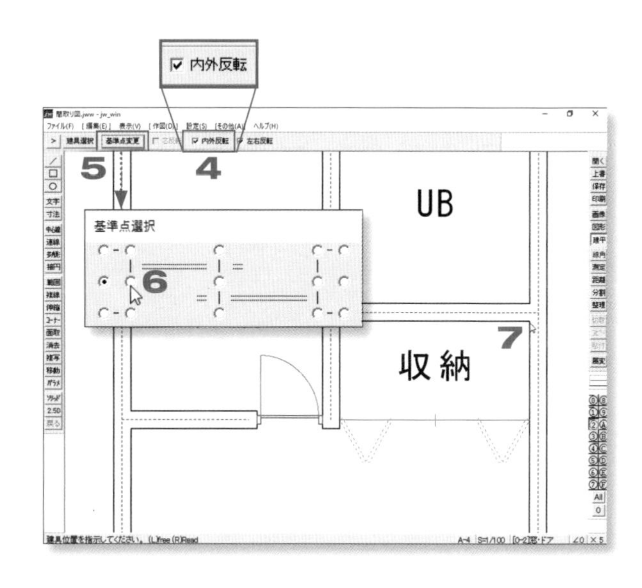

15 流し台を配置する

「3」レイヤに、あらかじめ用意されている流し台の図形データを配置します。

1 「3」レイヤを し、書込レイヤにする。

2 「図形」コマンドを選択する。

3 「ファイル選択」ダイアログのフォルダーツリーで「JWW」フォルダーを し、その下に表示される「《図形01》建築1」フォルダーを 。

4 右端のスクロールバーで、一覧画面をスクロールし、図形「B-KIT」を 。

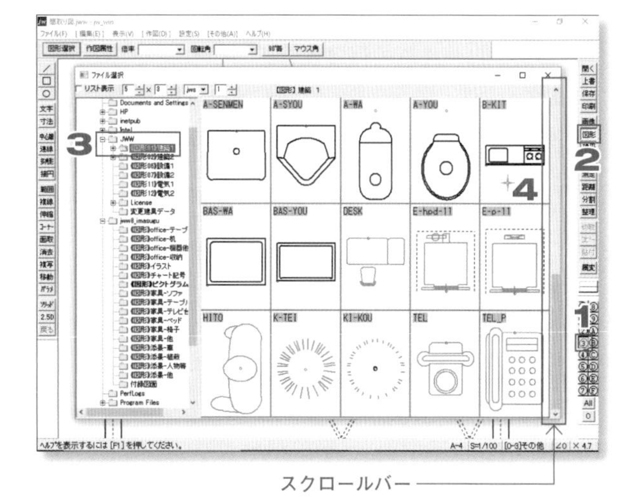

スクロールバー

仮表示の図形を右回りに90度回転しましょう。

5 コントロールバー「90°毎」ボタンを 。

⇨ コントロールバー「回転角」ボックスが「270」になり、仮表示の図形「B-KIT」が右回りに90度回転する。

POINT 「90°毎」ボタンを すると右回りに、 すると左回りに、90度ずつ図形が回転します。

6 配置位置として右図の位置で 。

7 「／」コマンドを選択して「図形」コマンドを終了する。

16 補助線のみを消去する

平面図内の補助線を消去しましょう。

1 「消去」コマンドを選択し、コントロールバー「範囲選択消去」ボタンを🖱。

2 範囲選択の始点として平面図の左上で🖱。

3 表示される選択範囲枠で平面図全体を囲み、終点を🖱。

⇨ 選択範囲枠内に全体が入る文字以外の要素が選択色になる。

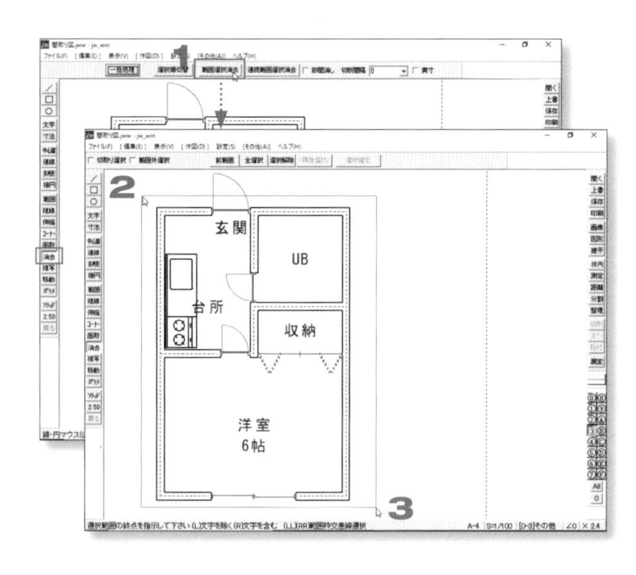

選択色の要素から補助線のみを選択して消去しましょう。

4 コントロールバー「〈属性選択〉」ボタンを🖱。

POINT 「〈属性選択〉」では、**3**で選択した要素の中から特定の性質を持つ要素だけを選択したり除外したりできます。

5 「属性選択」のダイアログの「補助線指定」にチェックを付ける。

6 「【指定属性選択】」にもチェックが付いていることを確認し、「OK」ボタンを🖱。

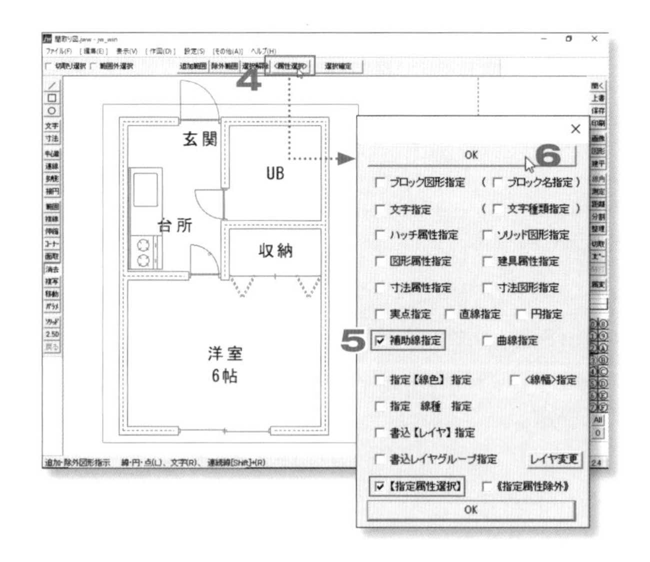

⇨ 選択色の要素のうち補助線のみが選択色になり、それ以外の要素は対象から除外されて元の色に戻る。

7 コントロールバー「選択確定」ボタンを🖱。

⇨ 平面図内の補助線のみが消去される。

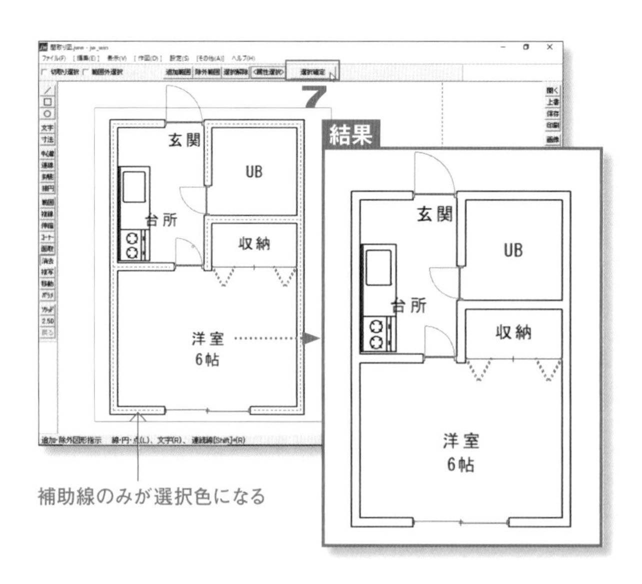

補助線のみが選択色になる

17 壁と部屋を塗りつぶす

部屋名の位置を調整し、壁と部屋を塗りつぶして、上書き保存しましょう。

1 流し台に重なる文字「台所」を移動する。

参 文字の移動≫P.58

2 「5」レイヤを書込レイヤにする。

3 「□」コマンドや「ソリッド」コマンドで、P.100の完成図を参考にして、右図のように塗りつぶす。

参「□」コマンドでの着色≫P.51
「ソリッド」コマンド≫P.49
塗りつぶし色の作成≫P.113 Hint

4 「上書」コマンドを⊟し、上書き保存する。

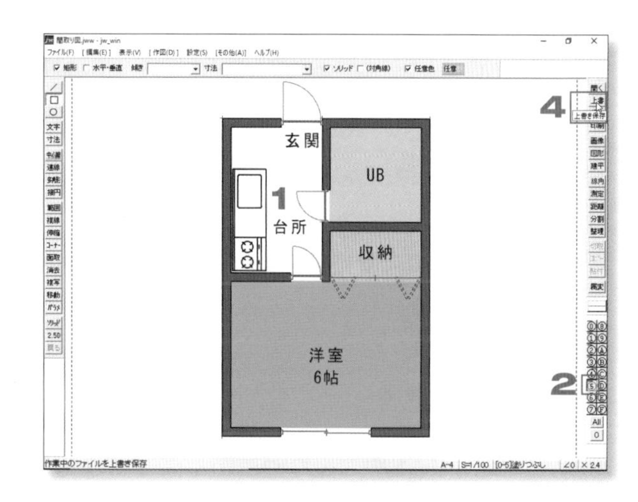

18 Word文書から文をコピーする

＊この操作にはMicrosoft Wordが必要です。

文字の貼り付け位置を指示するための準備として、目盛を表示したうえでJw_cadを最小化（一時休止）しましょう。

1 ステータスバー「軸角」ボタンを⊟。

2 「軸角・目盛・オフセット　設定」ダイアログの「目盛」欄の「1/1」を⊟。

⇨ダイアログが閉じ、P.102で設定した910mm間隔の目盛が表示される。

3 Jw_cadタイトルバー右の⊟（最小化）ボタンを⊟。

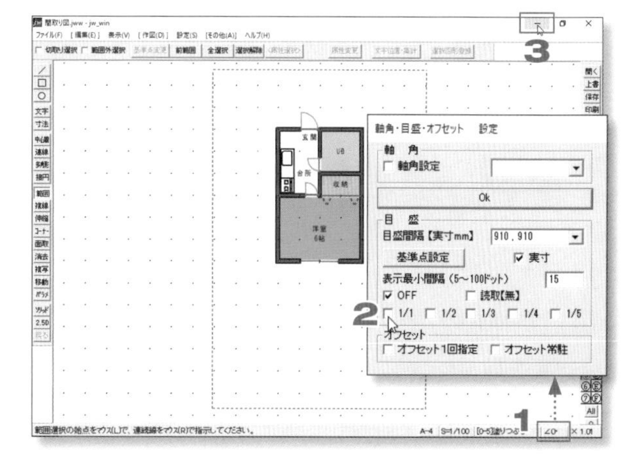

⇨Jw_cadがタスクバーに最小化される。

4 Microsoft Wordを起動し、「jww8_imasugu」フォルダー収録のWord文書「05.docx」を開く。

5 ⊟↓でコピー対象の文字を右図（濃いグレー部分）のように選択する。

6 「コピー」コマンドを⊟。

⇨選択した文字がクリップボード（Windowsの一時記憶メモリ）にコピーされる。

7 タスクバーに最小化されている「Jw_cad」を⊟し、表示する。

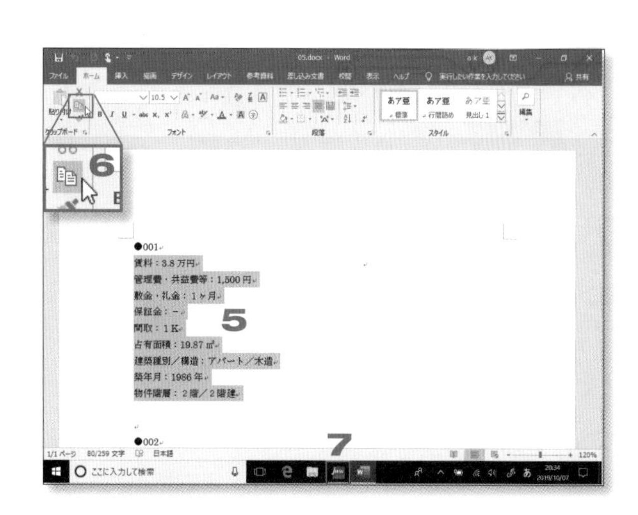

Jw_cad図面に**6**でコピーした文字を貼り付けましょう。

8「4」レイヤを🖱し、書込レイヤにする。

9「文字」コマンドを選択する。

10 コントロールバーで「書込文字種」が「文字種[3]」であることを確認する。

POINT 貼り付ける文字の大きさやフォント、行間は、Jw_cadで指定します。

11「文字入力」ダイアログの「フォント」ボックスの▾ボタンを🖱し、表示されるリストから「MS明朝」を🖱で選択する。

POINT リストには、パソコンにセットされている日本語TrueTypeフォントが表示されます。そのため、使用するパソコンによって表示されるフォントは異なります。また、「MS Pゴシック」「MS P明朝」など名前に「P」の付くプロポーショナルフォントは、英数字の間隔がばらついて表示されるため、使用をおすすめできません。

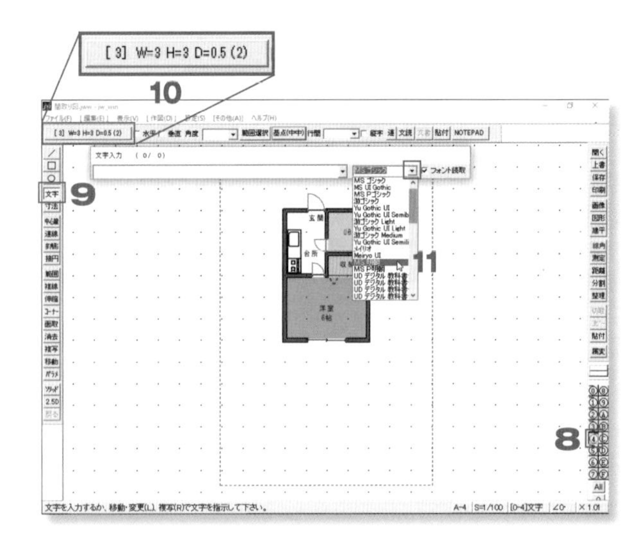

12 コントロールバー「基点(○○)」ボタンを🖱し、「基点(左下)」にする。

POINT 「基点(○○)」ボタンを🖱すると「基点(左下)」になります。

13 コントロールバー「貼付」ボタンを🖱。

14「行間」ボックスに「5」を入力する。

POINT 複数行の文字を貼り付けるため、その行間を指定します。文字の大きさや行間の指定は図面の縮尺に関わりなく、印刷時の寸法(mm)で指定します。Jw_cadではこのような寸法を「実寸」に対して「図寸」と呼びます。

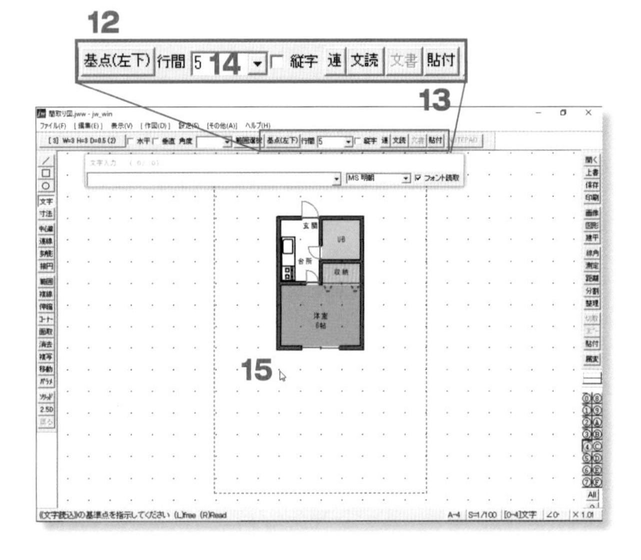

15 文字を貼り付ける位置として右図の目盛点を🖱。

⇨ **6**でコピーした文字が指定した文字種、フォント、行間で貼り付けられる。

POINT Word文書における改行マークまでがJw_cadの1文字列(1行)として貼り付けられます。Word文書で指定している文字サイズ、フォント、文字飾りなどの情報は無視され、Jw_cadで指定の文字サイズ(文字種)とフォントで貼り付けられます。貼り付けできるのは文字(テキスト)のみで、Word文書内の図や表、ワードアートなどは貼り付けできません。

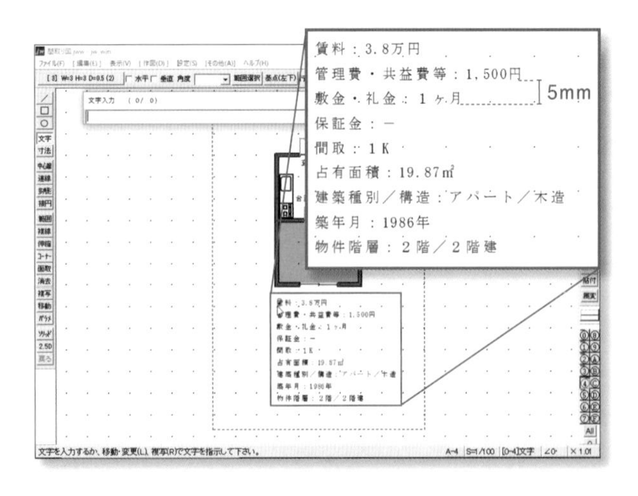

16 「上書」コマンドをし、上書き保存する。

以上でこの単元の練習は終了です。

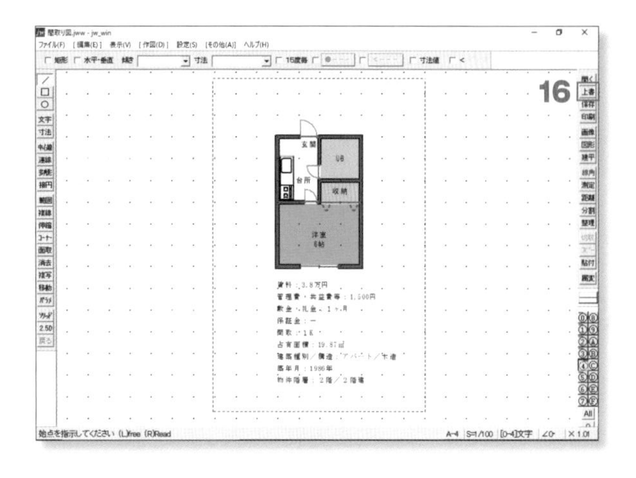

LET'S TRY!

やってみよう

はがきサイズの用紙に印刷してみましょう。

? 点線のピッチが粗くて点線に見えない
≫P.211　Q23

Hint 用紙全体表示と表示範囲記憶の解除

P.102で印刷枠の範囲を表示範囲記憶したため、↗は、(範囲)となり、用紙全体表示にはなりません。
用紙全体を表示するには、「画面倍率・文字表示設定」ダイアログを開き、「用紙全体表示」ボタンをするか、あるいは「記憶解除」ボタンをして表示範囲記憶を解除します。

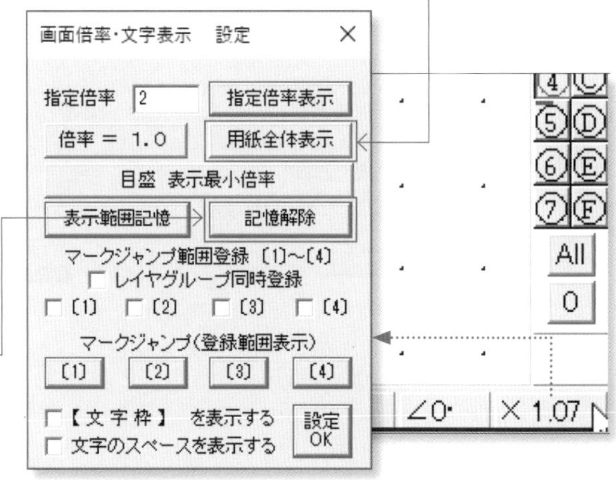

表示範囲記憶を解除する。そのため、↗は 全体 になり、用紙全体表示になる

Hint 「色の設定」パレットにない色を使う(塗りつぶし色の作成)

色の設定パレットにない色は、以下の手順で作成できます。

1 作成したい色に近い色を「色相スクリーン」上で。

2 「明度スライダー」上でし、色の明度を調整する。

3 必要に応じて**1**~**2**の操作を繰り返し、「色｜純色」欄を作成する色に調整して「色の追加」ボタンを。

⇨「作成した色」欄に追加される。

4 「OK」ボタンを。

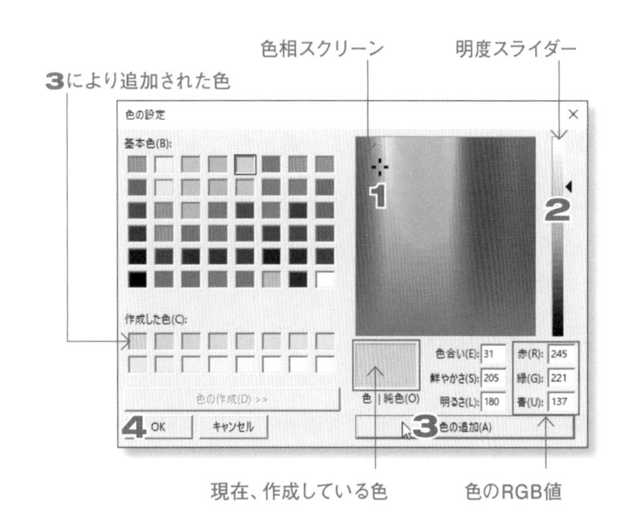

POINT 作成した色は、他の図面ファイルを開くか、Jw_ cadを終了するまで、「色の設定」パレットに残ります。

Case Study 6
住宅間取り図をWord文書に貼り付けよう

Case Study 5で作図した住宅間取り図を、付録教材のWord文書「05.docx」に、元の図面と同じS=1/100相当の大きさで貼り付けましょう。Jw_cadで作図した図面を直接Word文書やExcel表に貼り付けることはできませんが、ここでインストールするOLE対応のJWW/JWCファイルビューワー「JexPad」を利用することで、Jw_cadの図面をWordやExcelなどOLE対応のアプリケーションに貼り付けることができます。

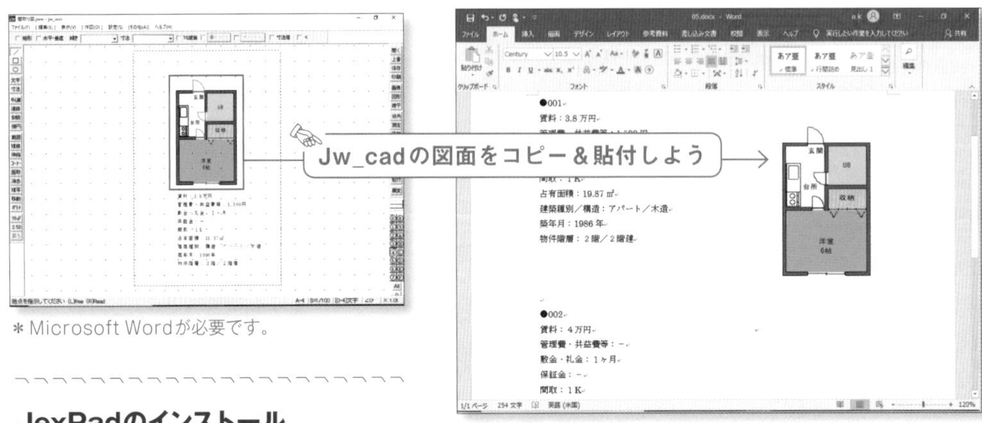

＊Microsoft Wordが必要です。

01 JexPadのインストール

JexPad
［収録ファイル名］JexSetup212.exe
［作者］kaZe'　［料金］無料
［対応OS］Windows XP/Vista/7
　※Windows 10（64bit版）で動作確認済み
［URL］http://www.vector.co.jp/download/file/winnt/business/fh562249.html

1 CD（またはDVD）ドライブに付録CD-ROMを挿入し、開く。
2 「software」フォルダーを⊟⊟で開く。
3 「JexSetup212(.exe)」を⊟⊟。
4 「ユーザーアカウント制御」ウィンドウの「はい」ボタンを⊟。
5 インストールウィンドウの「次へ」ボタンを⊟。
6 インフォメーションを読み、「次へ」ボタンを⊟。
7 利用契約を読んで承諾したら、「上記文書について承諾します」にチェックを付け、「次へ」ボタンを⊟。

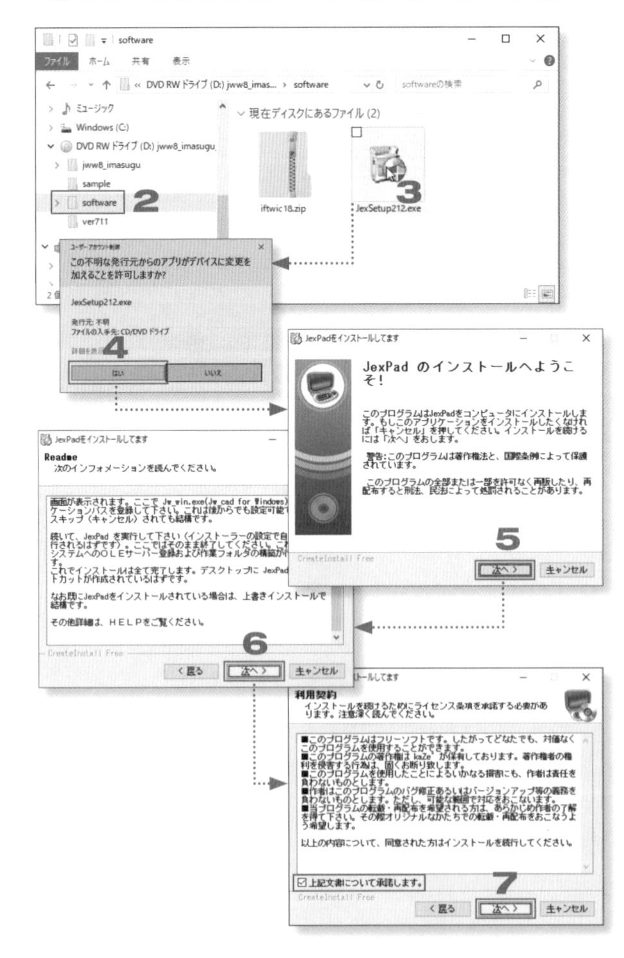

8「次へ」ボタンを🖱。

9「完了」ボタンを🖱。

続けて開くウィンドウで、編集用の外部アプリケーションとしてJw_cadを指定しましょう。この指定を行うことで、Word文書やExcel表に貼り付けたJw_cad図面の編集が可能になります。

10「編集用外部アプリケーションの登録」ウィンドウの「参照」ボタンを🖱。

11「ファイルを開く」ウィンドウの「ファイルの場所」 ボックスの▾ボタンを🖱し、「Windows (C:)」(Cドライブ)を🖱で選択する。

12 Jw_cadがインストールされている「JWW」フォルダーを🖱🖱で開く。

13「Jw_win (.exe)」を🖱で選択し、「開く」ボタンを🖱。

14「ファイルパス」ボックスが「C：¥JWW¥Jw_win.exe」になったことを確認し、「OK」ボタンを🖱。

15 起動した「JexPad」の×(閉じる)ボタンを🖱し、終了する。

> **POINT** インストールが完了するとデスクトップにはJexPadのショートカットアイコンが作成されます。

以上でJexPadのインストールは完了です。CD-ROMのウィンドウを閉じ、付録CD-ROMを取り出してください。

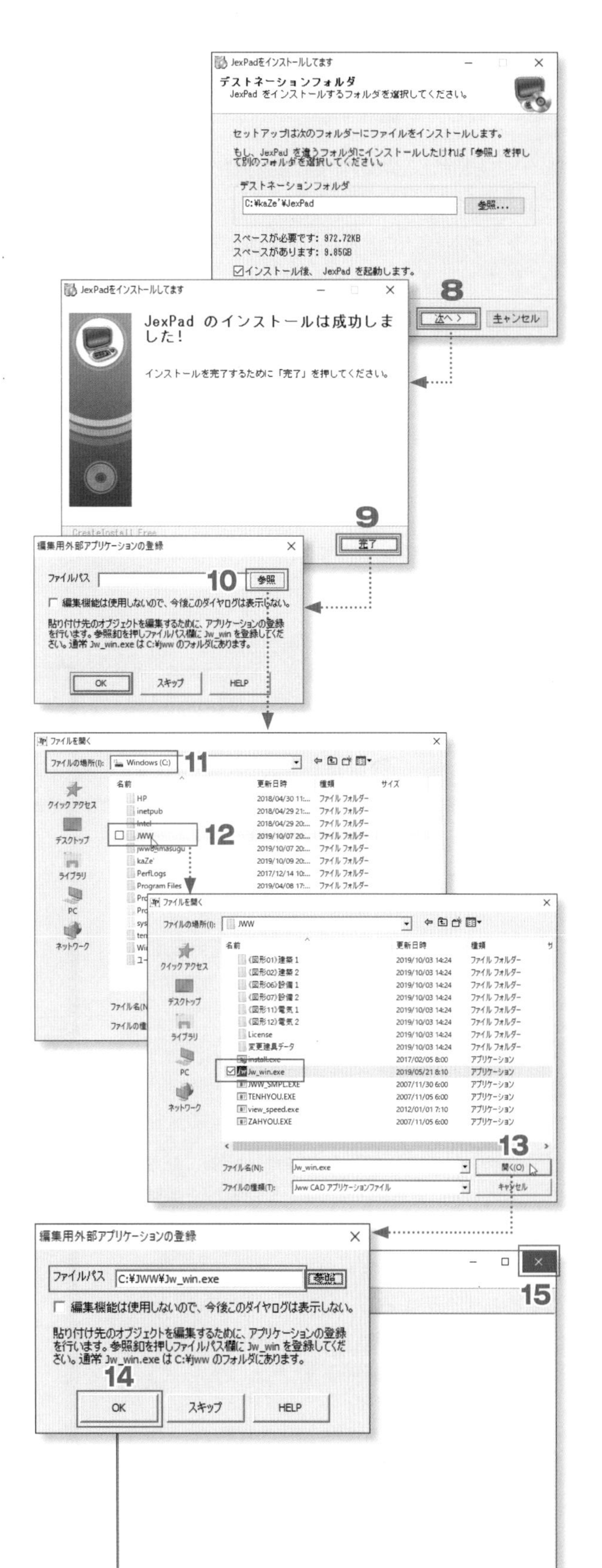

02 JexPadで図面を開き コピー準備をする

JexPadを起動し、Word文書に貼り付けるJw_cad図面を開きましょう。

1 デスクトップにあるJexPadのアイコンを⊟⊟し、JexPadを起動する。

2 「開く」コマンドを⊟。

3 「ファイルを開く」ダイアログの「ファイルの場所」を「jww8_imasugu」フォルダーにし、「間取り図(.jww)」を⊟で選択して「開く」ボタンを⊟。

? 「間取り図(.jww)」がない≫P.211 Q24

⇨選択した図面ファイルが画面表示色で表示される。

間取り図をS＝1/100の大きさで貼り付けるために必要な横×縦の図寸(ここでは横63mm、縦70mm)をあらかじめ把握しておきます。JexPadのウィンドウサイズをその大きさ63mm×70mmに調整しましょう。

4 「JexPad」ウィンドウの右下にマウスポインタを合わせ、マウスポインタの形状が⇔になったら⊟↖し、ステータスバーに表示される「貼付けサイズ」を目安に、ウィンドウのサイズを63mm×70mmにする。

POINT この大きさはおおよその目安とするため、小数点以下の数値まで合わせなくとも差し支えありません。

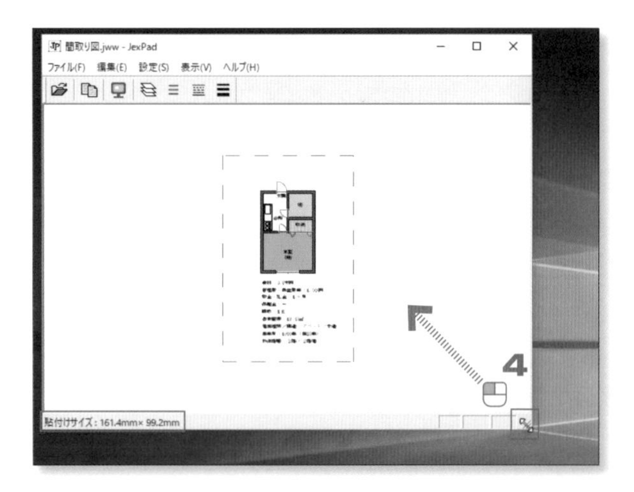

ウィンドウ内の表示範囲が貼り付け対象になります。間取り図部分を拡大表示し、表示範囲を調整しましょう。

5 ⊟↘ 拡大 で、貼り付ける範囲(間取り図)を拡大表示する。

POINT Jw_cad同様、⊟↘ 拡大 、⊟↗ 全体 、⊟↙ 前倍率 、⊟↖ 縮小 が行えます。また、矢印キーで上下左右に画面をスクロールできます。

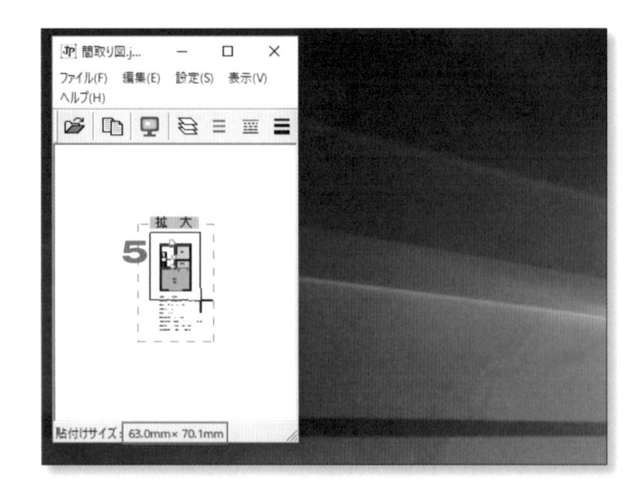

JexPadで表示されている状態でWord文書に貼り付けられます。線色ごとの色で表示されている線の色をすべて黒にしましょう。

6 「基本設定」コマンドを選択する。

7 「基本設定」ダイアログの「線色をモノクロで表示する」にチェックを付ける。

POINT この図面は、どの線色も黒で表示するため、7のチェックを付けます。

8 画像やソリッド（着色部）のある図面では、「画像・ソリッドを先に描画」と「ソリッドを先に描画」にチェックが付いていることを確認し、「OK」ボタンを⊟。

⇨すべての線色が黒で表示される。

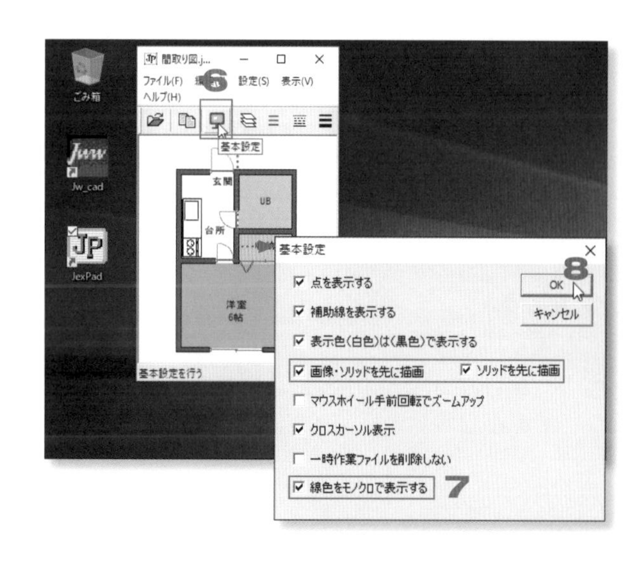

収納扉の点線が、途切れた実線のように表示されてしまうため、線種のピッチスケールを調整しましょう。

9 「線種表示」コマンドを⊟。

10 「線種表示」ダイアログの「表示スケール」ボックスを「0.02」に変更し、「OK」ボタンを⊟。

POINT 初期値の「0.5」では、表示スケールが長いため、点線が途切れた実線のように表示されてしまいます。ここで「0.5」より小さい数値を入力し、ピッチを短くすることで調整します。

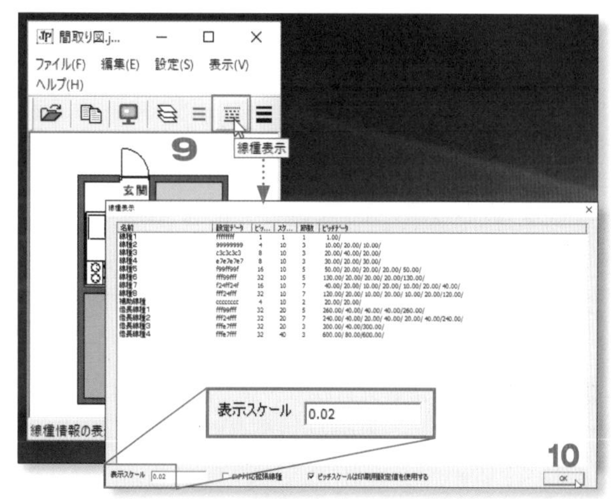

03 コピー指示をする

S=1/100の大きさで貼り付けるためのコピー指示をしましょう。

1 「コピー」コマンドを⊟。

⇨「オブジェクトのコピー」ダイアログが開く。「貼付けスケール」には、現状の画面表示でコピーした場合のスケールが表示されている。

2 「貼付けスケール」ボックスに「1」を入力し、「縮尺更新」ボタンを⊟。

POINT ここではS=1/100の図面の一部をS=1/100相当の大きさで貼り付けるため、「1」を指定します。S=1/100の図面をS=1/200相当の大きさで貼り付ける場合は、「0.5」を指定します。

⇨「貼付けスケール」ボックスが「1.00」になり、それに伴い、「図面のサイズ」の数値と、JexPad画面に表示されている図のサイズも変化する。

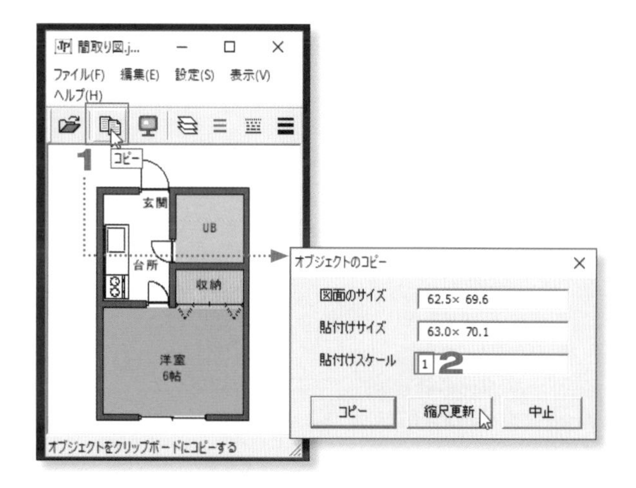

3 図の表示位置に問題がないことを確認し、「コピー」ボタンを⊟。

POINT この段階で図の表示位置を調整する場合は、「中止」ボタンを⊟で「オブジェクトのコピー」ダイアログを閉じた後、矢印キーなどを使って図の表示位置を調整します。そのうえで再度「コピー」コマンドを⊟し、**3**の操作を行います。

4 右図のメッセージウィンドウが開くので、「OK」ボタンを⊟。

5 ☒（閉じる）ボタンを⊟し、JexPadを終了する。

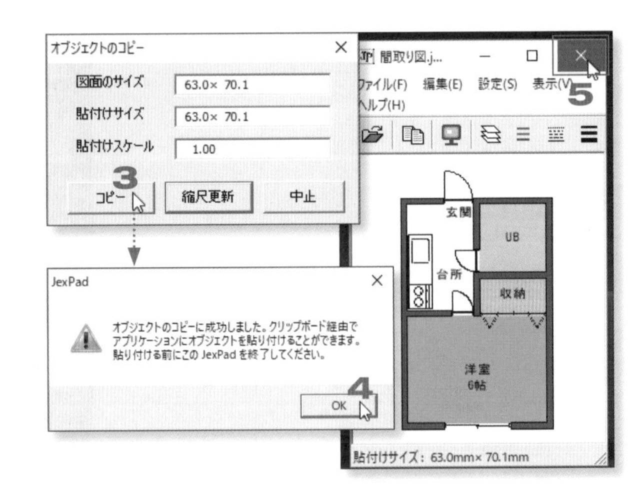

04 Word文書に貼り付ける

コピー先のWord文書を開いて貼り付けましょう。

1 Wordを起動して、「jww8_imasugu」フォルダーから貼り付け先の文書「05.docx」を開く。

2 図面を貼り付ける位置として2段目の先頭を⊟し、入力ポインタを移動する。

3 「貼り付け」コマンドの▾ボタンを⊟し、「形式を選択して貼り付け」を選択する。

4 「形式を選択して貼り付け」ダイアログで「JexPad.Documentオブジェクト」を選択した状態で「OK」ボタンを⊟。

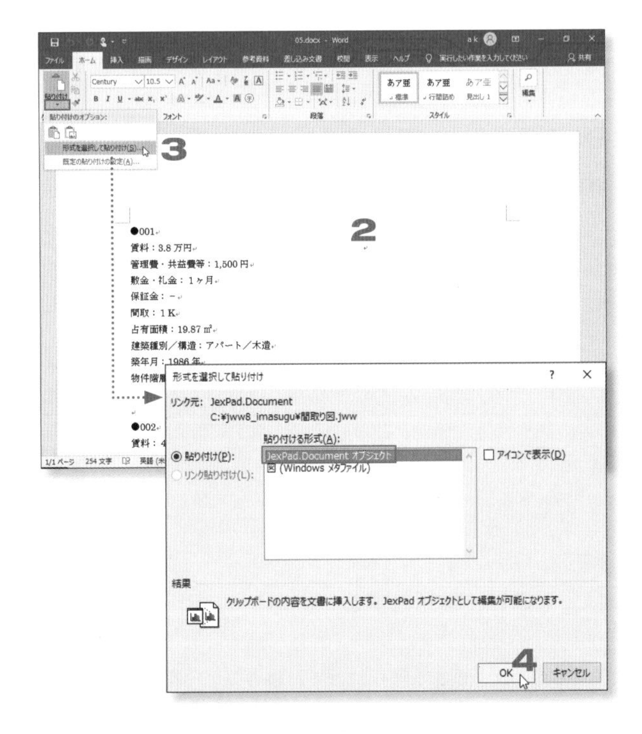

⇨S=1/100相当の大きさで、間取り図がWordの文書に貼り付けられる。

POINT 図の線の太さはJw_cadで指定した線幅に準じた太さで貼り付けられます。

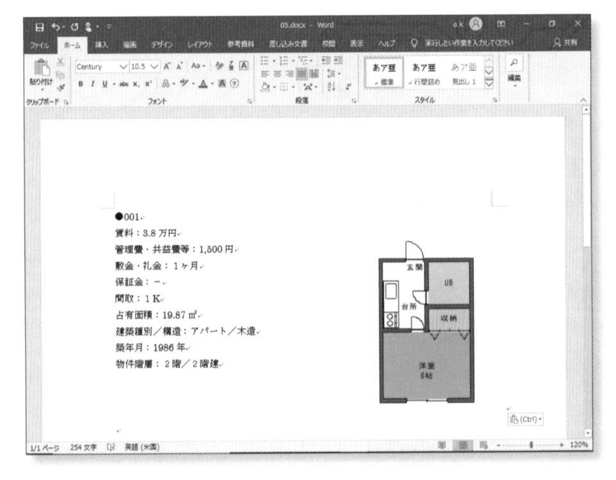

以上でこの単元の練習は終了です。必要に応じて、Word文書を上書き保存、または別の名前で保存してください。

STEPUP

Word文書に貼り付けた図の編集

Word文書に貼り付けた図（オブジェクト）はJw_cadで編集できます。

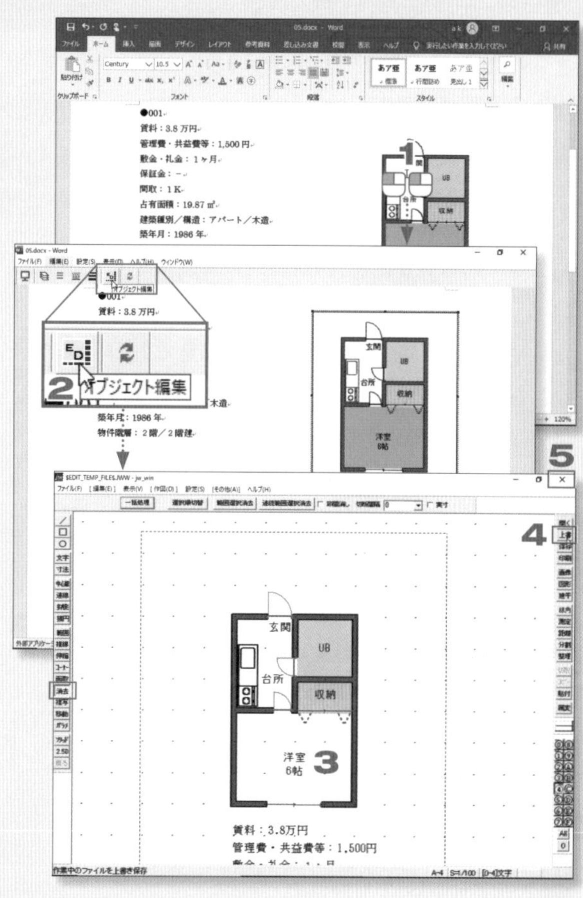

1 Word文書に貼り付けた図を⊟⊟。

⇨「オブジェクト編集」ウィンドウになる。

POINT 「オブジェクト編集」ウィンドウにはJexPadのツールが配置されています。JexPadでのコピー前（≫P.117）と同様に、基本設定・線種ピッチなどの設定変更や、ズーム操作による表示範囲の変更が行えます。変更後は「更新」（**6**の操作）を行ってください。

2 「オブジェクト編集」コマンドを⊟。

⇨図面を開いたJw_cadが起動する。

3 Jw_cadで図面を編集する（右図では洋室の塗りつぶしを消去）。

4 「上書」コマンドを⊟。

5 ☒（閉じる）ボタンを⊟し、Jw_cadを終了する。

⇨「オブジェクト編集」ウィンドウに戻る。**3**で行った図面の編集が反映されている。

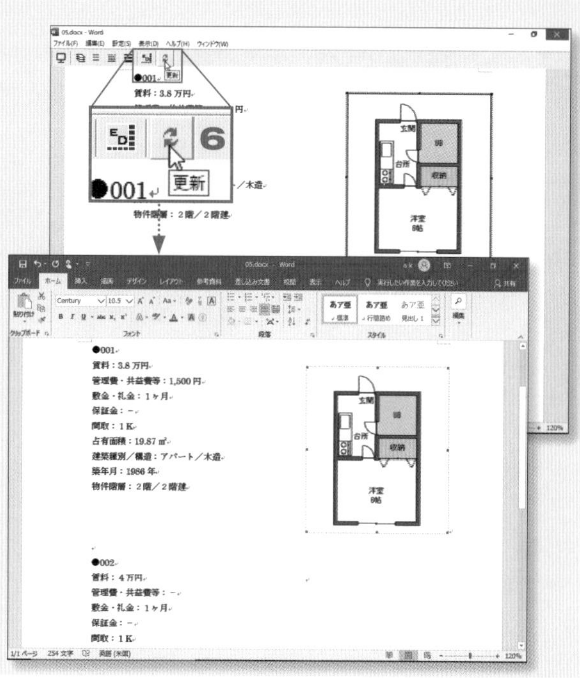

6 「更新」コマンドを⊟。

⇨Word文書の図に**3**の編集が反映される。

Case Study 7

オフィスレイアウト図をかこう

オフィスのレイアウト図をかきましょう。
部屋の図面がある場合は、それをベースに平面図を作図して家具をレイアウトしますが、図面がないことも多いでしょう。そのような場合は、実際に部屋の各辺の長さを測定し、その数値を元に部屋の外形を作図します。部屋を測定する際は、部屋の縦・横の長さだけでなく、出っ張った柱や窓・出入り口の寸法、その扉の開く方向なども確認しましょう。また、平面上の寸法だけでなく、窓の高さや天井に出っ張った梁の寸法、コンセント、スイッチの位置などを確認しておくことも、家具のレイアウトを検討するうえで重要です。

ここでは、実測数値から描いたスケッチ（次ページの図）をもとに、A4用紙に縮尺1/50で部屋外形を作図し、あらかじめ図形データとして用意されているキャビネットや机などの什器（次ページの図）をレイアウトします。レイヤ分け、線色の使い分けは以下のとおりです。

▶レイヤ名　0：部屋外形　1：コンセント等　2：仕切り　3：机・椅子など　4：文字　F：補助線
▶線色ごとの印刷線幅　線色1：0.1mm　線色2：0.18mm　線色3：0.15mm　線色5：0.25mm　線色7：0.5mm

必要なワークスペースは、以下を目安にします。

単位：mm

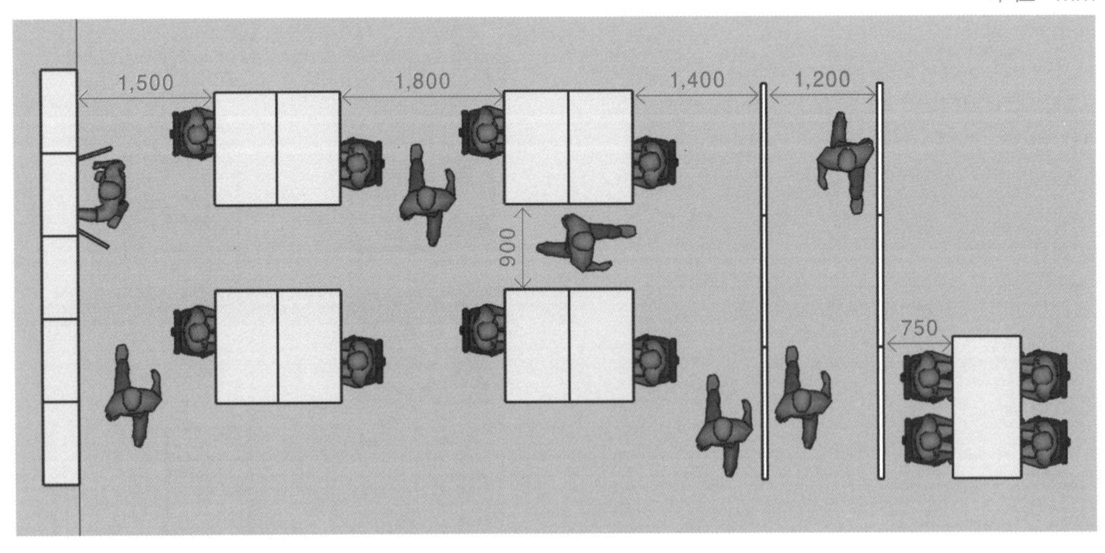

なお、ここではオフィスのレイアウト図をモチーフに作図しますが、自宅の家具レイアウト図なども同じ手順で作図できます。

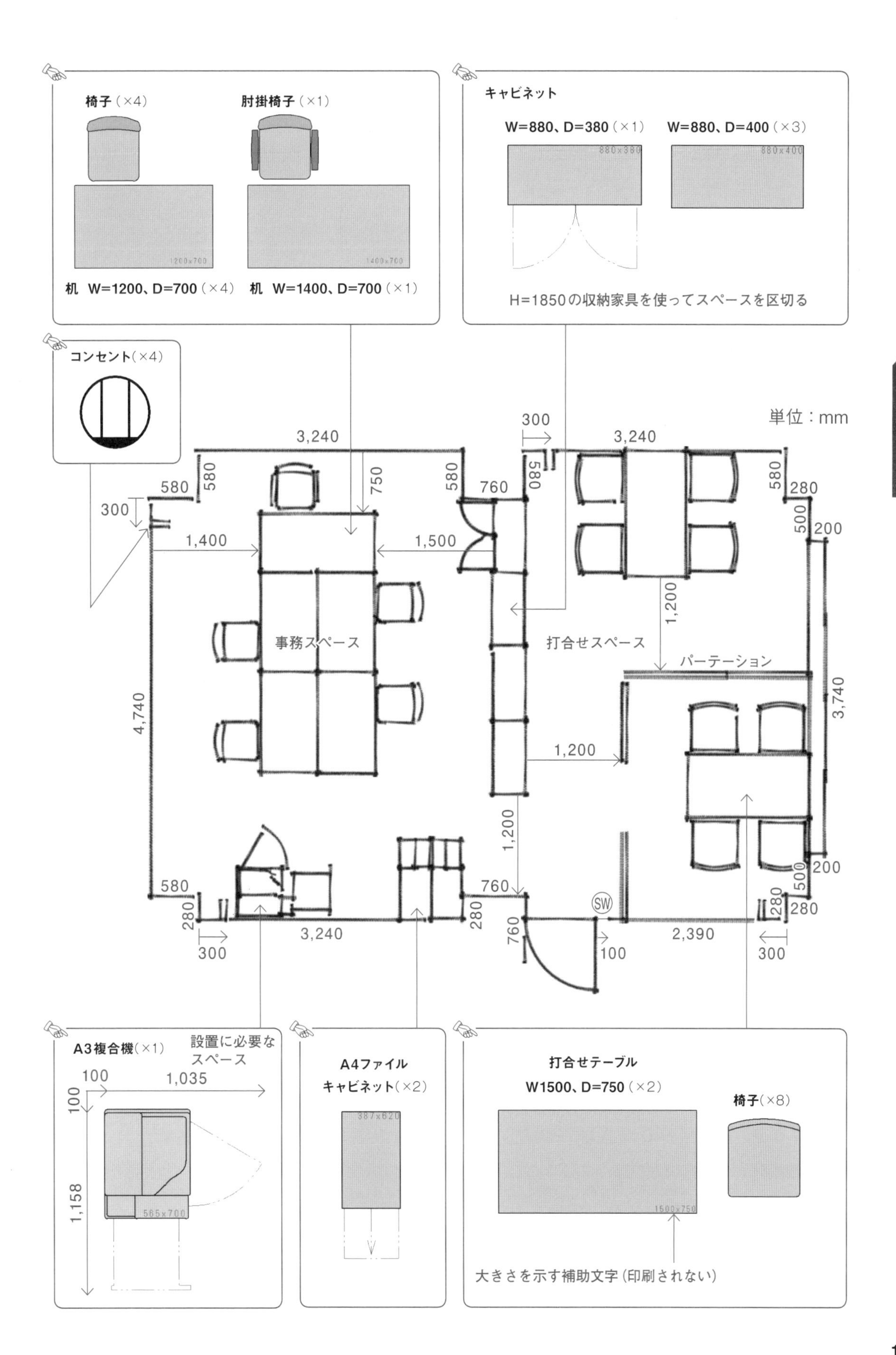
椅子（×4）
肘掛椅子（×1）
1200x700
1400x700
机 W=1200、D=700（×4）
机 W=1400、D=700（×1）
キャビネット
W=880、D=380（×1）
W=880、D=400（×3）
880x380
880x400
H=1850の収納家具を使ってスペースを区切る
コンセント（×4）
単位：mm
事務スペース
打合せスペース
パーテーション
SW
3,240
300
580
750
760
1,400
1,500
4,740
1,200
3,740
2,390
280
500
200
100
A3複合機（×1）
設置に必要なスペース
1,035
1,158
565x700
A4ファイルキャビネット（×2）
387x620
打合せテーブル
W1500、D=750（×2）
椅子（×8）
1500x750
大きさを示す補助文字（印刷されない）

01 用紙・縮尺・レイヤ名を設定する

用紙サイズをA4、縮尺を1/50にし、以下のレイヤ名を設定しましょう。

0：部屋外形	3：机・椅子など
1：コンセント等	4：文字
2：仕切り	F：補助線

1 用紙サイズA4、縮尺を1/50にする。

2 「レイヤ一覧」ウィンドウで、右図のようにレイヤ名を設定する。

参 用紙サイズ≫P.24　縮尺≫P.25
レイヤ名設定≫P.74

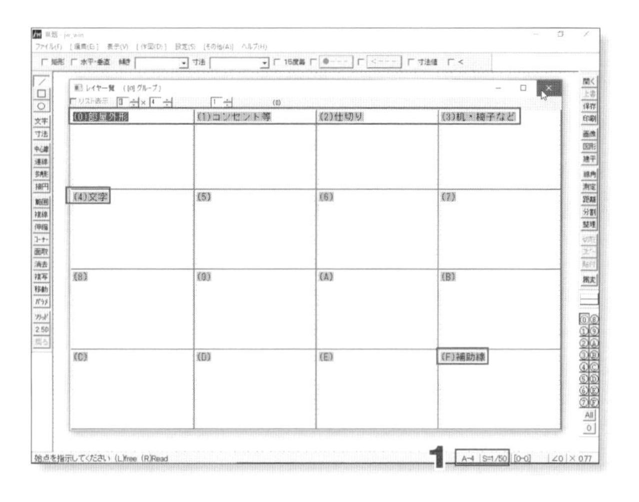

02 印刷線幅を設定し、図面を保存する

線色ごとの印刷線幅を以下のように設定し、図面ファイルを保存しましょう。

線色1：0.1mm	線色5：0.25mm
線色2：0.18mm	線色7：0.5mm
線色3：0.15mm	

1 メニューバー［設定］－「基本設定」を選択し、「jw_win」ダイアログの「色・画面」タブの「プリンタ出力　要素」欄で、印刷線幅を右図のように設定する。

2 「保存」コマンドを選択し、「jww8_imasugu」フォルダーに名前「office」として保存する。

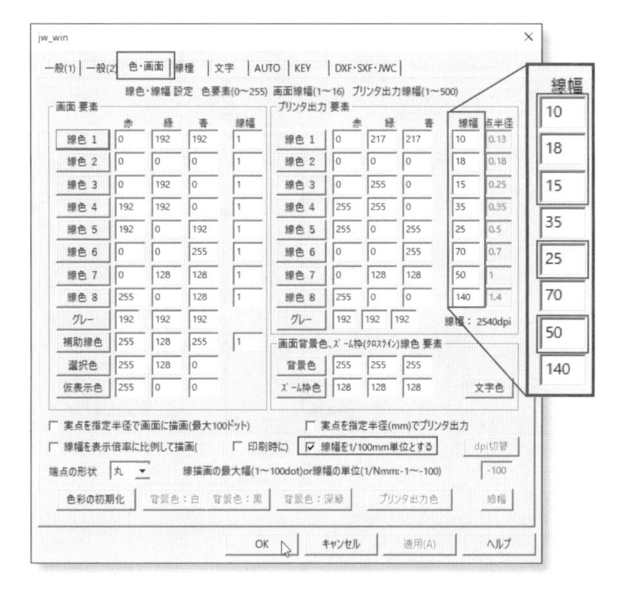

03 部屋の外形線を作図する

「0」レイヤに部屋の外形線を線色7・実線で作図しましょう。

1 書込レイヤが「0」になっていることを確認し、書込線を「線色7・実線」にする。

2 「／」コマンドのコントロールバー「水平・垂直」にチェックを付け、「寸法」ボックスに左の壁の長さ「4740」を入力する。

POINT コントロールバー「寸法」ボックスに長さを指定することで、指定長さの線を作図します。

3 始点として右図の位置で🖱。

4 マウスポインタを上に移動し、4740mmの垂直線を仮表示した状態で終点を🖱。

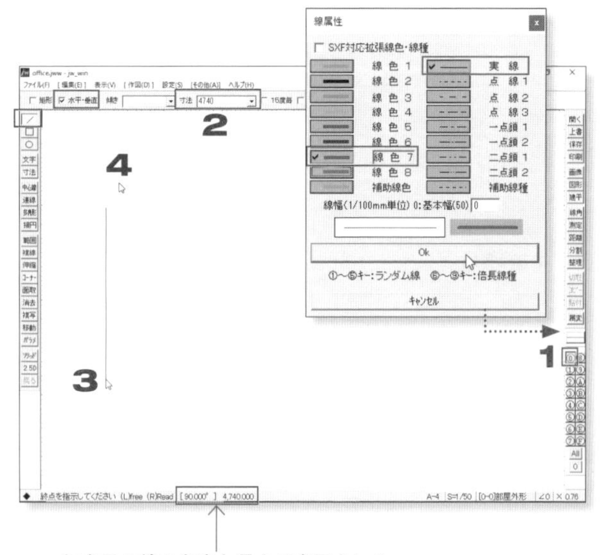

仮表示の線の角度と長さが表示される

Case Study 7　オフィスレイアウト図をかこう

作図した垂直線の上端点から右へ580mmの水平線を作図しましょう。

5 コントロールバー「寸法」ボックスに「580」を入力する。

6 始点として垂直線上端点を(L)。

7 マウスポインタを右に移動し、580mmの水平線を右図のように仮表示した状態で終点を(L)。

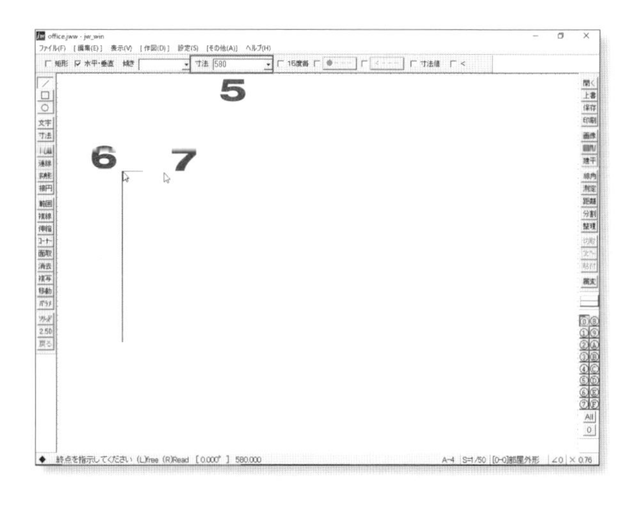

続けて次の壁線を作図しましょう。

8 コントロールバー「寸法」ボックスが「580」のまま、始点として水平線右端点を(L)。

9 580mmの垂直線を上に仮表示した状態で終点を(L)。

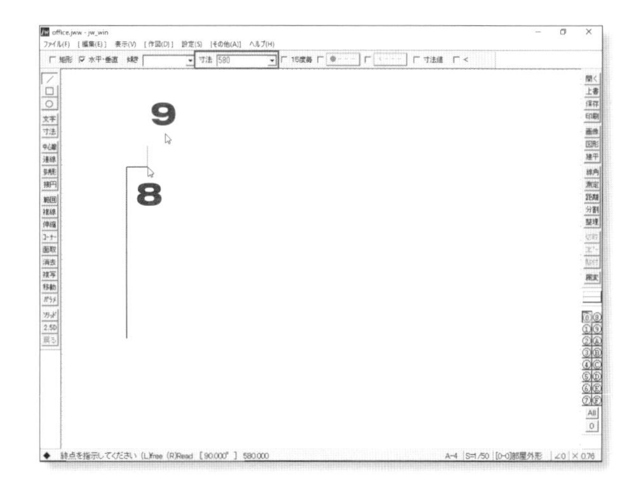

10 コントロールバー「寸法」ボックスに「3240」を入力する。

11 始点として**9**で作図した垂直線上端点を(L)。

12 3240mmの水平線を右に仮表示した状態で終点を(L)。

13 P.121の図を参照し、**10**～**12**と同様にして部屋の外形線を右図のように作図する。

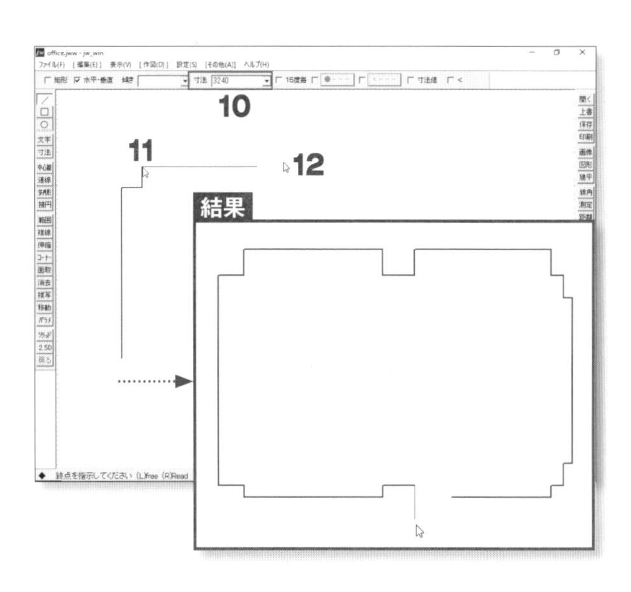

Case Study 7

オフィスレイアウト図をかこう

04 窓を作図する

窓を線色5・実線で作図しましょう。

1 書込線を「線色5・実線」にする。

2 「建平」コマンドを選択する。

? 「建平」コマンドがない≫P.208 Q10

3 「ファイル選択」ダイアログのフォルダーツリーで、「【建具平面A】建具一般平面図」を🖱。

4 一覧で引違4枚戸の「[6]」を🖱🖱で選択する。

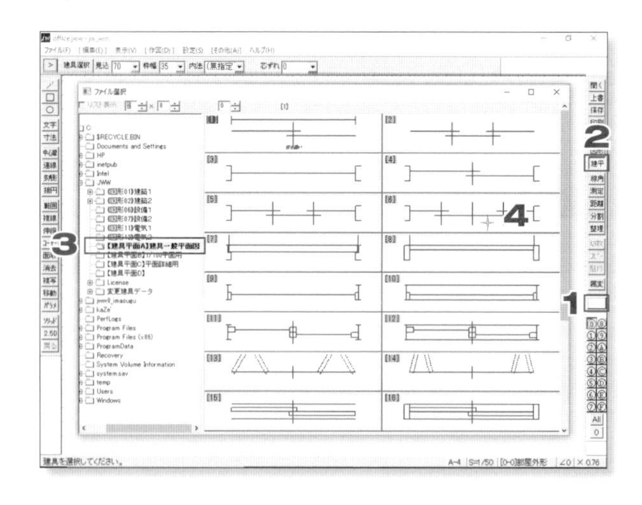

5 コントロールバー「内法」ボックスを「(無指定)」にする。

POINT 「建平」(建具平面)コマンドは、作図時にコントロールバーで建具各部の寸法を指定します。「内法」ボックスを「(無指定)」にすると、両端2点を指示することで建具の幅が決まります。

6 基準線として右端の壁線を🖱。

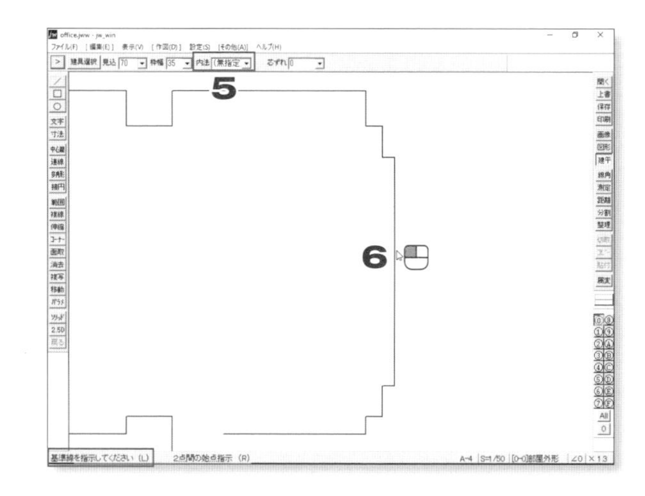

7 建具の片端点として**6**の壁線の上端点を🖱。

⇨**4**で選択した建具(引違4枚戸)が**7**からマウスポインタまで仮表示される。

8 コントロールバー「基準点変更」ボタンを🖱。

9 「基準点選択」ダイアログの左端の下を🖱。

10 もう一方の端点として、同じ壁線の下端点を🖱。

⇨**6**の線上、**7**－**10**間に**4**で選択した建具が作図される。

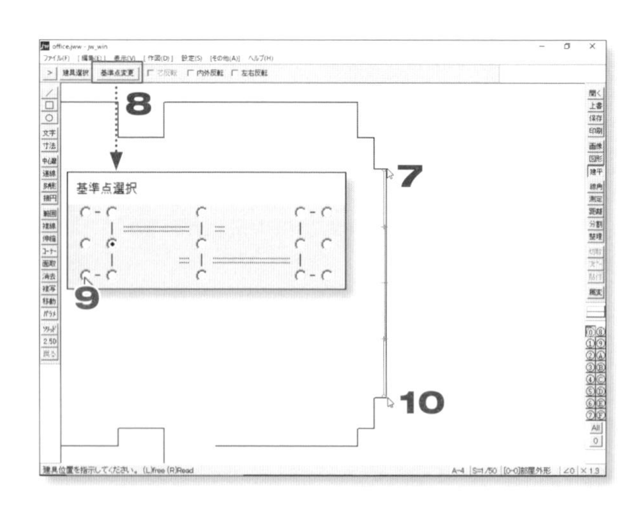

05 ドアを作図して窓周りを整える

続けて入口のドアを作図しましょう。

1 コントロールバー「建具選択」ボタンを🖱し、「ファイル選択」ダイアログで片開きドア「[8]」を選択する。

2 基準線として入口右の壁線を🖱。

3 建具の片端点として入口左の柱角を🖱。

4 コントロールバー「基準点変更」ボタンを🖱し、基準点を左端の中にする。

5 コントロールバー「内外反転」と「左右反転」にチェックを付け、ドアの開きを調整する。

6 もう一方の端点として、入口の右端を🖱。

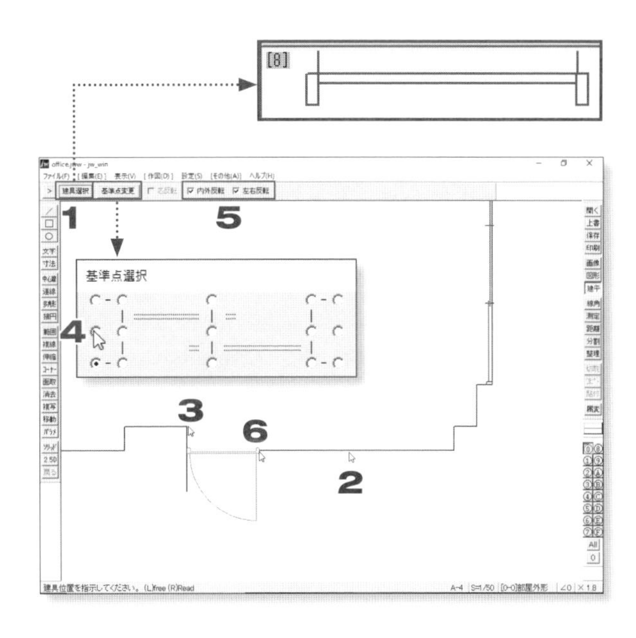

窓を作図した開口に腰壁の線をかき、窓に重なる壁線を消しましょう。

7 書込線を「線色2・実線」にする。

8 「／」コマンドを選択し、右図の腰壁の線を作図する。

9 「消去」コマンドを選択する。

10 消去対象の線の付近を十分に拡大表示したうえで、引違4枚戸に重なる線色7の壁線を🖱して消去する。

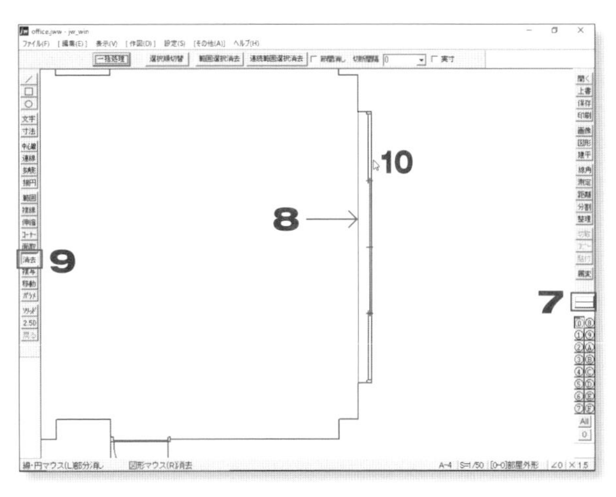

06 コンセント・スイッチ位置に仮点を作図する

コンセントの配置位置（壁の角から300mm離れた壁線上）に仮点（印刷されない点）を作図しましょう。

1 「1」レイヤを🖱し、書込レイヤにする。

2 「距離」コマンドを選択する。

?「距離」コマンドがない≫P.208　Q10

POINT 「距離」コマンドは指示点から指定距離の位置に点を作図します。

3 コントロールバー「仮点」にチェックを付け、「距離」ボックスに「300」を入力する。

4 始点として右図の壁の角を🖱。

5 線上に点を作図するため右図の壁線を🖱。

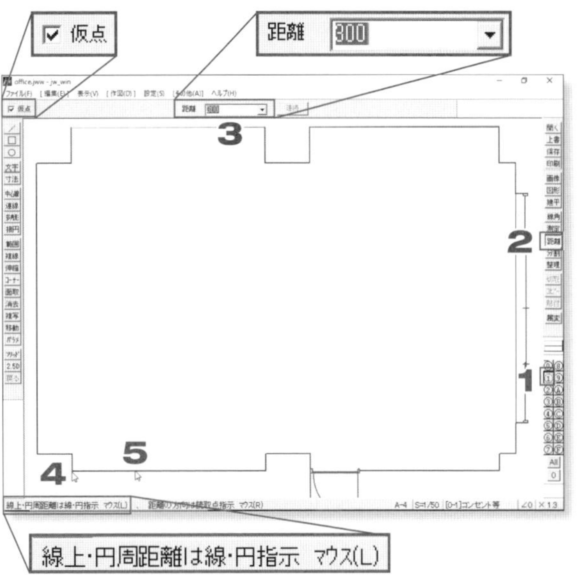

⇨**4**から300mm離れた**5**の線上に仮点が作図される。

POINT 仮点は印刷されない点です。コントロールバー「仮点」にチェックを付けない場合は、書込線色の実点（印刷される点）が作図されます。

6 他の3カ所にも**4**～**5**と同様にして仮点を作図する。

ドアの右100mmの位置にスイッチを配置するための仮点を作図しましょう。

7 コントロールバー「距離」ボックスに「100」を入力する。

8 始点としてドアの右端点を🖱。

9 ドアの右の壁線を🖱。

⇨**8**から100mm離れた**9**の線上に仮点が作図される。

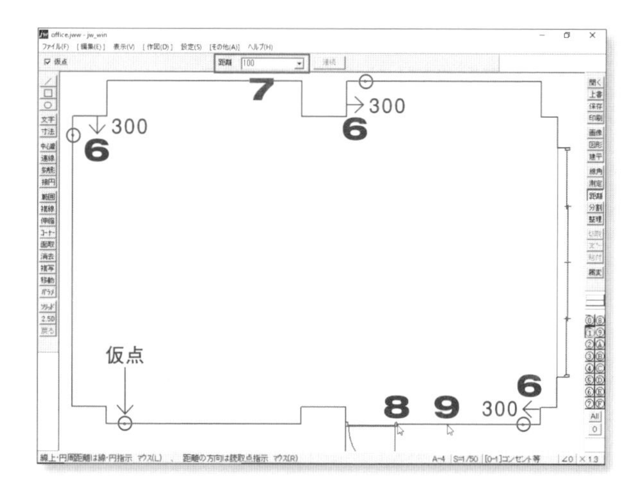

07 コンセント・スイッチを配置する

コンセント・スイッチは、あらかじめ用意されている図形データを、前項で作図した仮点に基準点を合わせて配置します。

1 「図形」コマンドを選択する。

2 「ファイル選択」ダイアログの「jww8_imasugu」フォルダーの下の「《図形》office-機器他」フォルダーを🖱で選択する。

3 スクロールバーで、一覧画面をスクロールして図形「スイッチ」を🖱🖱。

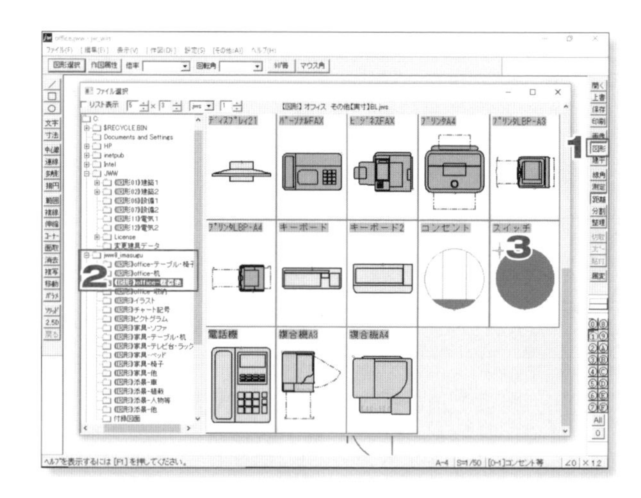

4 ドアの右側の仮点を🖱してスイッチを配置する。

5 コントロールバー「図形選択」ボタンを🖱し、「ファイル選択」ダイアログで図形「コンセント」を選択する。

6 コントロールバー「90°毎」ボタンを🖱することで、適宜、角度を調整し、右図の4カ所の仮点に配置する。

POINT コントロールバー「90°毎」ボタンを🖱すると左回りに、🖱すると右回りに、図形の角度が90度⇒180度⇒270度⇒0度に変更されます。

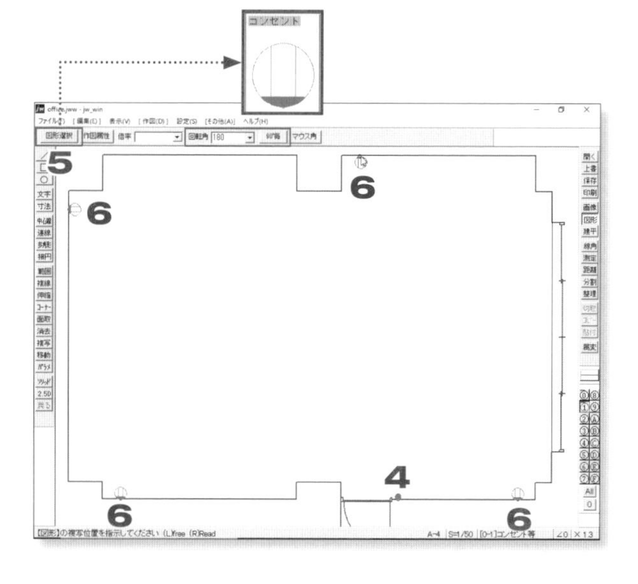

08 キャビネットを配置する

続けて「2：仕切り」レイヤに、事務スペースと打合せスペースを仕切るキャビネットを配置しましょう。

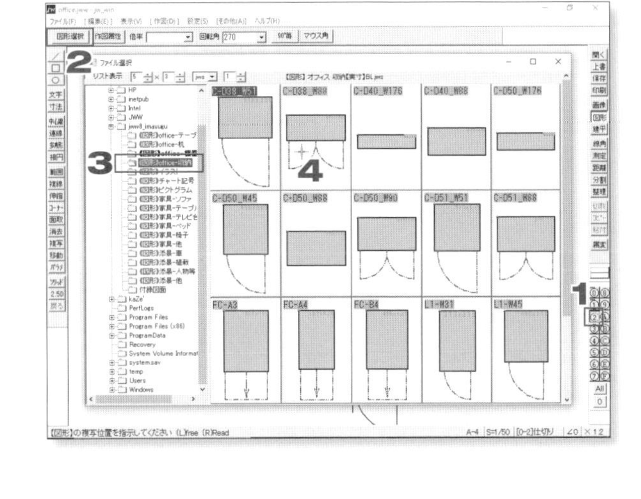

1 「2」レイヤを🖱し、書込レイヤにする。

2 「図形」コマンドのコントロールバー「図形選択」ボタンを🖱。

3 「ファイル選択」ダイアログのフォルダーツリーで「《図形》office-収納」フォルダーを🖱。

4 図形「C-D38_W88」を🖱🖱。

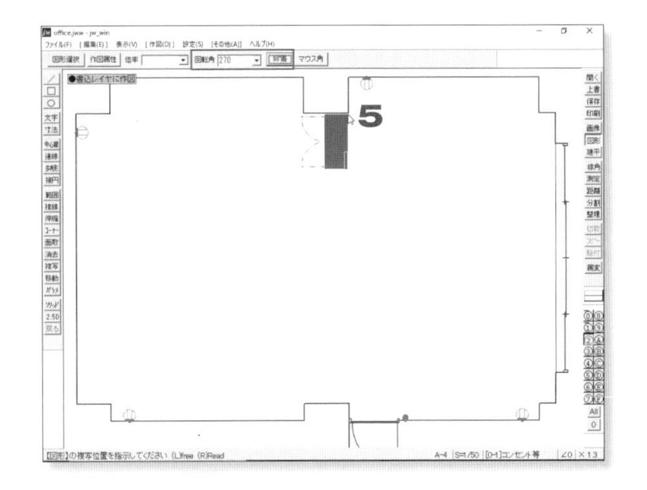

5 コントロールバー「90°毎」ボタンで角度を調整し、配置位置として右図の柱角を🖱。

POINT ここで配置するキャビネット・机などには、その一部にサイズを示す文字を補助線色で記入しています。補助線色の文字（補助文字）は印刷されません。

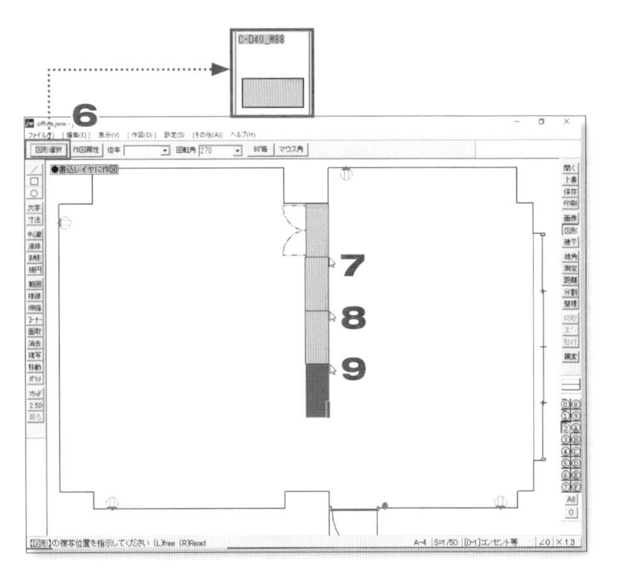

6 コントロールバー「図形選択」ボタンを🖱し、「ファイル選択」ダイアログから図形「C-D40_W88」を選択する。

7 配置位置として**5**で配置したキャビネットの右下角を🖱。

8 2つ目の配置位置として**7**で配置したキャビネットの右下角を🖱。

9 3つ目の配置位置として**8**で配置したキャビネットの右下角を🖱。

10 「／」コマンドを選択し、「図形」コマンドを終了する。

09 配置目安となる補助線を作図する

机配置の目安として左の壁から1400mm右に補助線（印刷されない線）を作図しましょう。

1「F」レイヤを🖱し、書込レイヤにする。

2 書込線を「線色2・補助線種」にする。

3「複線」コマンドを選択する。

POINT「複線」コマンドは、指示した線・円・弧を指定間隔離れた位置に平行複写します。

4 コントロールバー「複線間隔」ボックスに「1400」を入力する。

5 基準線として左の壁線を🖱。

⇨ 🖱した壁線が複線の基準線として選択色になり、1400mm離れた位置に平行線が仮表示される。

POINT この段階で、**5**で🖱した基準線の左右にマウスポインタを移動することで、平行線がマウスポインタの側に仮表示されます。次の操作で、平行線を左右どちら側に作図するかを指示します。**5**で誤って🖱した場合はコントロールバー「複線間隔」ボックスが空白になり、平行線は表示されません。再度「複線間隔」ボックスに「1400」を入力することで、1400mm離れた位置に平行線が仮表示されます。

6 マウスポインタを右に移動し、基準線の右側に平行線が仮表示された状態で🖱。

⇨ 作図方向が確定し、基準線から1400mm右に平行線（以降「複線」と呼ぶ）が作図される。

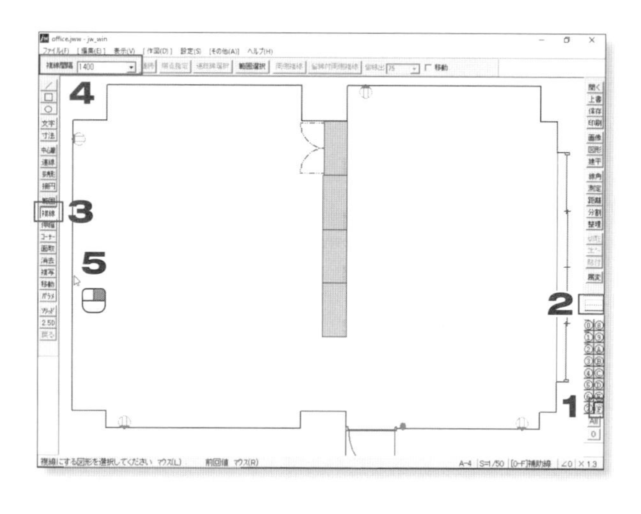

キャビネットから1500mm左に複線（平行線）を作図しましょう。

7 コントロールバー「複線間隔」ボックスに「1500」を入力する。

8 基準線として右図のキャビネットの左辺を🖱。

9 マウスポインタを左に移動し、基準線の左側に複線が仮表示された状態で🖱。

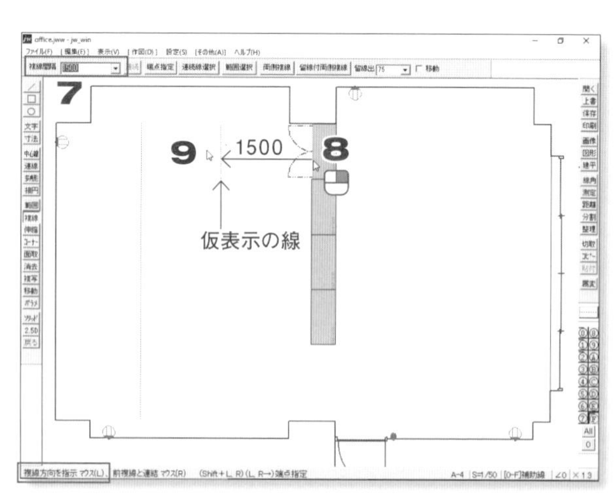

10 事務スペースの上の壁線から750mm下に、**7**～**9**と同様にして複線を作図する。

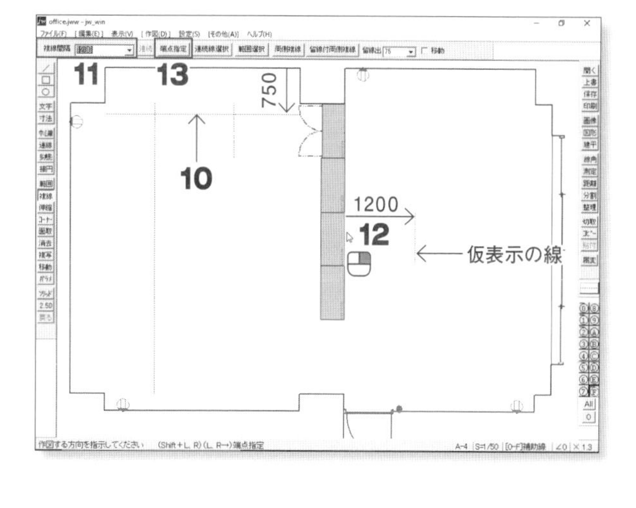

キャビネットから1200mm右に、基準線よりも長い複線を作図しましょう。

11 コントロールバー「複線間隔」ボックスに「1200」を入力する。

12 基準線として右図のキャビネットの右辺を⊟。

⇨ 基準線と同じ長さの複線が右図のように仮表示される。

13 複線の長さを変えるため、コントロールバー「端点指定」ボタンを⊟。

⇨ ステータスバーには「【端点指定】始点を指示してください」と操作メッセージが表示される。

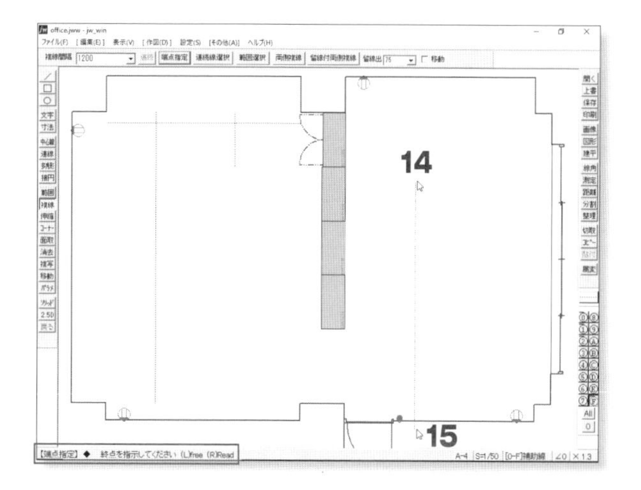

POINT 複線が仮表示された時点でコントロールバー「端点指定」ボタンを⊟し、始点・終点を指示することで、基準線とは異なる長さの複線を作図できます。

14 始点として右図の位置で⊟。

⇨ **14**の位置が複線の始点に確定し、マウスポインタまで複線が仮表示される。操作メッセージは、「【端点指定】◆　終点を指示してください」になる。

15 終点として右図の位置で⊟。

⇨ **14**－**15**の長さの複線が仮表示され、作図方向を指示する状態になる。

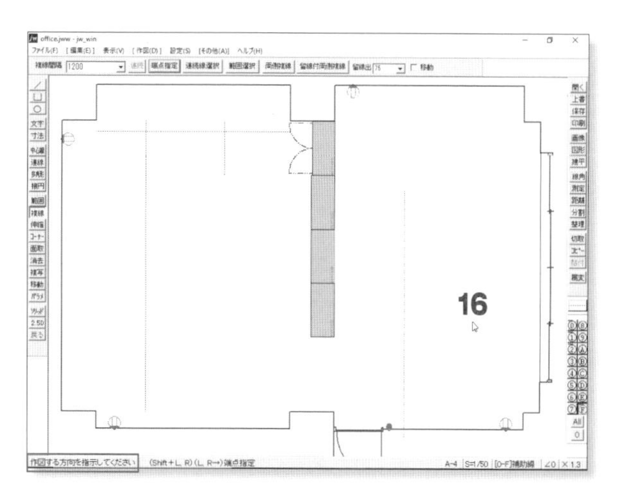

16 基準線の右側に複線が仮表示された状態で作図方向を決める⊟。

同様に、右側の上の壁線からテーブルの幅(1500 mm)＋1200mm下に複線を作図しましょう。

17 コントロールバー「複線間隔」ボックスに「2700」を入力する。

18 基準線として上の壁線を⊟。

19 コントロールバー「端点指定」ボタンを⊟。

20 始点として右図の位置で⊟。

21 終点として右図の位置で⊟。

22 基準線の下側に複線が仮表示された状態で作図方向を決める⊟。

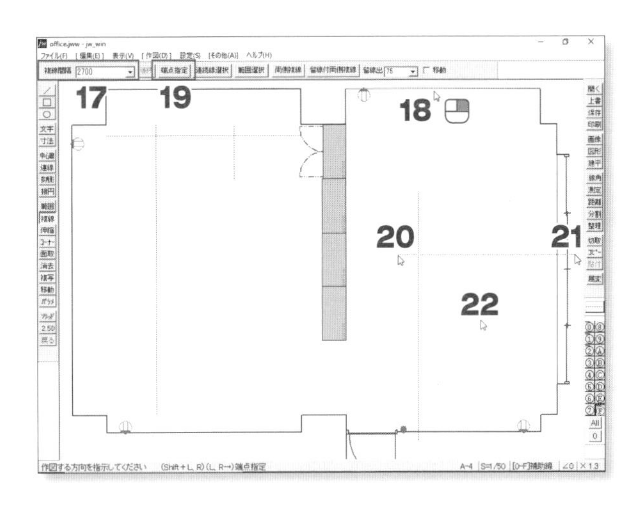

10 距離を測定する

キャビネットと入口左の壁との間が1200mm以上あるか、その距離を測定しましょう。

1 「測定」コマンドを選択する。

?「測定」コマンドがない≫P.208 Q10

2 コントロールバー「距離測定」が選択されていることを確認し、測定単位の「mm/【m】」(m単位)ボタンを⊟し、「【mm】/m」(mm単位)にする。

3 始点として入口左の柱角を⊟。

4 終点としてキャビネット右下角を⊟。

⇨ステータスバーに**3**－**4**の距離が表示される。

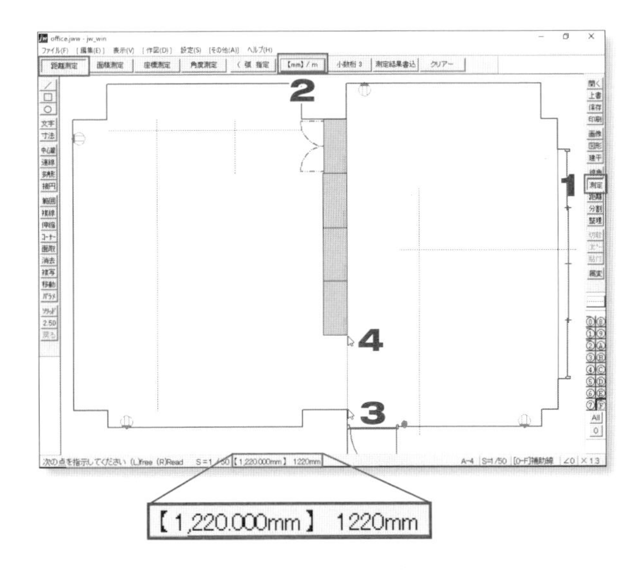

事務スペースの2本の補助線の間の距離を測定しましょう。

5 別の2点間を測定するため、コントロールバー「クリアー」ボタンを⊟し、これまでの測定結果を消去する。

6 始点として左の補助線交点を⊟。

7 終点として右の補助線交点を⊟。

測定の結果、**6**－**7**間の距離は1300mmで、配置予定の机の幅1400mmに100mm足りません。ここでは机の左右の空きを当初の予定(P.128で作図した補助線)より50mmずつ減らすことにして、**6**－**7**間の中心に机幅の中心を合わせて配置します。

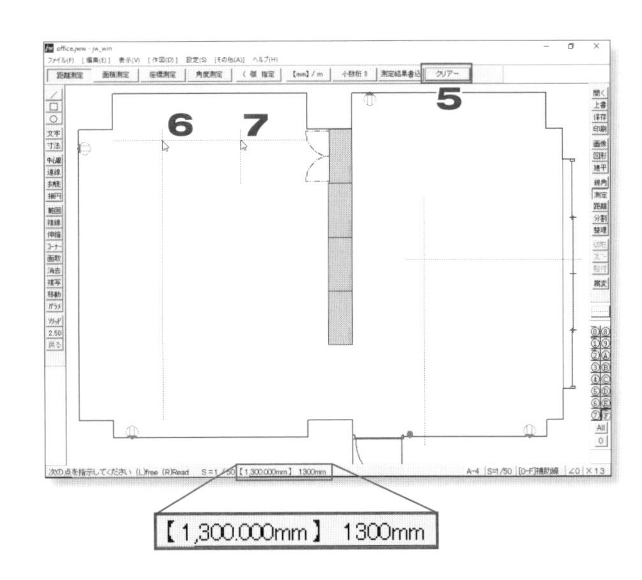

11 2点間を等分する点を作図する

前項で測定した2点間を2等分する仮点を作図しましょう。

1 「分割」コマンドを選択する。

?「分割」コマンドがない≫P.208 Q10

2 コントロールバー「仮点」にチェックを付け、「分割数」ボックスに「2」を入力する。

3 始点として左の交点を🖱。

4 終点として右の交点を🖱。

5 分割対象の線として右図の補助線を🖱。

⇨ **3**－**4**の線上を2等分する位置に仮点が作図される。

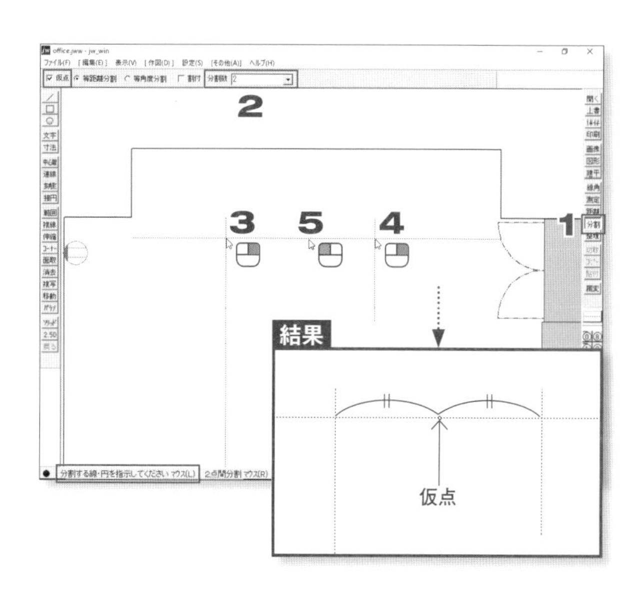

右上の打合せスペースの壁線を2等分する点を作図しましょう。

6 始点として壁左端を🖱。

7 終点として壁右端を🖱。

8 分割対象の線として上の壁線を🖱。

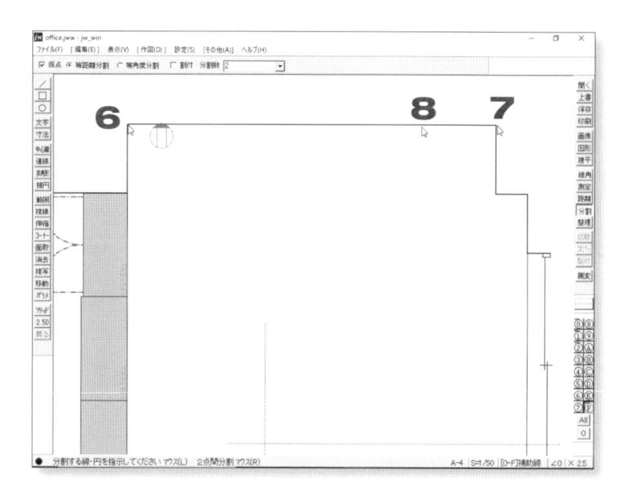

⇨ **6**－**7**の線上を2等分する位置に仮点が作図される。

同様にして、右下の打合せスペースの壁線を2等分する点を作図しましょう。

9 始点として補助線と腰壁線の交点を🖱。

10 終点として右図の角を🖱。

11 分割対象の線として腰壁線を🖱。

⇨ **9**－**10**の線上を2等分する位置に仮点が作図される。

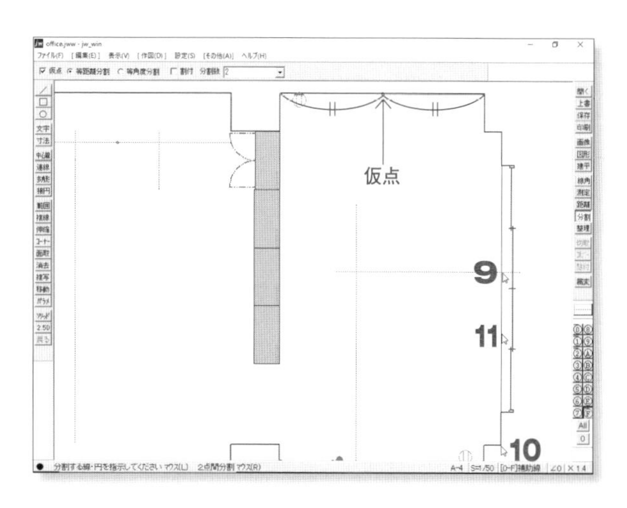

12 打合せテーブルを配置する

打合せテーブルの短辺中点を、前項で作図した仮点に合わせて配置しましょう。

1 「3」レイヤを🖱し、書込レイヤにする。

2 「図形」コマンドを選択する。

3 「ファイル選択」ダイアログのフォルダーツリーで「《図形》office-テーブル・椅子」フォルダーを🖱。

4 図形「Tab150x75」を🖱🖱で選択する。

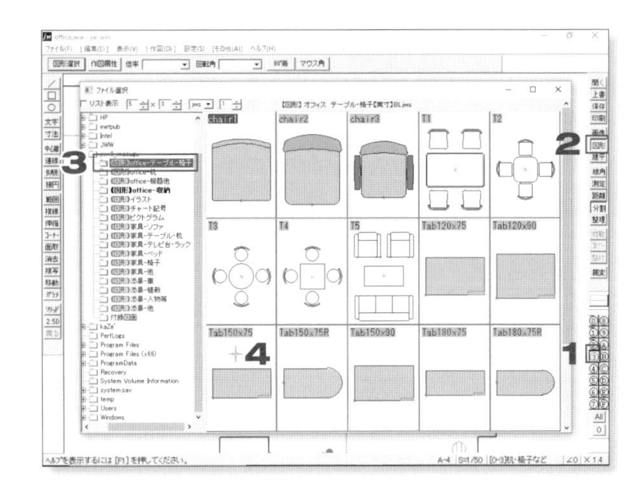

この図形は左下角を基準点としているため、いったん図面上に配置してから、「移動」コマンドで短辺中点を仮点に合わせます。

5 配置位置として右図の位置で🖱。

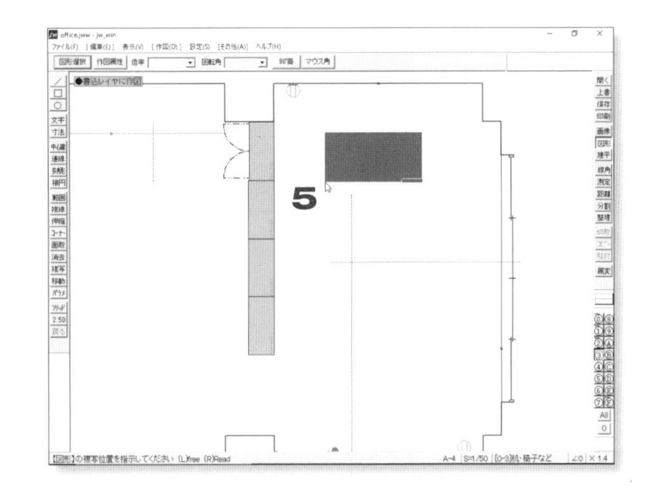

13 配置したテーブルを移動・複写する

配置したテーブルの右辺中点が腰壁上の仮点に合うように移動しましょう。

1 「移動」コマンドを選択する。

> **POINT** 通常、移動対象を範囲選択しますが、このテーブルはブロック図形（≫P.143）になっているため、連続線の選択と同様に、その一部を🖱することで選択できます。

2 テーブルの一辺を🖱。

⇨ ⊟したテーブルが選択色になり、ブロックの基準点（左下）位置に○が仮表示される。

POINT ブロック図形（≫P.143）は個々に基準点を持っています。

3 移動の基準点として右辺の中点を指定するため、コントロールバー「基準点変更」ボタンを⊟。

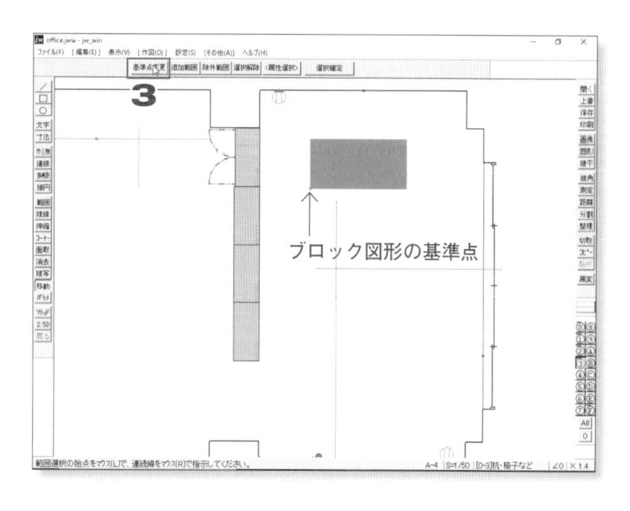

右辺の中点には⊟で読み取りできる点はありませんが、ドラッグ操作で表示されるクロックメニューを利用することで、線の中点を指示できます。

4 右辺にマウスポインタを合わせ⊟→AM3時中心点・A点（右ボタンを押したまま右方向へドラッグし、中心点・A点が表示されたらマウスボタンから指をはなす）。

POINT 「図形」コマンドに限らず、点指示時に線を⊟→AM3時中心点・A点することで、線の中点を指示できます。

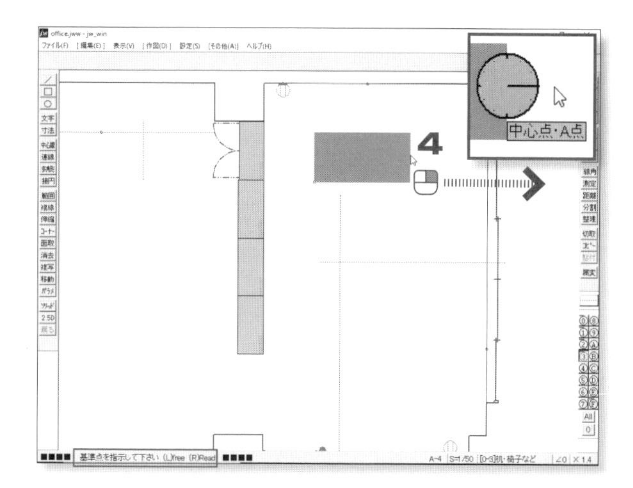

⇨ 4で⊟→した右辺の中点が移動の基準点となり、マウスポインタに移動要素のテーブルが仮表示される。

5 移動先として右図の仮点を⊟。

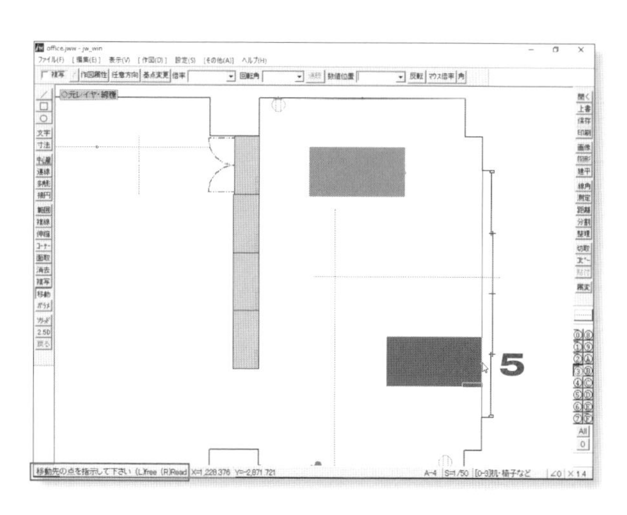

⇨ **5**の位置にテーブルが移動する。続けて移動先を指示することで、移動操作ができるため、マウスポインタには同じテーブルが仮表示された状態である。

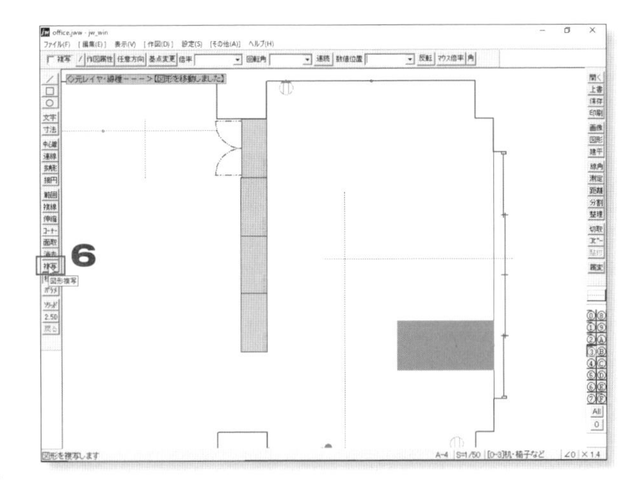

同じテーブルをもう一方の打合せスペースに、角度を変えて複写しましょう。

6「複写」コマンドを選択する。

⇨ 同じテーブルが複写要素としてマウスポインタに仮表示される。

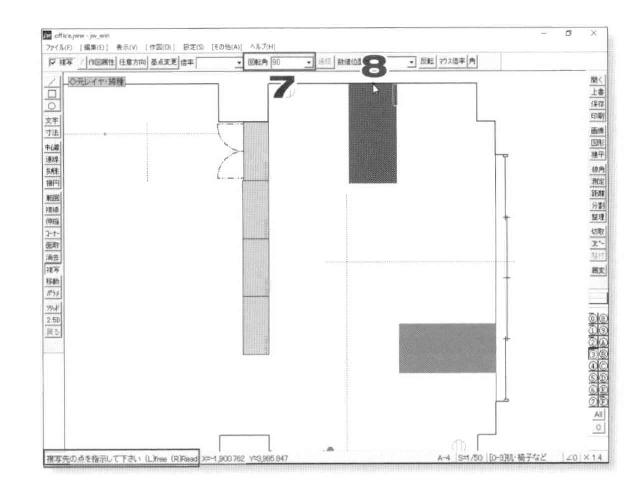

POINT 「移動」コマンドで移動対象とした要素が選択色になっている状態で、「複写」コマンドを選択すると、そのまま複写対象になります。

7 コントロールバー「回転角」ボックスに「90」を入力する。

8 複写先としてもう一方の打合せスペースの壁上の仮点を🖱。

9「／」コマンドを選択し、「複写」コマンドを終了する。

LET'S TRY!

やってみよう

P.132「**12** 打合せテーブルを配置する」～「**13** 配置したテーブルを移動・複写する」**1**～**5**を参考にして、「《図形》office−机」フォルダーに収録の図形「D70_W140」を配置し、その上辺の中点が、P.131で補助線間を2等分した仮点に合うように移動しましょう。
また、図形「D70_W120」の机4つを右図のように配置しましょう。

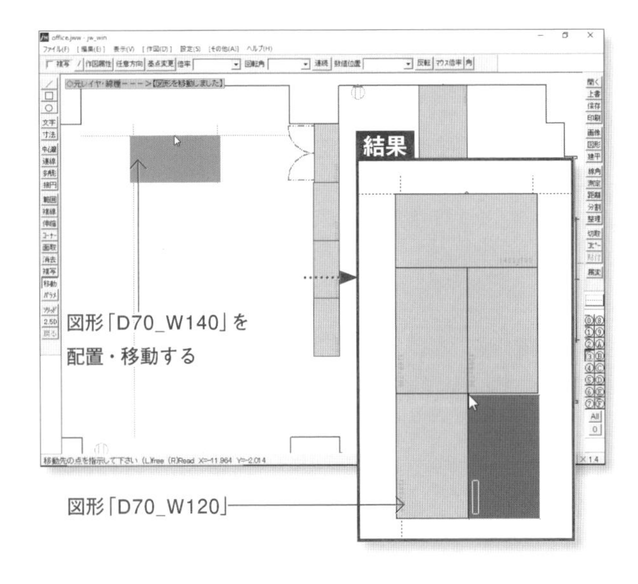

14 距離を測定する

打合せスペース周りの補助線の長さを測定しましょう。

1 「測定」コマンドを選択し、コントロールバーの「距離測定」が選択され、測定単位が「【mm】/m」(mm単位) になっていることを確認する。

2 始点として腰壁と補助線の交点を。

3 次の点として補助線どうしの交点を。

⇨ **2**−**3**間の距離がステータスバーに表示される。

4 次の点として壁と補助線の交点を。

⇨ **2**−**3**−**4**間の累計距離と**3**−**4**間の距離がステータスバーに表示される。

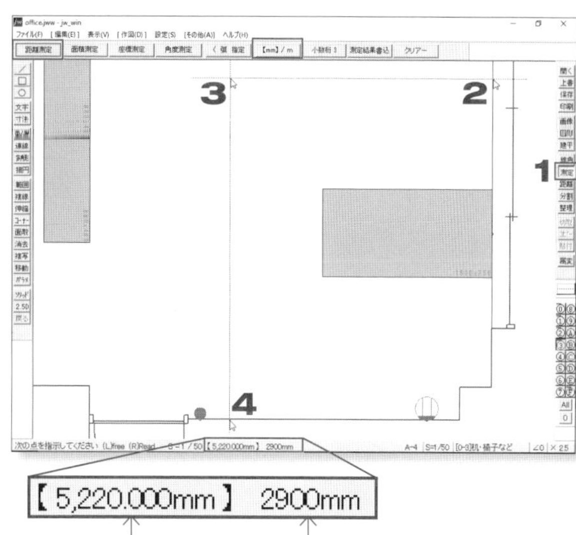

打合せスペース周りの補助線と打合せテーブルの間隔を測定しましょう。読み取りできる点が横または縦に並んでいないため、「距離測定」では間隔を測れません。このような場合は、「座標測定」を使います。

5 コントロールバー「座標測定」ボタンを。

6 原点として補助線交点を。

7 座標点としてテーブルの左上角を。

⇨ **6**を原点とした**7**のX、Y座標点がステータスバーに表示される。Xが横の間隔、Yが縦の間隔である。

8 コントロールバー「クリアー」ボタンをし、測定結果を消去する。

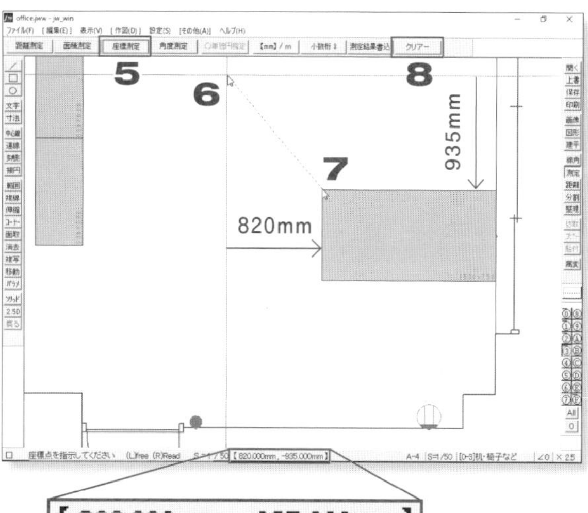

15 パーテーションを配置する

図形データとして用意されているパーテーションをキャビネットと同じレイヤに配置しましょう。キャビネットの作図レイヤがわからなくても、「属性取得」を行うことで書込レイヤをキャビネットと同じレイヤに変更できます。

1 キャビネットの外形線にマウスポインタを合わせ↓AM6時 属性取得 。

⇨ ↓した要素が作図されているレイヤが書込レイヤになる。↓した要素がブロック図形(→P.143)であるため、右図の「選択されたブロックを編集します」ウィンドウが開く。

2 「キャンセル」ボタンを。

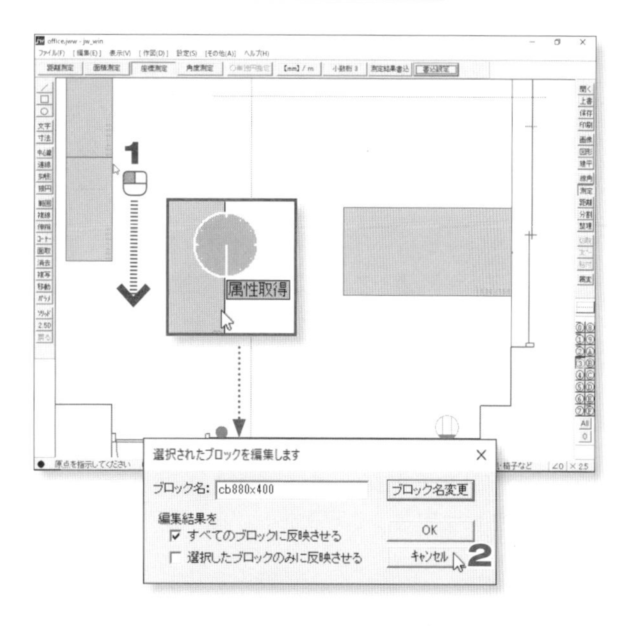

POINT 線・円・弧などの要素の線色・線種・レイヤを「属性」と呼びます。「属性取得」は、書込線色・線種と書込レイヤを🖱↓した要素と同じ設定にします。

図形データとして用意されているパーテーションパーツを配置しましょう。

3 「図形」コマンドを選択する。

4 「ファイル選択」ダイアログで、「《図形》office-機器他」フォルダーを選択する。

5 図形「P-W100」を選択する。

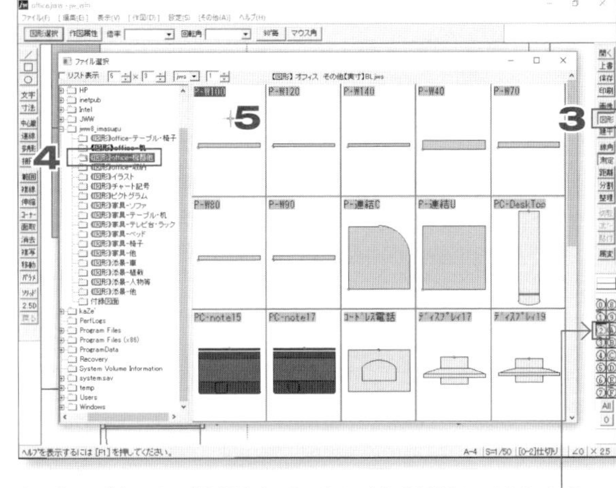

1のキャビネットが作図されているレイヤが書込レイヤになる

⇨ マウスポインタに左下の基準点を合わせて図形「P-W100」が仮表示される。

図形の左右を反転することで、基準点を右下にしましょう。

6 コントロールバー「倍率」ボックスの▾ボタンを🖱し、リストから「-1,1」を🖱で選択する。

POINT 「倍率」ボックスに「-1,1」を指定することで、そのままの大きさで図形が左右反転します。

⇨ 仮表示の図形が左右反転され、基準点も右下になる。

7 配置位置として腰壁と補助線の交点を🖱。

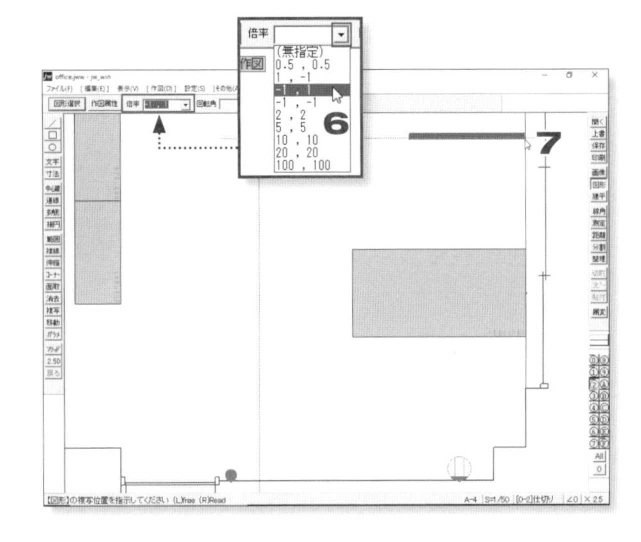

8 コントロールバー「図形選択」ボタンを🖱し、「ファイル選択」ダイアログで図形「P-連結U」を選択して、配置位置として**7**のパーテーションの左下角を🖱。

9 コントロールバー「図形選択」ボタンを🖱し、「ファイル選択」ダイアログで図形「P-W120」を選択して、配置位置として**8**で配置したパーツの左下角を🖱。

10 コントロールバー「図形選択」ボタンを🖱し、「ファイル選択」ダイアログで図形「P-連結C」を選択して、**9**で配置したパーツの左下角を🖱して配置する。

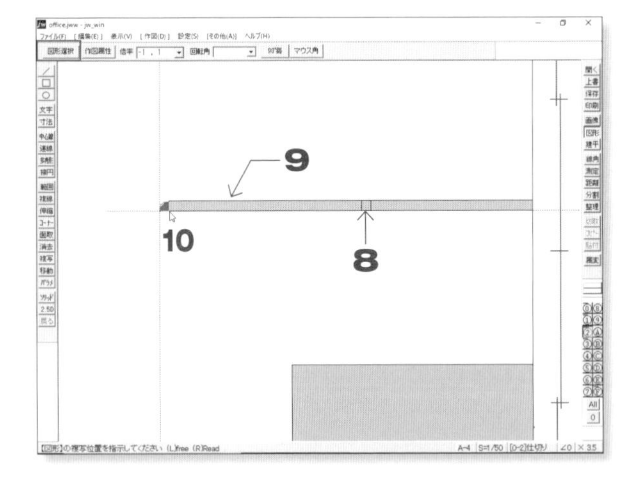

11 コントロールバー「図形選択」ボタンを🖱し、「ファイル選択」ダイアログで図形「P-W100」を選択する。

12 コントロールバー「90°毎」ボタンで角度を調整し、右図の2カ所に配置する。

13「／」コマンドを選択し、「図形」コマンドを終了する。

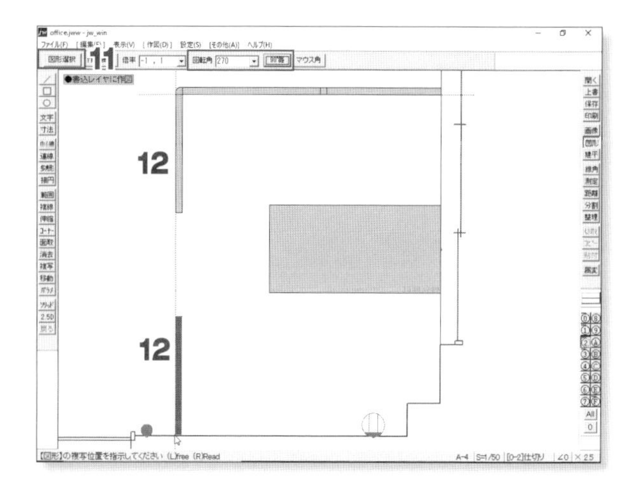

16 椅子を配置する

図形データとして用意されている椅子をテーブルと同じレイヤに配置しましょう。

1 テーブルの外形線にマウスポインタを合わせ🖱↓AM6時 属性取得。

2「選択されたブロックを編集します」ウィンドウの「キャンセル」ボタンを🖱。

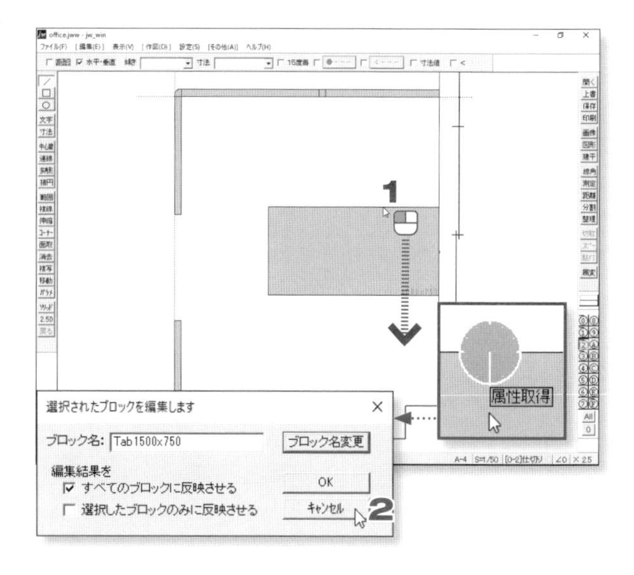

⇨ テーブルが作図されている「3」レイヤが書込みレイヤになる。

3「図形」コマンドを選択し、「ファイル選択」ダイアログで「《図形》office-テーブル・椅子」フォルダーの図形「chair1」を選択する。

4 配置位置として右図の位置で🖱。

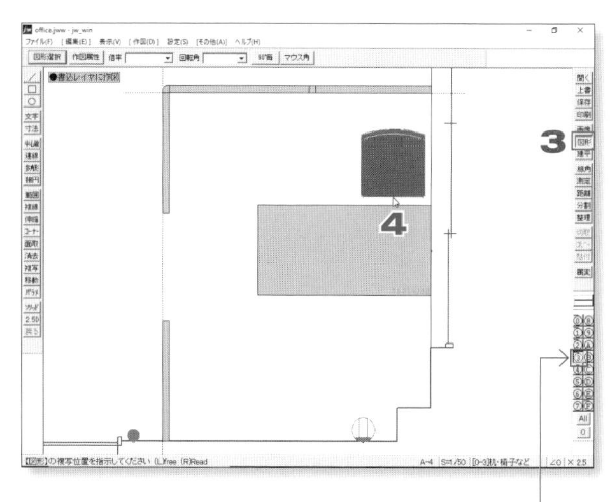

1のテーブルが作図されているレイヤが書込レイヤになる

17 椅子を反転複写する

テーブルと4脚の椅子それぞれを同じ間隔で配置するため、残りの3脚は「複写」コマンドで反転複写をしましょう。

1 「複写」コマンドを選択する。

2 複写対象として前項で配置した椅子の外形線を🖱。

POINT 通常は複写対象を範囲選択しますが、この椅子はブロック図形（≫P.143）になっているため、その一部を🖱することで選択できます。

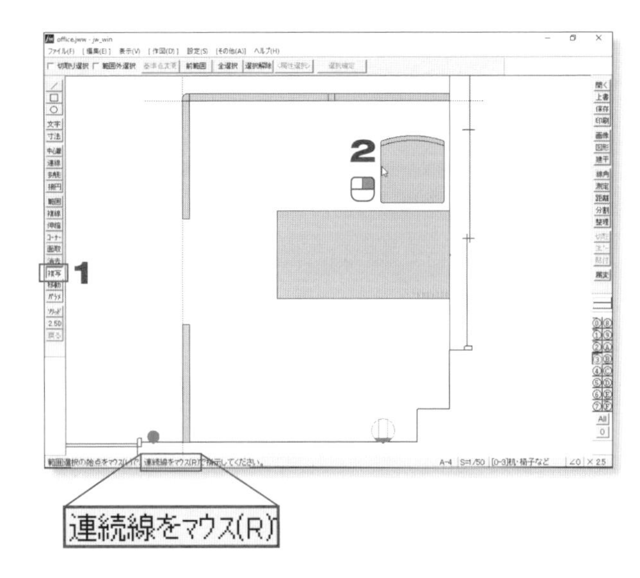

⇨ 🖱した線を含む椅子全体が複写対象として選択色になり、ブロックの持つ基準点に赤い○が表示される。

テーブルの右上角を基準点とし、左右を反転して複写しましょう。

3 コントロールバー「基準点変更」ボタンを🖱。

4 基準点としてテーブルの右上角を🖱。

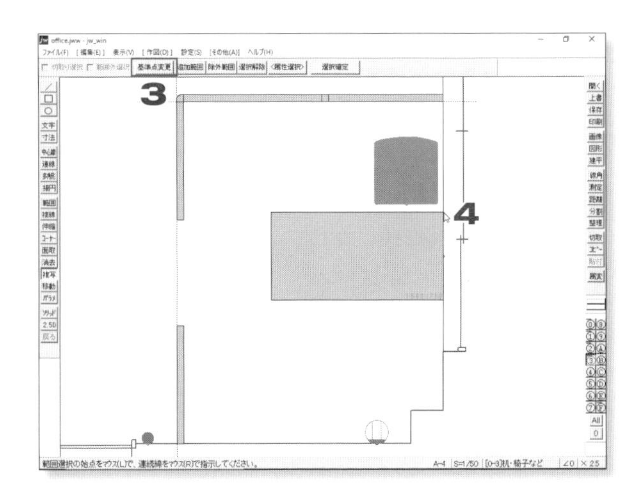

⇨ 複写要素と基準点が確定し、マウスポインタに仮表示される。

5 コントロールバー「倍率」ボックスの▾ボタンを🖱し、表示されるリストから「-1,1」を🖱で選択する。

POINT 「倍率」ボックスに「横倍率, 縦倍率」を入力して大きさを変更します。ここでは、横・縦とも1倍（大きさ変更なし）で、横倍率に「－（マイナス）値」を指定したため、複写要素が左右反転します。

6 複写先としてテーブル左上角を🖱。

⇨ 椅子が左右反転して複写される。マウスポインタには、複写要素が仮表示され、複写元の椅子は選択色で表示されている。

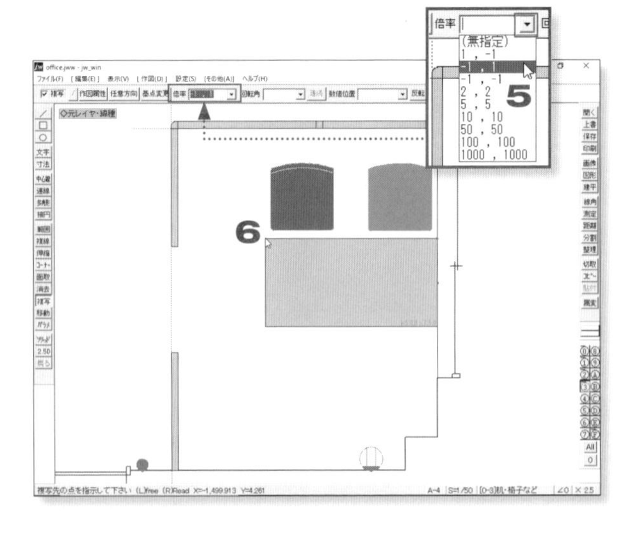

2脚の椅子をテーブルの反対側に上下を反転して複写しましょう。

7 「複写」コマンドを選択する。

⇨ 選択色で表示されていた椅子が元の表示色に戻る。

8 複写対象の左上で🖱。

9 表示される選択範囲枠で2脚の椅子を囲み、終点を🖱。

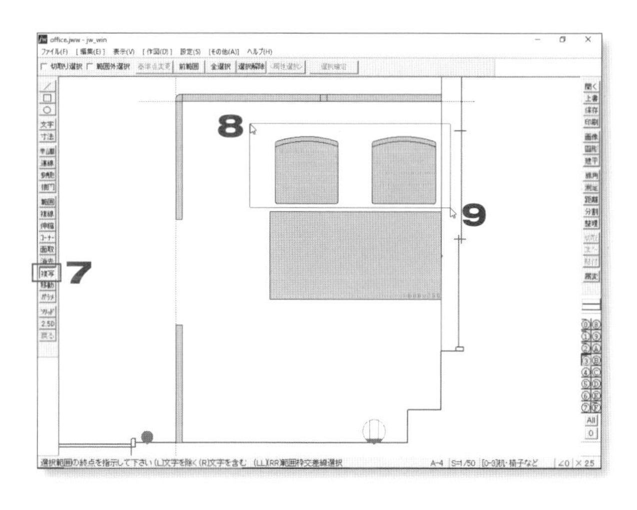

⇨ 選択範囲枠に全体が入る要素（椅子2脚）が複写対象として選択色になる。

基準点をテーブルの左上角にし、上下を反転して複写しましょう。

10 コントロールバー「基準点変更」ボタンを🖱。

11 複写の基準点としてテーブルの左上角を🖱。

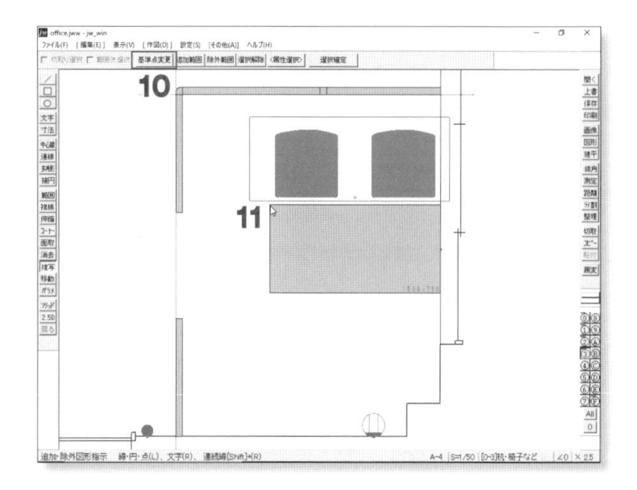

12 コントロールバー「倍率」ボックスの▾ボタンを🖱し、表示されるリストから「1, -1」を🖱で選択する。

POINT 「倍率」ボックスの縦倍率に「－（マイナス）値」を指定することで、複写要素が上下反転します。

13 複写先としてテーブル左下角を🖱。

⇨ 椅子2脚が上下反転して複写される。

14 「／」コマンドを選択し、「複写」コマンドを終了する。

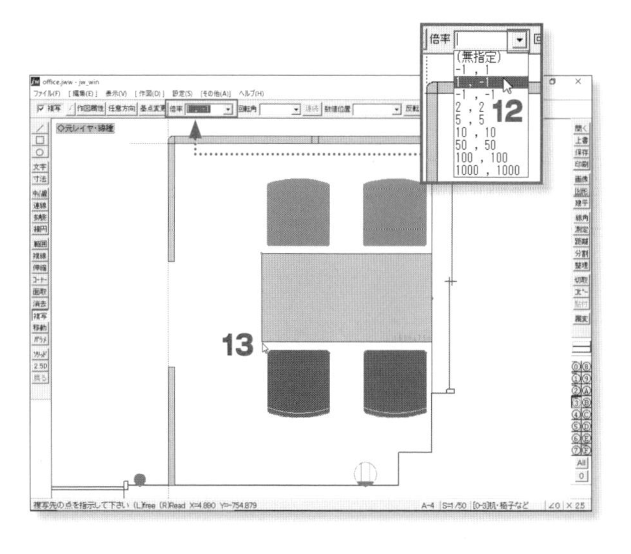

18 椅子4脚をまとめて複写する

もう一方の打合せテーブルには、前項で作図した4脚の椅子をまとめて複写しましょう。

1「複写」コマンドを選択する。

2 複写対象の左上で。

3 表示される選択範囲枠で右図のように4脚の椅子とテーブルを囲み、終点を。

⇨ 選択範囲枠に全体が入る要素（椅子4脚とテーブル）が複写対象として選択色になる。

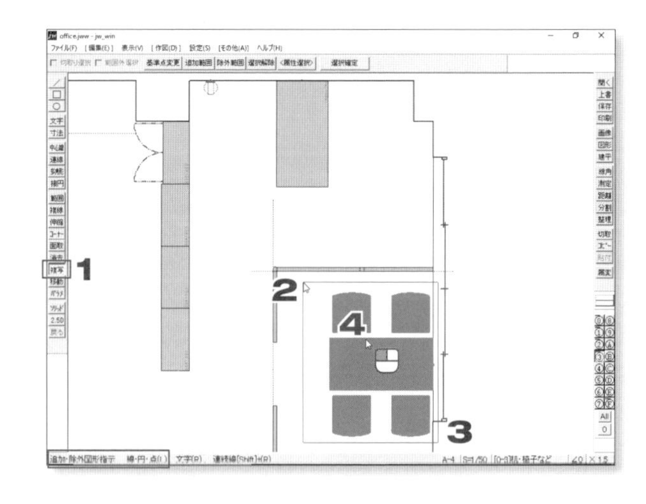

複写対象からテーブルを除外しましょう。

4 テーブルの外形線を。

POINT このテーブルはブロック図形（≫P.143）になっているため、その一部をすることで、線・円・弧と同様に除外や追加ができます。

⇨ テーブルが元の色になり、複写対象から除外される。

複写の基準点をテーブルの左上角にしましょう。

5 コントロールバー「基準点変更」ボタンを。

6 複写の基準点としてテーブル左上角を。

⇨ **6**の点を基準点とした椅子4脚がマウスポインタに仮表示される。

7 コントロールバー「回転角」ボックスに「90」を入力する。

⇨ 複写要素が左に90度回転して仮表示される。

8 複写先の点として右図のテーブル左下角を。

⇨ 椅子4脚が90度回転して指示位置に複写される。

9「／」コマンドを選択し、「複写」コマンドを終了する。

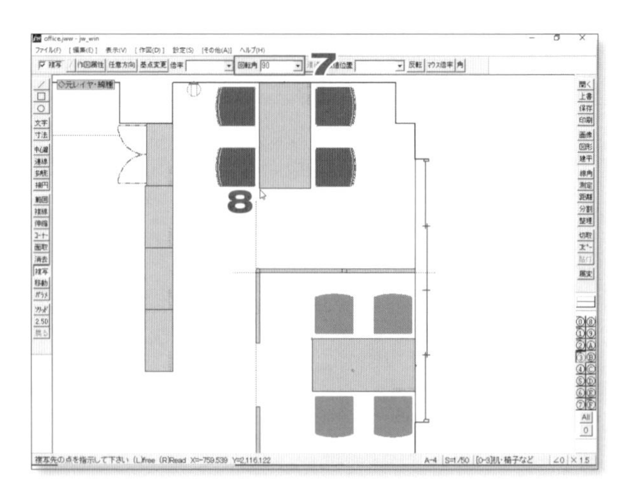

19 事務椅子を配置する

事務スペースの椅子を配置しましょう。

1 「図形」コマンドを選択し、「《図形》 office－テーブル・椅子」フォルダーの図形「chair3」と「chair2」を右図のように🖱で配置する。

2 「複写」コマンドを選択する。

3 複写対象として右図の事務椅子を🖱。

4 コントロールバー「基準点変更」ボタンを🖱。

5 事務椅子の複写の基準点として右図の机の左下角を🖱。

6 複写先として次の机の左下角を🖱。

7 コントロールバー「回転角」ボックスに「180」を入力する。

8 複写先として右側の机の右上角を🖱。

9 もう1つの机の右上角を🖱。

10 「／」コマンドを選択し、「複写」コマンドを終了する。

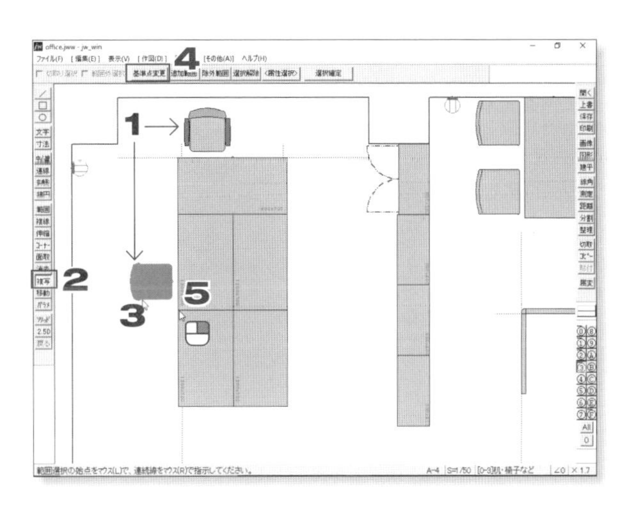

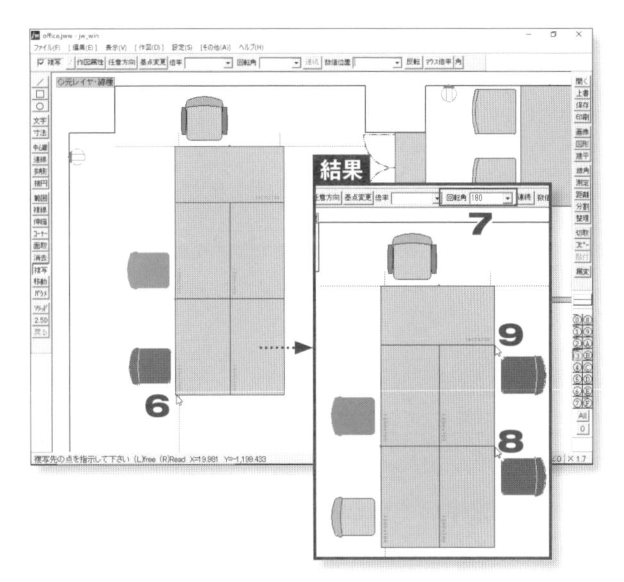

20 ファイルキャビネットとコピー機を配置する

入口左のファイルキャビネットとコピー機を配置し、上書き保存しましょう。

1 「図形」コマンドを選択し、「《図形》 office－収納」フォルダーの図形「FC_A4」を右図のように配置する。

2 コントロールバー「図形選択」ボタンを🖱し、「《図形》 office－機器他」フォルダーの図形「複合機A3」を右図の位置に配置する。

3 「上書」コマンドを🖱。

以上で完了です。印刷してみましょう。

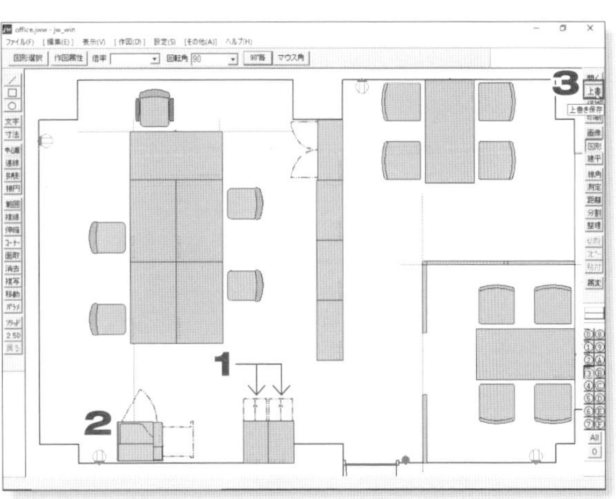

Hint 机の中央に名前を記入する

席次表としても利用できるよう、各机の中央に名前を記入する手順を解説します。

1 書込レイヤを「4」にして、机と重なった補助線が作図されている「F」レイヤを非表示にする。

2 「文字」コマンドを選択し、書込文字種を指定して基点を「中中」にする。

3 「文字入力」ボックスに名前を入力する。

4 文字の記入位置として机の左上角にマウスポインタを合わせ⊟→AM3時 中心点・A点。

POINT 既存の点にマウスポインタを合わせ⊟→AM3時中心点・A点し、次にB点を⊟することで、AとBの2点間の中心点を点指示できます。「文字」コマンドに限らず、他のコマンドの点指示時にも共通して利用できます。

5 B点として机の右下角を⊟。

⇨**4**と**5**の中心点に文字の基点（中中）を合わせ、名前が記入される。

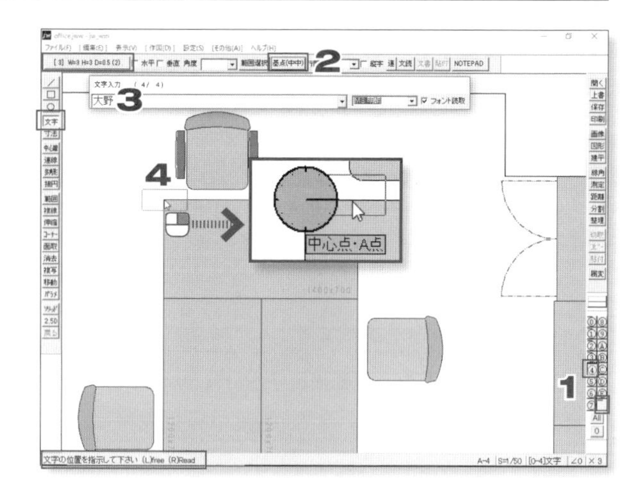

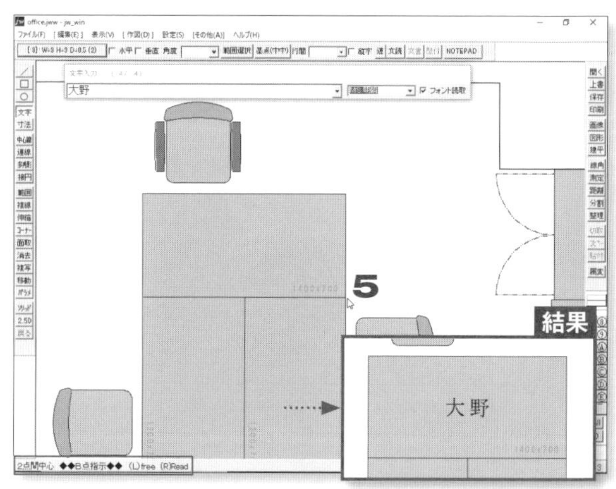

Hint 文字の背景を白く抜く

1 メニューバー［設定］－「基本設定」を選択して「jw_win」ダイアログの「文字」タブで、「文字列範囲を背景色で描画」にチェックを付ける。

2 「範囲増寸法」ボックスを「0.5」にして、「OK」ボタンを⊟。

⇨下図のように文字の背景が白抜きになる。

印刷されない補助文字の周囲も白抜きして表示されるが、補助文字の周囲の白抜きは印刷はされないので問題ない

STEPUP

ブロック図形の活用

この単元の「図形」コマンドで配置したキャビネットや机、椅子等の什器には、「ブロック」という特別な性質が付随しています。ここでは、ブロックの性質やその活用方法、解除方法、作成方法などを解説します。

作図した図面内のブロックを確認してみましょう。メニューバー[表示] ー「ブロックツリー」を選択すると、右図のように「ブロックツリー」ウィンドウが開きます。ここには、図面内のブロックがフォルダーアイコンで一覧表示されます。「cb880×380」フォルダーアイコンを すると、図面内のそのブロックが選択色で表示されます。それぞれのフォルダーアイコンを し、確認してみましょう。確認したら右上☒(閉じる) ボタンを してウィンドウを閉じましょう。

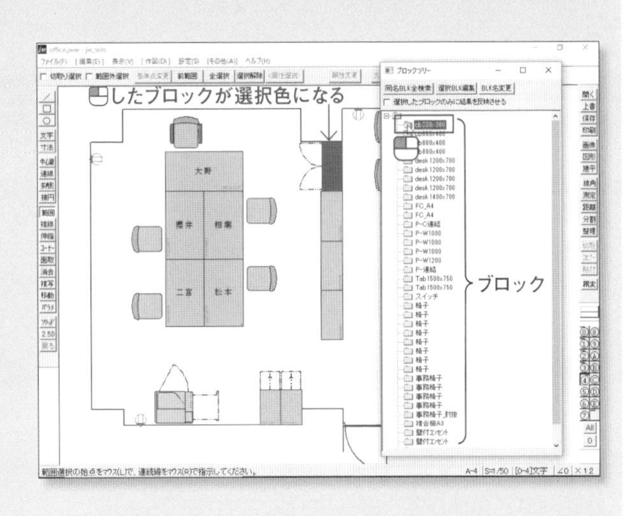

■ ブロックの特性

ブロックには以下のような特別な性質があります。

● 1要素として扱われる

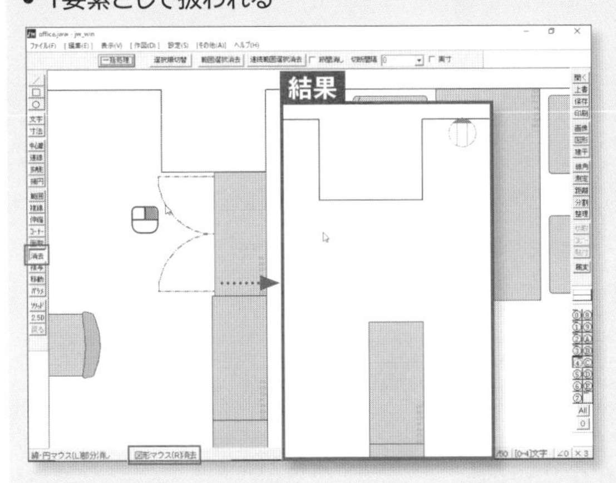

「消去」コマンドでその一部を すると、ブロック全体が消去される。

● 編集・変更はできない

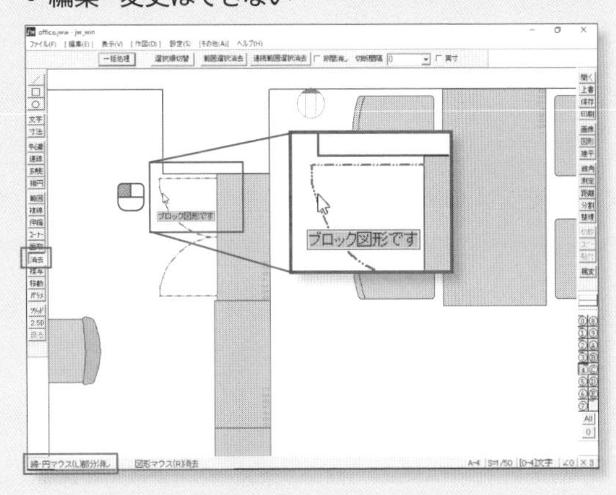

「消去」コマンドでその一部を (部分消し) すると、ブロック図形です とメッセージが表示され、部分消しの対象にならない。編集・変更は、ブロックを解除するか、あるいは「ブロック編集」コマンドで行う。

● 基準点情報を持つ

ブロック作成時に指定した基準点の情報を持っている。移動・複写対象として で選択すると、その基準点が移動・複写の基準点になる(≫P.133)。

● ブロック名を付けられ、名前ごとに数を集計できる(≫P.144)

● 属性取得すると「選択されたブロックを編集します」ウィンドウが開く(≫P.135)

■ 什器の数を集計する
～ブロック数の集計～

図面内のブロックの数をその名前ごとに集計しましょう。はじめに、集計する対象を範囲選択します。

1「範囲」コマンドを選択する。

2 範囲選択の始点として図の左上で⊟。

3 表示される選択範囲枠にすべてのブロックが入るように囲み、終点を⊟（文字を除く）。

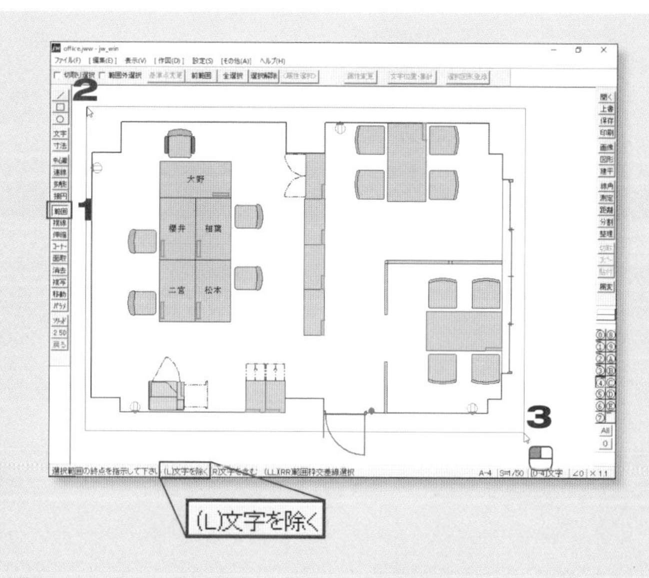

POINT 集計機能では、図面上の文字の数もその記述内容ごとに数えます。ここではブロックの数だけを数えるため、対象に文字が含まれないように終点を⊟します。

⇨ 選択範囲枠に全体が入る文字以外の要素が選択色になる。

4 コントロールバー「文字位置・集計」ボタンを⊟。

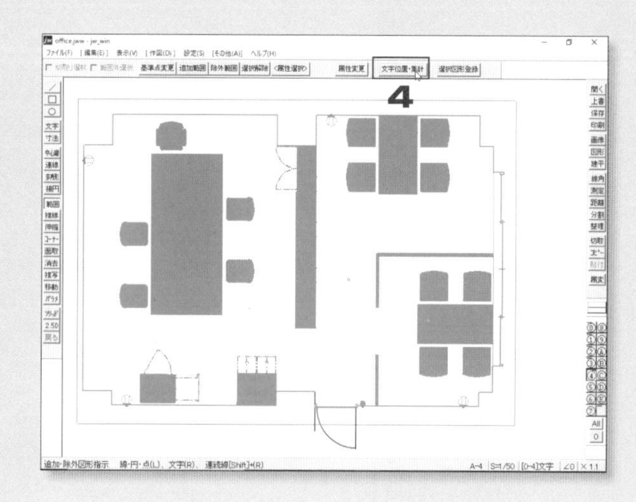

⇨ ブロック以外の要素は、対象から除外され、元の色になる。

5 コントロールバー「集計書込」ボタンを⊟。

6「文字集計設定」ダイアログの「書込文字種」ボックスを「3」にする。

7「ブロック名も集計する」にチェックを付ける。

8「OK」ボタンを⊟。

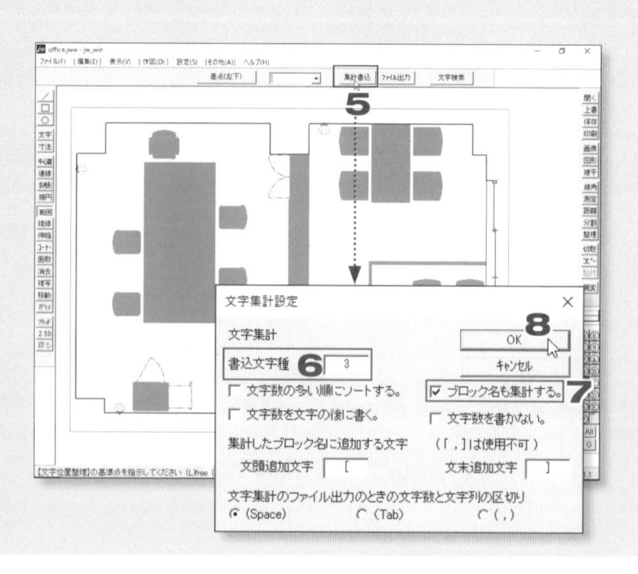

9 コントロールバー「数値入力」ボックスの行間を確認または変更する。

POINT 「数値入力」ボックスでは、これから記入する集計結果の文字の「行間，列間」(右図では「5,0」)を指定します。

10 集計結果を記入する位置として右図の位置を🖱。

⇨🖱位置を先頭に、**6**で指定した文字種で集計結果（数とブロック名）が記入される。

POINT 集計結果をテキストファイルとして保存し、Microsoft Excelなどで利用することもできます（詳しくは別書『Jw_cadで神速に図面をかくための100のテクニック』P.240で解説）。

9
10
5mm
2 [FC_A4]
1 [P-C連結]
3 [P-W1000]
1 [P-W1200]
1 [P-連結]
2 [Tab1500x750]
1 [cb880x380]
3 [cb880x400]
4 [desk1200x700]
1 [desk1400x700]
1 [スイッチ]
8 [椅子]
4 [事務椅子]
1 [事務椅子_肘掛]
1 [複合機A3]
4 [壁付コンセント]

■ ブロックを解除して図面内のソリッド（着色部）を消す

着色が施された什器はブロックになっているため、ソリッド（着色部）だけを消すことはできません。ソリッドを消すにはブロックを解除する必要があります。ここでは図面内のソリッドをすべて消すため、すべてのブロックを解除しましょう。

1 「範囲」コマンドを選択する。

2 範囲選択の始点として図の左上で🖱。

3 表示される選択範囲枠で図全体を囲み、終点を🖱。

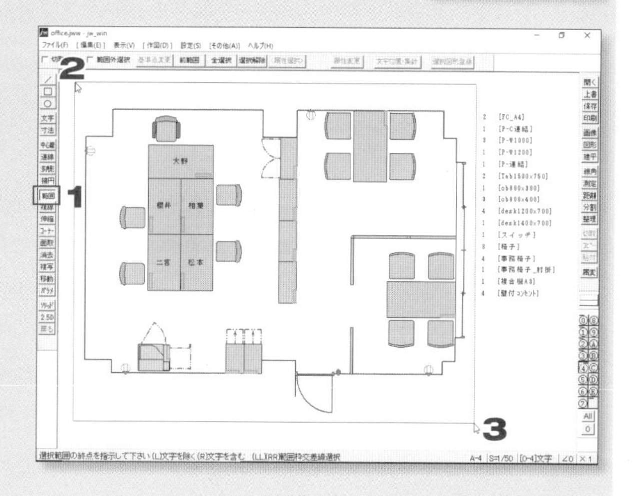

⇨ 選択範囲枠に全体が入る要素が選択色になる。

POINT この図面の場合、**2**〜**3**の操作の代わりにコントロールバー「全選択」ボタンを🖱して図面全体を選択しても最終的な結果は同じです。

4 メニューバー［編集］−「ブロック解除」を選択する。

⇨ 選択対象のブロックが解除される。

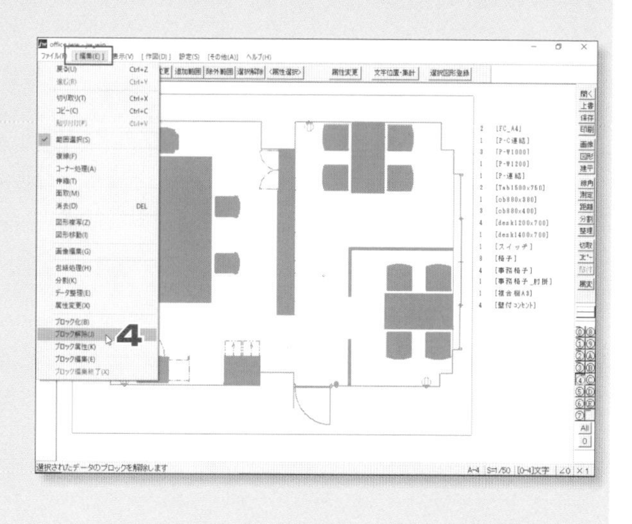

図面内のソリッド（着色部）だけを消去しましょう。

5 「消去」コマンドを選択する。

6 コントロールバー「範囲選択消去」ボタンを🖱。

7 範囲選択の始点として図の左上で🖱。

8 表示される選択範囲枠で図全体を囲み、終点を🖱。

⇨ 選択範囲枠に全体が入る要素が選択色になる。

POINT この図面の場合、**7**～**8**の範囲選択操作の代わりに、コントロールバー「全選択」ボタンを🖱して図面全体を選択しても最終的な結果は同じです。

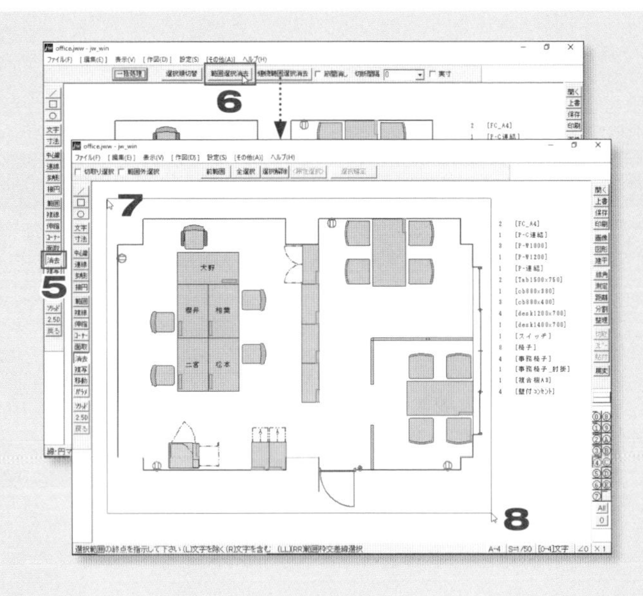

選択色の要素から消去対象としてソリッドのみを選択しましょう。

9 コントロールバー「<属性選択>」ボタンを🖱。

10 属性選択のダイアログの「ソリッド図形指定」にチェックを付け、「【指定属性選択】」にチェックが付いていることを確認し、「OK」ボタンを🖱。

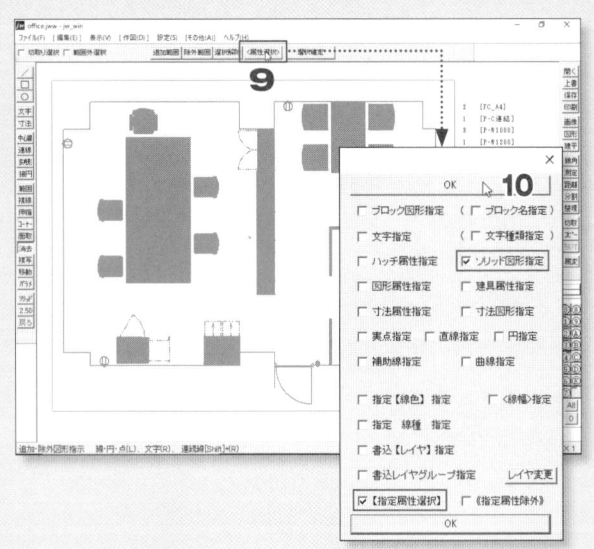

⇨ 選択色の要素のうちソリッドのみが選択色に、その他の要素は対象から除外され、元の色に戻る。

11 コントロールバー「選択確定」ボタンを🖱。

⇨ ソリッドのみが消去される。

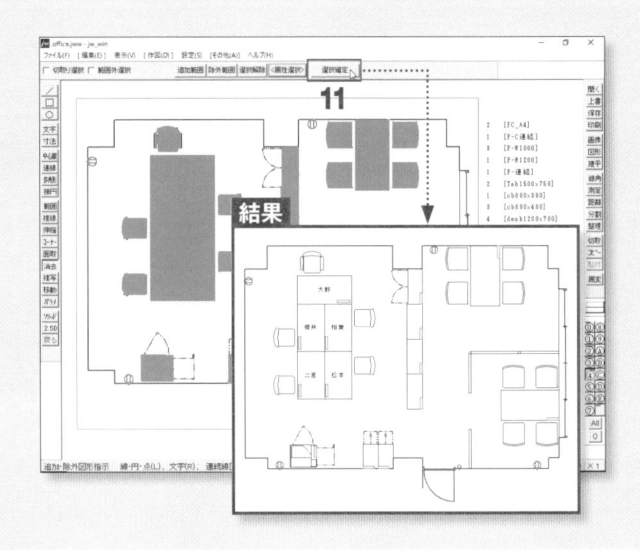

■ ブロックを作成する

任意の複数の要素を1つのブロックにできます。前項でブロック解除し、ソリッドを消したテーブル（補助文字を含む）と椅子4脚をブロックにする例で解説します。

1 「E」レイヤを書込レイヤにし、「F」レイヤを編集可能にする。

2 「範囲」コマンドを選択する。

3 範囲選択の始点として右図の位置で。

4 表示される選択範囲枠でテーブルと椅子4脚を囲み、終点を（文字を含む）。

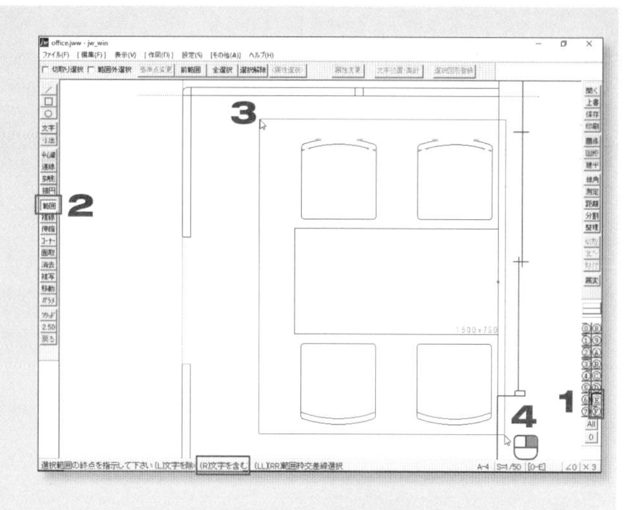

⇨ 選択範囲枠に全体が入る要素が選択色になり、その中心に自動的に決められた基準点を示す○が表示される。

POINT 仮点は範囲選択の対象になりません。

基準点情報も、ブロックに登録されます。ここでは基準点をテーブル右辺の中点（仮点の位置）に指定します。

5 コントロールバー「基準点変更」ボタンを。

6 基準点としてテーブル右辺中点の仮点を。

⇨ **6**の位置が基準点になり、○が仮表示される。

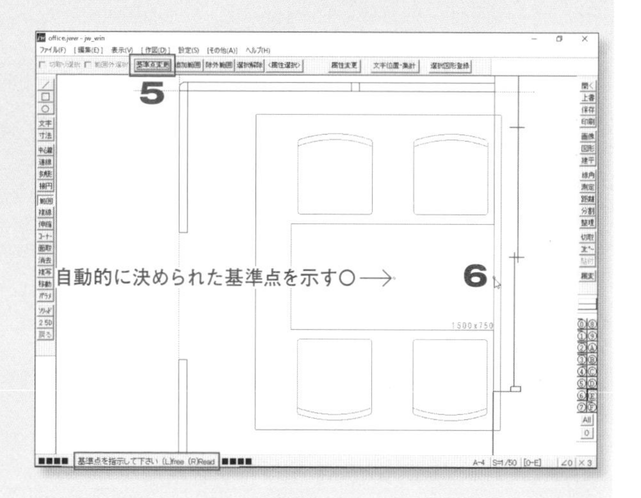

7 メニューバー［編集］－「ブロック化」を選択する。

8 「ブロック名を入力してください」ボックスにブロック名（ここでは「table＋chair4」）を入力し、「OK」ボタンを。

⇨ **4**で選択した要素が**6**を基準点としてブロック化される。

? 「同じブロック名があります。設定できません」と表示される≫P.211　Q25

POINT 選択要素は、ブロックにしたときの書込レイヤにブロック化されます。

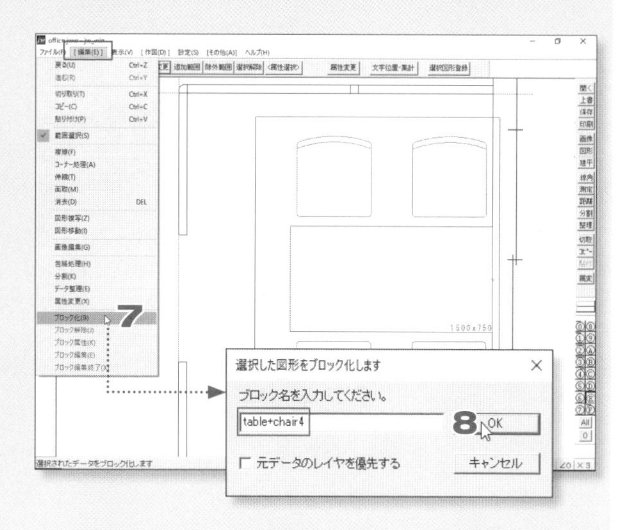

P.127～で配置した什器の図形は、上記の手順でブロック化したうえで、図形登録（≫P.89）したものです。

Case Study 8

木工作品の三面図をかこう

三面図とは、物体を正面から見た「正面図」、真上から見た「平面図」、右（または左）側面から見た「側面図」を指し、一般には正面図の上側に平面図、右側に右から見た側面図をかきます。
ここでは、図のペットテーブルをモチーフに、次ページの三面図を作図しましょう。

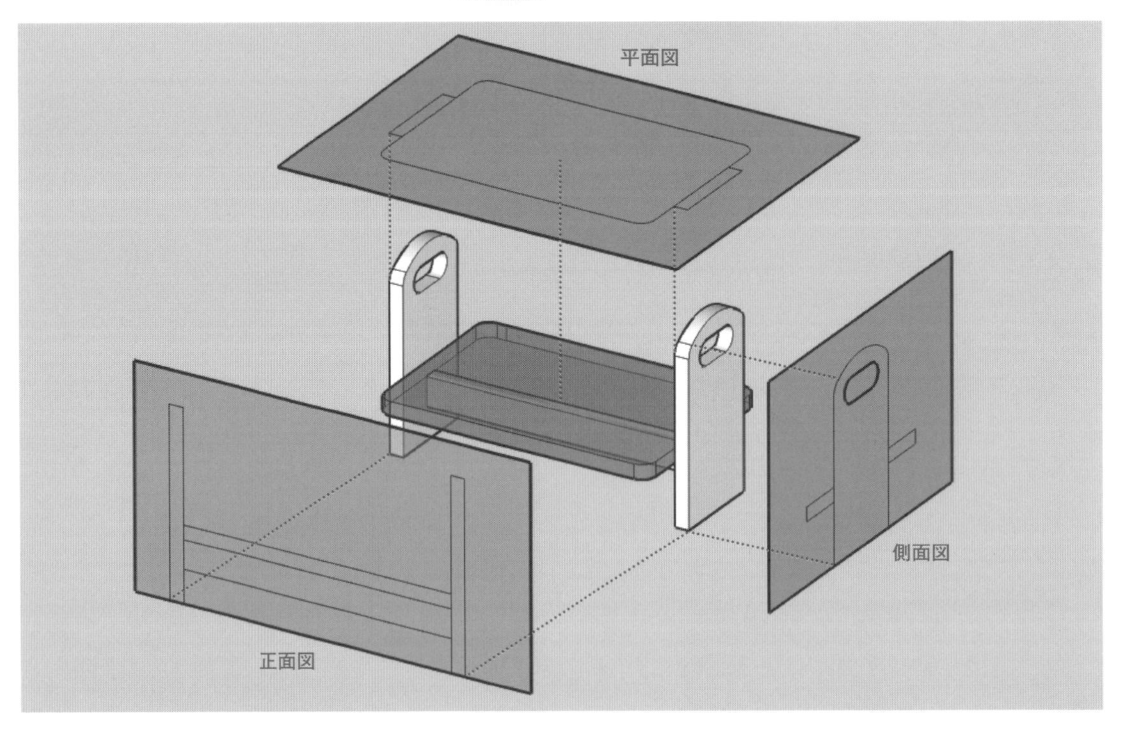

それぞれの線色（線の太さ）・線種を使い分けよう。

外形線　太線0.35mm（線色2）・実線

中心線　細線0.18mm（線色8）・一点鎖線（一点鎖2）

隠れ線　細線0.18mm（線色6）・破線（点線2）

寸法線　細線0.18mm（線色6）・実線、寸法値　高さ5mm（文字種5）

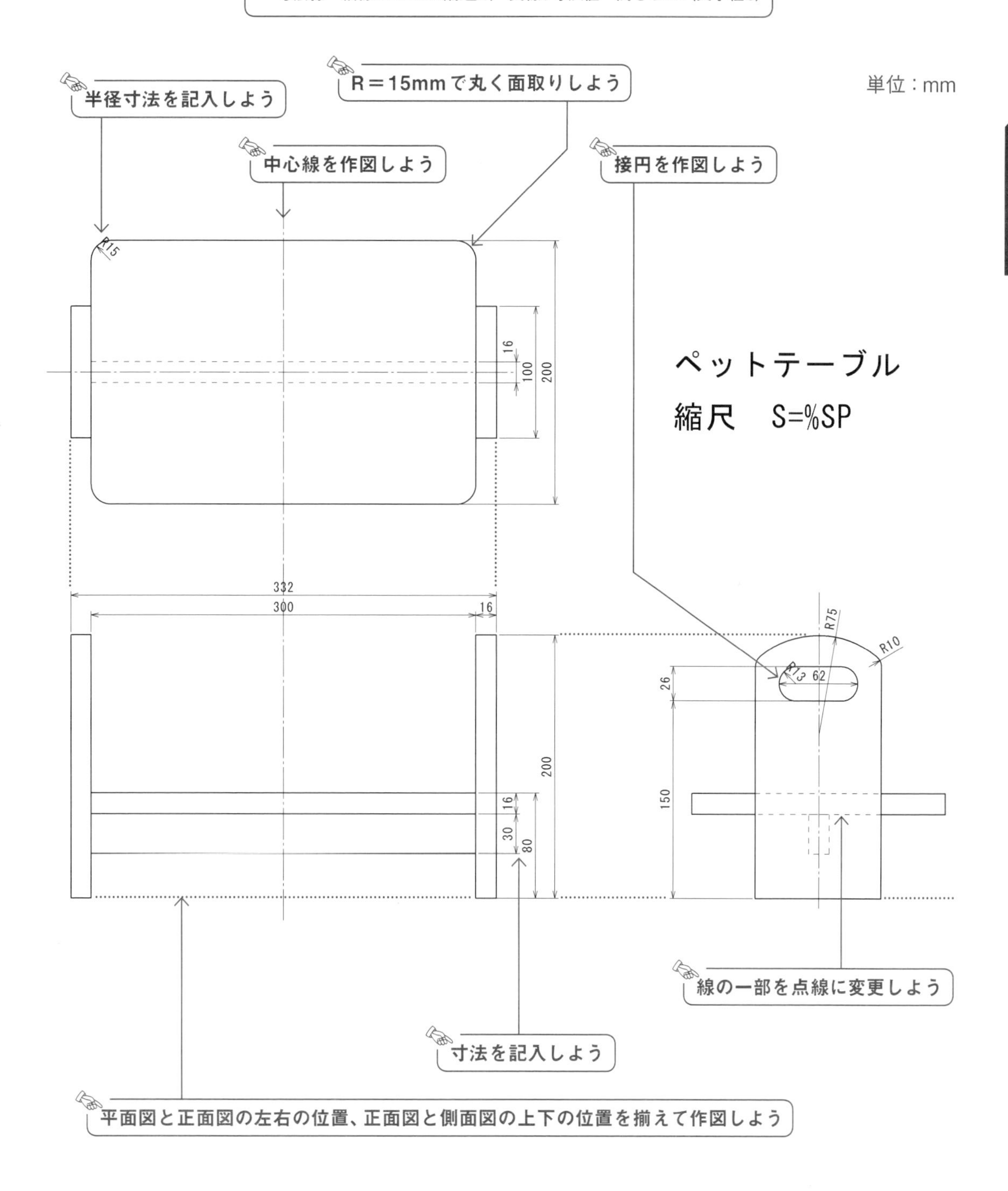

01 用紙・縮尺・レイヤ名を設定する

用紙サイズをA3、縮尺を1/2にし、以下のレイヤ名を設定しましょう。

0：中心線　　2：隠れ線　　D：寸法
1：外形線　　A：文字　　F：補助線

1 用紙サイズA3、縮尺を1/2にする。

2 「レイヤ一覧」ウィンドウで、右図のようにレイヤ名を設定する。

参 用紙サイズ≫P.24　縮尺≫P.25
レイヤ名設定≫P.74

02 印刷線幅を設定し、図面を保存する

線色ごとの印刷線幅を以下のように設定し、図面ファイルを保存しましょう。

線色2：0.35mm　　線色8：0.18mm
線色6：0.18mm

1 メニューバー[設定]－「基本設定」を選択し、「jw_win」ダイアログの「色・画面」タブの「プリンタ出力　要素」欄で、印刷線幅を右図のように設定し、「OK」ボタンを🖱。

2 「保存」コマンドを選択し、「jww8_imasugu」フォルダーに名前「ペットテーブル」として保存する。

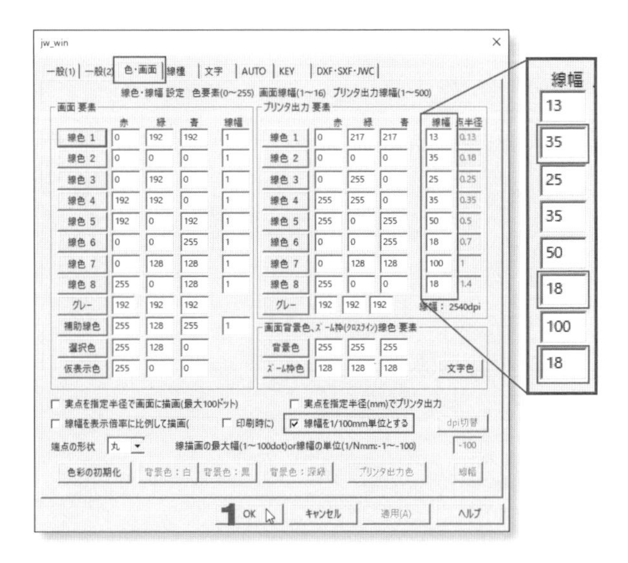

03 平面図の天板を作図する

「1：外形線」レイヤに「線色2・実線」で300mm×200mmの天板を作図しましょう。

1 「1」レイヤを🖱し、書込レイヤにする。

2 書込線を「線色2・実線」にする。

3 「□」コマンドを選択する。

4 コントロールバー「寸法」ボックスに「300,200」を入力する。

5 右図のように用紙左上に長方形を作図する。

参 書込線の指定≫P.44　長方形の作図≫P.65

04 中心線を作図する

「0．中心線」レイヤに「線色8・一点鎖2」で大板の中心線を作図しましょう。

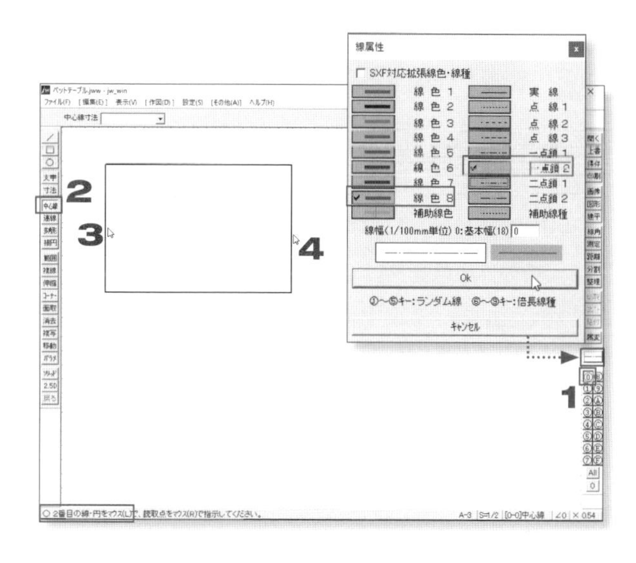

1 「0」レイヤを書込レイヤにし、書込線を「線色8・一点鎖2」にする。

2 「中心線」コマンドを選択する。

POINT 「中心線」コマンドは、2線間（または2点間、点と線間）の中心線を長さ（始点・終点）を指定して作図します。

3 1番目の線として左辺を⊟。

4 2番目の線として右辺を⊟。

⇨ **3**－**4**間の中心線の位置が確定し、操作メッセージは「始点を指示してください」になる。

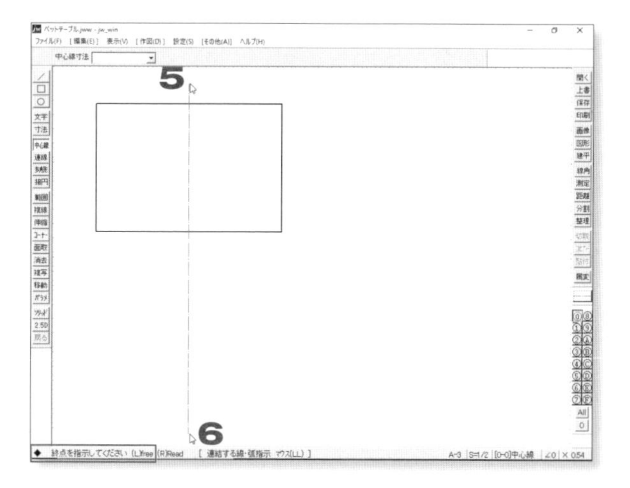

5 中心線の始点として右図の位置で⊟。

⇨ **5**からマウスポインタまで中心線が仮表示される。

6 中心線の終点として右図の位置で⊟。

⇨ **3**－**4**間の中心線が**5**から**6**まで作図される。

同様に上辺と下辺の中心線も作図しましょう。

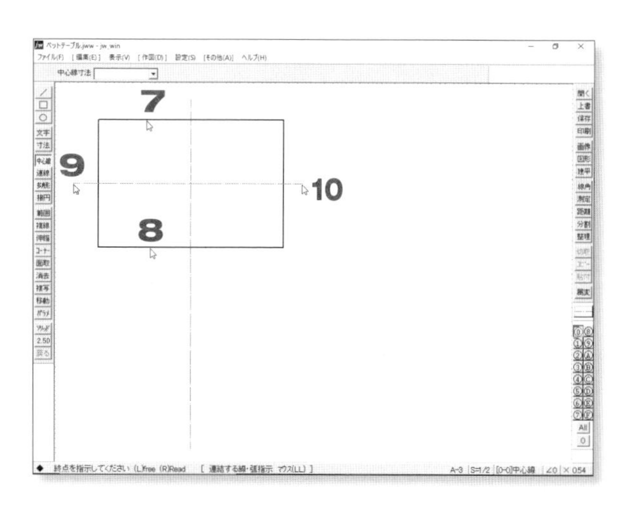

7 1番目の線として上辺を⊟。

8 2番目の線として下辺を⊟。

9 中心線の始点として右図の位置で⊟。

10 中心線の終点として右図の位置で⊟。

05 側板を作図する

属性取得機能を使って、天板と同じレイヤを書込レイヤに、同じ線色・線種を書込線にし、側板（16mm×100mm）を作図しましょう。

1 天板の外形線を⬒↓AM6時 属性取得 。

POINT 属性取得は、現在の書込線、書込レイヤを⬒↓した要素と同じ設定にします。

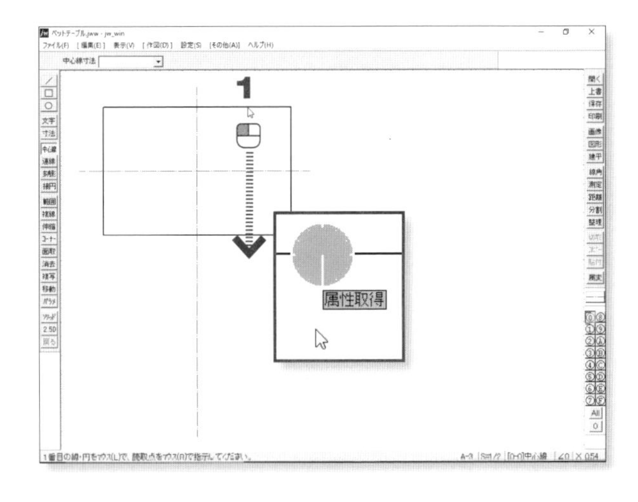

⇨ 書込レイヤが「1：外形線」、書込線が「線色2・実線」になる。

2 「□」コマンドを選択する。

3 コントロールバー「寸法」ボックスに「16, 100」を入力する。

左の側板を作図しましょう。

4 基準点位置として天板左辺と中心線の交点を⬒。

5 マウスポインタを左に移動し、**4**で指示した交点に仮表示の長方形の「右中」を合わせ、作図位置を決める⬒。

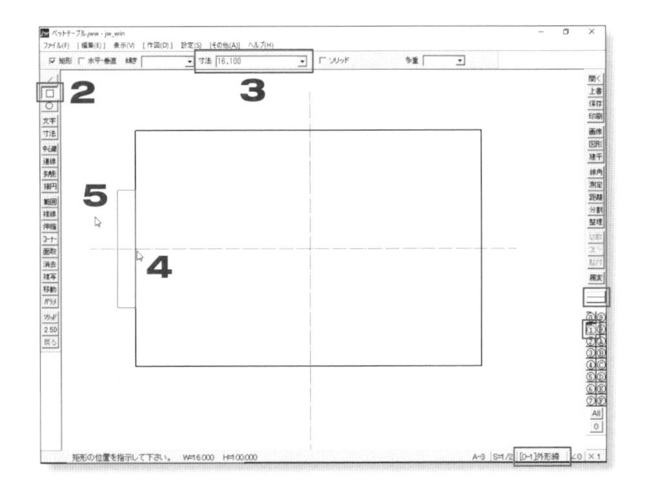

右の側板を作図しましょう。

6 基準点位置として天板右辺と中心線の交点を⬒。

7 マウスポインタを右に移動し、**6**の交点に仮表示の長方形の「左中」を合わせ、作図位置を決める⬒。

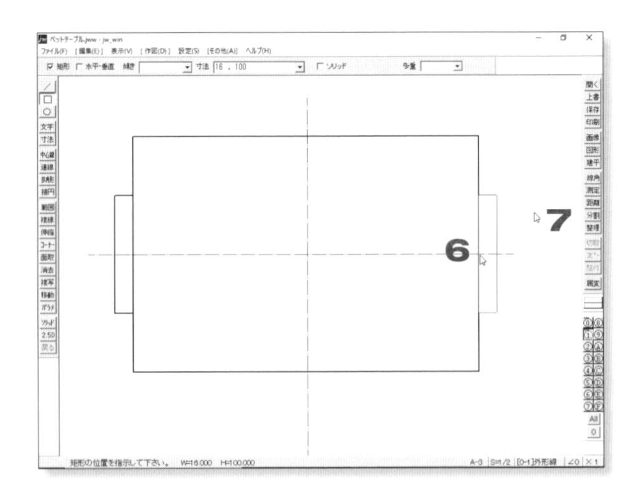

06 天板の角を丸める

天板の角を半径15mmで丸く面取りしましょう。

1 「面取」コマンドを選択する。

2 コントロールバー「丸面」を選択する。

3 コントロールバー「寸法」ボックスに「15」を入力する。

4 線Aとして天板の下辺を⊟。

5 線Bとして天板の右辺を右図の位置で⊟。

POINT 天板の右辺、左辺の一部に側板の外形線が重ねて作図されています。天板の右辺、左辺を⊟するとき、側板の外形線と重ならない位置で⊟するよう注意してください。

⇨ 右図のように天板右下角が半径15mmで丸く面取りされる。

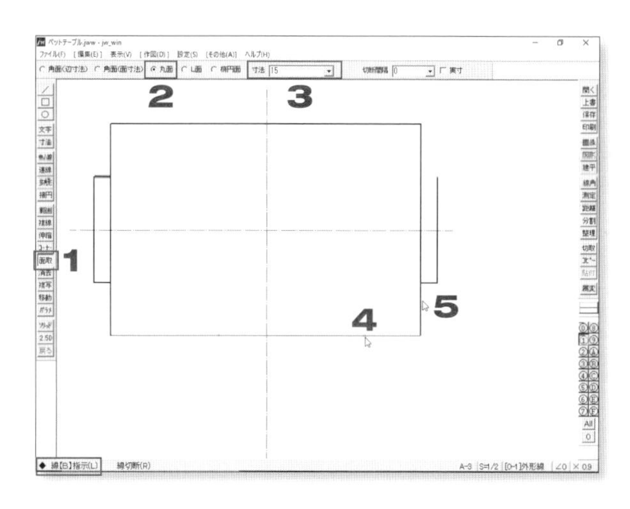

6 線Aとして天板の右辺を右図の位置で⊟。

7 線Bとして天板の上辺を⊟。

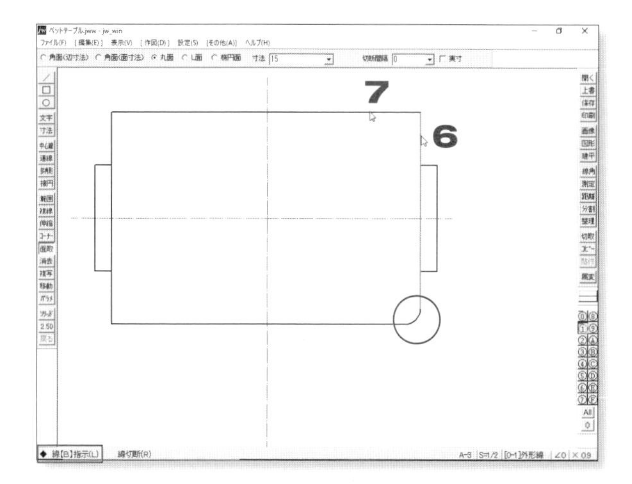

8 線Aとして天板の上辺を⊟。

9 線Bとして天板の左辺を右図の位置で⊟。

10 同様に、天板の左辺と下辺を⊟して左下角も面取りする。

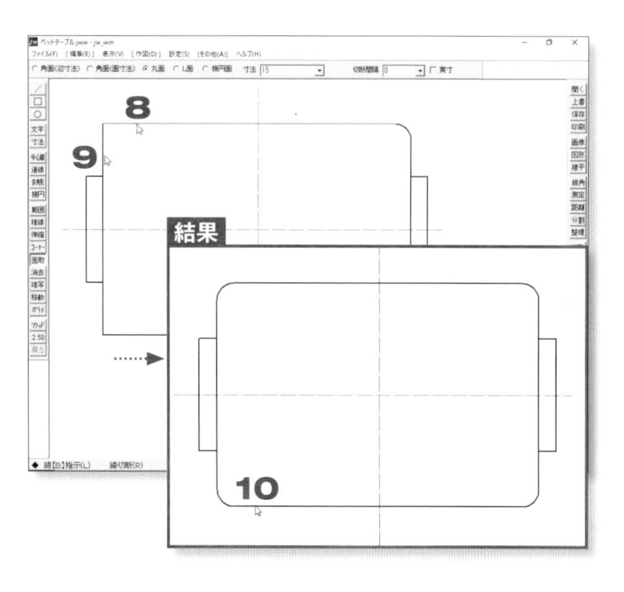

07 天板に隠れるつなぎを作図する

天板に隠れるつなぎを、「2：隠れ線」レイヤに「線色6・点線2」で作図しましょう。

1 書込レイヤを「2」、書込線を「線色6・点線2」にする。

2 「複線」コマンドを選択する。

3 コントロールバー「複線間隔」ボックスに「8」を入力する。

4 基準線として中心線を。

5 マウスポインタを上に移動し、基準線の上側に複線が仮表示された状態で作図方向を決める。

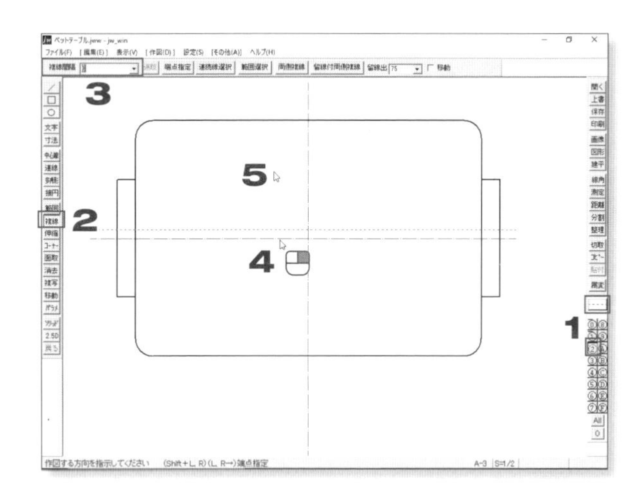

⇨ 作図方向が確定し、基準線から8mm上に複線が作図される。

6 基準線として中心線を。

7 マウスポインタを基準線の下側に移動し、作図方向を決める。

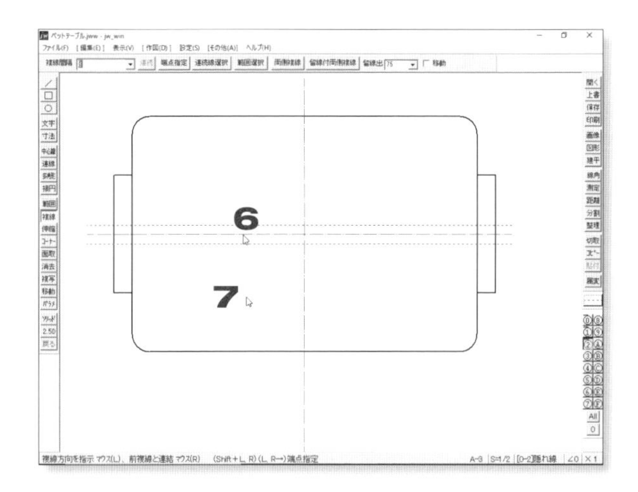

2本の隠れ線の両端を天板の左右の辺まで縮めましょう。はじめに天板右辺を伸縮の基準線として指定し、隠れ線の右端を縮めます。

8 「伸縮」コマンドを選択する。

9 伸縮の基準線として天板右辺を。

⇨ した線が伸縮基準線として選択色になる。

? 色が変わらずに赤い○が表示される ≫P.209 Q12

10 伸縮する線として上の隠れ線を。

POINT 線を縮める場合は、基準線に対して残す側でしてください。

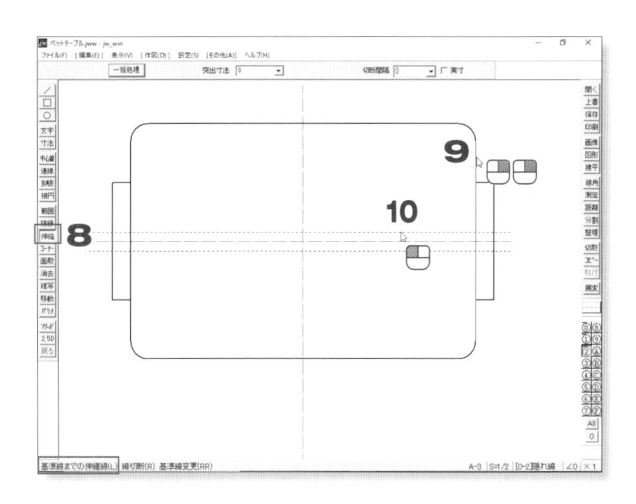

⇨ 基準線に対して🖱した側を残し、**10**の線が基準線まで縮む。

11 次の伸縮する線として下の隠れ線を🖱。

⇨ 基準線に対して🖱した側を残し、**11**の線が基準線まで縮む。

POINT 基準線を変更するか、他のコマンドを選択するまでは、選択色の基準線に対して伸縮する線を🖱することで、続けて基準線までの伸縮ができます。基準線の変更は🖱🖱で指示します。

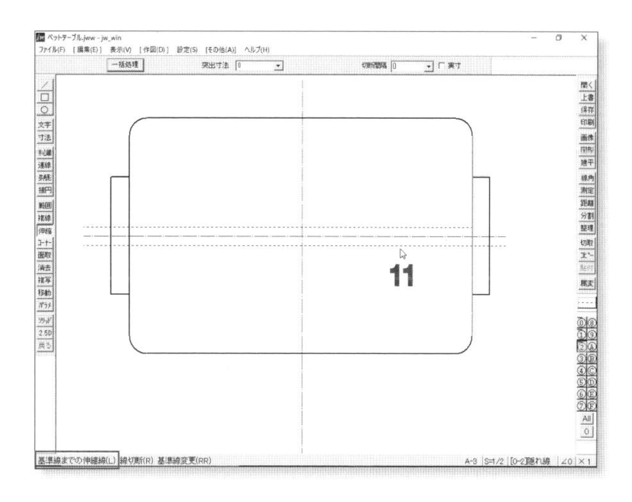

隠れ線の左端を天板の左辺まで縮めるため、天板の左辺を基準線に変更しましょう。

12 伸縮の基準線として天板の左辺を🖱🖱。

⇨ 🖱🖱した線が伸縮基準線として選択色になる。

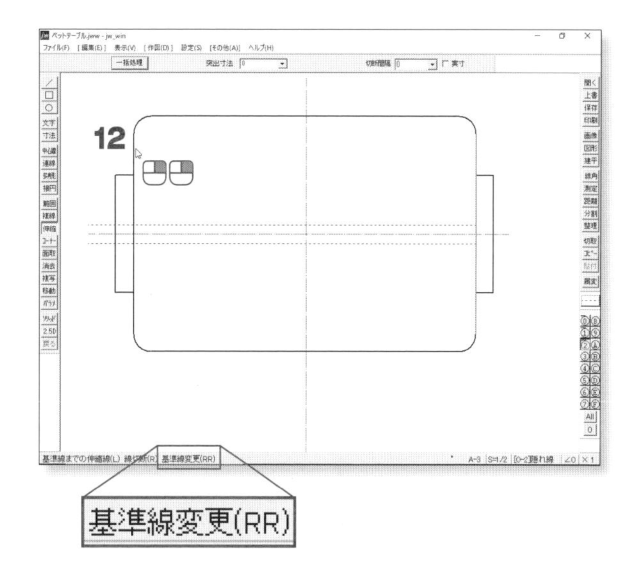

13 伸縮する線として上の隠れ線を🖱。

⇨ 基準線まで縮む。

14 次の伸縮する線として下の隠れ線を🖱。

⇨ 基準線まで縮む。

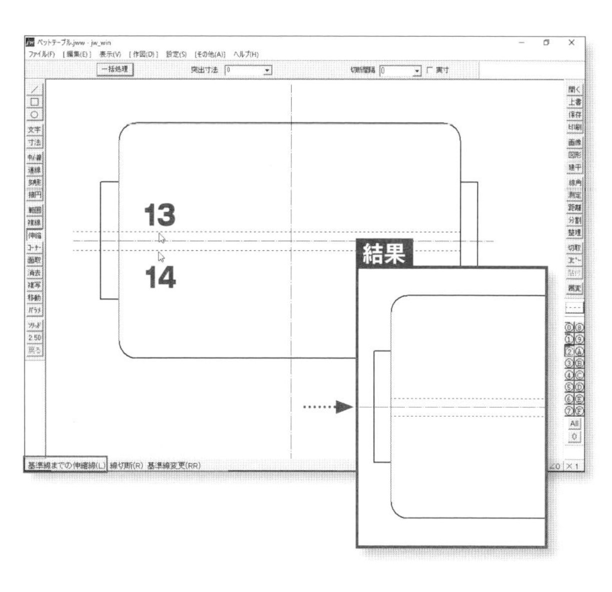

08 正面図作図のための補助線を作図する

正面図の側板の作図位置を決めるための作図補助の線を「F：補助線」レイヤに「線色2・補助線種」で作図しましょう。

1 書込レイヤを「F」、書込線を「線色2・補助線種」にする。

2 「／」コマンドを選択し、コントロールバー「水平・垂直」にチェックを付ける。

3 始点として右図の位置で⊟。

4 終点として右図の位置で⊟し、設置面の線を作図する。

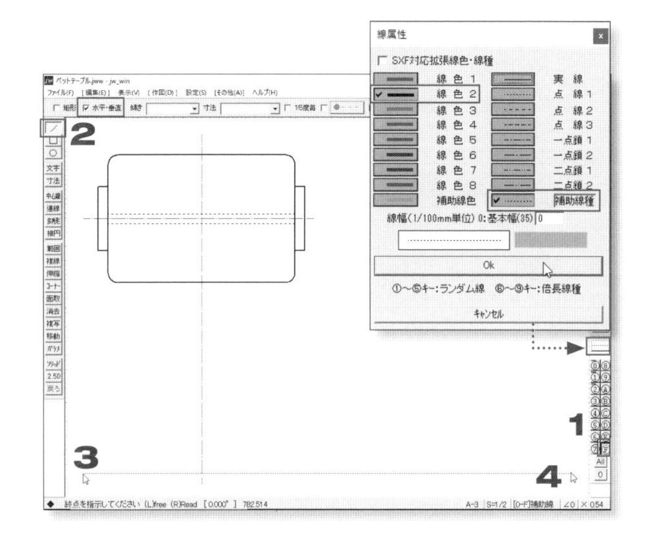

5 始点として平面図天板の左辺と側板の交点を⊟。

6 終点として**4**で作図した水平線より下側で⊟。

7 始点として平面図天板の右辺と側板の交点を⊟。

8 終点として**4**で作図した水平線より下側で⊟。

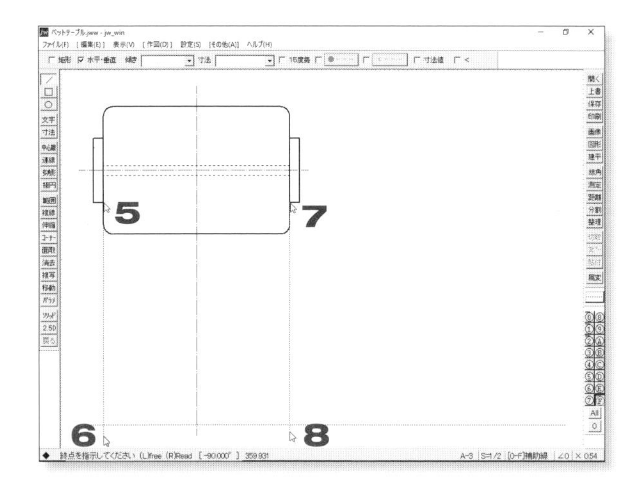

09 正面図の側板を作図する

正面図の側板（16mm×200mm）を平面図の外形線と同じレイヤに同じ線色・線種で作図しましょう。

1 平面図の外形線を⊟↓AM6時 属性取得 。

⇨ 書込レイヤが「1」、書込線が「線色2・実線」になる。

参 属性取得≫P.152

2 「□」コマンドを選択し、コントロールバー「寸法」ボックスに「16,200」を入力する。

3 設置面と平面図から下ろした補助線の交点にそれぞれ右下角、左下角を合わせ、右図の2カ所に側板を作図する。

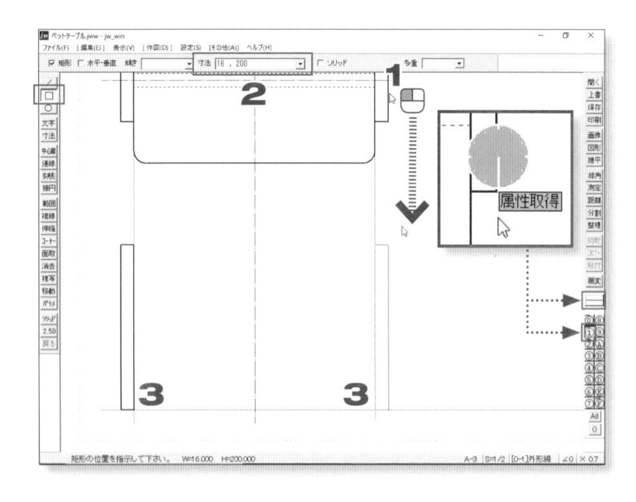

10 正面図に天板・つなぎを作図する

「複線」コマンドで、設置面の補助線から80mm上の側板間に複線を作図しましょう。

1 「複線」コマンドを選択する。

2 コントロールバー「複線間隔」ボックスに「80」を入力する。

3 基準線として設置面の補助線を。

⇨ 基準線と同じ長さの線が右図のように仮表示される。

4 コントロールバー「端点指定」ボタンを。

POINT 複線が仮表示された段階でコントロールバー「端点指定」ボタンをし、始点・終点を指示することで基準線とは異なる長さの複線を作図できます。

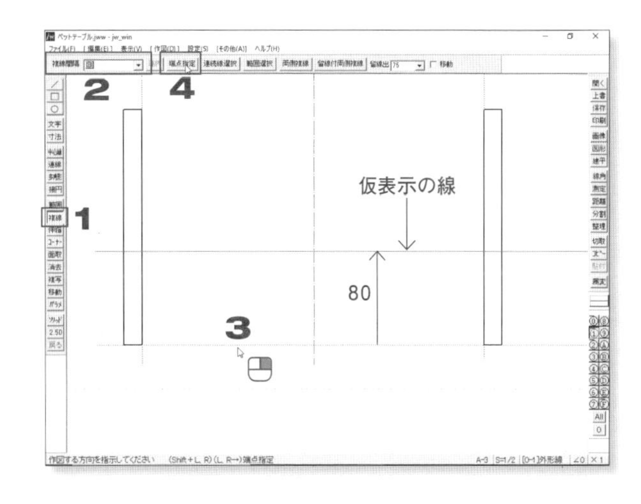

⇨ ステータスバーには「【端点指定】始点を指示してください」と操作メッセージが表示される。

5 始点として左側板の右角を。

⇨ **5**の位置からマウスポインタまで複線が仮表示される。

6 終点として右側板の左角を。

⇨ **5**－**6**の長さの複線がマウスポインタに従い仮表示される。

7 基準線の上側に複線が仮表示された状態で作図方向を決める。

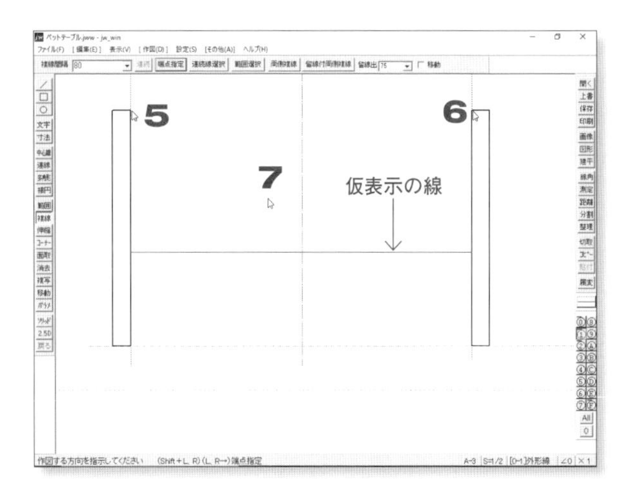

作図した線から16mm（天板厚）、さらに30mm（つなぎ幅）下にそれぞれの外形線を作図しましょう。

8 コントロールバー「複線間隔」ボックスに「16」を入力し、**7**で作図した線を。

9 基準線の下側で作図方向を決める。

10 作図した線からさらに30mm下に複線を作図する。

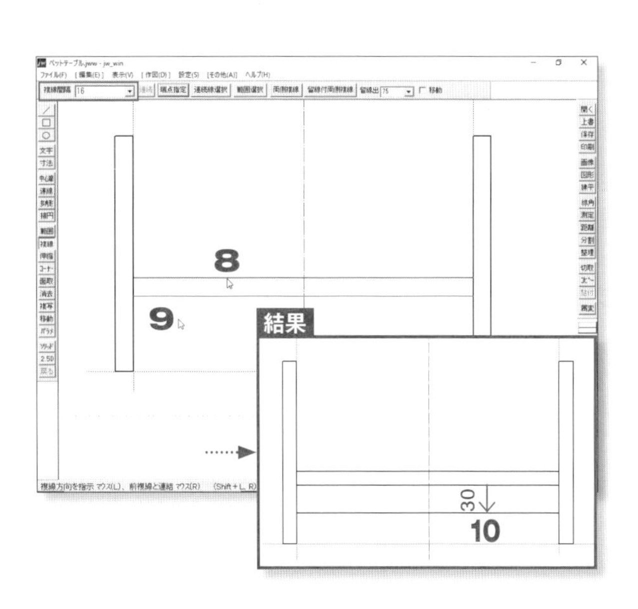

11 側面図の中心線と補助線を作図する

側面図の中心線を作図しましょう。

1 中心線を⊟↓AM6時 属性取得 し、書込レイヤを「0」、書込線を「線色8・一点鎖2」にする。

2 「／」コマンドを選択し、コントロールバー「水平・垂直」にチェックを付ける。

3 側面図の中心線の始点として右図の位置で⊟。

4 終点として右図の位置で⊟。

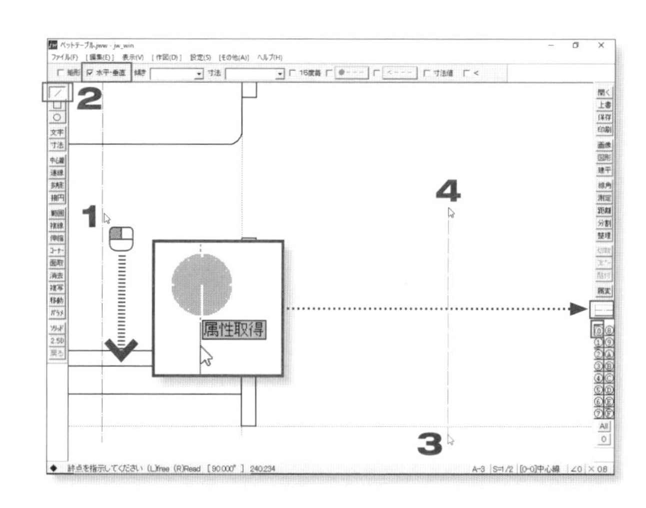

側面図天板の高さを示す補助線を作図しましょう。

5 補助線を⊟↓AM6時 属性取得 し、書込レイヤ「F」、書込線「線色2・補助線種」にする。

6 始点として正面図の天板右上角を⊟。

7 終点として右図の位置で⊟。

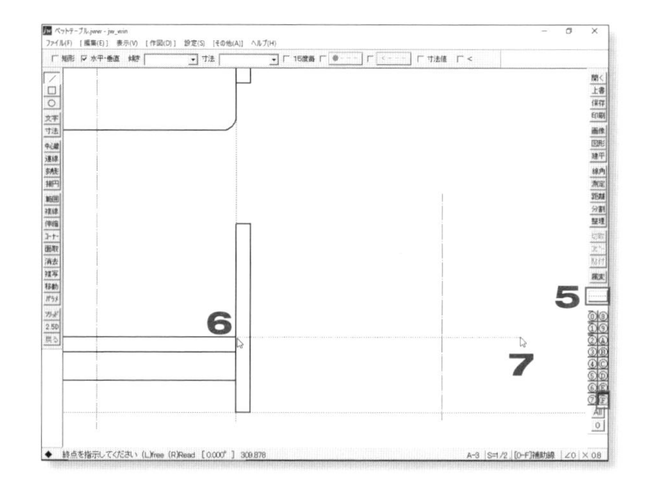

12 側面図の側板と天板を作図する

側板（100mm×200mm）と天板（200mm×16mm）を作図しましょう。

1 正面図の外形線を⊟↓AM6時 属性取得 し、書込レイヤを「1」、書込線を「線色2・実線」にする。

2 「□」コマンドを選択し、側板（100mm×200mm）を設置面と中心線の交点に「中下」を合わせて作図する。

3 天板（200mm×16mm）を中心線と補助線の交点に「中上」を合わせて作図する。

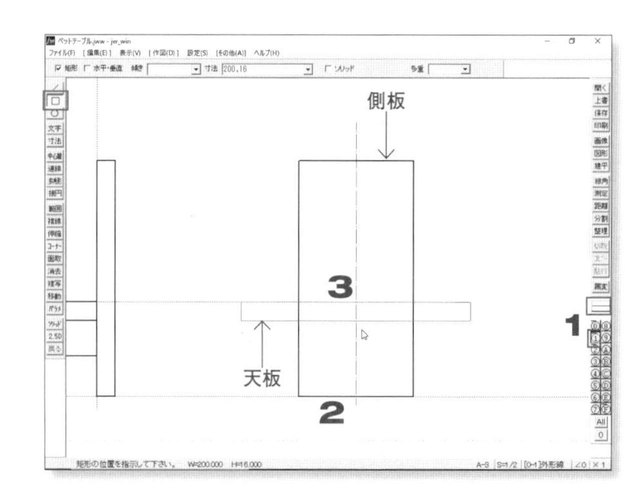

Case Study 8

木工作品の三面図をかこう

13 天板の線の一部を隠れ線（点線2）に変更する

線の一部分の線色・線種を変更することはできないため、はじめに線を切断して、線色・線種を変更する部分を別の線にします。

1 切断する線と重なっている補助線を読み取らないよう、補助線が作図されている「F」レイヤを🖱して非表示にする。

側板左辺との交点で、天板上辺を切断しましょう。

2「消去」コマンドを選択する。

3 部分消しの対象線として天板の上辺を🖱（部分消し）。

4 部分消しの始点として右図の交点を🖱。

POINT 部分消しの始点と終点で同じ点を🖱指示することで、その位置で線を切断し、2本の線に分けます。

5 部分消しの終点として**4**と同じ交点を🖱。

⇨ **3**の線が**4**と**5**で🖱した交点で切断され、2本の線に分かれる。

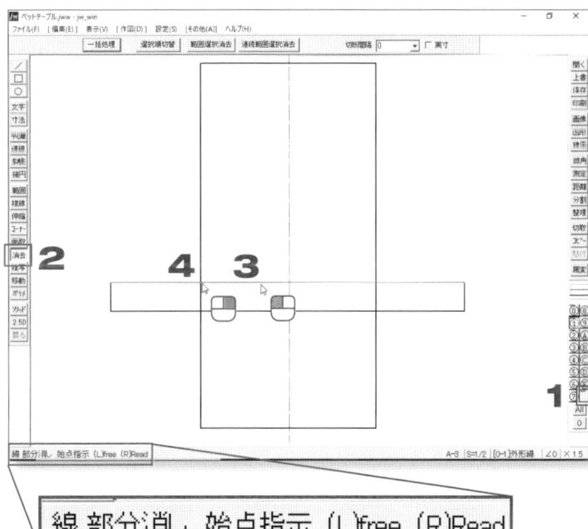

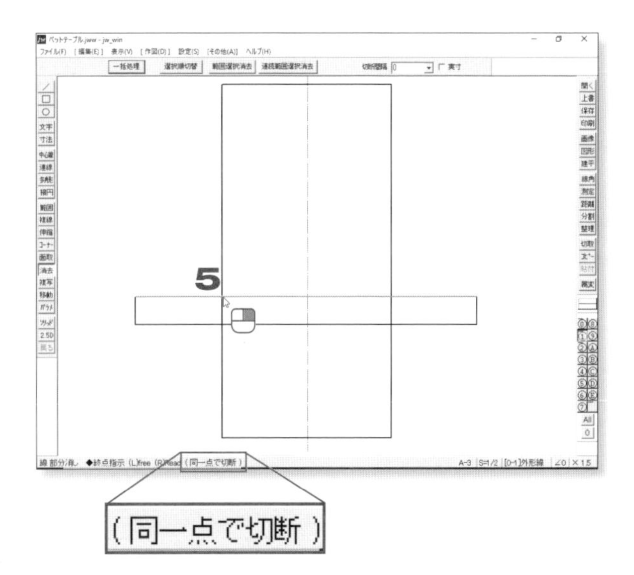

さらに側板右辺との交点で切断しましょう。

6 部分消しの対象線として天板の上辺を🖱。

7 部分消しの始点として右図の交点を🖱。

8 部分消しの終点として**7**と同じ交点を🖱。

⇨ **6**の線が**7**と**8**で🖱した交点で切断され、2本の線に分かれる。

9 天板下辺も**3**～**8**と同様にして側板外形線との交点2カ所で切断する。

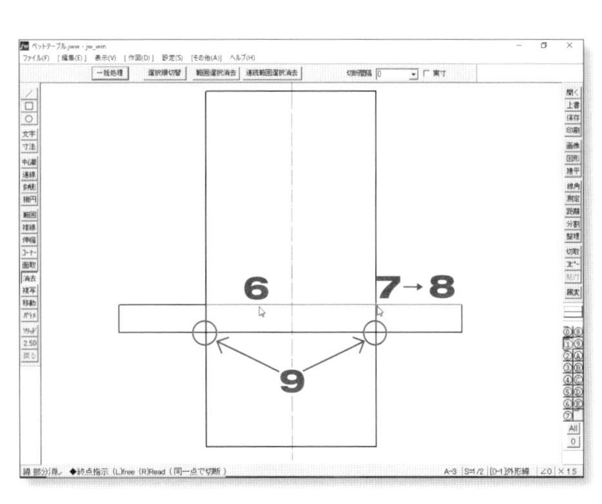

側板に隠れる部分の線を隠れ線の線色・線種・レイヤに変更しましょう。

10「属変」コマンドを選択する。

❓「属変」コマンドがない≫P.208 Q10

POINT 「属変」コマンドは、指示線を書込線色・線種、書込レイヤに変更します。

11 平面図の隠れ線を⊟↓AM6時 属性取得 し、書込レイヤを「2」、書込線を「線色6・点線2」にする。

12 変更対象として側板に隠れる部分の天板の線を⊟。

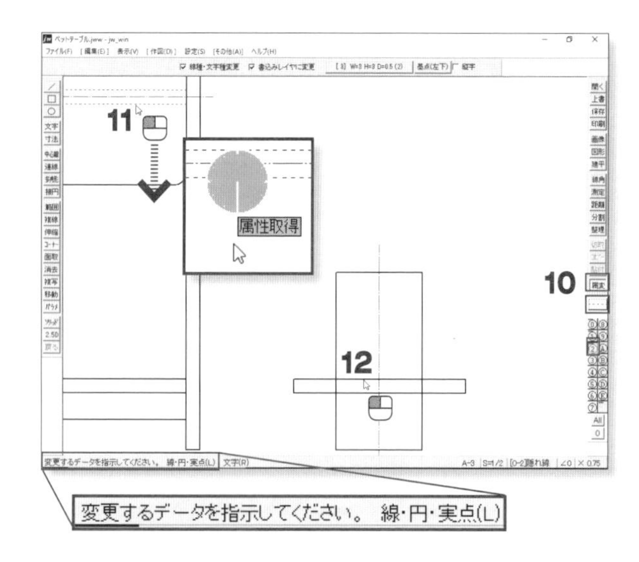

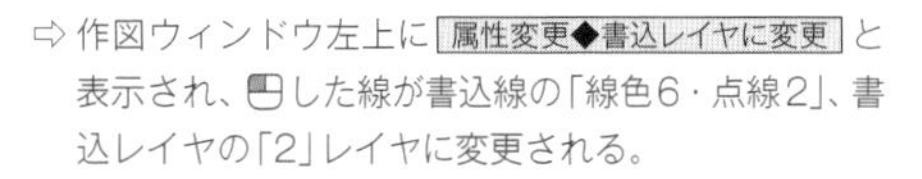

⇨ 作図ウィンドウ左上に 属性変更◆書込レイヤに変更 と表示され、⊟した線が書込線の「線色6・点線2」、書込レイヤの「2」レイヤに変更される。

13 変更対象としてもう1本の線を⊟。

⇨ 作図ウィンドウ左上に 属性変更◆書込レイヤに変更 と表示され、⊟した線が書込線の「線色6・点線2」、書込レイヤの「2」レイヤに変更される。

POINT 「レイヤ一覧」ウィンドウ（≫P.60）で**12**～**13**で⊟した線が書込レイヤに変更されたことを確認できます。

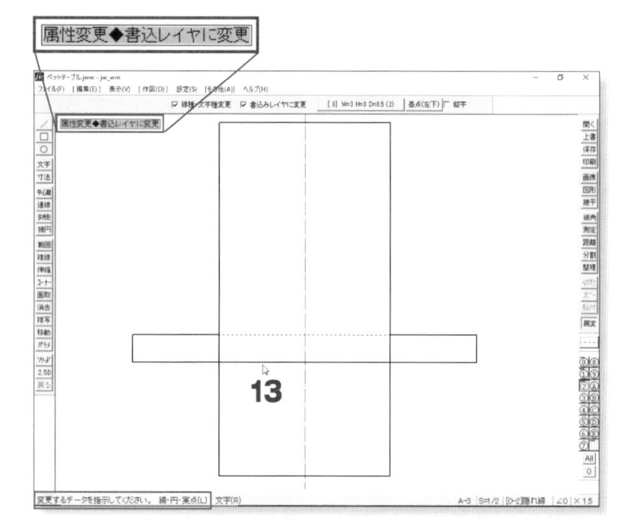

14 つなぎを作図する

つなぎ（16mm×30mm）を隠れ線で作図しましょう。

1「□」コマンドを選択する。

2 コントロールバー「寸法」ボックスに「16,30」を入力する。

3 右図のように、天板下辺と中心線の交点にその「中上」を合わせ、つなぎの長方形を作図する。

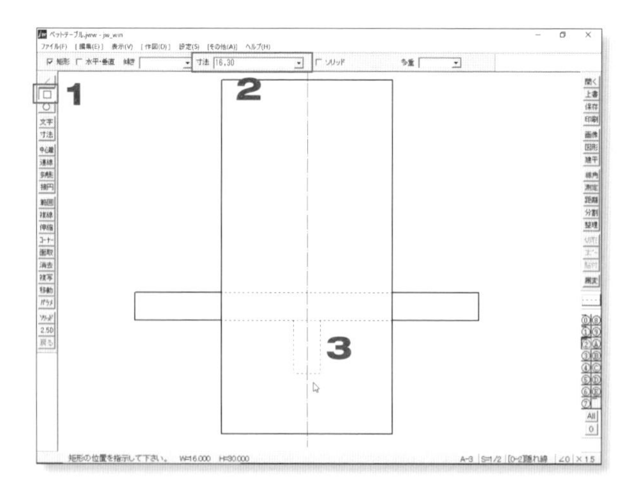

15 側板上部の円弧を作図する

側板上部の円弧の大きさを画面上で検討したうえで、作図しましょう。

1 外形線を⊟↓AM6時[属性取得]し、書込レイヤを「1」、書込線を「線色2・実線」にする。

2 「○」コマンドを選択し、コントロールバー「半径」ボックスを「(無指定)」(または空白)に、「基点」(中央)ボタンを⊟して「外側」にする。

POINT コントロールバー「半径」ボックスを空白にすると、基点は「外側」(円周上の2 点を指示)⇔「中央」(中心と円周上位置を指示)の切り替えになります。

3 側板上辺と中心線の交点を⊟。

⇨ **3**に円周上を合わせた円がマウスポインタまで仮表示される。

4 マウスポインタを下に移動し、仮表示の円が右図ぐらいの大きさになったところで、ステータスバーに表示される半径寸法を確認する。

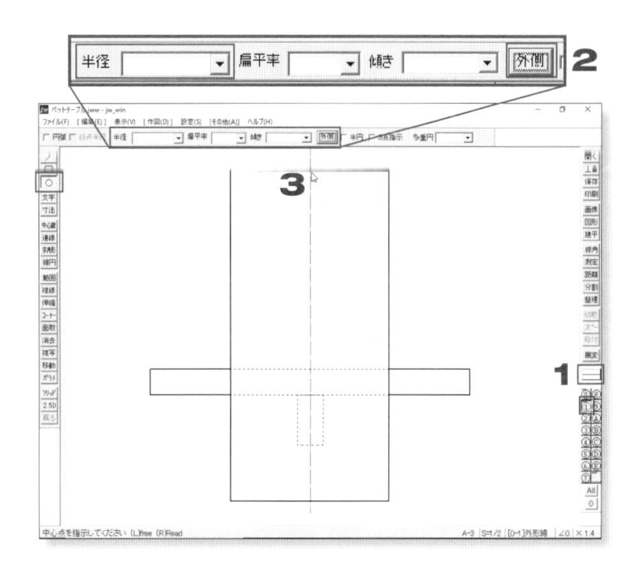

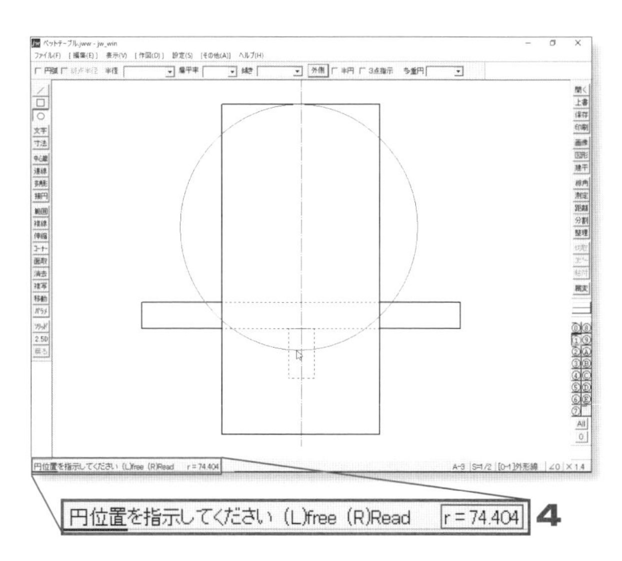

5 コントロールバー「半径」ボックスに、**4**で確認した半径寸法に近い整数値(右図では「75」)を入力する。

6 コントロールバーの基点「中・中」ボタンを⊟し、「中・上」にする。

POINT 基点ボタンは、⊟で左回りに、⊟で右回りに基点(≫P.64)が変更されます。

7 仮表示の円を確認し、作図ウィンドウで⊟して確定する。

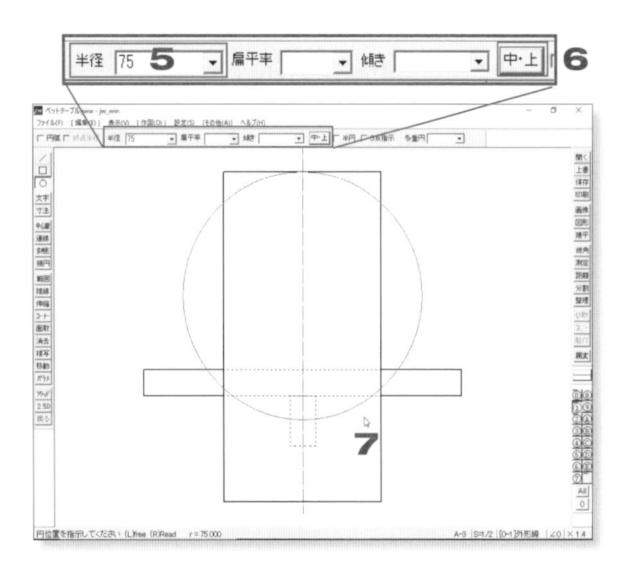

16 作図した円と側板の辺を丸く面取りする

作図した円を切断し、側板の左右の辺と円弧の接続部を半径10mm で丸く面取りしましょう。

1「面取」コマンドを選択する。

2 コントロールバー「丸面」を選択し、「寸法」ボックスに「10」を入力する。

3 右図の位置で円を(切断)。

⇨ **3**の位置で円が切断され、切断位置を示す赤い○が仮表示される。

4 線(A)として左辺を右図の位置で。

⇨ 線が選択色になり、位置を示す水色の○が仮表示される。

5 線【B】として円を左辺より右側で。

POINT 交差した線・円弧の指示は、交点に対して残す側でします。

⇨ 右図のようにした側を残し、左辺と円弧の接続部が半径10mmで丸く面取りされる。

6 線(A)として右辺を円弧との交点より下側で。

7 線【B】として円弧を右辺より左側で。

⇨ 結果の図のようにした側を残し、右辺と円弧の接続部が半径10mmで丸く面取りされる。

8「消去」コマンドを選択し、残った上辺をして消す。

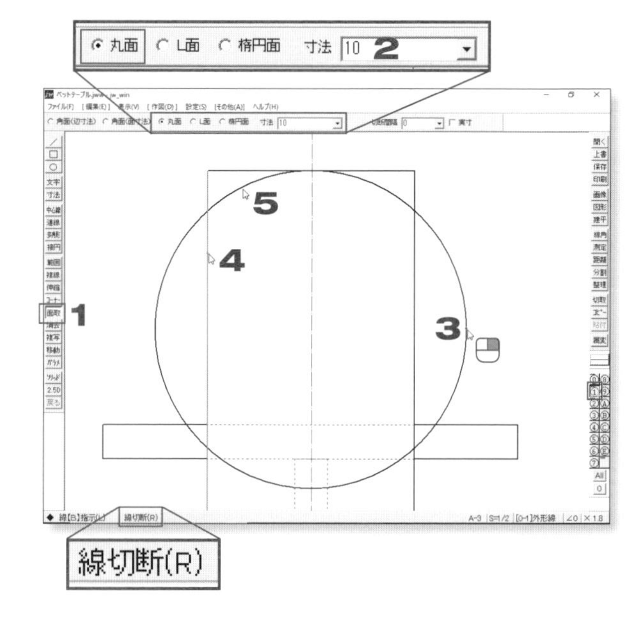

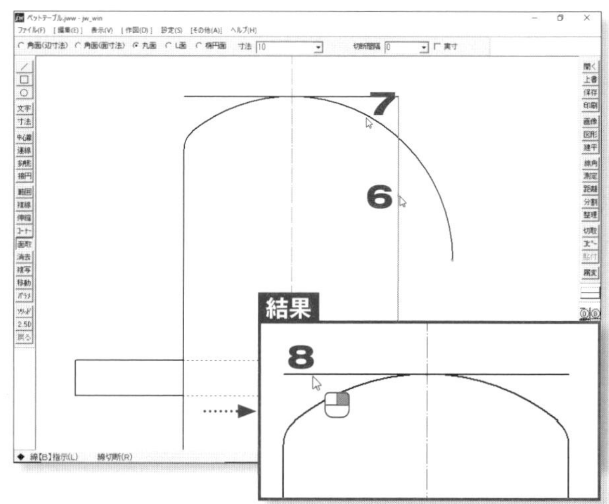

17 持ち手部分の外形を作図する

目安の線として、左辺の上端点から水平線を作図しましょう。目安の線はすぐ消すため、ここでは現在の書込線種(実線)のまま作図します。

1「／」コマンドを選択し、コントロールバー「水平・垂直」にチェックが付いていることを確認する。

2 始点として左辺の上端点を。

3 終点として右図の位置で。

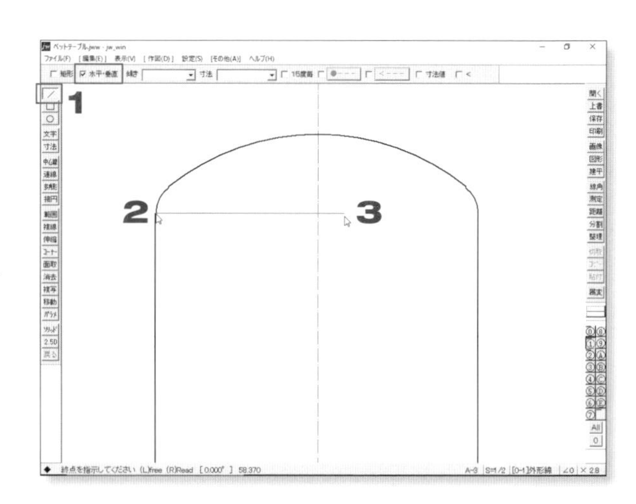

持ち手部分の外形として、長方形（62mm×26mm）を作図しましょう。

4「□」コマンドを選択し、コントロールバー「寸法」ボックスに「62,26」を入力する。

5 長方形を中心線と**3**で作図した線の交点に「中上」を合わせ、右図のように作図する。

6「消去」コマンドを選択し、**3**で作図した線を⊟して消す。

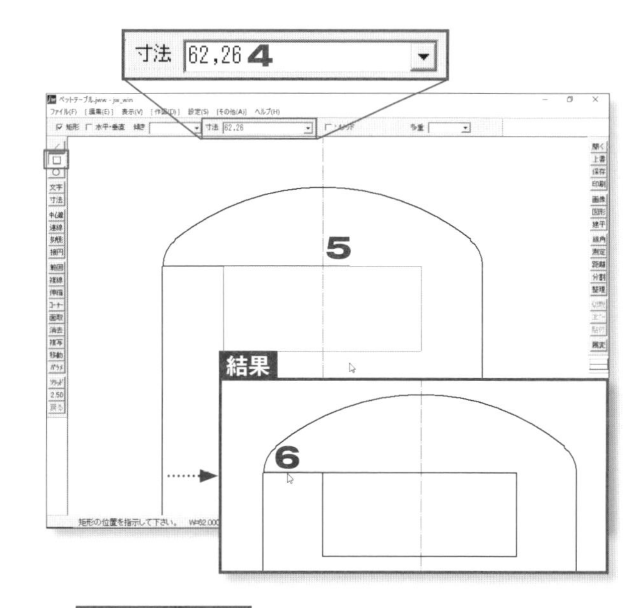

18 持ち手部分の外形を作図する

長方形の左右に、内接する半径13mmの円をそれぞれ作図しましょう。

1「接円」コマンドを選択する。

?「接円」コマンドがない≫P.208 Q10

2 コントロールバー「半径」ボックスに「13」を入力する。

3 1番目の線として長方形左辺を⊟。

4 2番目の線として長方形下辺を⊟。

⇨ マウスポインタの位置に従い、半径13mmで、**3**と**4**の線と線延長上に接する円（この場合は4つある）が仮表示される。

5 マウスポインタを移動し、長方形に内接する円を右図のように仮表示した状態で、確定の⊟。

⇨ **5**の時点で仮表示されていた円が作図される。

6 長方形の右側にも、**3**～**5**と同様にして、同じ大きさの内接円を作図する。

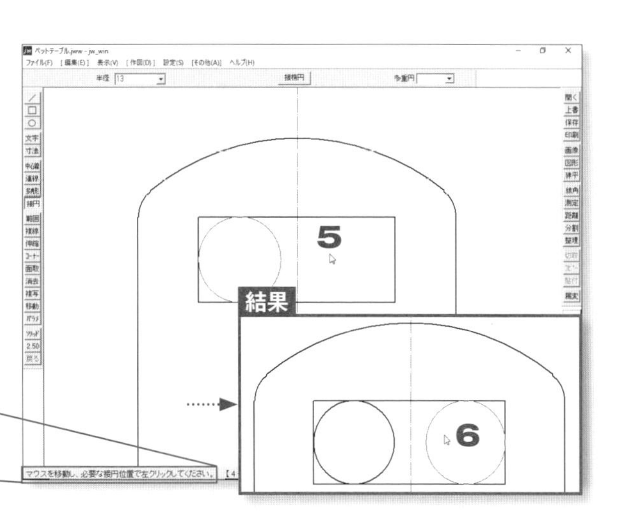

「消去」コマンドの「節間消し」などを利用して、長方形と内接円を俵型に整えましょう。

7「消去」コマンドを選択する。

8 コントロールバー「節間消し」にチェックを付ける。

参「消去」コマンド「節間消し」≫P.38

9 長方形の左辺と右辺を🖱して消す。

10 節間消しの対象として左接円の右図の位置を🖱。

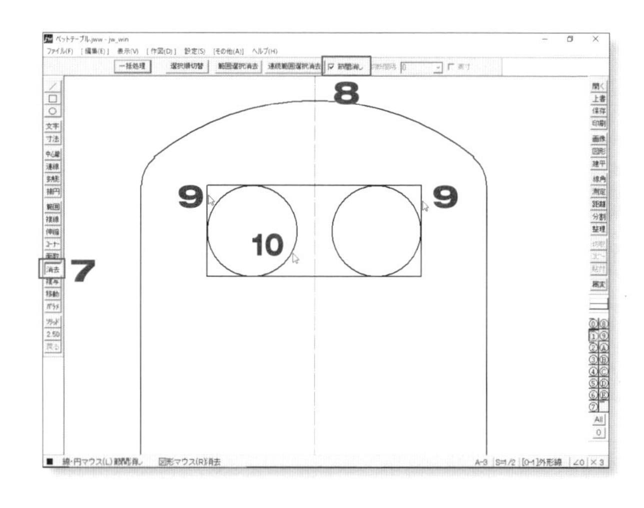

⇨右図のように、円の位置両側の点間が部分消しされる。

11 節間消しの対象として右接円の右図の位置を🖱。

12 節間消しの対象として上辺、下辺の右図の位置（4カ所）を🖱。

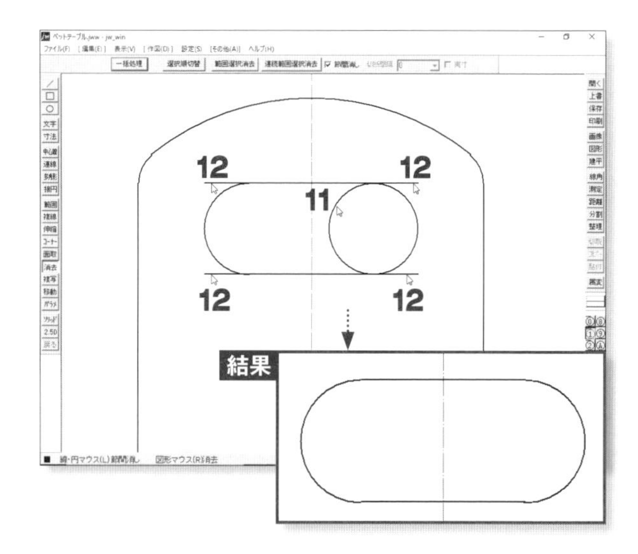

19 寸法位置に補助線を作図する

寸法線の記入位置に、あらかじめ補助線を作図しておきましょう。

1 書込レイヤを「D」、書込線を「線色2・補助線種」にする。

2「複線」コマンドを選択し、コントロールバー「複線間隔」ボックスに「15」を入力する。

3 右図のように、15mm間隔で寸法線記入位置を指示するための補助線を作図する。

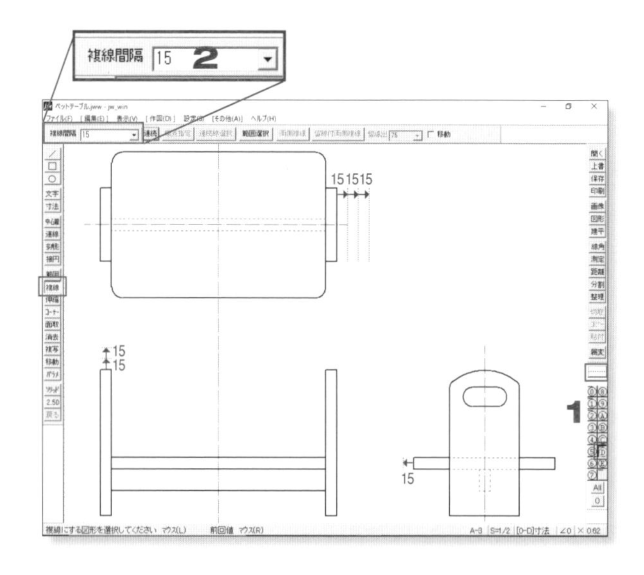

20 寸法の設定をする

これから記入する寸法線・寸法補助線（Jw cadでは「引出線」と呼ぶ）・端部矢印（または実点）の線色や寸法値の文字サイズ（文字種）は、「寸法設定」ダイアログで指定します。寸法線、引出線、矢印の色を線色6に寸法値の文字を文字種［5］に指定しましょう。

1 メニューバー［設定］－「寸法設定」を選択する。

2 「寸法設定」ダイアログの「文字種類」ボックスを⊟し、既存の数値を消して「5」を入力する。

3 同様に、「寸法線色」「引出線色」「矢印・点色」ボックスを「6」にする。

4 「矢印設定」欄の「長さ」ボックスを「3」（mm）に、「角度」ボックスを「15」（度）にする。

5 「小数点以下」欄の「表示桁数」として「0桁」を⊟で選択する。

6 「指示点からの引出線位置　指定［－］」欄の「引出線位置」ボックスを「1」にする。

7 「寸法線と値を【寸法図形】にする」にチェックを付ける。

8 「OK」ボタンを⊟し、確定する。

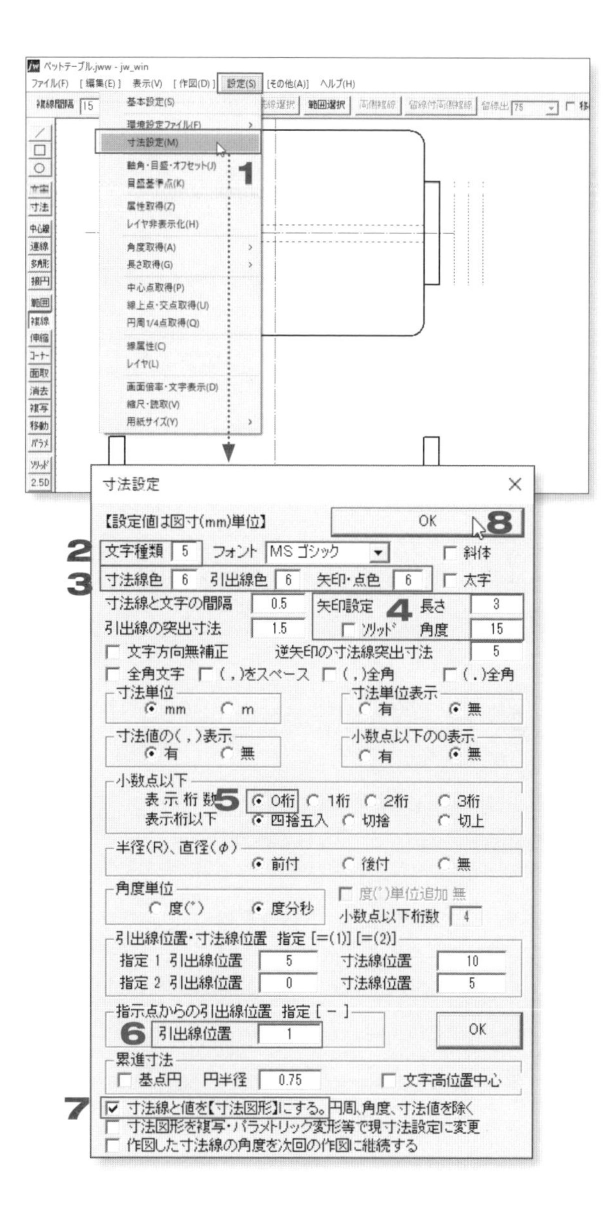

POINT 寸法の各部名称は右図のとおりです。**7** のチェックを付けることで、記入した寸法のうちの寸法線と寸法値が1セットの寸法図形になります。寸法図形について詳しくはP.175「STEP UP」で解説します。

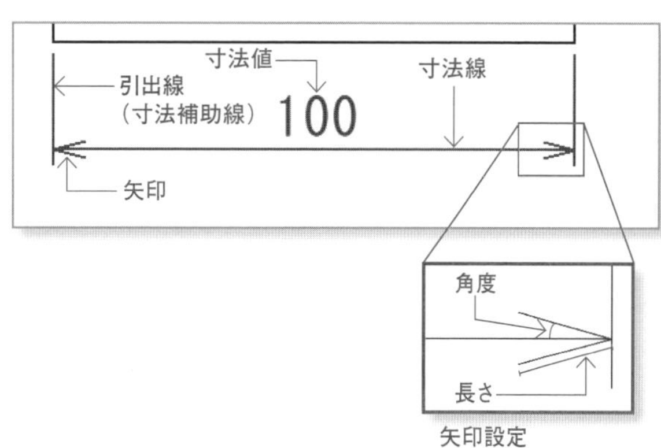

矢印設定

21 水平方向の寸法を記入する

正面図に全幅を記入しましょう。

1 「寸法」コマンドを選択する。

2 コントロールバー引出線タイプ「＝」ボタンを3回🖱し、「－」にする。

3 コントロールバー「端部●」ボタンを🖱し、「端部－＞」にする。

POINT 「＝」ボタンの🖱で引出線タイプが「＝(1)」⇒「＝(2)」⇒「－」に、「端部●」(実点)ボタンの🖱で寸法端部形状が矢印の「－＞」⇒「－＜」に切り替わります。

4 寸法線の記入位置として正面図上の補助線端点を🖱。

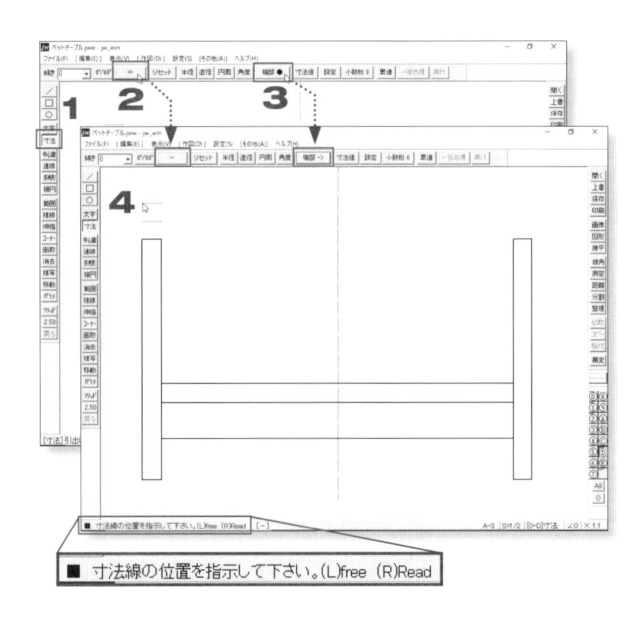

⇨ 🖱位置に寸法線位置のガイドライン(水平)が表示され、操作メッセージは「寸法の始点を指示して下さい」になる。

5 始点として左側板の左上角を🖱。

POINT 寸法の始点・終点指示時に限り、🖱で近くの点を読み取ります。

6 終点として右側板の右上角を🖱。

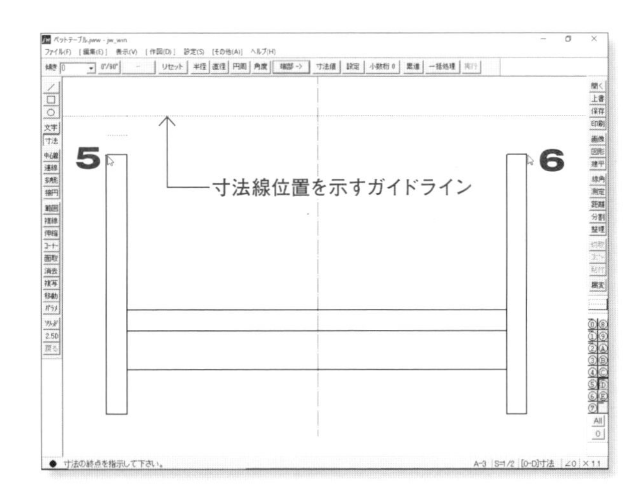

⇨ **4**のガイドライン上に**5**－**6**間の寸法が右図のように記入される。

POINT 引出線タイプ「－」では、寸法の始点・終点指示位置から「寸法設定」ダイアログの「指示点からの引出線位置」(≫P.165)で指定している間隔を空けて引出線を記入します。

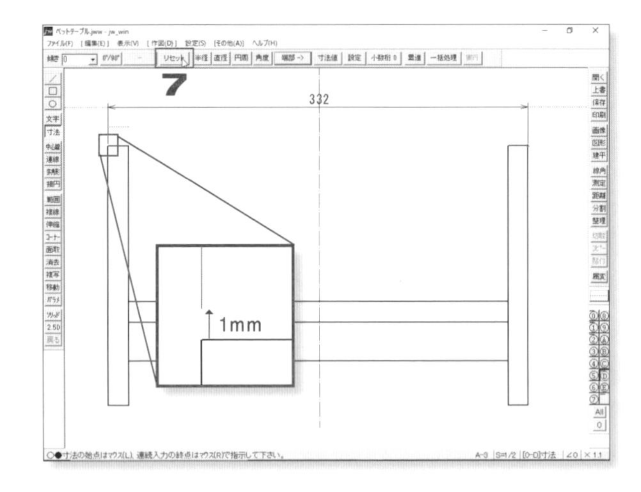

1段下の補助線上に側板間の寸法と側板厚を記入しましょう。

7 現在の寸法位置のガイドラインとは違う位置に寸法を記入するため、コントロールバー「リセット」ボタンを🖱。

⇨ ガイドラインが消え、ステータスバーの操作メッセージは「寸法線の位置を指示して下さい」になる。

8 寸法線の記入位置として下の段の補助線端点を◨。

⇨ ◨位置に寸法線位置のガイドラインが表示され、操作メッセージは「寸法の始点を指示して下さい」になる。

9 始点として左側板の右上角を◧。

10 終点として右側板の左上角を◧。

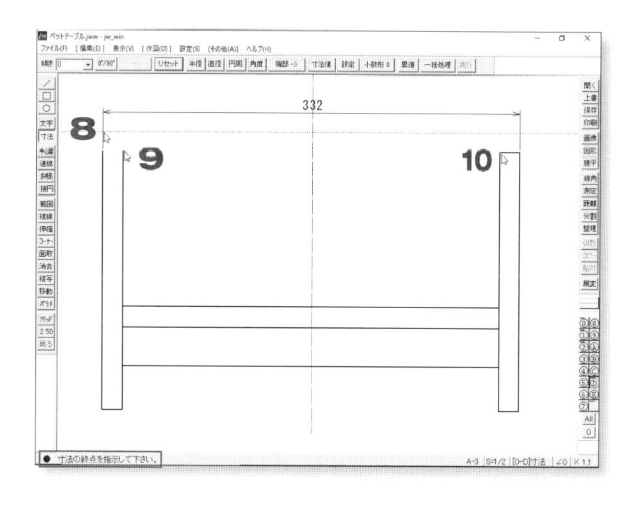

⇨ ガイドライン上に**9**－**10**間の寸法が記入される。

続けて、側板の厚みを記入しましょう。直前の終点から続けて次の点までの寸法を記入するには、次の点を◨で指示します。

11 連続記入の終点として側板の右上角を◨。

⇨ 同じガイドライン上に**10**－**11**間の寸法が記入される。

POINT 寸法の始点と終点を指示した後の指示は、◧と◨では違う働きをします。直前に記入した寸法の終点から次に指示する点までの寸法を記入するには、次の点を◨します。

12 コントロールバー「リセット」ボタンを◧。

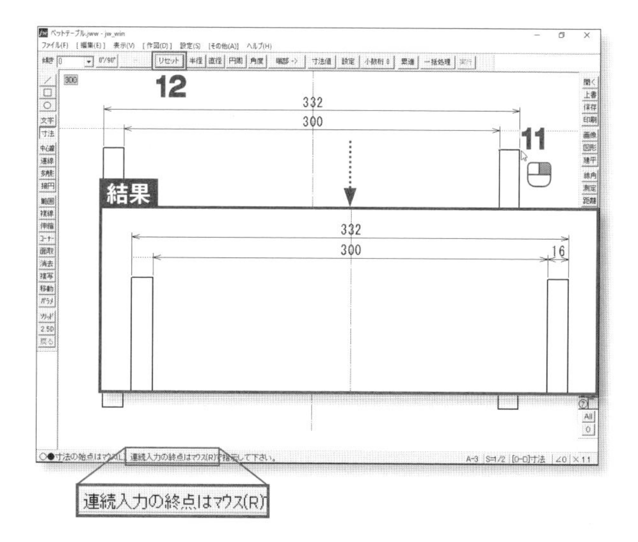

22 垂直方向の寸法を記入する

正面図の全高を記入しましょう。

1 「寸法」コマンドのコントロールバー「0°/90°」ボタンを◧し、「傾き」ボックスを「90」にする。

2 寸法線の記入位置として右図の補助線端点を◨。

⇨ ◨位置に寸法線位置のガイドラインが垂直方向に表示される。

3 始点として側板の右下角を◧。

4 終点として側板の右上角を◧。

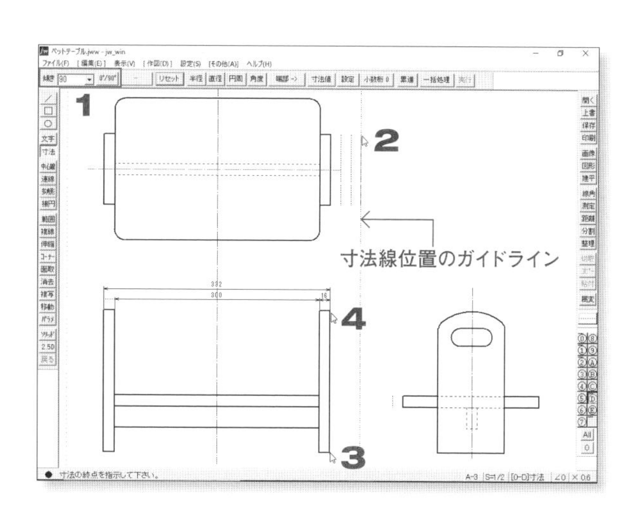

⇨ ガイドライン上に**3**－**4**間の寸法が記入される。

続けて、同じガイドライン上に平面図の奥行き寸法を記入しましょう。

5 寸法の始点として天板下辺の右端点を。

POINT 寸法の終点を指示した後、次の点をすると、した点を始点とし、その次にする終点までの寸法を記入します。

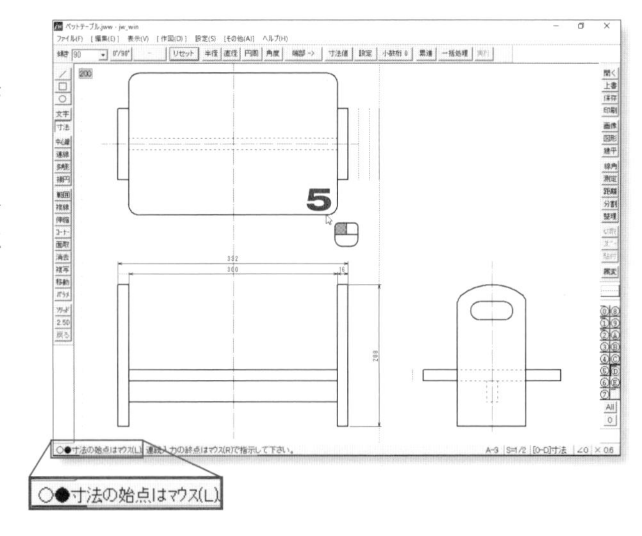

6 終点として天板上辺の右端点を。

⇨ ガイドライン上に**5**－**6**間の寸法が記入される（**4**－**5**間の寸法は記入されない）。

7 コントロールバー「リセット」ボタンを。

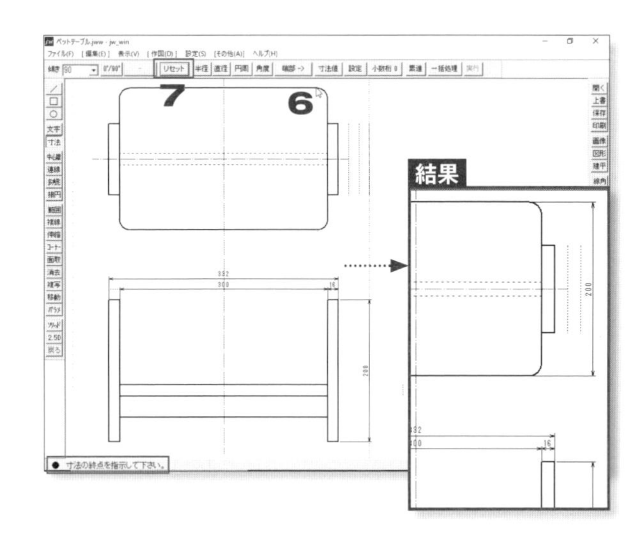

LET'S TRY!

やってみよう

右図のように他の縦方向の寸法を記入しましょう。右図の丸囲みの寸法は、次項の「**23** 端部矢印を外側に記入する」を参考に記入してください。

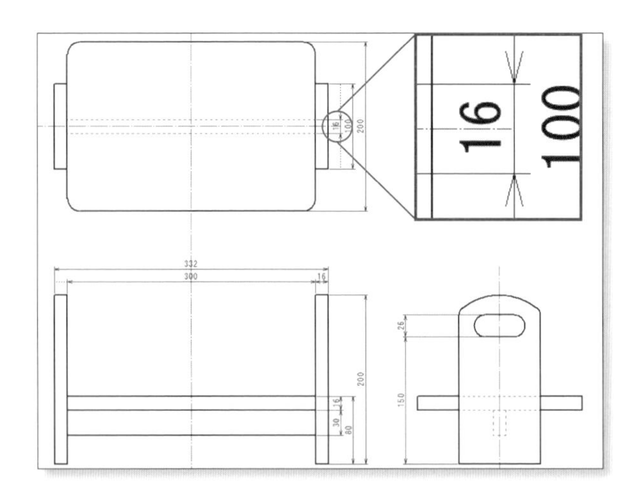

23 端部矢印を外側に記入する

平面図のつなぎの幅の寸法は、端部の矢印を外側に記入しましょう。

1 寸法の記入位置として補助線端部を⊟。

2 コントロールバー「端部－>」ボタンを⊟して「端部－<」にする。

3 始点として下のつなぎの端点を⊟。

4 終点として上のつなぎの端点を⊟。

POINT 「端部－<」では矢印を外側に記入します。下から上（または左から右）の順に始点⇒終点を指示すると、右図のように寸法線の延長線が記入されます。上から下（または右から左）の順に指示した場合は、寸法線の延長線は記入されません。

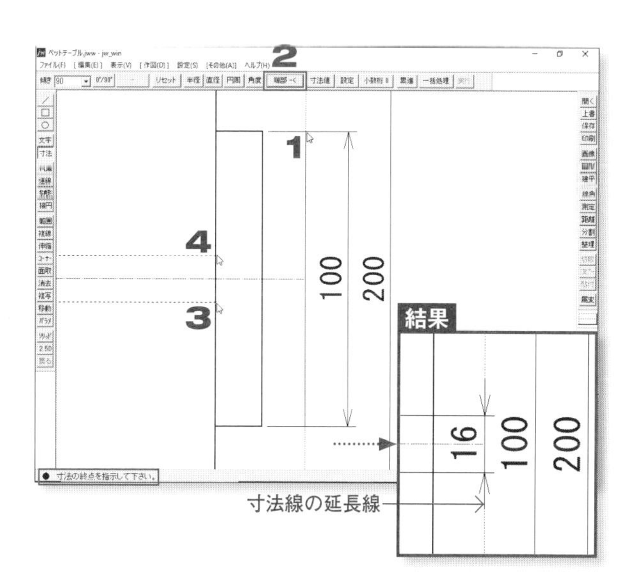

24 半径寸法を記入する

側面図持ち手部分の円弧の半径を記入しましょう。

1 「寸法」コマンドのコントロールバー「半径」ボタンを⊟。

2 コントロールバー「端部－<」ボタンを2回⊟して「端部－>」にする。

3 コントロールバー「傾き」ボックスに半径寸法の記入角度として「-45」を入力する。

4 半径寸法を記入する円弧を⊟。

⇨ 円弧の内側に-45度の角度で半径寸法が記入される。

POINT 半径寸法値の「R」は、「寸法設定」ダイアログ（≫P.165）で「前付」「後付」「無」の指定ができます。

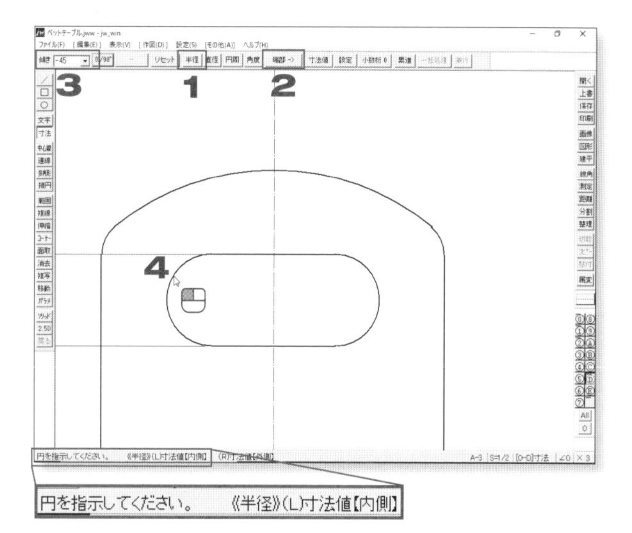

側面図上部の円弧の半径を、寸法値が円弧の外側になるよう、角度80度で記入しましょう。

5 コントロールバー「傾き」ボックスに、半径寸法の記入角度として「80」を入力する。

6 半径寸法を記入する円弧を⊟。

⇨ 円弧の外側に80度の角度で、右図のように半径寸法が記入される。

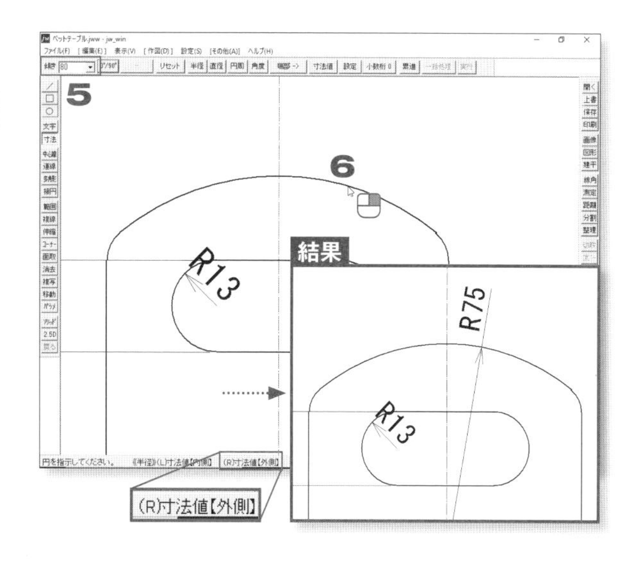

LET'S TRY!

やってみよう

残り2カ所の半径寸法を右図のように記入しましょう。

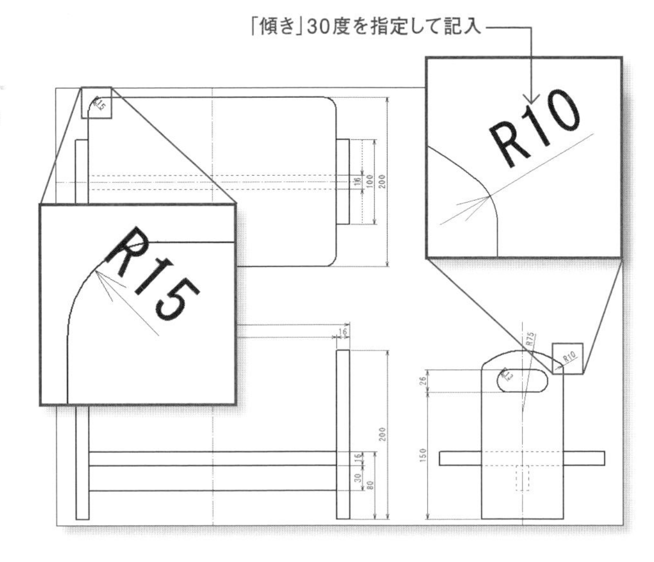

25 持ち手の幅を記入する

側面図持ち手の幅を、寸法補助線（引出線）なしで記入しましょう。

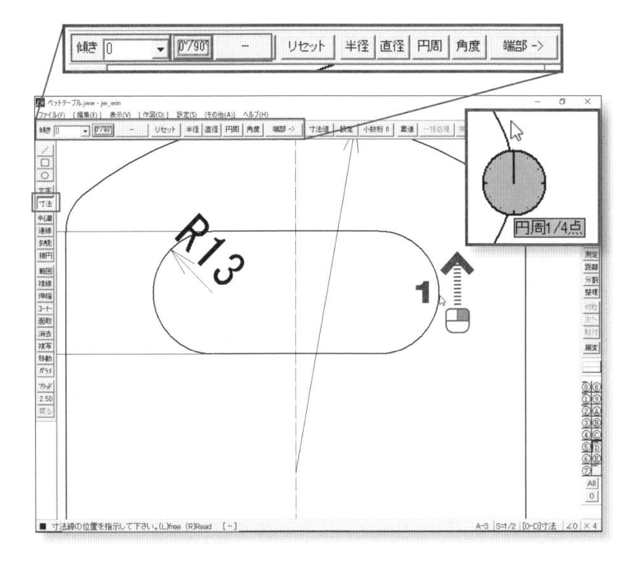

1 「寸法」コマンドのコントロールバー「傾き」ボックスを「0」にし、寸法線の記入位置として円弧の右端にマウスポインタを合わせ⬆AM0時 円周1/4 点。

POINT 点指示時に円・弧にマウスポインタを合わせ⬆AM0時 円周1/4点 すると、⬆位置に近い円周上の1/4の位置（円・弧の中心から0度/90度/180度/270度の円周上）を点指示できます。

⇨ 円弧の右1/4 位置を通る寸法線記入位置のガイドラインが表示される。

2 コントロールバーの「端部ー>」を確認し、始点としてガイドラインと左の円弧の交点を。

POINT 寸法線のガイドラインとの交点は読み取りできます。

3 終点としてガイドラインと右の円弧の交点を。

⇨ **2**ー**3**間の寸法が寸法補助線（引出線）なしで、ガイドライン上に記入される。

4 コントロールバー「リセット」 ボタンを。

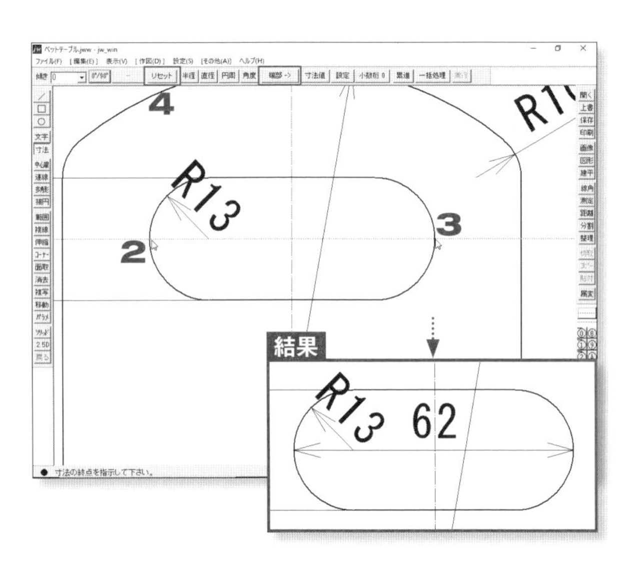

26 寸法値を移動する

他の線と重なり読みづらい寸法値は、後から「寸法」コマンドの「寸法値」で移動します。平面図の寸法値「16」を上側に移動しましょう。

1 「寸法」コマンドのコントロールバー「寸法値」ボタンを🖱。

POINT 「寸法値」は、2点間の寸法値の記入や寸法値の移動、変更を行います。既存の寸法値を🖱することで寸法値の移動になります。

2 移動対象の寸法値「16」（またはその寸法線）を🖱。

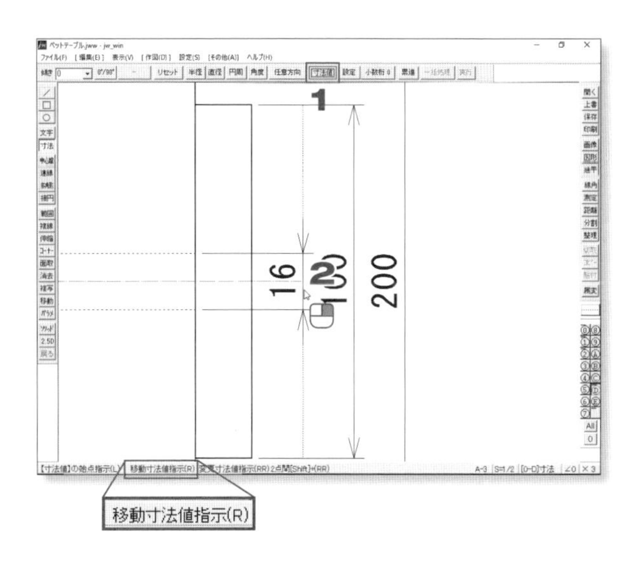

⇨ マウスポインタに中下を合わせた寸法値の外形枠が仮表示される。

寸法線に沿わせて寸法値を移動するため、その移動方向を固定しましょう。

3 コントロールバー「任意方向」ボタンを🖱し、「一横一方向」にする。

POINT 「任意方向」ボタンを🖱すると、「一横一方向」⇒「｜縦｜方向」⇒「＋横縦方向」と変更され、寸法値の移動方向を固定できます。固定する横方向と縦方向は、画面に対する横と縦ではなく、文字に対する横と縦です。

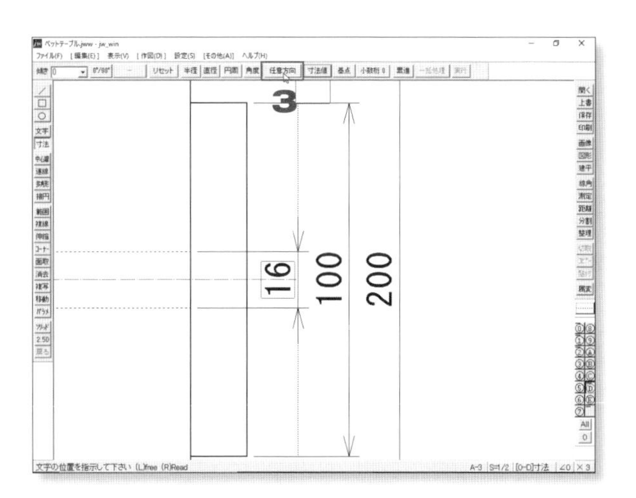

⇨ 寸法値外形枠の移動方向が文字に対して横方向に固定される。

4 移動先の位置として引出線の上側で🖱。

⇨ 寸法値「16」が寸法線上の**4**で指示した位置に移動される。

5 コントロールバー「リセット」ボタンを🖱。

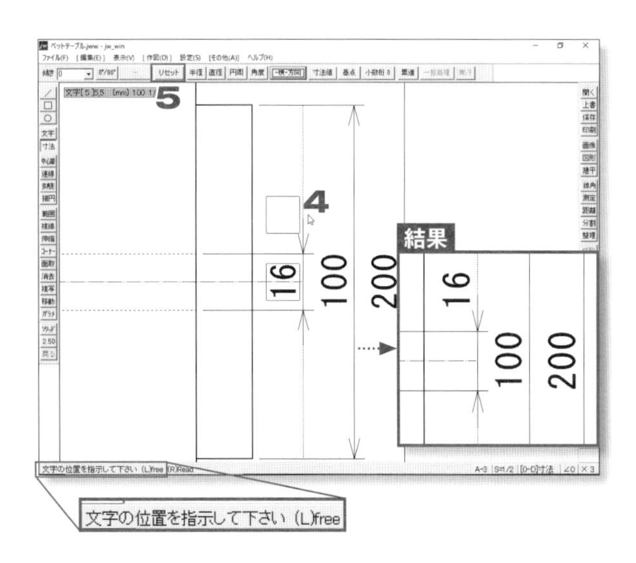

27 図面名・縮尺を記入する

用紙の右上に12mm角の大きさの文字で図面名「ペットテーブル」と縮尺を2行で記入しましょう。

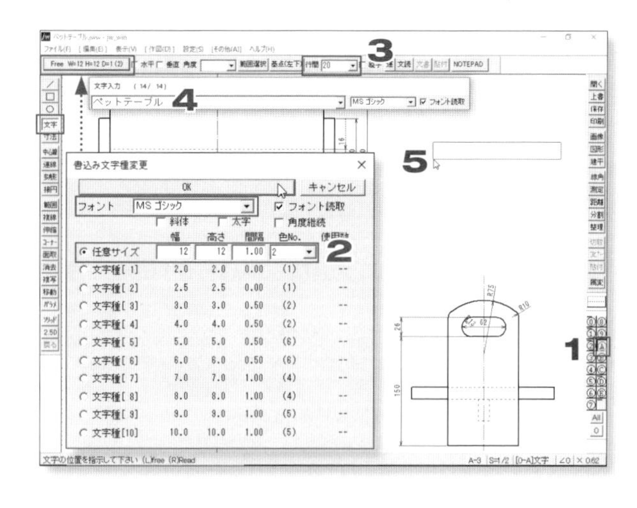

1 「A」レイヤを書込レイヤにする。

2 「文字」コマンドを選択して、「書込文字種」に「任意サイズ」を選択し、その大きさを12mm角（「幅」「高さ」とも12mmにする）、「間隔」を1mm、「色No.」を「2」、フォントを「MSゴシック」に設定する。

参 任意サイズ≫P.41

3 2行の文字を記入するため、コントロールバー「行間」ボックスに「20」を入力する。

4 「文字入力」ボックスに「ペットテーブル」を入力する。

5 記入位置として用紙右上で🖱。

⇨ 5に「ペットテーブル」が記入され、その20mm下に次の文字の外形枠が仮表示される。

6 「文字入力」ボックスに「縮尺　S=」を入力し、Enterキーを押して確定する。

⇨「ペットテーブル」の20mm下に「縮尺　S=」が記入され、その20mm下に次の文字の外形枠が仮表示される。

7 「文字」コマンドを🖱し、連続入力を終了する。

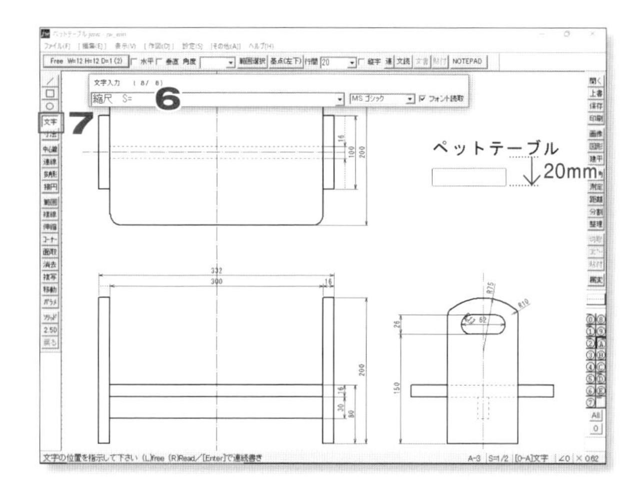

縮尺は、縮小印刷（≫P.173）や拡大印刷（≫P.174）を行うことを想定し、印刷倍率を反映して縮尺を印刷できるように記入します。

8 「文字入力」ボックスに「%SP」を半角大文字で入力する。

POINT 「%SP」は「埋め込み文字」と呼び、印刷時の拡大・縮小率に準じた縮尺に変換されて印刷されます。

9 記入位置として6で記入した「縮尺　S=」の右下を🖱。

POINT 記入した文字の左下と右下には、🖱で読み取りできる点があります。

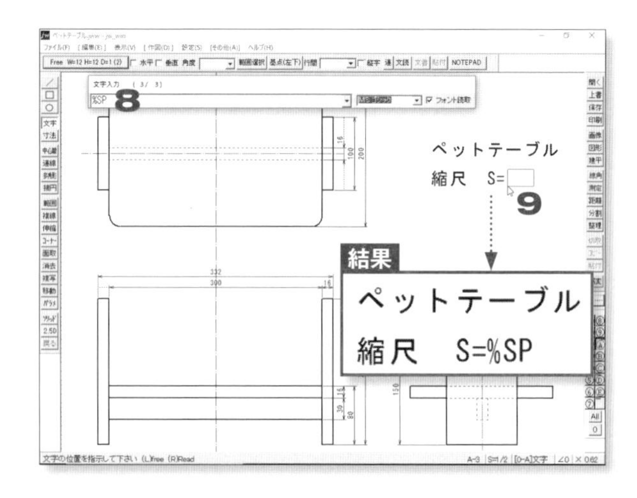

画面上にも埋め込み文字「% SP」の縮尺を変換表示する設定をしましょう。

10 メニューバー［設定］－「基本設定」を選択する。

11 「一般（2）」タブを🖱し、「プリンタ出力時の埋め込み文字…を画面にも変換表示する」にチェックを付けて「OK」ボタンを🖱。

⇨「%SP」が「1/2」に変換表示される。

12 上書き保存する。

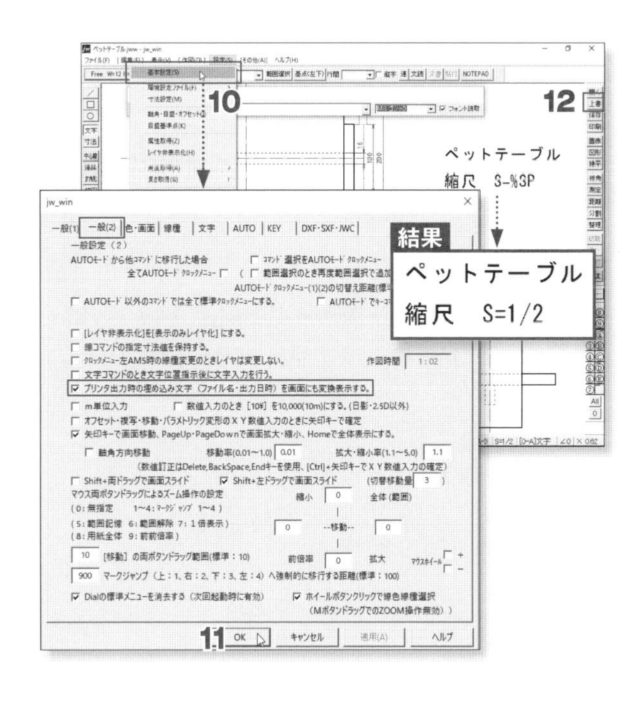

28 A4用紙に縮小印刷する

印刷倍率として71%を指定してA4用紙に印刷しましょう。

1 「印刷」コマンドを選択し、「印刷」ダイアログの「OK」ボタンを🖱。

2 コントロールバー「プリンタの設定」ボタンを🖱し、用紙サイズ（A4）と向き（横）を指定する。

3 コントロールバー「印刷倍率」ボックスの▾ボタンを🖱し、「71%（A3→A4,A2→A3）」を🖱で選択する。

⇨ 指定倍率に従い、印刷枠の大きさが変更される。

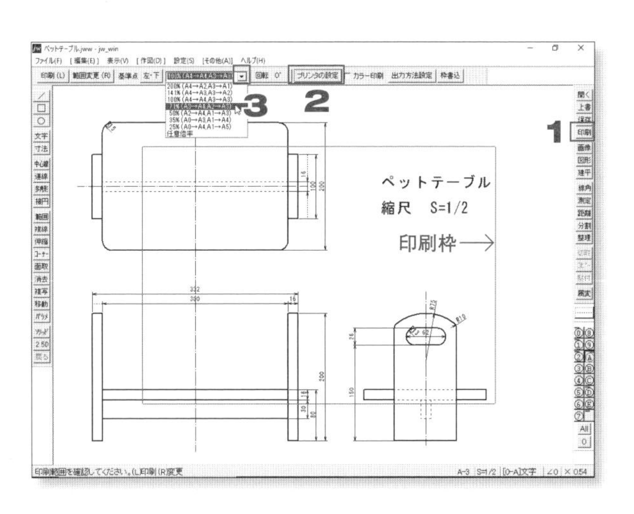

4 作図ウィンドウで🖱↗全体。

⇨ 作図ウィンドウが再描画され、記入されている縮尺も「S=1/2」から、縮小率71%換算した「S=1/2.83」になる。

5 コントロールバー「印刷」ボタンを🖱して印刷する。

6 上書き保存する。

❓ 印刷した結果、鎖線・点線のピッチが粗すぎる、または細かすぎる≫P.211 Q23

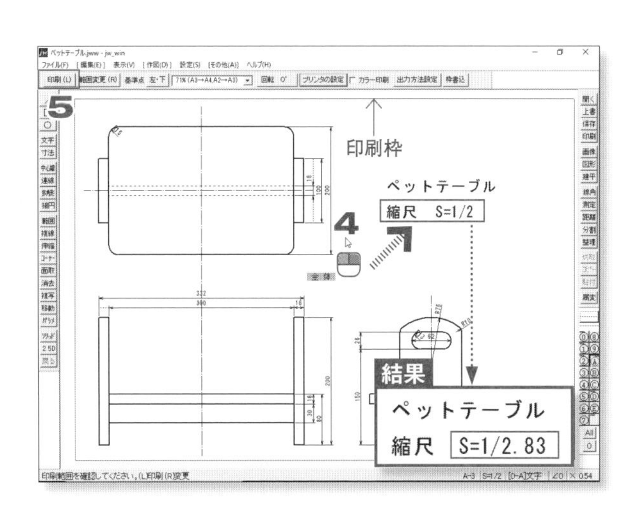

以上でこの単元の練習は終了です。

Hint 図面の一部を原寸大で印刷する

印刷倍率として縮尺の分母×100（%）を指定することで、原寸大で印刷できます。ここでは側面図の側板を原寸大で印刷する例で解説します。

1 「印刷」コマンドで用紙サイズと向き(A4・縦）を指定した後、コントロールバー「印刷倍率」ボックスの▼ボタンを🖱し、「任意倍率」を🖱で選択する。

2 「印刷倍率入力」ボックスに倍率「200」(S=1/2の図面なので2×100)を入力し、「OK」ボタンを🖱。

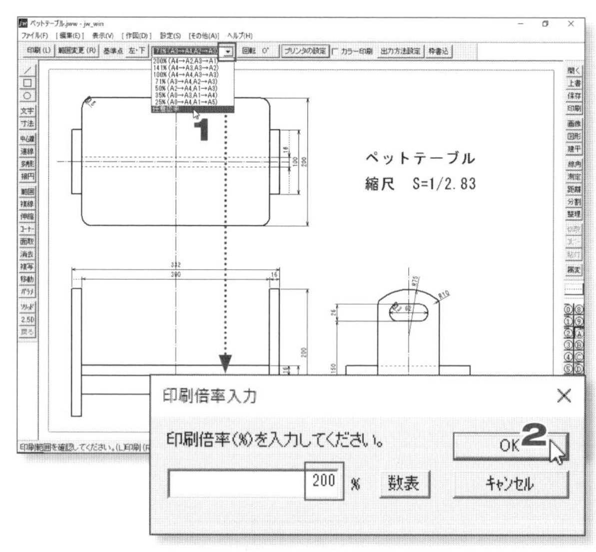

⇨ 指定倍率に従い、印刷枠の大きさが変更される。

3 作図ウィンドウで🖱↗全体。

⇨ 再描画され、記入されている縮尺が次図のように拡大率200%換算の「S=1/1」になる。

印刷枠を移動しましょう。

4 コントロールバー「範囲変更」ボタンを🖱。

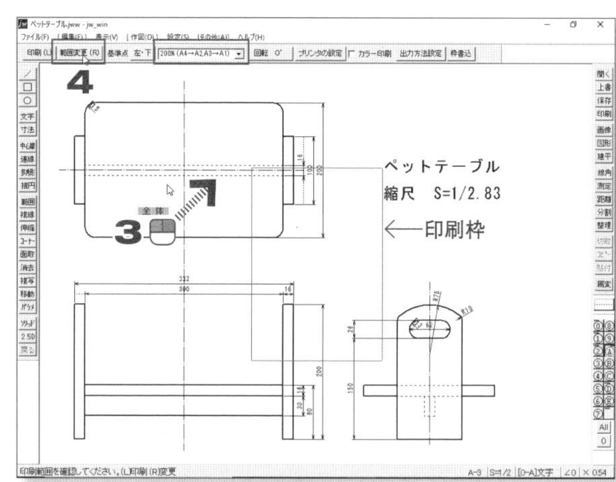

⇨ マウスポインタに印刷枠の基準点が付いて表示される。

5 コントロールバー基準点「左・下」ボタンを4回🖱し、「中・中」にする。

POINT コントロールバー基準点「左・下」ボタンを🖱することで、「中・下」⇒「右・下」⇒「左・中」⇒「中・中」⇒「右・中」⇒「左・上」⇒「中・上」⇒「右・上」と、印刷枠に対するマウスポインタの位置（基準点）が変化します。

6 印刷枠に側板が入る位置にマウスポインタを移動し、印刷範囲を決める🖱。

7 コントロールバー「印刷」ボタンを🖱し、印刷する。

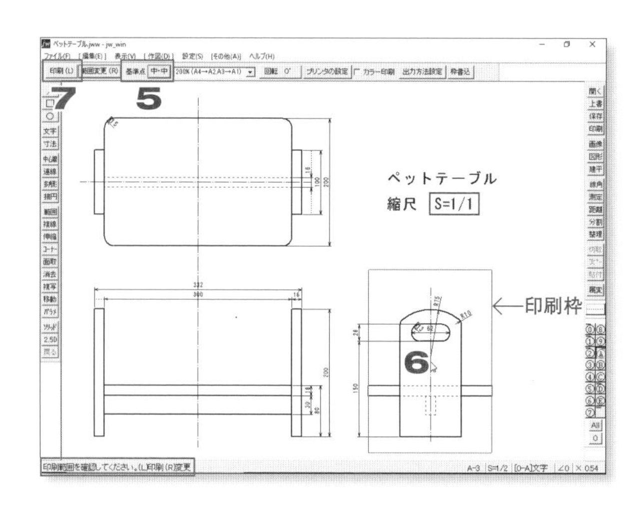

STEPUP 寸法図形について

「寸法設定」ダイアログの「寸法線と値を【寸法図形】にする」にチェックを付けた設定（P.165の7）で記入した寸法（寸法線と寸法値）は、1セットになっています。これを「寸法図形」と呼びます。

■ 寸法図形の特性

● 寸法線と寸法値は1要素として扱われる

「消去」コマンドで寸法線（または寸法値）を右クリックすると、それとセットの寸法値（または寸法線）もともに消去される。寸法線と寸法値を別々に扱いたい場合は、寸法図形を解除し、線要素（寸法線）と文字要素（寸法値）に分解する必要がある（≫P.177）。

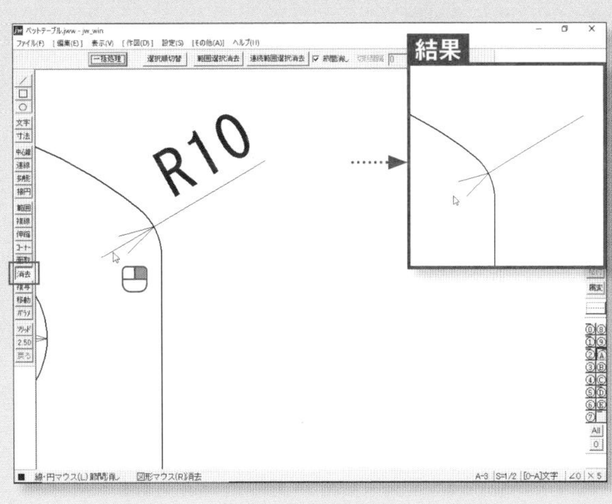

● 寸法値は文字要素でないため、「文字」コマンドでの移動・変更はできない

「文字」コマンドで寸法値を右クリックすると寸法図形ですと表示され移動・変更できない。寸法図形の寸法値の書き換えは、「寸法」コマンドで行う（≫P.177）。また、寸法値を文字要素として扱いたい場合は、寸法図形を解除する（≫P.177）。

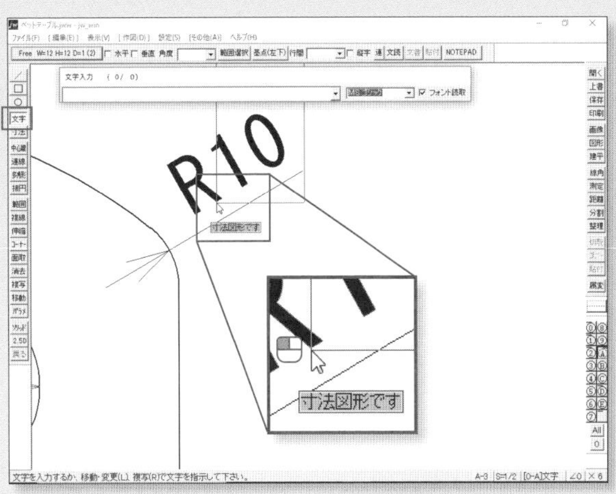

● 寸法値は常に寸法線の実寸法を表示する

「伸縮」コマンドや「パラメ」（パラメトリック変形）コマンドで寸法線を伸縮すると、1セットになった寸法値も自動的に伸縮後の実寸法に変わる（≫P.176）。

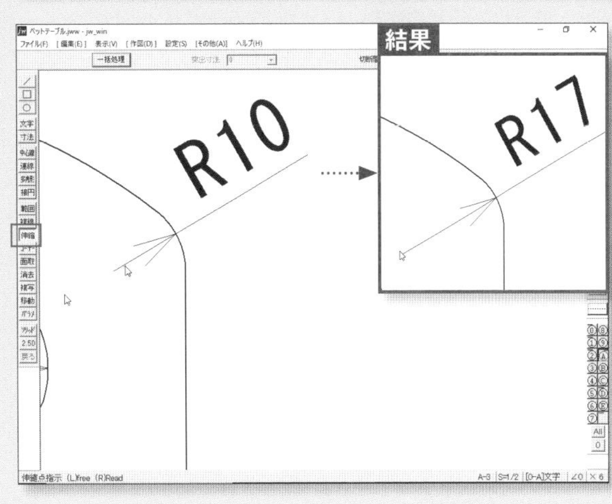

■ 寸法図形を含めたペットテーブルの幅を変更する

ペットテーブルの幅を20mm縮めましょう。

1「パラメ」(パラメトリック変形)コマンドを選択する。

2 範囲選択の始点として右図の位置で🖱。

3 選択範囲枠に寸法と右側板が入るよう右図のように囲み、終点を🖱。

POINT 以降の指示で選択色の要素が移動し、それに伴い選択色の点線で表示されている線が伸び縮みします。

4 コントロールバー「選択確定」ボタンを🖱。

⇨ パラメトリック変形の対象要素が確定し、操作メッセージは「移動先の点を指示して下さい」になる。対象要素はマウスポインタに従い、変形する。

5 コントロールバー「数値位置」ボックスに「-20,0」を入力し、Enterキーを押す。

POINT 「数値位置」ボックスに、移動距離を「X, Y」の順に「,」(カンマ)で区切って入力します。右や上への距離は+(プラス)値で、左や下への距離は−(マイナス)値で入力します。ここでは、上下には動かさず左に20mm移動するため、「−20,0」を入力します。

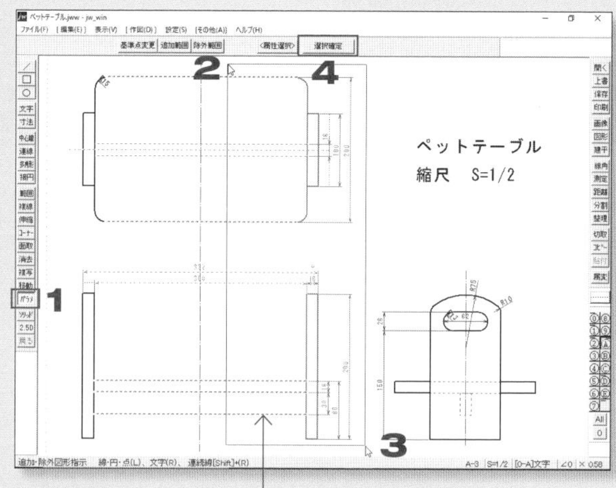

選択範囲枠に全体が入る要素が選択色で、片方の端点が入る線要素が選択色の点線になる

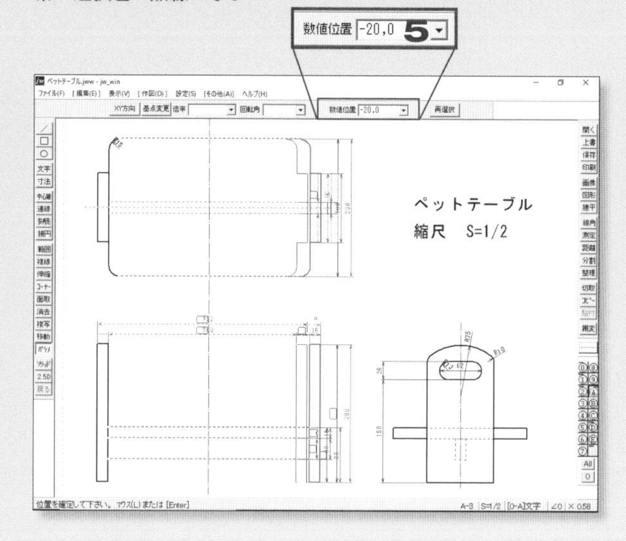

⇨ 選択色の要素が左に20mm移動し、それに伴い選択色の点線の要素が縮む。水平方向の2つの寸法は寸法図形であるため、縮んだ寸法線の実寸法に自動変更される。

6 コントロールバー「再選択」 ボタンを🖱。

⇨ パラメトリック変形が確定し、パラメトリック変形要素が元の色に戻る。

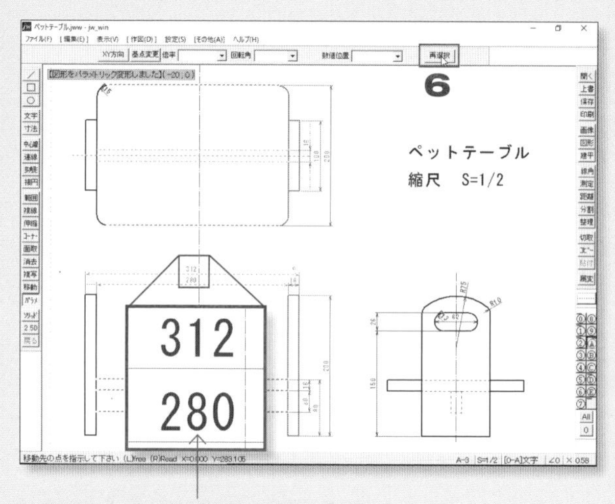

寸法図形の寸法値も自動的に変更される

■ 寸法値だけを書き換える

寸法図形の寸法値は文字要素ではないため、「文字」コマンドでの書き換えはできません。「寸法」コマンドの「寸法値」で、正面図の天板の高さ「80」を「H=70～100」に書き換えましょう。

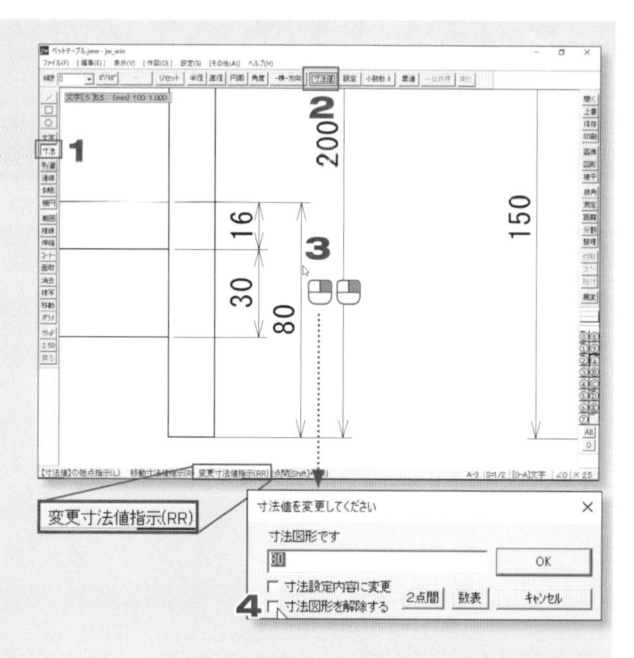

1 「寸法」コマンドを選択する。

2 コントロールバー「寸法値」ボタンを🖱。

3 書き換え対象の寸法値「80」(またはその寸法線)を🖱🖱。

4 「寸法値を変更してください」ダイアログの「寸法図形を解除する」にチェックを付ける。

POINT **4**のチェックを付けずに書き換えると、移動操作後などに図全体を再描画する際、元の寸法値に戻ります。変更する寸法値が寸法図形でない場合、「寸法図形を解除する」はグレーアウトになり、チェックを付けられません。

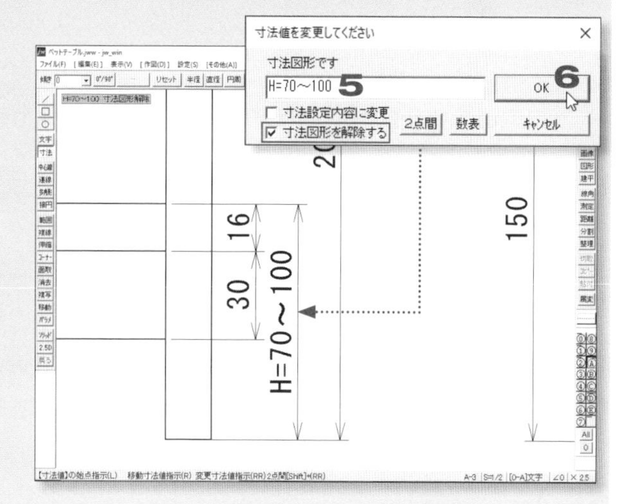

5 「数値入力」ボックスの「80」を「H=70～100」に書き換える。

POINT 「～」は、半角/全角キーを押して日本語入力を有効にして「から」と入力して変換します。

6 「OK」ボタンを🖱。

⇨ 寸法値が変更され、寸法図形は解除されて線要素(寸法線)と文字要素(寸法値)に分解される。

? 変更した寸法値部分の寸法線が消えた ≫P.211 Q26

■ 寸法図形を寸法線と寸法値に分解する

半径寸法「R10」の寸法図形を解除しましょう。

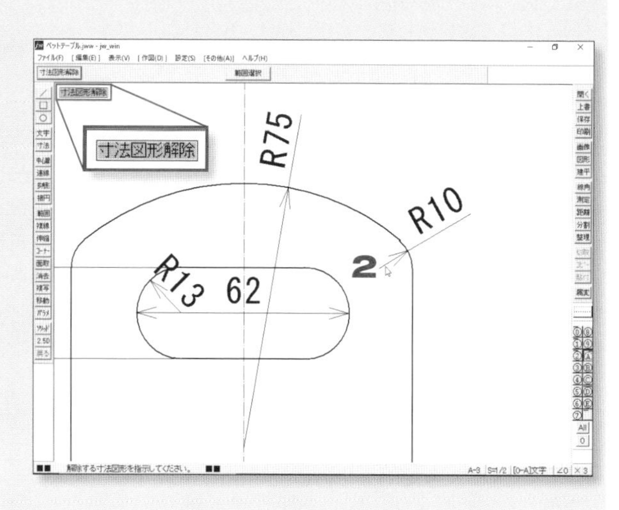

1 メニューバー[その他]ー「寸法図形解除」を選択する。

2 解除する寸法図形の寸法線(または寸法値)を🖱。

⇨ 作図ウィンドウ左上に寸法図形解除と表示され、🖱した寸法図形が寸法線(線要素)と寸法値(文字要素)に分解される。

Case Study 9

アイソメ図をかこう

アイソメ（アイソメトリック）図は、斜めから見た立体を表現するための方法の1つで、立体の形状をわかりやすく説明するための図として広く利用されています。
右図は、1辺10cm（100mm）の立方体をアイソメ図で表現したものです。
このようにX,Y 軸は30度の傾きで、X,Y,Z 軸の各辺の長さは実寸で作図します。

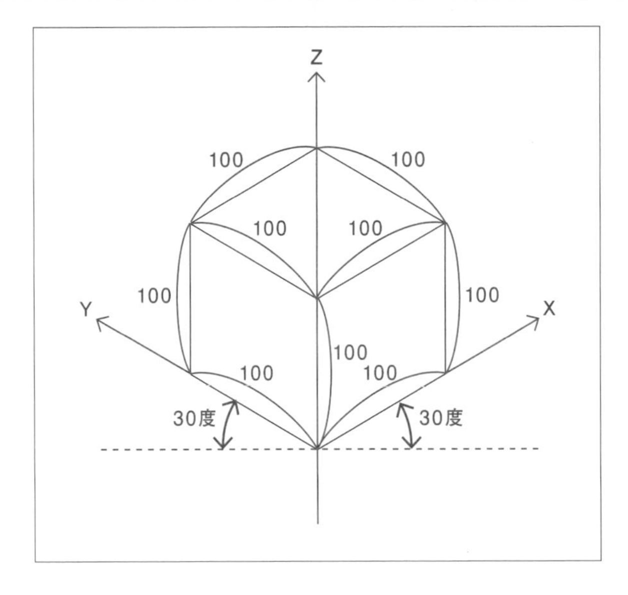

ここでは、直方体とその上に円柱がのった立体のアイソメ図を以下の手順で作図しましょう。

単位：mm

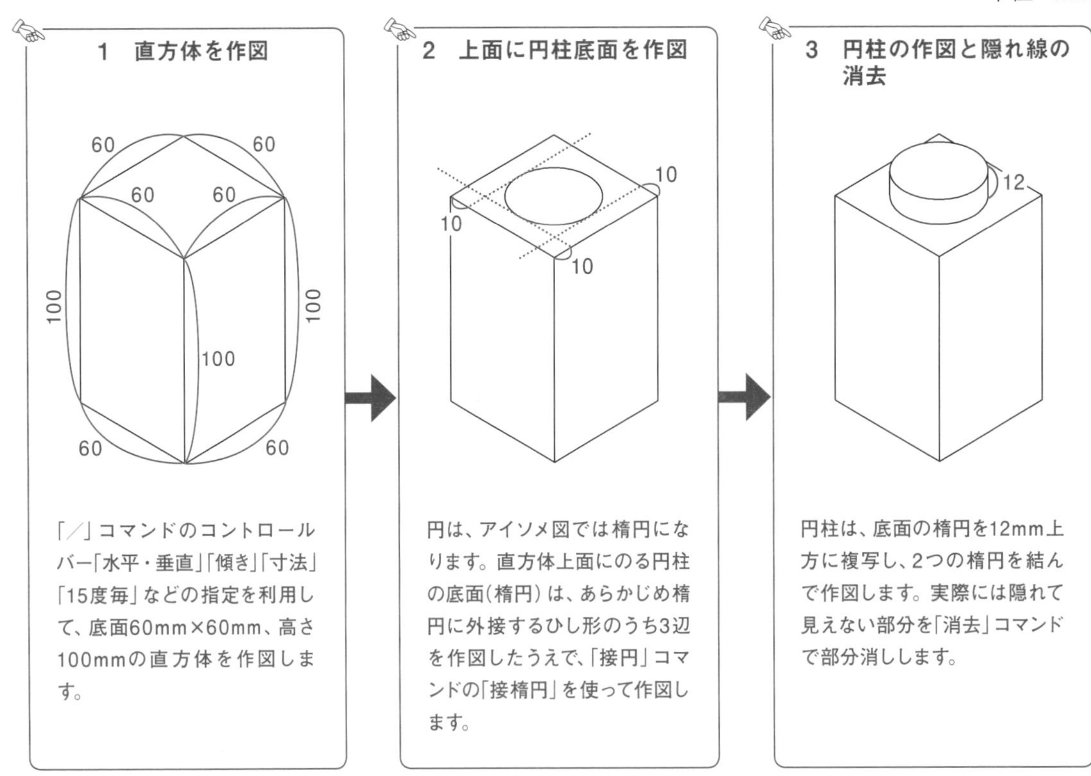

01 用紙・縮尺を設定して直方体の右面を作図する

用紙サイズをA4、縮尺を1/1にし、「0」レイヤに線色2・実線で100mmの垂線を作図しましょう。

1 用紙サイズA4、縮尺を1/1にする。

2 「／」コマンドのコントロールバー「水平・垂直」にチェックを付け、「寸法」ボックスに「100」を入力する。

3 始点として右図の位置で⊟。

⇨**3**から長さ100mmの垂直線（または水平線）がマウスポインタの方向に仮表示される。

4 垂線を仮表示した状態で終点を⊟。

[90.000°] 100.000

仮表示の線の角度と長さ

右面の上辺・下辺を長さ60mm、角度30度で作図しましょう。

5 コントロールバー「傾き」ボックスに「30」を、「寸法」ボックスに「60」を入力する。

6 始点として垂線の上端点を⊟。

7 マウスポインタを右上に移動し、角度30度で60mmの線を仮表示した状態で終点を⊟。

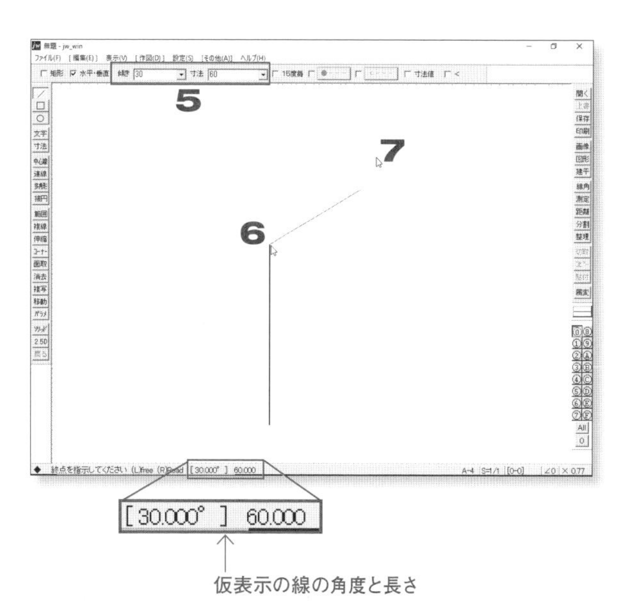

仮表示の線の角度と長さ

POINT 「水平・垂直」のチェックを付け「傾き」ボックスに角度を指定すると、水平・垂直線と、水平・垂直線から「傾き」ボックスで指定した角度分傾いた線を作図できます。

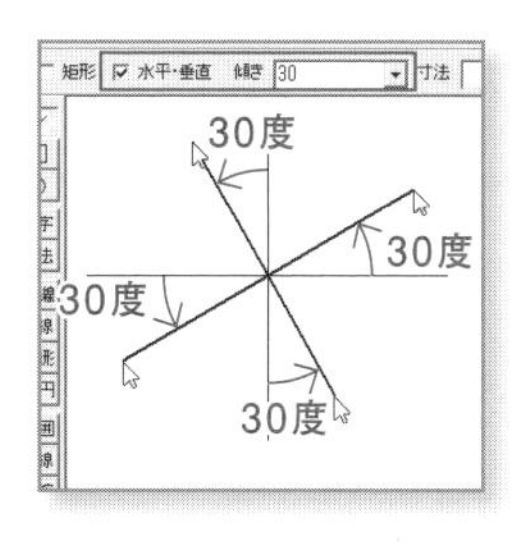

8 始点として垂線の下端点を⊟。

9 マウスポインタを右上に移動し、終点を⊟。

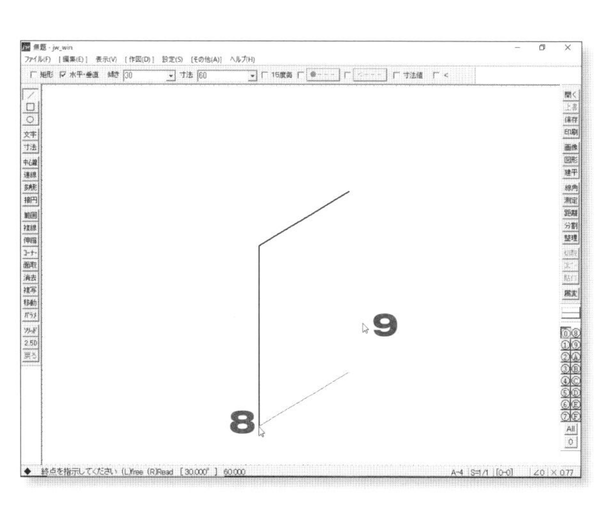

右面の右辺を作図しましょう。

10 コントロールバー「寸法」ボックスの▼ボタンをし、履歴リストから「(無指定)」を選択する。

11 始点として上辺の右端点を。

12 終点として下辺の右端点を。

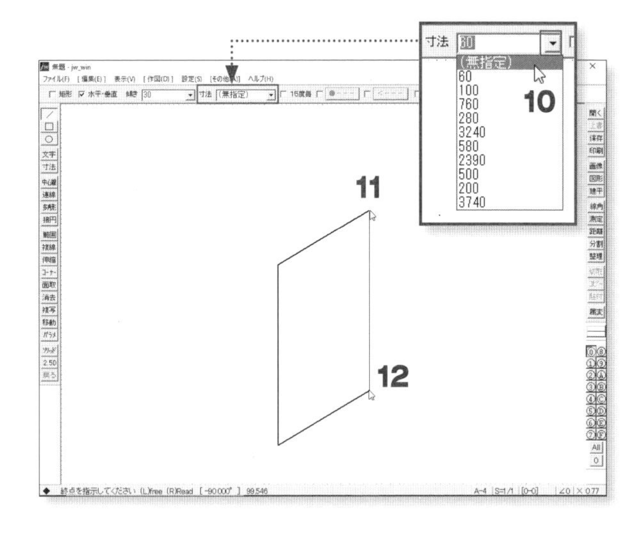

02 左面・上面を作図する

傾きを−30度に指定して、上面の奥の辺、左面の上辺・下辺を作図しましょう。

1 「／」コマンドのコントロールバー「傾き」ボックスに「−30」を、「寸法」ボックスに「60」を入力する。

2 始点として上辺の右端点を。

3 左上方向(150度)に長さ60mmの線を仮表示した状態で終点を。

4 上辺の左端点、底辺の左端点を始点とした60mmの線を、**2**～**3**と同様にして右図のように作図する。

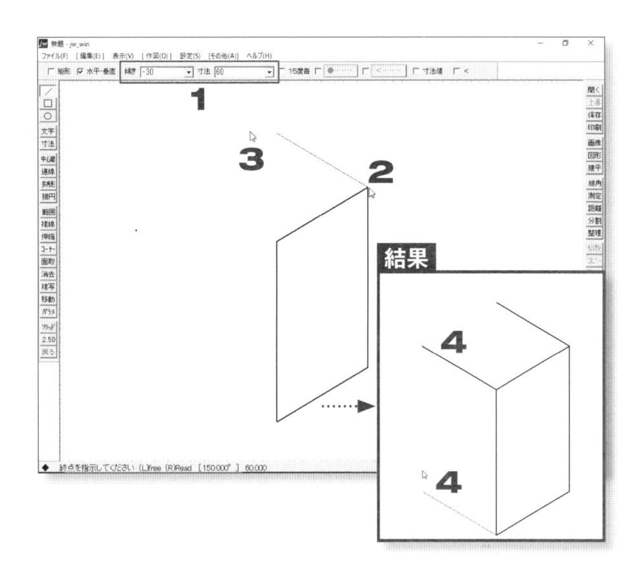

残りの線を作図しましょう。

5 コントロールバー「水平・垂直」のチェックを外し、「傾き」ボックス、「寸法」ボックスを「(無指定)」または空白にする。

6 始点として奥の上辺の左端点を。

7 終点として手前の上辺の左端点を。

8 始点として**7**と同じ端点を。

9 終点として底辺の左端点を。

10 「保存」コマンドを選択し、「jww8_imasugu」フォルダーに名前「アイソメ」として保存する。

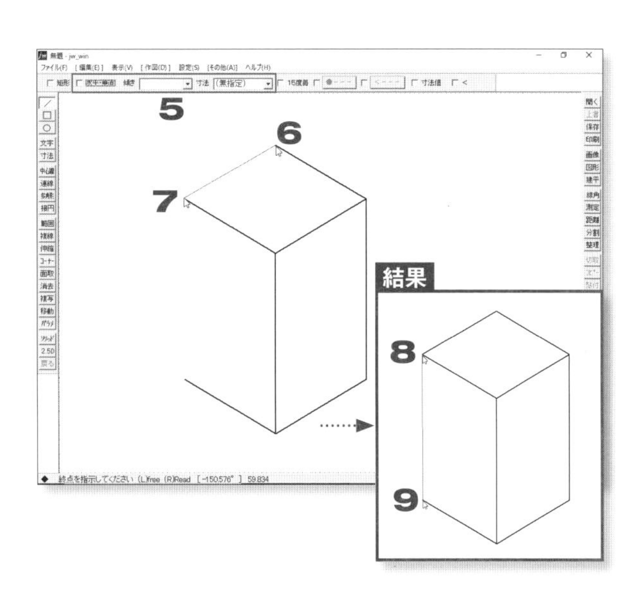

03 指定距離の位置に仮点を作図する

上面の3つの角から10mm離れた辺上に仮点を作図しましょう。

1 「距離」コマンドを選択する。

❓「距離」コマンドがない≫P.208　Q10

2 コントロールバー「仮点」にチェックを付け、「距離」ボックスに「10」を入力する。

POINT 「仮点」は印刷されない点です。コントロールバー「仮点」にチェックを付けないと書込線色の実点（印刷される点）が作図されます。

3 始点として左の角を⊟。

4 距離の方向として手前の角を⊟。

⇨**3**から**4**に向かって10mm離れた位置（辺上）に仮点が作図される。

POINT この場合、**4**で**3**－**4**の辺を⊟しても、結果は同じです（≫P.125）。

5 始点として手前の角を⊟。

6 終点として右の角を⊟。

⇨**5**から**6**に向かって10mm離れた位置（辺上）に仮点が作図される。

7 始点として**6**と同じ角を⊟。

8 終点として奥の角を⊟。

⇨**7**から**8**に向かって10mm離れた位置（辺上）に仮点が作図される。

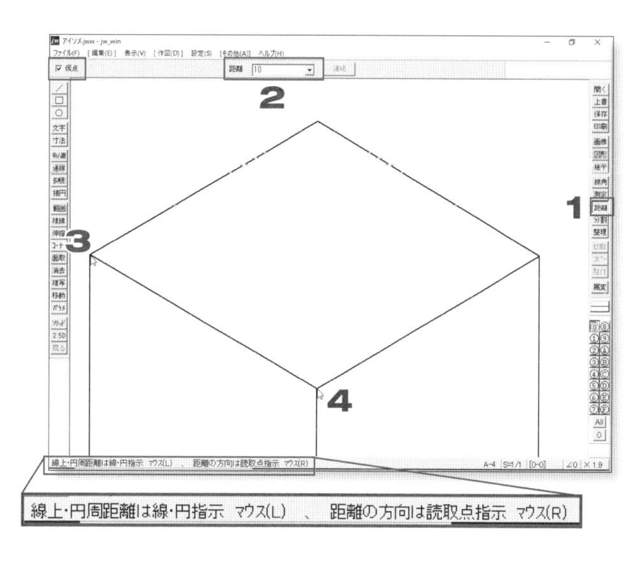

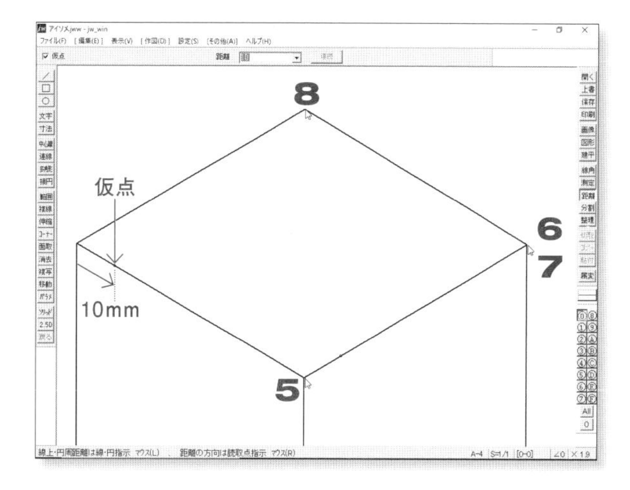

04 接楕円作図のための補助線を作図する

仮点から各辺に平行な補助線を作図しましょう。

1 書込線を「線色2・補助線種」にする。

2 「／」コマンドを選択し、コントロールバー「15度毎」にチェックを付ける。

POINT 「15度毎」にチェックを付けることで、始点から15度／30度／45度…と、15度ごとに傾いた線を作図します。

3 始点として右図の仮点を⊟。

4 マウスポインタを移動し、右図のように30度の辺と平行に線が仮表示された状態で終点を⊟。

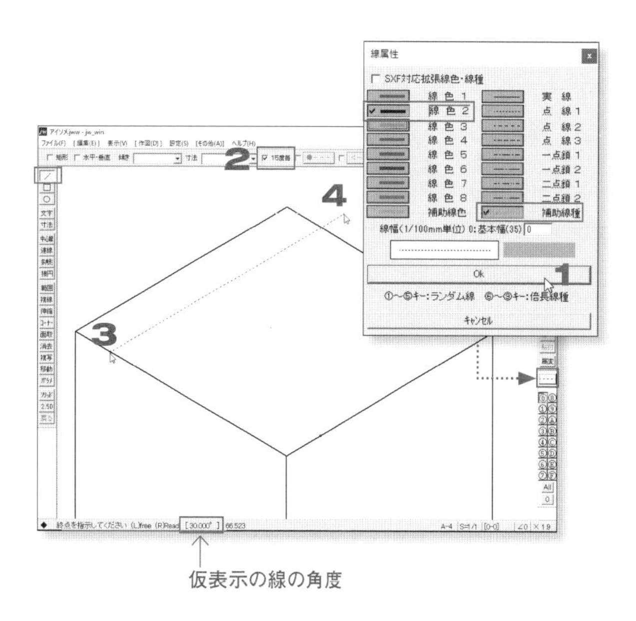

5 始点として右辺上の仮点を⊟。

6 マウスポインタを移動し、−30度（150度）の辺と平行に線が仮表示された状態で終点を⊟。

7 もう1カ所の仮点からも、辺に平行な補助線を作図する。

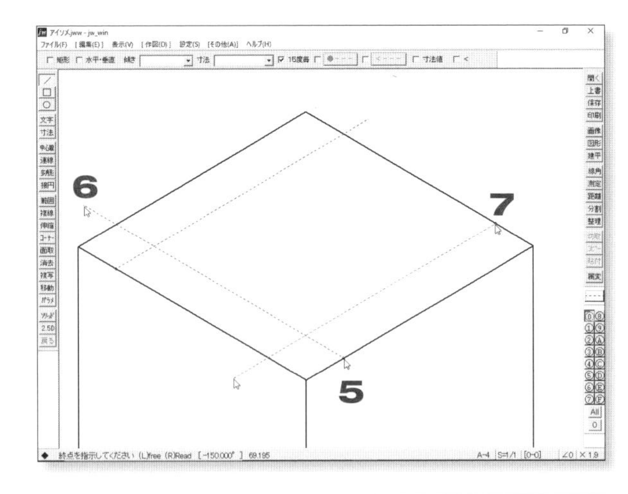

05 仮点を消去する

仮点を消去しましょう。仮点は「点」コマンドで消します。

1 メニューバー［作図］−「点」を選択する。

2 コントロールバー「全仮点消去」ボタンを⊟。

⇨すべての仮点が消える。

POINT 個別に仮点を消去する場合は、「仮点消去」ボタンを⊟し、消去対象の仮点を⊟で指示します。

06 接楕円を作図する

3本の補助線に内接する楕円を作図しましょう。

1 書込線を「線色2・実線」にする。

2 「接円」コマンドを選択する。

? 「接円」コマンドがない≫P.208 Q10

3 コントロールバー「接楕円」ボタンを⊟。

4 コントロールバー「菱形内接」ボタンを⊟。

POINT 「菱形内接」は、菱形の3辺を指示することで、内接する楕円を作図します。

5 1辺目として右図の補助線を⊟。

⇨線が選択色になる。

6 2辺目として右図の補助線を⊟。

7 3辺目としてもう1本の補助線を⊟。

⇨**5**、**6**、**7**の辺に内接する楕円が作図される。

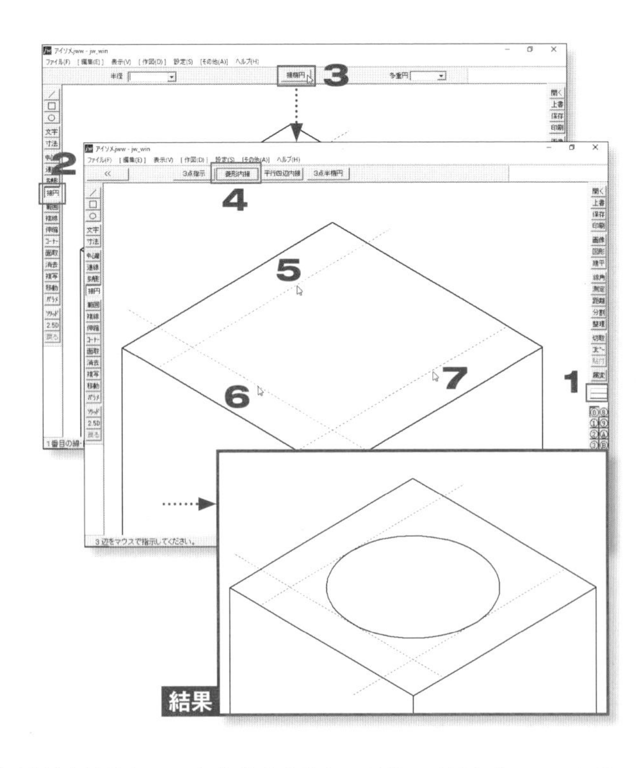

07 楕円を12mm上に複写する

円柱を作図するため、楕円だけを複写対象として範囲選択し、12mm上に複写しましょう。

1 「複写」コマンドを選択する。

2 範囲選択の始点として右図の位置で🖱。

3 表示される選択範囲枠で右図のように楕円の一部を囲み、終点を🖱🖱。

POINT 終点を🖱🖱（または🖱🖱）すると、選択範囲枠に全体が入る要素と選択範囲枠に交差する要素が選択されます。

⇨選択範囲枠に交差する楕円が選択色になる。

4 コントロールバー「選択確定」ボタンを🖱。

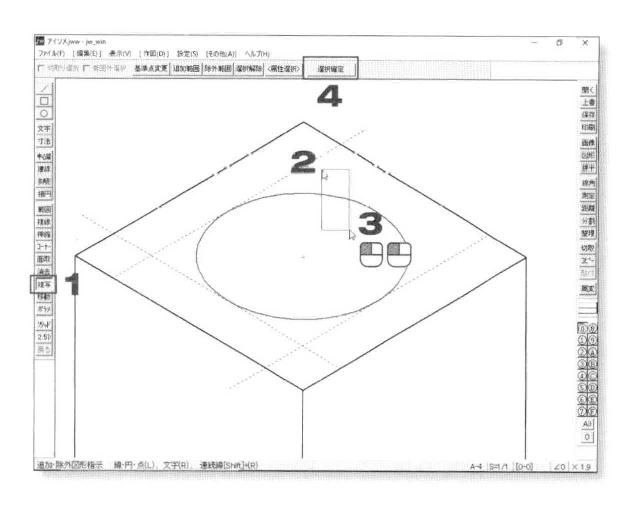

5 コントロールバー「数値位置」ボックスに「0,12」を入力し、Enterキーを押して確定する。

POINT 「数値位置」ボックスには、複写対象からの「横方向の距離, 縦方向の距離」を「 , 」（カンマ）で区切って入力します。右と上は＋（プラス）値、左と下は－（マイナス）値で指定します。ここでは、左右にはずらさずに上に12mmの位置を指定するため、「0 , 12」を入力します。

⇨上に12mmの位置に楕円が複写される。

6 「／」コマンドを選択し、「複写」コマンドを終了する。

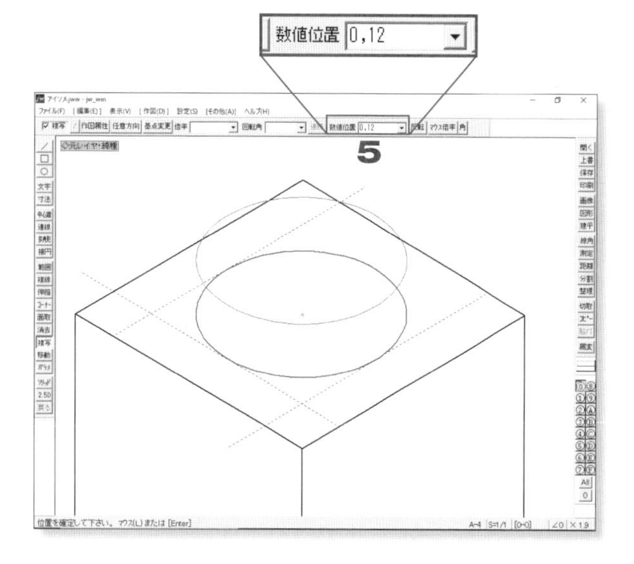

08 楕円どうしを結ぶ線を作図する

楕円の左右に、上下の楕円を結ぶ垂線を作図しましょう。

1 「／」コマンドのコントロールバー「水平・垂直」にチェックを付ける。

POINT 楕円の左右には🖱で読み取りできる点はありませんが、円と同様（≫P.170）に🖱↑操作で、楕円の1/4の位置を読み取ることができます。

2 始点として下の楕円の右端にマウスポインタを合わせ🖱↑AM0時 鉛直・円1/4点 。

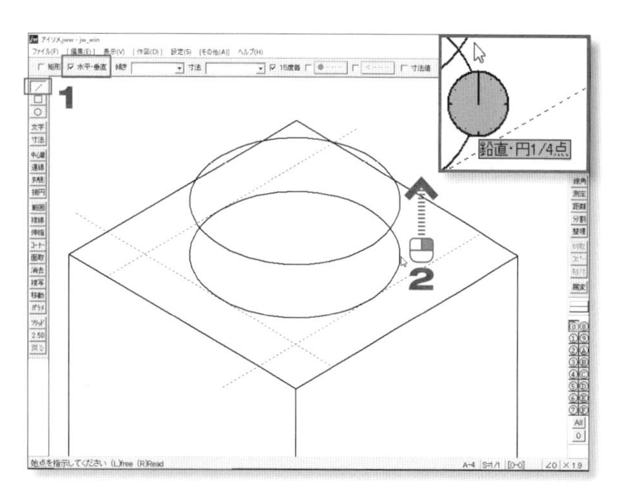

Case Study 9

アイソメ図をかこう

⇨ 楕円の右1/4の位置を始点とした線がマウスポインタまで仮表示される。

3 終点として上の楕円の右端にマウスポインタを合わせ🖱↑AM0時 線・円交点 。

POINT 角度の決まった線の終点指示時に線や円・弧を🖱↑すると、AM0時 線・円交点 と表示され、作図途中の仮表示の線と🖱↑した線・円・弧の交点を終点にします。

⇨ 作図しようとしていた垂線と楕円の交点が終点として確定し、右図のように線が作図される。

4 左側にも楕円どうしをつなぐ垂線を**2**～**3**と同様にして作図する。

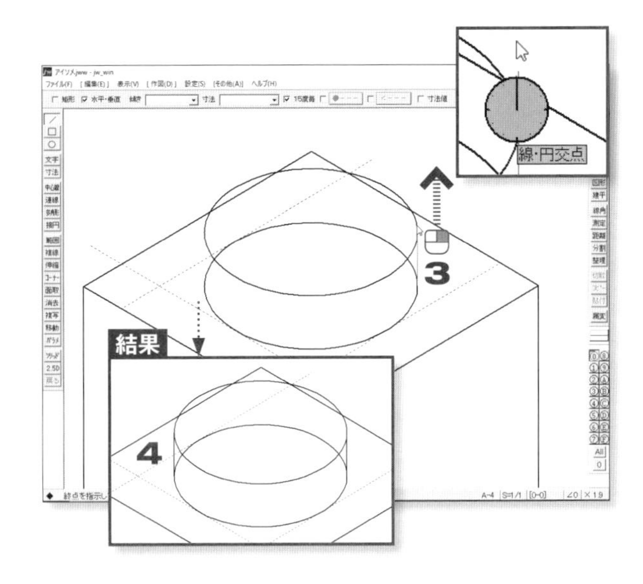

09 不要な線を消去する

不要な線を消しましょう。

1 「消去」コマンドを選択する。

2 補助線3本を🖱し、消去する。

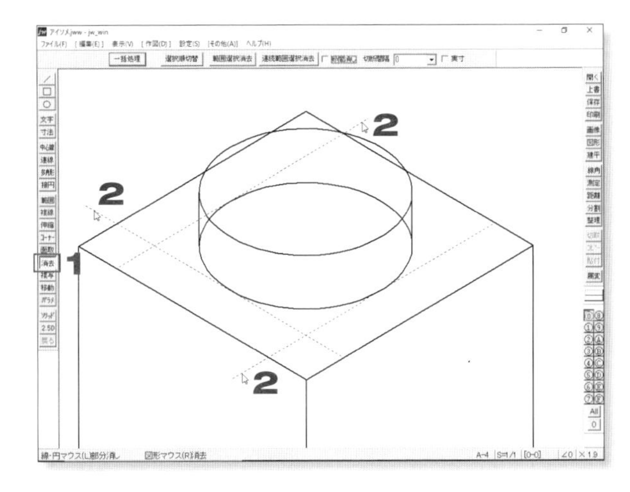

本来は手前の面に隠れて見えない線（隠れ線）を消しましょう。

3 コントロールバー「節間消し」にチェックが付いていないことを確認し、円柱底面の円を🖱（部分消し）。

4 部分消しの始点として右端を🖱。

5 部分消しの終点として左端を🖱。

POINT 円・弧の部分消しは、始点⇒終点を左回りで指示します。

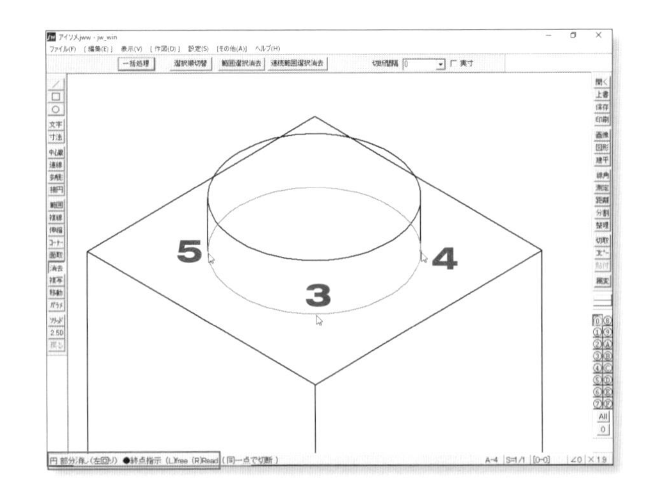

6 コントロールバー「節間消し」にチェックを付ける。

7 直方体上面左奥の辺の円柱上面に隠れる部分を🖱。

⇨🖱位置両側の点間の線が消去される。

8 右奥の辺の円柱上面に隠れる部分を🖱。

⇨🖱位置両側の点間の線が消去される。

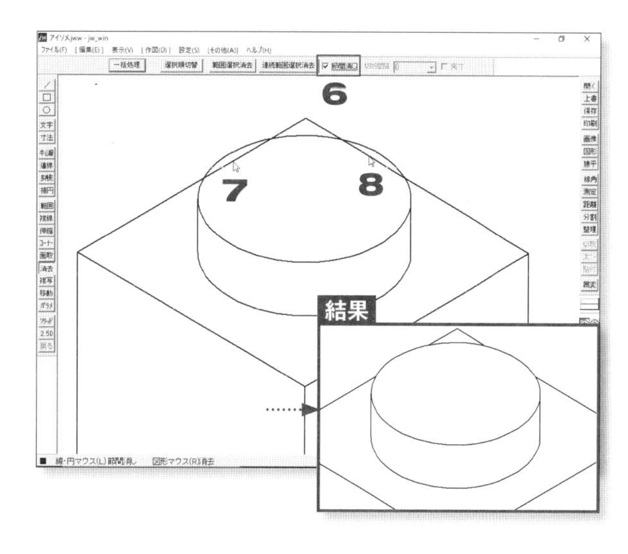

10 寸法記入位置を示す補助線を作図する

アイソメに寸法を記入するため、各辺から15mm離れた位置に補助線を作図しましょう。

1 「1」レイヤを🖱し、書込レイヤにする。

2 書込線を「線色2・補助線種」にする。

3 「複線」コマンドを選択し、右図のように2つの底辺と右辺から15mm離れた位置に複線を作図する。

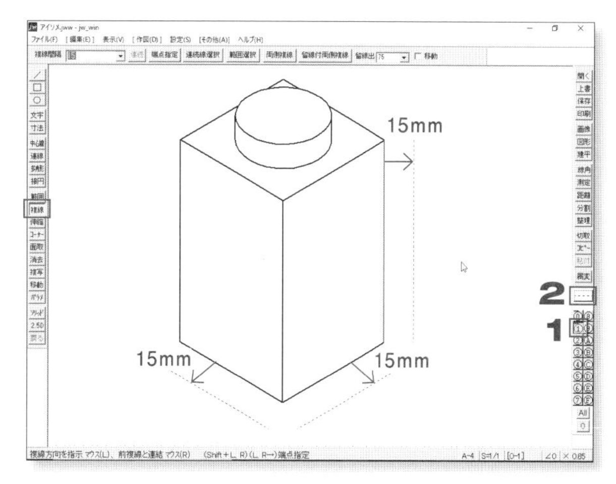

11 アイソメに底辺の寸法を記入する

アイソメに寸法を記入する場合は、寸法線の角度を30度(または-30度)とし、引出線(寸法補助線)を-30度(または30度)の角度で作図します。右面の底辺の寸法を記入しましょう。

参 寸法記入の基本≫P.166

1 「寸法」コマンドを選択し、コントロールバー「傾き」ボックスに寸法線の傾きとして「30」を入力する。

2 コントロールバー「－」(引出線タイプ)ボタンを🖱し、「＝」にする。

3 引出線の始点位置として右図の角を🖱。

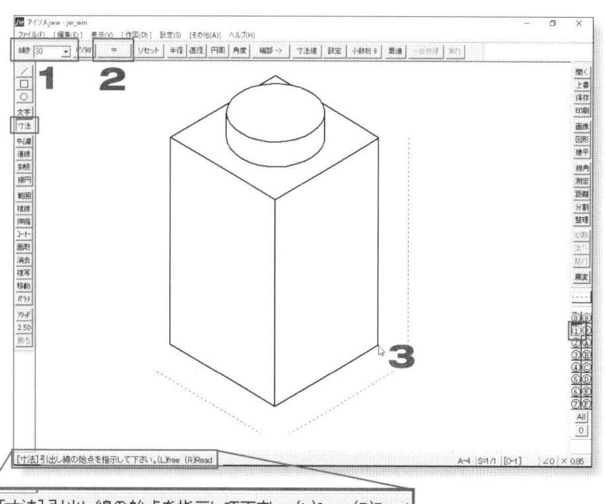

POINT 引出線タイプ「＝」では、3から次に指示する寸法線の記入位置4まで引出線を記入するため、このあと6～7で指示する寸法の始点・終点位置に関わらず、引出線の長さは一定になります。アイソメ図に寸法を記入する場合は、寸法線の始点・終点とする点位置と引出線の始点位置を同じにしてください。

⇨ 3を通る30度のガイドラインが仮表示される。

4 寸法線の記入位置として右図の補助線の端点を。

⇨ 4を通る30度のガイドラインが仮表示される。

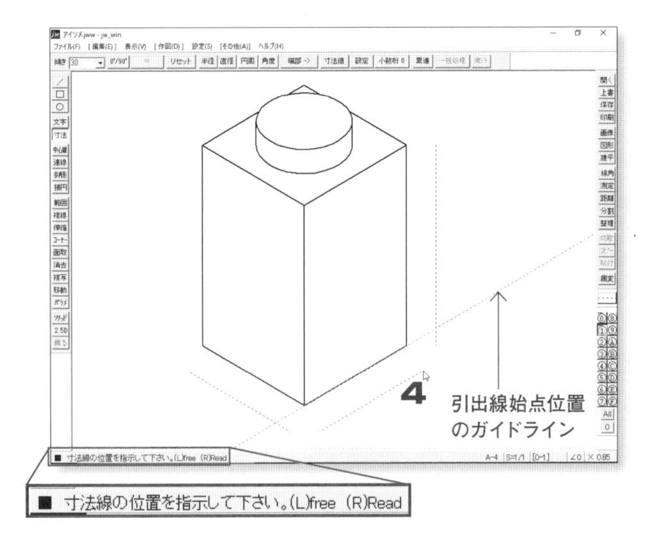

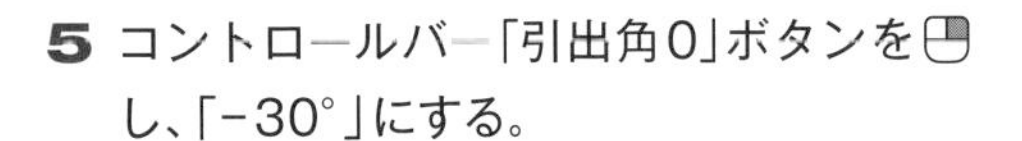

5 コントロールバー「引出角0」ボタンをし、「-30°」にする。

POINT 「引出角0」ボタンでは、引出線の角度を指定します。「引出角0」ボタンをで、「-30°」⇒「-45°」⇒「45°」⇒「30°」に切り替わります。で、その逆の順序に切り替わります。

6 コントロールバーの端部形状ボタンが「端部―>」であることを確認し、寸法線の始点として右側面の左下角を。

7 寸法の終点として右側面の右下角を。

⇨ -30度の引出線が3－4間に、6－7間の寸法線が4の線上に記入される。

8 コントロールバー「リセット」ボタンを。

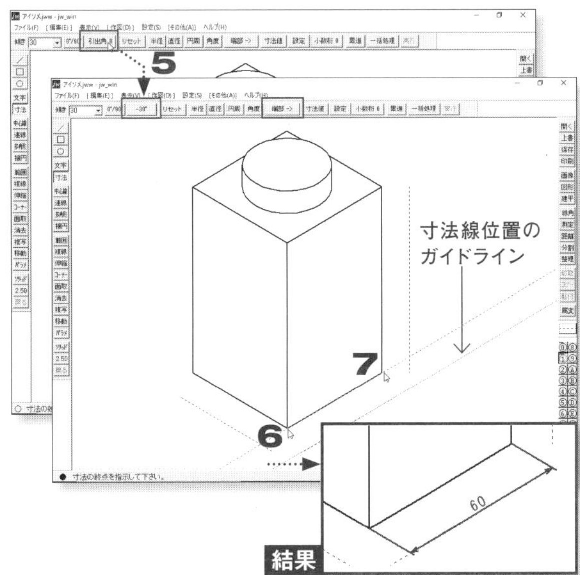

左面の底辺の寸法を記入しましょう。

9 コントロールバー「傾き」ボックスに寸法線の傾きとして「-30」を入力する。

10 引出線始点位置として右図の角を。

11 寸法線の記入位置として右図の補助線の端点を。

12 コントロールバー引出角「-30°」ボタンを2回し、「30°」にする。

13 寸法の始点として左面の左下角を。

14 寸法の終点として左面の右下角を。

⇨ 次図のように13－14間の寸法が記入される。

15 コントロールバー「リセット」ボタンを。

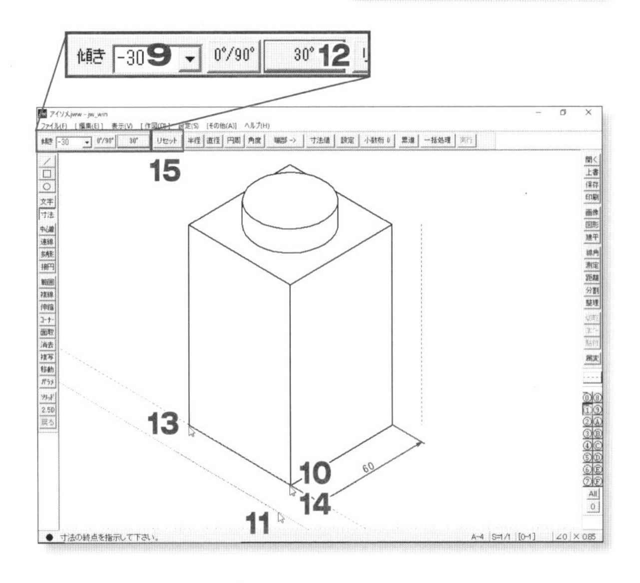

12 高さ・直径寸法を記入する

右面の右側に高さ寸法を記入しましょう。

1 コントロールバー「0°/90°」ボタンを🖱し、「傾き」ボックスを「90」にする。

2 引出線始点位置として右図の角を🖱。

3 寸法線位置として右図の補助線の端点を🖱。

4 コントロールバー引出角「30°」ボタンを2回🖱し、「−30°」にする。

5 寸法の始点として右面の右下角を🖱。

6 寸法の終点として右面の右上角を🖱。

7 コントロールバー「リセット」 ボタンを🖱。

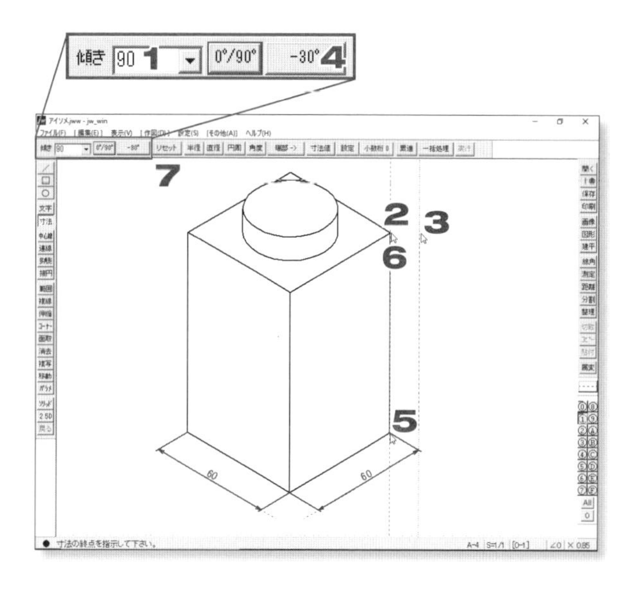

円柱の直径寸法を記入しましょう。

8 コントロールバー「直径」ボタンを🖱。

9 コントロールバー「傾き」ボックスに「30」を入力する。

POINT 正しい直径寸法を記入するためには、傾きを「30」度または「−30」度にします。

10 円柱上面の楕円を🖱。

⇨ 右図のように直径寸法が記入される。

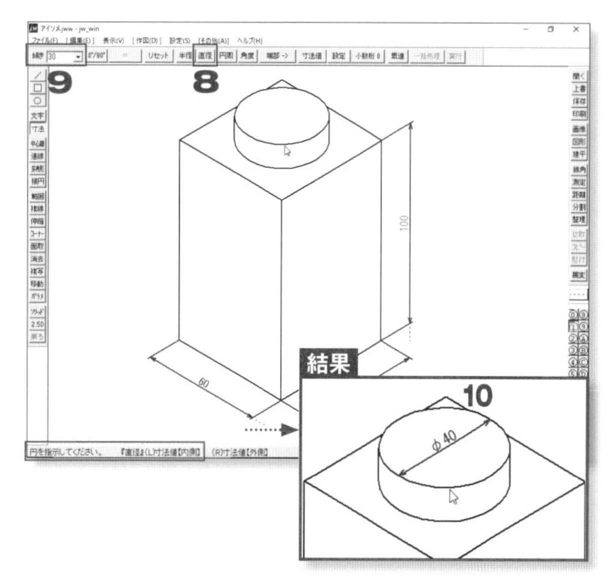

13 補助線を消去して上書き保存する

寸法の記入位置指示のために作図した補助線を消去したうえで、上書き保存しましょう。

1 「消去」コマンドを選択する。

2 補助線3本を🖱し、消去する。

3 上書き保存する。

以上でこの単元の練習は終了です。

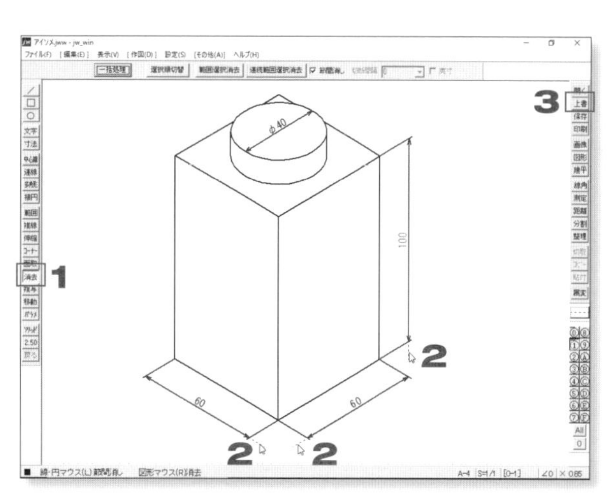

Case Study 10

「2.5D」コマンドで木工作品の立体図を作成しよう

ペットテーブルのアイソメ図を、Jw_cadの「2.5D」コマンドを使って作成しましょう。

完成図

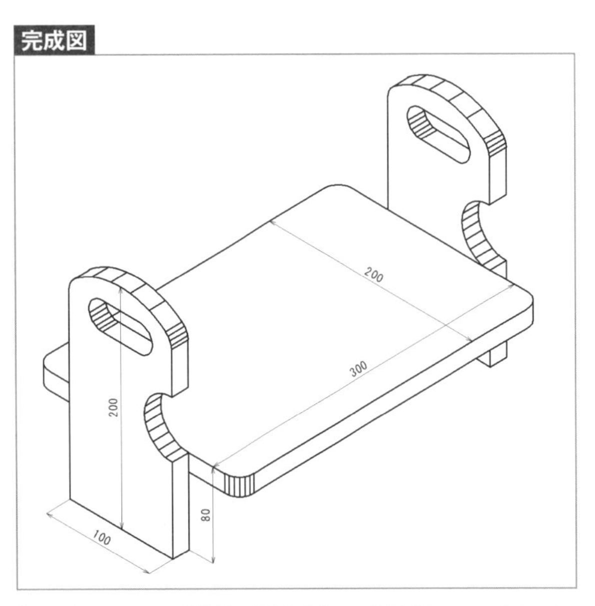

参考図：正面図 単位：mm

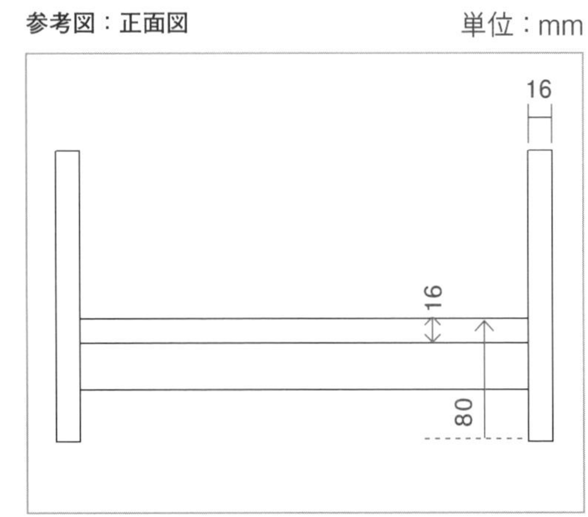

「2.5D」コマンドの性質を理解するため、単元「**Case Study 8** 木工作品の三面図をかこう」で作図したペットテーブル側板の形状を一部変更しています。

「2.5D」コマンドでの立体図作成用にレイヤ分けした練習用図面「25D−pt.jww」を「jww8_imasugu」フォルダーに用意しています。

練習用図面「25D−pt.jww」

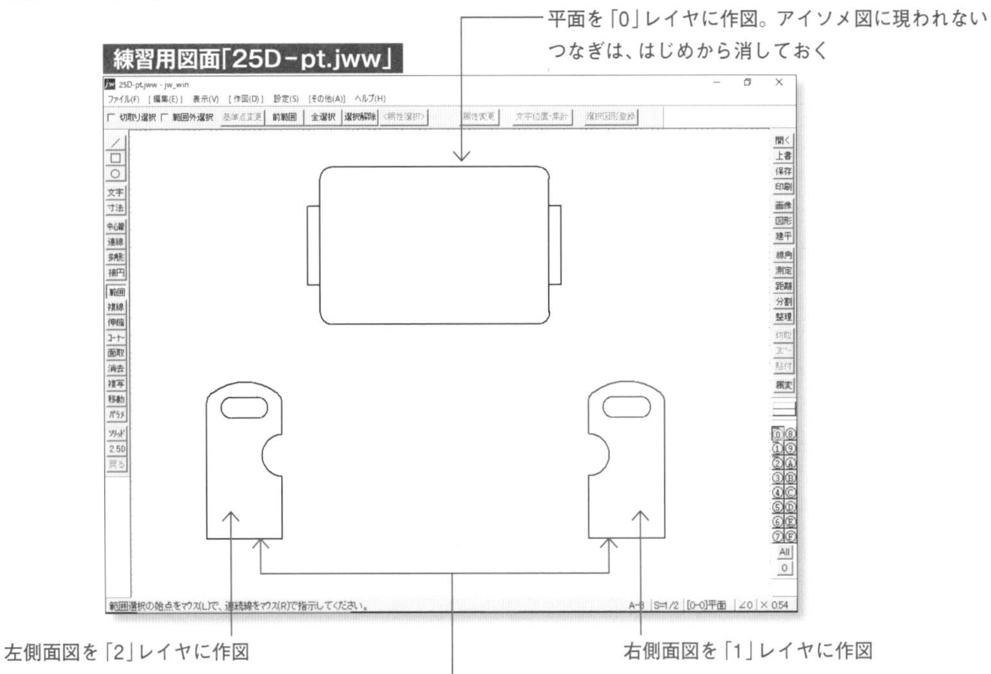

「2.5D」コマンドで立体図を作成するための指定方法

■ 高さ定義

平面図の線端部に高さを定義する

「2.5D」コマンドのコントロールバー「高さ・奥行」ボックスに「上端の高さ,下端の高さ」を入力し、高さ定義をする線の端部を🖱して、線の端点に高さを定義する。

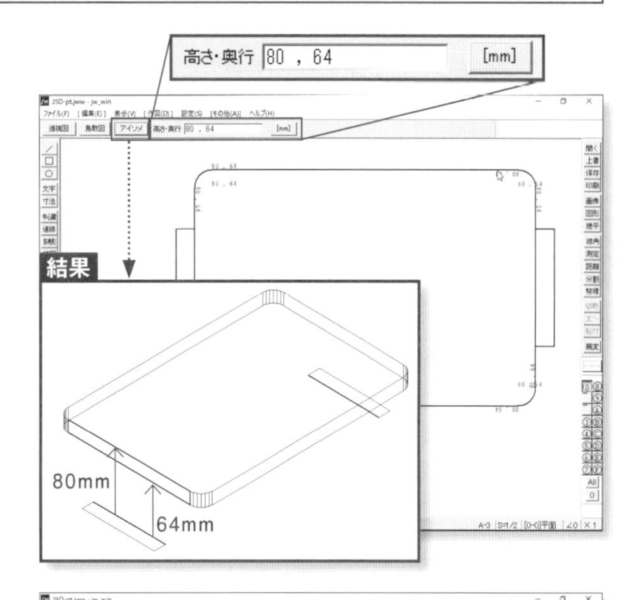

■ 起こし絵指定

側面図の起き上がり位置を指定する

側面図が作図されているレイヤの、側面図の起き上がり位置に、「線色5・補助線種」で線を作図する。

1つのレイヤに、1つの側面（立面）図と起き上がり位置を示す1本の線以外は作図しないように注意する。

側面図の線端点に「高さ・奥行」を定義をすることで、立体図にした際、右図のように側面の厚みを表現できる。

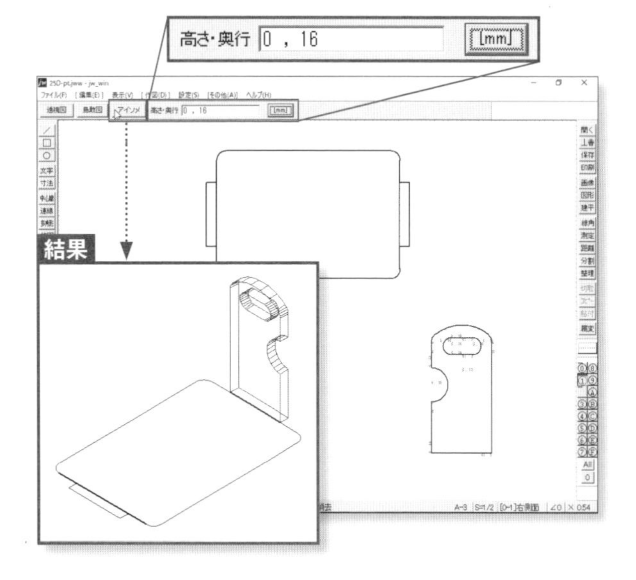

01 図面を開き、天板に高さを定義する

練習用図面「25D−pt.jww」を開き、天板に上端の高さ80mmと厚み16mmを定義しましょう。

1 「開く」コマンドを選択し、「jww8_imasugu」フォルダーから図面ファイル「25D−pt.jww」を開く。

2 「2.5D」コマンドを選択する。

? 「2.5D」コマンドがない≫P.208 Q10

3 コントロールバー「(m)」ボタンを⊟し、入力単位を「[mm]」にして「高さ・奥行」ボックスに「80,64」を入力する。

POINT 「，」(カンマ)で区切り、「上端の高さ,下端の高さ」を入力します。下端の高さは上端の高さ80mmから板の厚み16mmを差し引いた64mmになります。**3**で単位をmmに設定したため、数値はすべてmm単位で指定します。高さ定義は、定義する要素が作図されているレイヤを書込レイヤにして行います。

4 天板が作図されている「0」レイヤが書込レイヤであることを確認し、天板左辺の下端点(円弧との接続点)に近い位置を⊟。

⇨ ⊟した左辺の下端部に高さが定義され、右図のように左辺上に「80,64」が記入される。

5 天板下辺の左端点(円弧との接続点)に近い位置を⊟。

⇨ ⊟した下辺の左端部に高さが定義され、下辺上に「80,64」が記入される。

6 面取りの円弧を⊟。

⇨ 円弧に高さが定義され、その中心点位置に「80,64」が記入される。

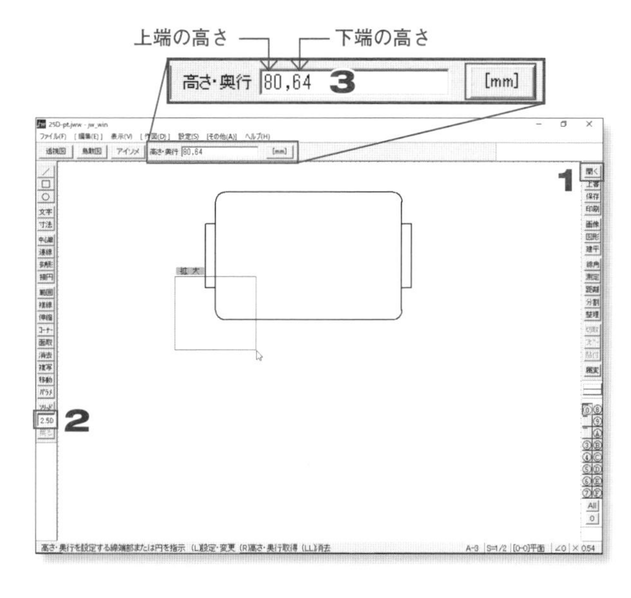

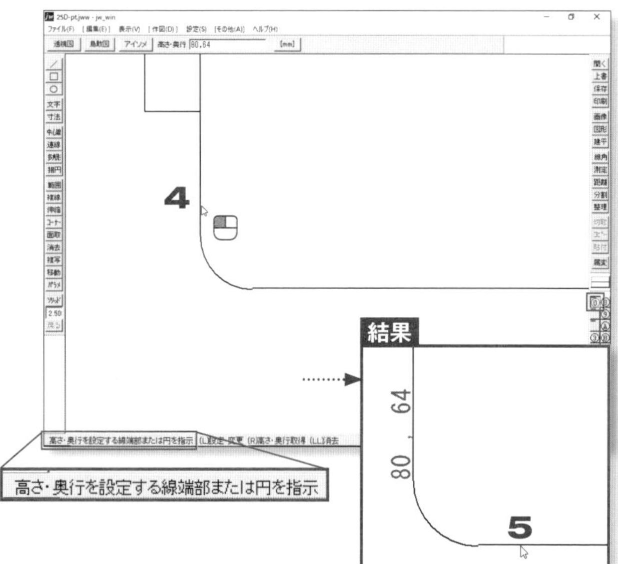

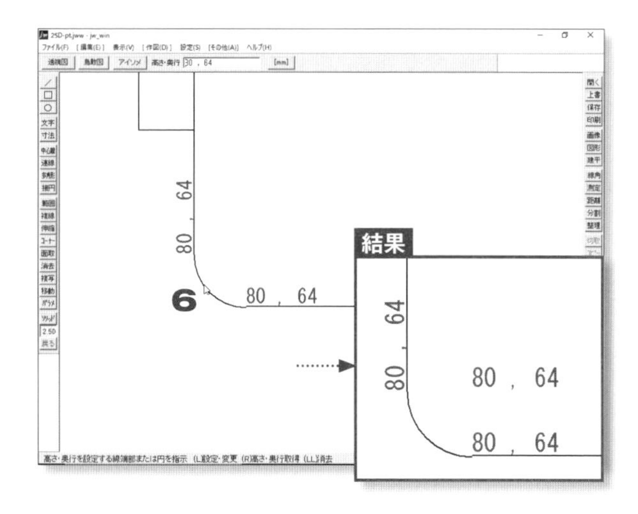

7 他3カ所の角の円弧と辺の端点にも、**4**～**6**と同様にして同じ高さを定義する。

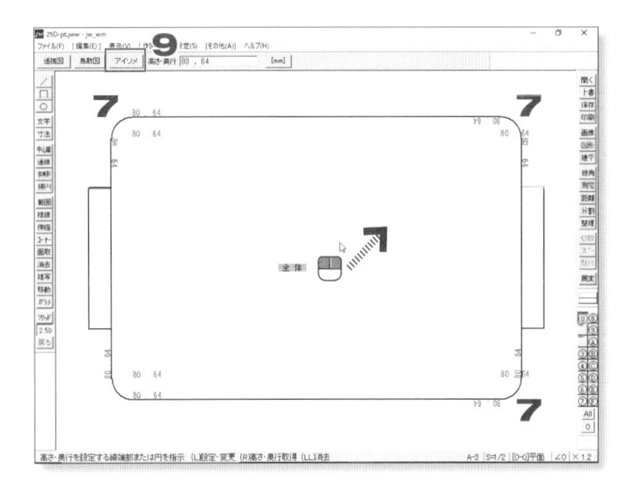

アイソメ表示で形状を確認しましょう。

8 拡大表示している場合は、🖱↗ 全 体 し、全体表示にする。

9 コントロールバー「アイソメ」ボタンを🖱。

⇨ 右図のようにアイソメ表示される。

❓ アイソメが表示されない／アイソメの形状がおかしい ≫P.212 Q27

POINT コントロールバー「左」「右」「上」「下」ボタンを🖱することでアイソメ図を回転表示できます。「等角」ボタンを🖱すると、本来のアイソメ図の角度で表示されます。

10 コントロールバー「<<」ボタンを🖱し、アイソメ表示を終了する。

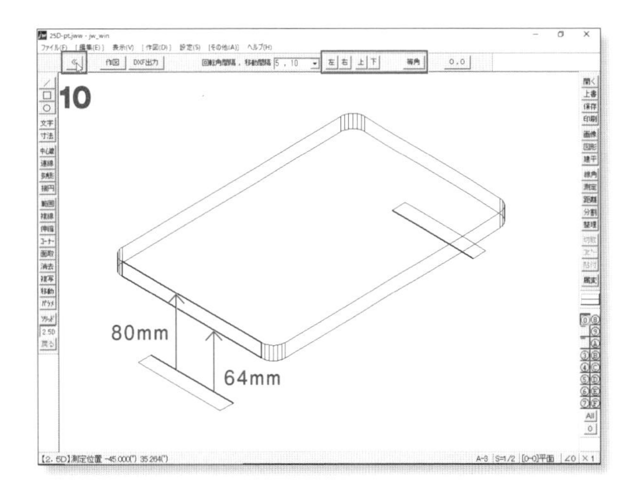

02 側板を指定位置に起こす

「1」レイヤに作図されている右側面図を、平面図の右側板の左辺上に起こすように指定しましょう。

1 「1」レイヤを🖱で書込レイヤにし、「0」レイヤを2回🖱して表示のみにする。

2 書込線を「線色5・補助線種」にする。

POINT 側面図の作図されているレイヤを書込レイヤにし、側面図を起こす位置に「線色5・補助線種」で線を作図します。

3 「／」コマンドを選択する。

4 始点として平面図の右側板左辺の上端点を🖱。

5 終点として下端点を🖱。

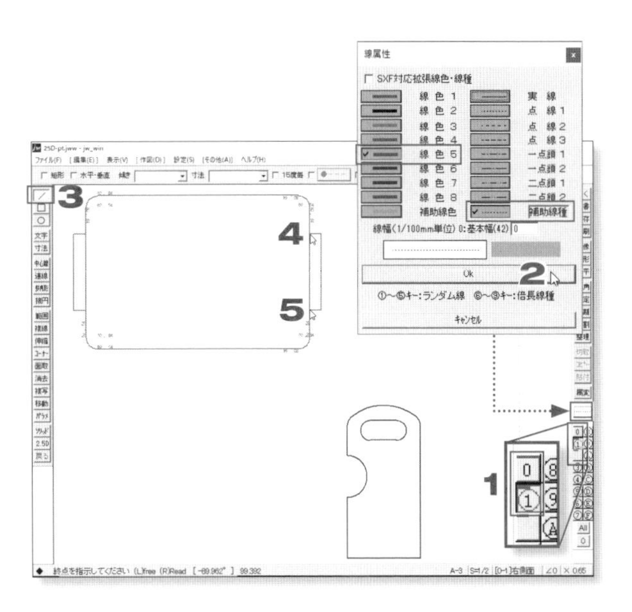

「2」レイヤに作図されている左側面図を、平面図の左側板の右辺上に起こすように指定しましょう。

6 「2」レイヤをで書込レイヤにする。

7 始点として平面図の左側板右辺の上端点を。

8 終点として下端点を。

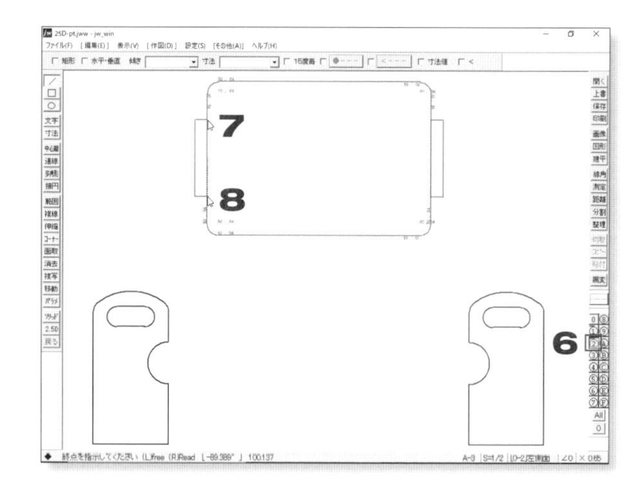

アイソメ表示で形状を確認しましょう。

9 「0」レイヤをし、編集可能にする。

POINT 非表示、表示のみのレイヤの要素は「アイソメ」で表示されません。

10 「2.5D」コマンドを選択し、コントロールバー「アイソメ」ボタンを。

⇨ 右図のように左側板が左右反転してアイソメ表示される。

11 コントロールバー「<<」ボタンをし、アイソメ表示を終了する。

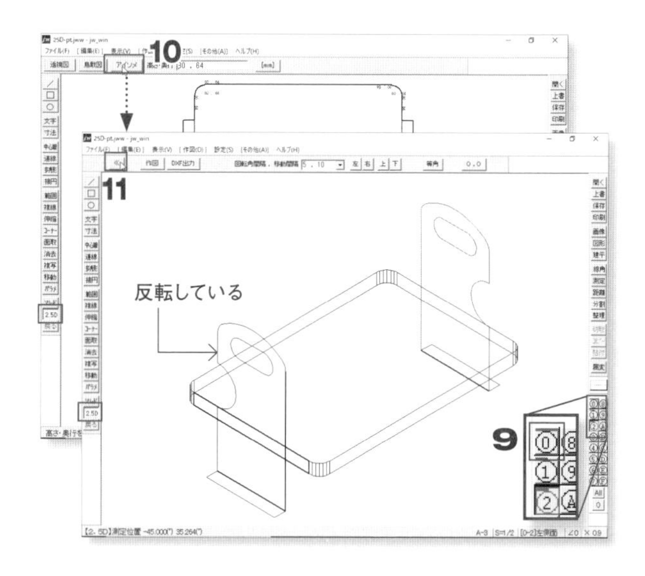

POINT 起こし絵の法則

起こし絵では、そのレイヤに作図されている要素の最も左下の点（ここでは左側板の左下角）を、同じレイヤに作図した線色5・補助線の最も左下の端点（ここでは補助線下端点）に合わせて起こします。そのため、左側面図は左右が逆に起き上がります。

このような場合は、側面図上の基準点（左下角）と合わせる平面図上の基準点位置（ここでは補助線上端点）に線色5の実点を作図します。これにより、側面図の左下角を平面図上の線色5の実点に合わせて起き上がります。

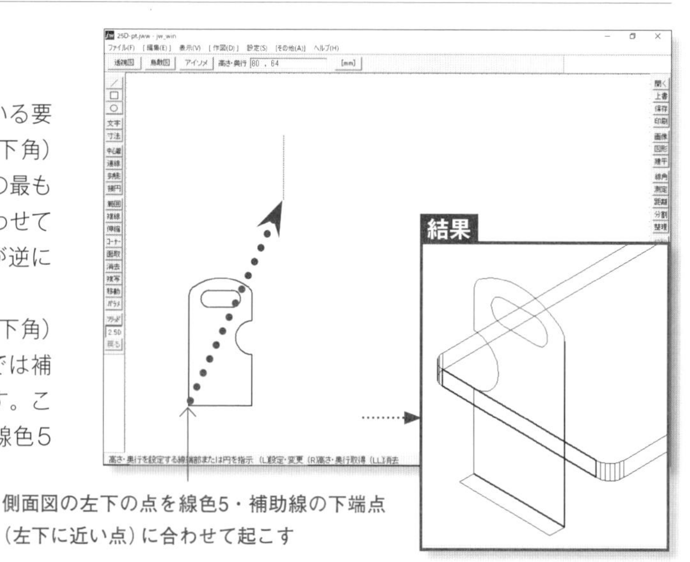

側面図の左下の点を線色5・補助線の下端点（左下に近い点）に合わせて起こす

03 アイソメ図で左側板が左右反転しないように指示する

左側板の左下角を線色5・補助線の上端点に合わせるための指示をしましょう。

1 レイヤバー「All」ボタンを⊟し、「2」レイヤ以外を非表示にする。

2 メニューバー［作図］－「点」を選択し、コントロールバー「仮点」のチェックが付いていないことを確認する。

POINT 「点」コマンドでは指定位置に書込線色の実点や仮点を作図します。

3 書込線が「線色5」であることを確認し、補助線の上端点を⊟。

⇨ ⊟した端点に線色5の実点が作図される。

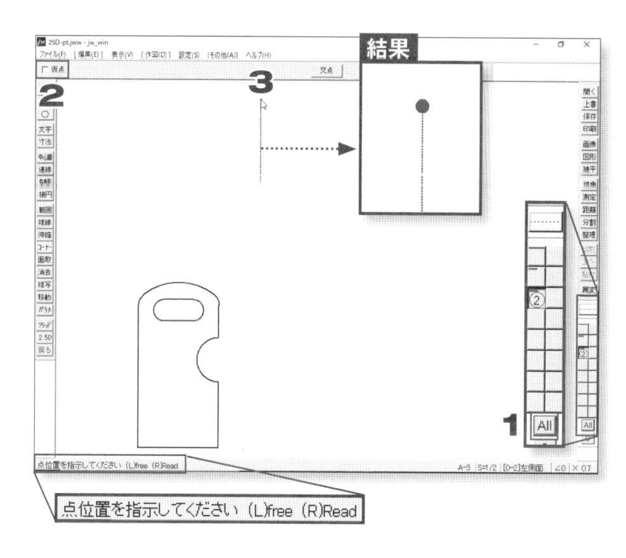

アイソメ表示で形状を確認しましょう。

4 レイヤバー「All」ボタンを⊟し、すべてのレイヤを編集可能にする。

5 「2.5D」コマンドを選択し、コントロールバー「アイソメ」ボタンを⊟。

⇨ 右図のように左側板が正しい向きで表示される。

6 コントロールバー「<<」ボタンを⊟し、アイソメ表示を終了する。

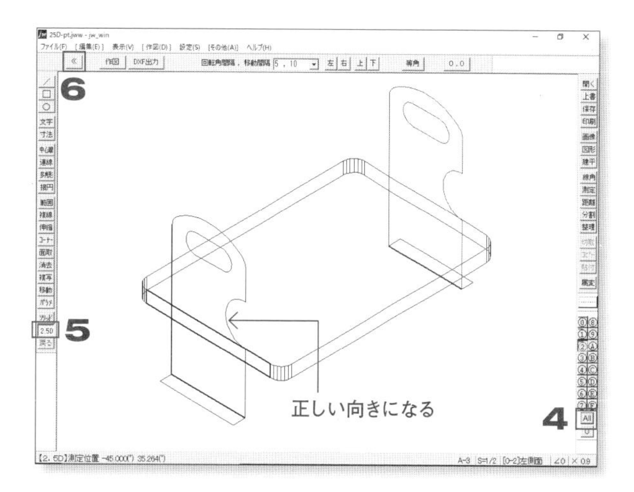

04 右側板に厚みを定義する

高さ定義と同様の方法で、側板に16mmの厚み（奥行）を定義しましょう。

1 右側面図の線を⊟↓AM6時 属性取得 し、右側面図が作図されている「1」レイヤを書込レイヤにする。

2 コントロールバーの入力単位が「[mm]」であることを確認し、「高さ・奥行」ボックスに「0,16」を入力する。

POINT 側面図を起こす位置を「0」として、「基準の奥行,厚みを示す奥行」の順に「,」（カンマ）で区切って入力します。

3 側面図の左下角付近を⊟。

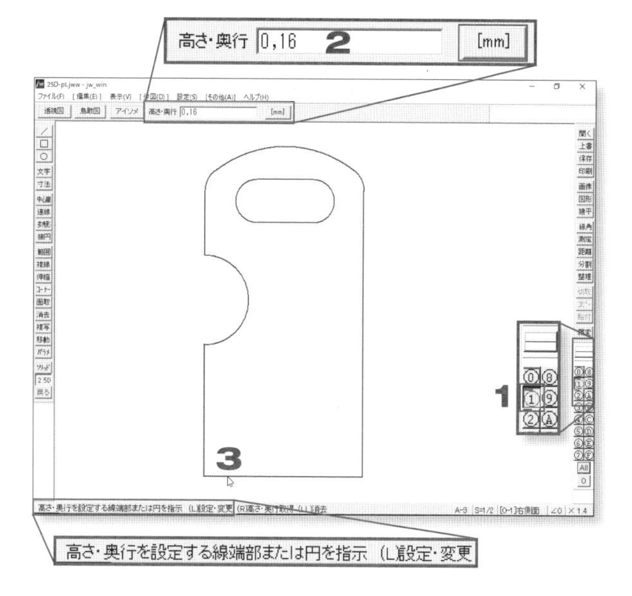

⇨ **3**で🖱した左下角の点（下辺と左辺の端点）に奥行き「0,16」が定義され、下辺（または左辺）上に「0,16」が記入される。どちらの辺上に文字が記入されても結果に違いはない。

POINT 高さ・奥行きは、線の端点に定義します。**3**の操作で左下角を端点とする上辺と左辺の端点に同じ高さ・奥行きが定義されます。

4 側面図の右下角付近を🖱。

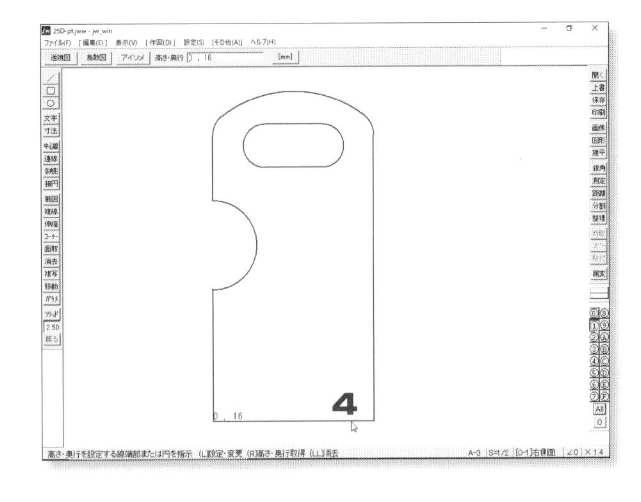

5 同様に線端点付近を🖱し、すべての線端点に同じ奥行きを定義する。

6 円弧を🖱し、すべての円弧に同じ奥行きを定義する。

アイソメ表示で形状を確認しましょう。

7 コントロールバー「アイソメ」ボタンを🖱。

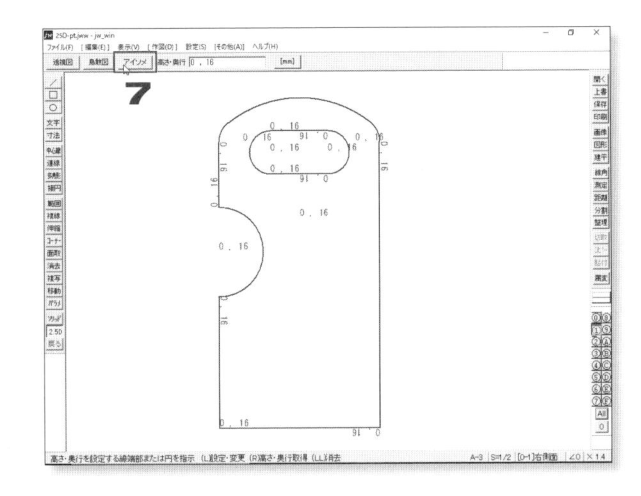

⇨ 右図のように右側板16mmの厚みでアイソメ表示される。

❓ アイソメの形状がおかしい≫P.212　Q27

8 コントロールバー「<<」ボタンを🖱し、アイソメ表示を終了する。

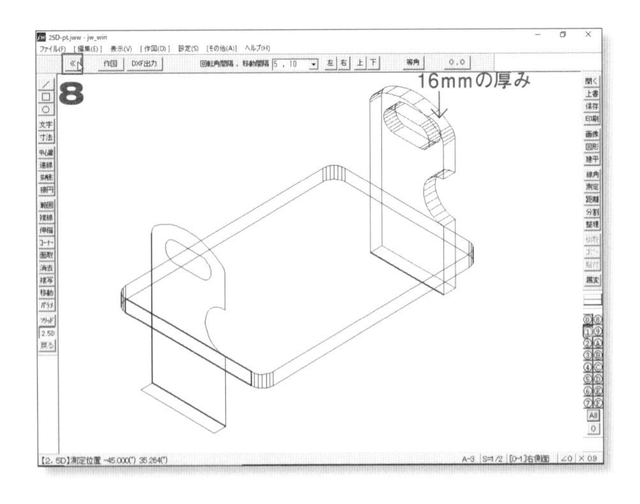

05 レイヤごとに一括して奥行きを定義する

レイヤ名で高さ・奥行きを定義できます。左側面図は、この方法で奥行き16mmを定義しましょう。

1 レイヤバーで書込レイヤボタンを㊨し、「レイヤ一覧」ウィンドウを開く。

2 「2」レイヤのレイヤ名部分を㊧。

⇨「レイヤ名設定」ウィンドウが開き、現在のレイヤ名が色反転して表示される。

3 「レイヤ名」ボックスを「#lh16」に変更し、「OK」ボタンを㊧。

POINT レイヤ内すべての要素に起き上がり位置からの厚み16mmを指定するため、レイヤ名を「#lh16」にします。文字はすべて半角、l（エル）、hは小文字で入力してください。レイヤ名での指定は、基準面（0）からの高さを定義する場合にも有効です。

4 「レイヤ一覧」ウィンドウ右上の☒（閉じる）ボタンを㊧し、ウィンドウを閉じる。

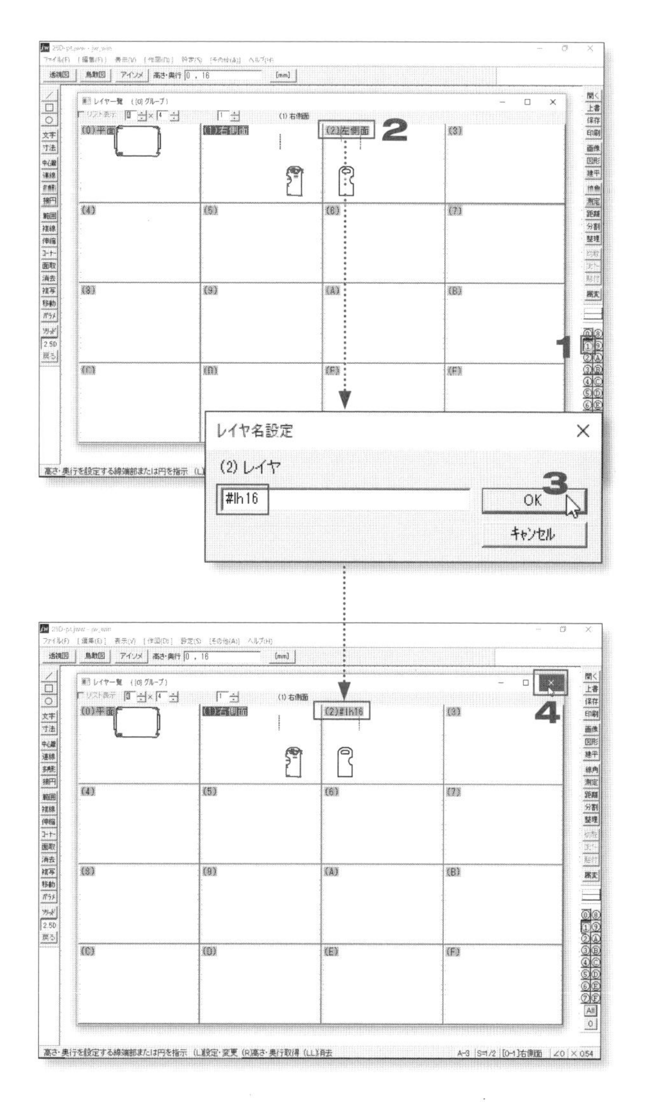

アイソメ表示で形状を確認しましょう。

5 「2.5D」コマンドのコントロールバー「アイソメ」ボタンを㊧。

⇨ 右図のように左側板が16mmの厚みでアイソメ表示される。

POINT 表示されるアイソメ図は、このままでは編集することも印刷することもできません。編集・印刷をするためには、X,Yの座標を持つ2次元の線・円・弧要素として作図します。次項でその方法を説明します。

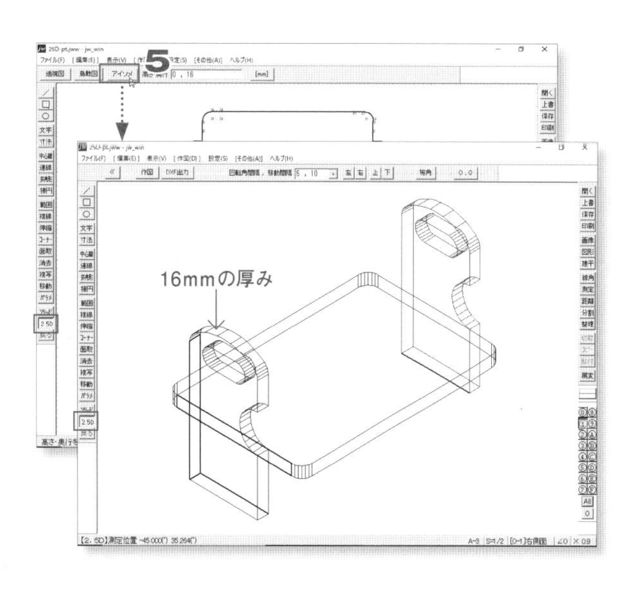

06 アイソメ図を作図する

編集・印刷ができるよう、アイソメ図を2次元の線・円・弧要素として作図しましょう。

1 コントロールバー「等角」ボタンを⊟。

POINT アイソメ表示では、上下左右に回転した形状を表示できます。「等角」ボタンを⊟すると、正式なアイソメの角度（≫P.178）表示になります。

2 何も作図されていない「F」レイヤを⊟し、書込レイヤにする。

3 コントロールバー「作図」ボタンを⊟。

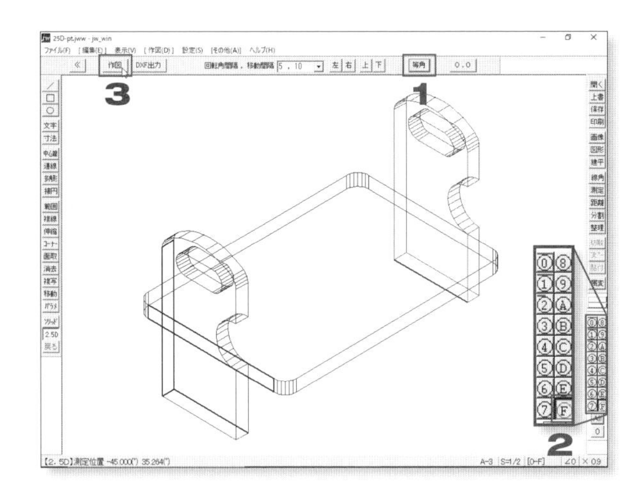

⇨ 書込レイヤ「F」に右図のようにアイソメ図が作図される。

POINT アイソメ図での円・弧は、楕円・楕円弧として作図されます。

アイソメ図以外を非表示にし、手前の面に隠れて、実際には見えない線（隠れ線）を消して整えましょう。

4 レイヤバー「All」ボタンを⊟し、書込レイヤ以外を非表示にする。

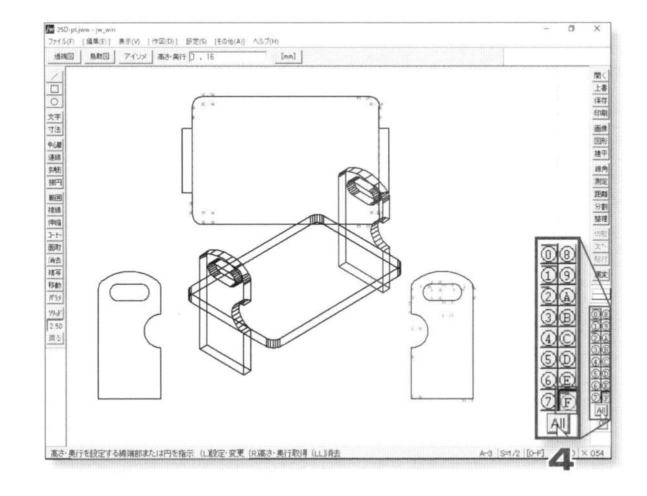

5 「整理」（データ整理）コマンドで連結整理をする。

参「整理」連結整理≫P.32

6 「消去」コマンドを選択し、⊟（図形消去）や⊟（節間消し）、「範囲選択消去」などを利用して、実際には隠れて見えない線を消す。

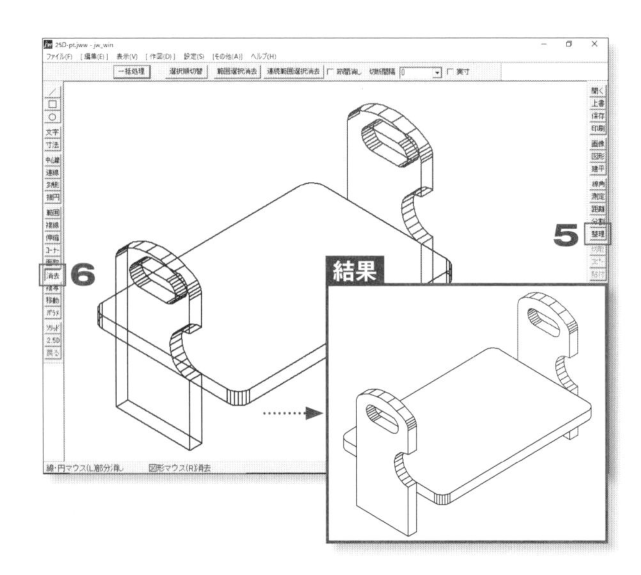

07 アイソメ図を実寸法に合わせる

「2.5D」コマンドで作図したアイソメ図は、P.178「**Case Study 9**　アイソメ図をかこう」の方法で作図したアイソメ図とは異なり、寸法が正しくありません。「移動」コマンドの倍率を使って調整しましょう。

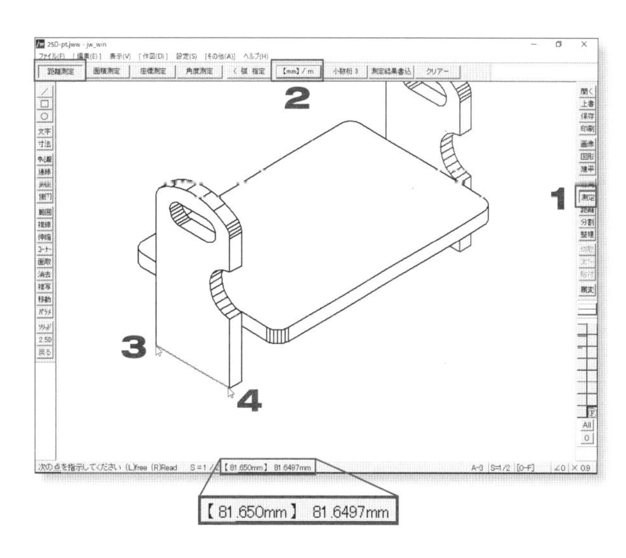

1「測定」コマンドを選択する。

2 コントロールバー「mm/【m】」ボタンを🖱し、「【mm】/m」(測定単位mm)にする。

3 コントロールバー「距離測定」が選択されていることを確認し、始点として手前側板の左角を🖱。

4 終点として右角を🖱し、ステータスバーに表示される長さを確認する。

POINT 右図では、本来100mmであるべき**3**－**4**の長さが81.6497mmになっています。「移動」コマンドで、100÷81.6497倍して移動することで、実寸法に調整します。

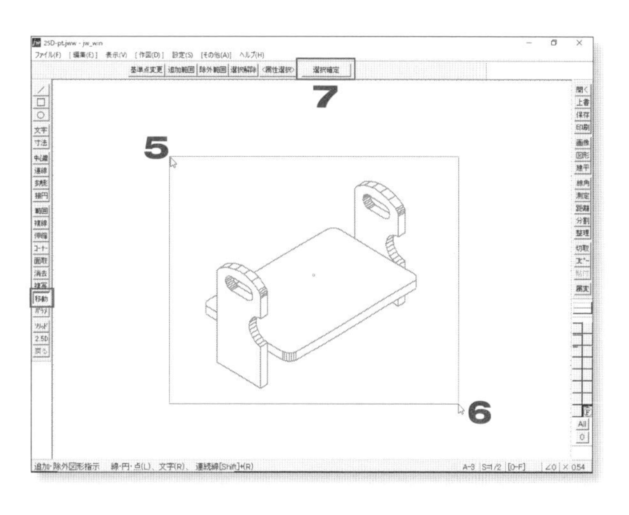

5「移動」コマンドを選択し、範囲選択の始点として図の左上で🖱。

6 表示される選択範囲枠でアイソメ図全体を囲み、終点を🖱。

7 図全体が選択色になったことを確認し、コントロールバー「選択確定」ボタンを🖱。

⇨ 移動対象が確定し、自動的に決められた基準点でマウスポインタに仮表示される。

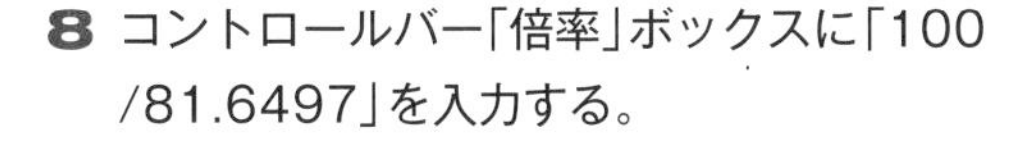

8 コントロールバー「倍率」ボックスに「100/81.6497」を入力する。

POINT 「数値入力」ボックスに計算式を入力することで、その解を指定できます。ここでは「100÷81.6497」の解を入力するため、「100/81.6497」を入力しました。計算式の「＋」と「－」はそのまま、「÷」(わる)は「/」、「×」(かける)は「*」を入力します。また入力後にEnterキーを押すと、「数値入力」ボックスが計算式の解の表示になります。

⇨ 移動要素が指定した倍率の大きさで仮表示される。

9 移動先として用紙のほぼ中央で🖱。

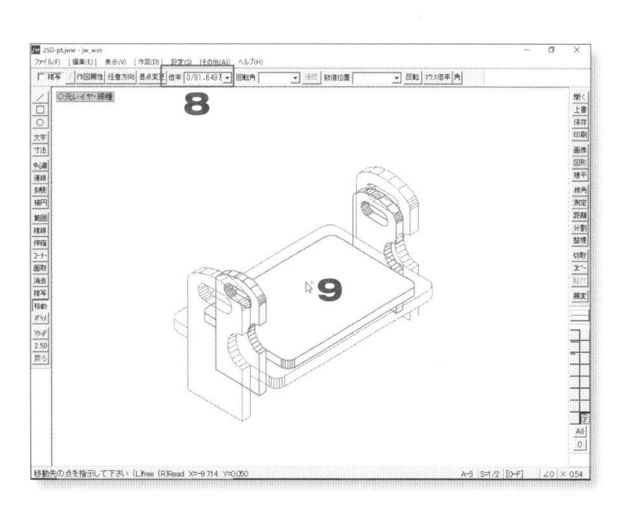

⇨ 指定倍率の大きさで移動される。マウスポインタには移動要素がさらに一回り大きく仮表示される。

POINT 「倍率」ボックスに倍率を指定して移動した場合、再移動はさらに指定倍率をかけた大きさになります。

10 「／」コマンドを選択し、「移動」コマンドを終了する。

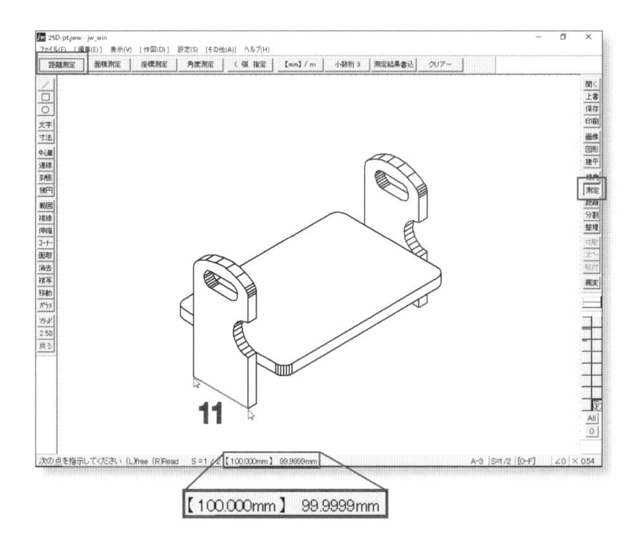

前ページ**3**～**4**で測定した部分の長さが100mmになったことを確認しましょう。

11 「測定」コマンドを選択し、**3**～**4**で測定した長さを測定する。

POINT 測定結果の99.9999mmは誤差と考えて支障ありません。

08 寸法を記入する

側板の高さ寸法を引出線なしで記入するための設定をしましょう。

1 「寸法」コマンドを選択する。

2 コントロールバー「設定」ボタンを⊟。

3 「寸法設定」ダイアログの「指示点からの引出線位置　指定[－]」欄の「引出線位置」ボックスを「0」にする。

4 「OK」ボタンを⊟。

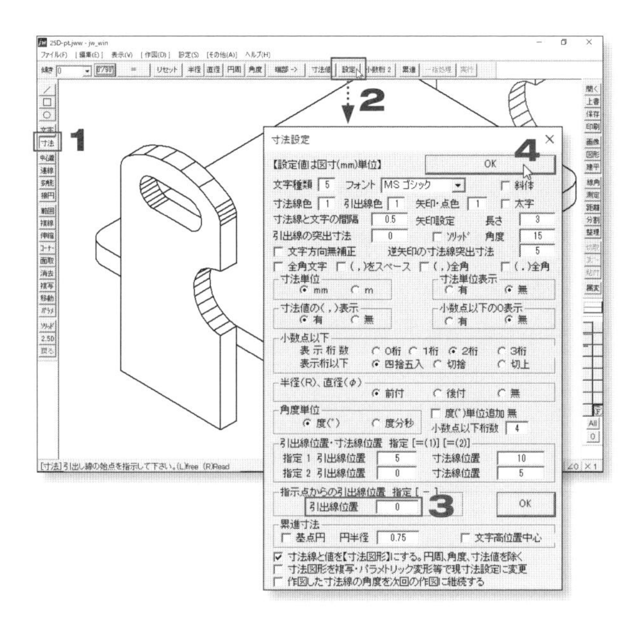

側板の高さ寸法を記入しましょう。

5 「D」レイヤを⊟し、書込レイヤにする。

6 コントロールバー「傾き」ボックスを「90」にする。

7 コントロールバー「＝」ボタンを⊟し、「－」にする。

8 寸法線の位置として側板の下辺を⊟→AM3時 中心点・A点 。

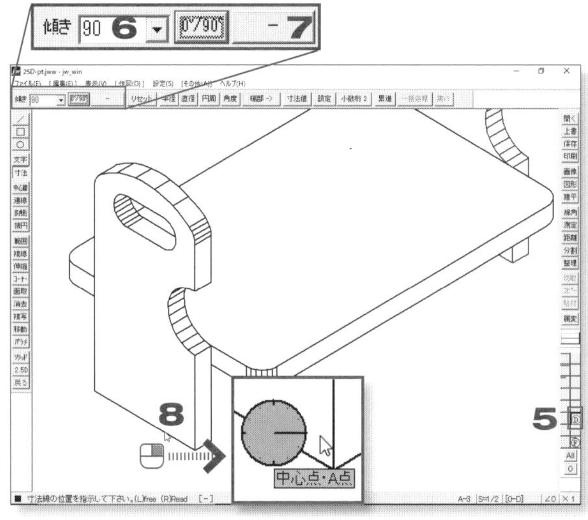

⇨ 下辺の中点を通る寸法線位置のガイドラインが垂直に表示される。

9 寸法の始点としてガイドラインと下辺の交点を⊟。

10 寸法の終点としてガイドラインと上部円弧の交点を⊟。

11 コントロールバー「リセット」ボタンを⊟。

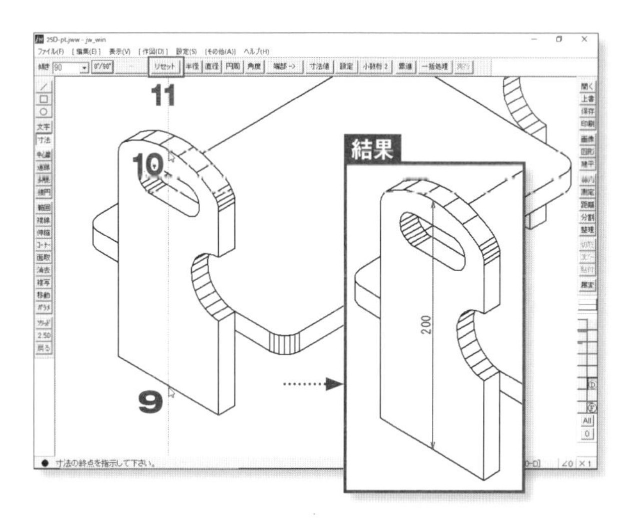

LET'S TRY!

やってみよう

残りの寸法も右図のように記入し、上書き保存しましょう。

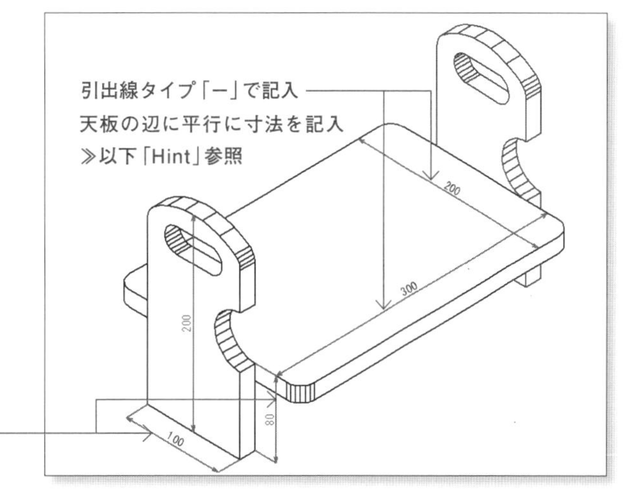

Hint 「傾き」ボックスに既存線の角度を取得する

既存線に平行な寸法を記入する際、コントロールバー「傾き」ボックスにその角度を入力します。「線角」コマンドでは、⊟した線の角度を「傾き」ボックスに取得できます。

1 「寸法」コマンドを選択した状態で「線角」コマンドを⊟。

? 「線角」コマンドがない≫P.208 Q10

⇨ 作図ウィンドウ左上に 線角度 と表示され、操作メッセージが「基準線を指示してください」になる。

2 角度取得の対象線を⊟。

⇨ **2**の線の角度がコントロールバー「傾き」ボックスに取得される。

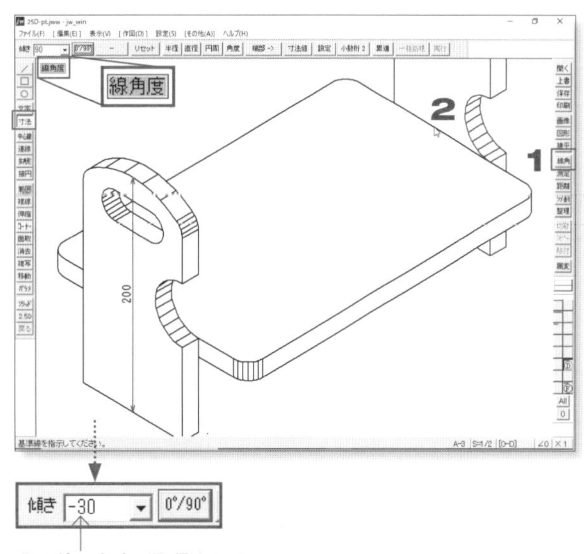

STEPUP

図を他の図面ファイルへコピー

完成したアイソメ図（A3　S=1/2）を「ペットテーブル.jww」（A3　S=1/2）の余白にコピーしましょう。ここで学習する「コピー」&「貼付」では双方の図面ファイルの縮尺に関わりなく、実寸法でコピーされます。しかし、コピー先「ペットテーブル.jww」（S=1/2）には、実寸法のアイソメを貼り付けるスペースはないため、ここでは縮小して貼り付けましょう。ただし、縮小すると寸法図形の寸法値も縮小された数値になってしまいます。これを回避するにはコピー前に寸法図形を解除しておきます。

完成したアイソメ図「25D−pt.jww」

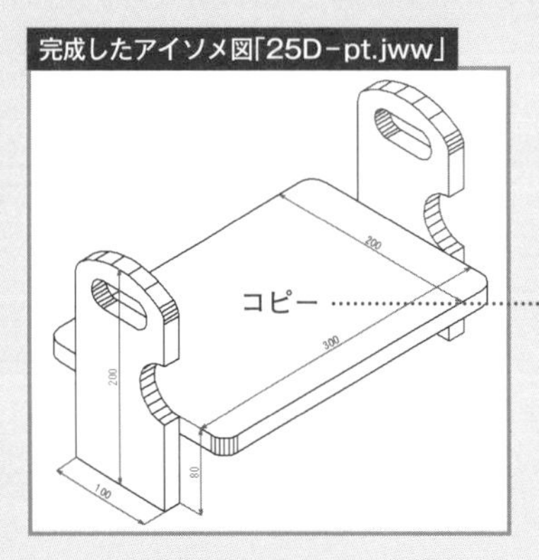

「ペットテーブル.jww」

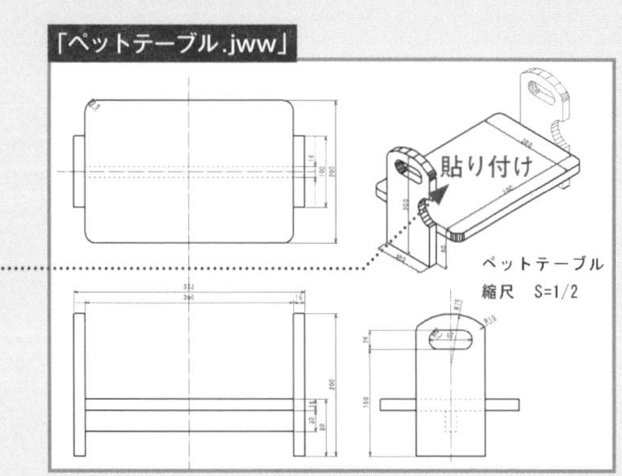

コピー元のアイソメ図の寸法図形を解除しましょう。

1 メニューバー［その他］－「寸法図形解除」を選択する。

2 コントロールバー「範囲選択」ボタンを🖰。

3 アイソメ図の左上で🖰。

4 表示される選択範囲枠でアイソメ図全体を囲み、終点を🖰。

5 コントロールバー「選択確定」ボタンを🖰。

⇨ 選択した寸法図形がすべて解除され、作図ウィンドウ左上に寸法図形解除[5]と、解除した数が表示される。

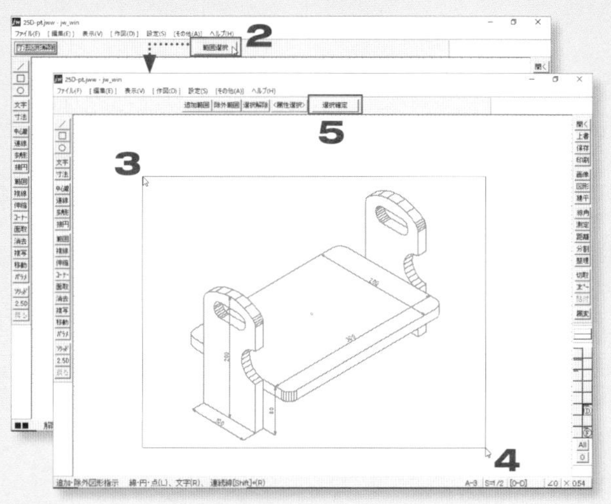

コピー対象を指示しましょう。

6「範囲」コマンドを選択する。

7 アイソメ図の左上で🖰。

8 表示される選択範囲枠でアイソメ図全体を囲み、終点を🖰（文字を含む）。

POINT 赤い○の位置がコピー&貼付の基準点になります。基準点を変更する場合は、コントロールバー「基準点変更」ボタンを🖰して、基準点を指定します。

9「コピー」コマンドを🖰。

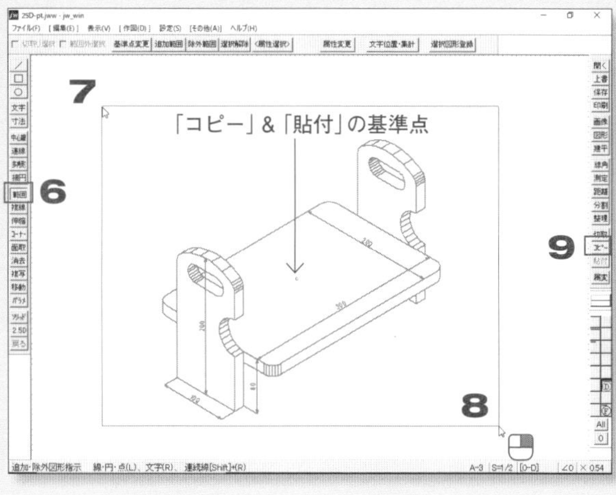

⇨ 作図ウィンドウ左上に コピー と表示され、選択した要素がクリップボードにコピーされる。

コピー先の図面を開き、貼り付けの準備をしましょう。

10「開く」コマンドを選択し、「ファイル選択」ダイアログでコピー先の図面「ペットテーブル.jww」を🖱🖱。

11 右図のウィンドウが開いたら「いいえ」ボタンを🖱。

⇨ 開いていた図面「25D-pt.jww」は上書き保存されずに閉じ、**10**で選択した図面「ペットテーブル.jww」が開く。

12 何も作図されていない「8」レイヤを🖱し、書込レイヤにする。

13「移動」コマンドで図面タイトルの文字を移動し、アイソメ図を貼り付けるためのスペースを作る。

貼り付けの指示をしましょう。

14「貼付」コマンドを選択する。

⇨ **7**〜**8**で選択した要素が実寸で仮表示される。

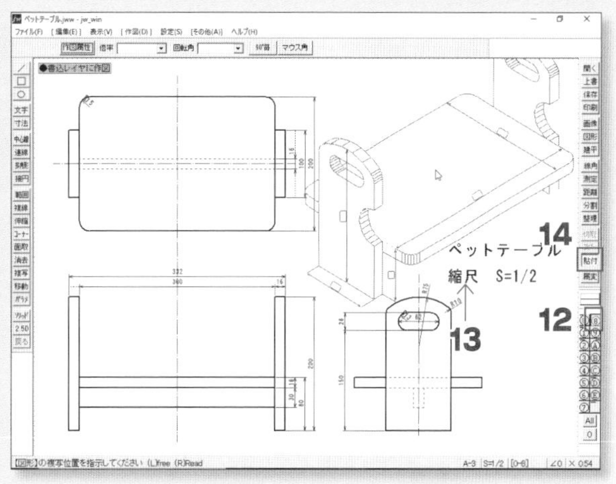

15 コントロールバー「倍率」ボックスに「0.7」を入力する。

16 仮表示のアイソメ図が空きスペースに収まる位置で、貼り付け位置を🖱。

17「／」コマンドを選択し、「貼付」コマンドを終了する。

POINT アイソメ図は、0.7倍の大きさで貼り付けられます。**1**〜**5**で寸法図形を解除せずに、「コピー」&「貼付」を行った場合には、貼り付けたアイソメ図の寸法値も0.7倍の長さに変更されます。

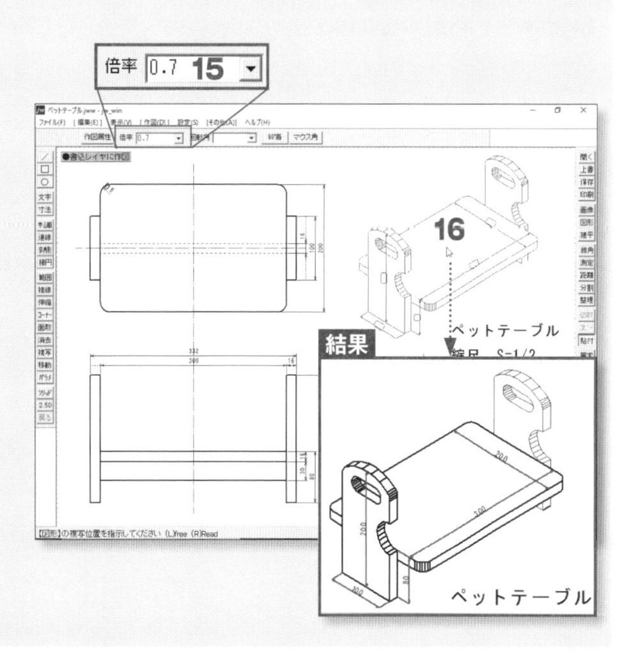

Appendix
付録データの使い方

「jww8_imasugu」フォルダー内の「付録図面」フォルダーに収録されている付録の図面ファイルの使用例を紹介します。

各競技用コート・フィールド：
トラック200m.jww／サッカー.jww／テニス.jww／ハンドボール.jww／バスケット.jww／バドミントン.jww／バレーボール.jww／フットサル.jww／ベースボール.jww／ラグビー.jww

●フォーメーション図を作成するには

以下の手順で選手のイラスト図形を配置したあと、文字「name」を選手名や番号に書き換えてご利用ください。

1 図面を開き、「図形」コマンドを選択する。

2 「jww8_imasugu」フォルダー下の「《図形》イラスト」フォルダーを🖱。

3 「s_チームA」～「s_チームH」「s_選手A」「s_選手B」のいずれかを選択し、コートまたはフィールド上に配置する。

4 「文字」コマンドを選択する。

5 コントロールバー「基点」を（中中）にし、配置した図形に記入されている文字「name」を🖱。

6 「文字変更・移動」ボックスの「name」を選手名に変更し、Enterキーを押す。

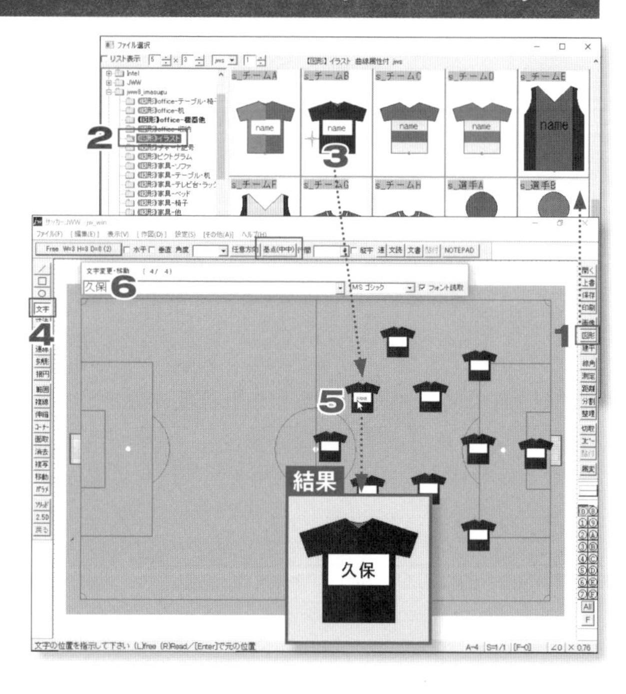

●実寸法で利用するには

図面を開いた時点での縮尺はS=1/1ですが、以下の操作を行うことで、実寸法のコート、フィールドを利用できます。

1 レイヤバー下端の「F」レイヤグループボタンを🖱。

2 表示されるレイヤグループバーの「0」ボタンを🖱。

縮尺表示が変わり、「図形」コマンドで「《図形》添景ー他」フォルダー収録の運動会用テントなど実寸法の図形を配置して利用できます。

POINT レイヤグループバーはレイヤグループボタンを再度🖱すると非表示になります。

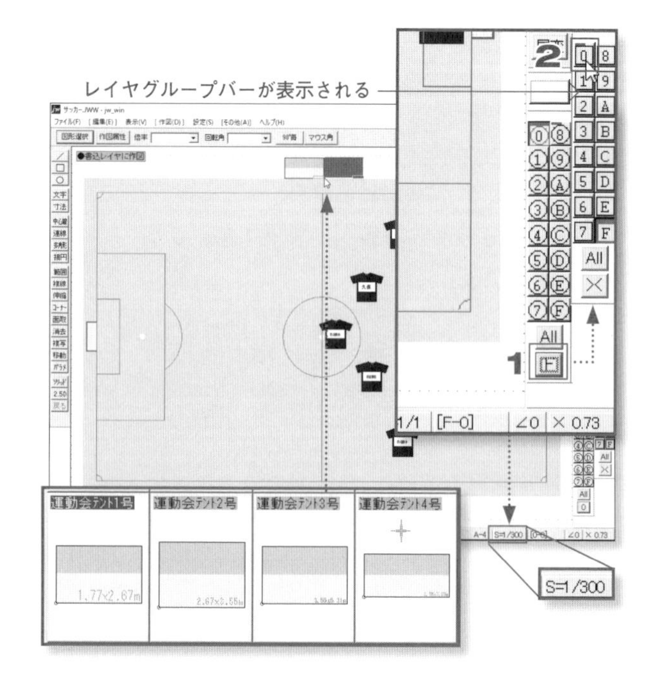

バス座席表：BUS座席表57.jww／BUS座席表53.jww／BUS座席表28.jww

既存の文字「1」「2」「3」…を「文字」コマンドで1つずつ書き換えてバス座席表を作成できますが、以下に紹介する手順で一括して書き換えることもできます。

1 「文字」コマンドを選択する。

2 コントロールバー「基点」を（中中）に設定する。

3 コントロールバー「NOTEPAD」ボタンを🖱。

4 図の左上で🖱。

5 表示される選択範囲枠で座席全体を囲み、終点を🖱。

6 コントロールバー「選択確定」ボタンを🖱。

⇨ 選択範囲枠内の文字1文字列を1行として並べたメモ帳が開く。

POINT メモ帳の文字は、レイヤごとに作図ウィンドウ左上から右方向へ順に、1文字列を1行として拾われます。

7 メモ帳の文字「1」「2」「3」…を座席表の名前に書き換える。

POINT 半角/全角キーを押して日本語入力を有効にすることで全角文字を入力できます。

8 「メモ帳」の☒（閉じる）ボタンを🖱。

9 右図のメッセージウィンドウが開くので、「保存する」ボタンを🖱。

⇨ **7**の結果を保存してメモ帳が閉じ、**4**～**6**で選択した文字が、**2**で指定した（中中）を基点に**7**で書き換えた名前に置き換わる。

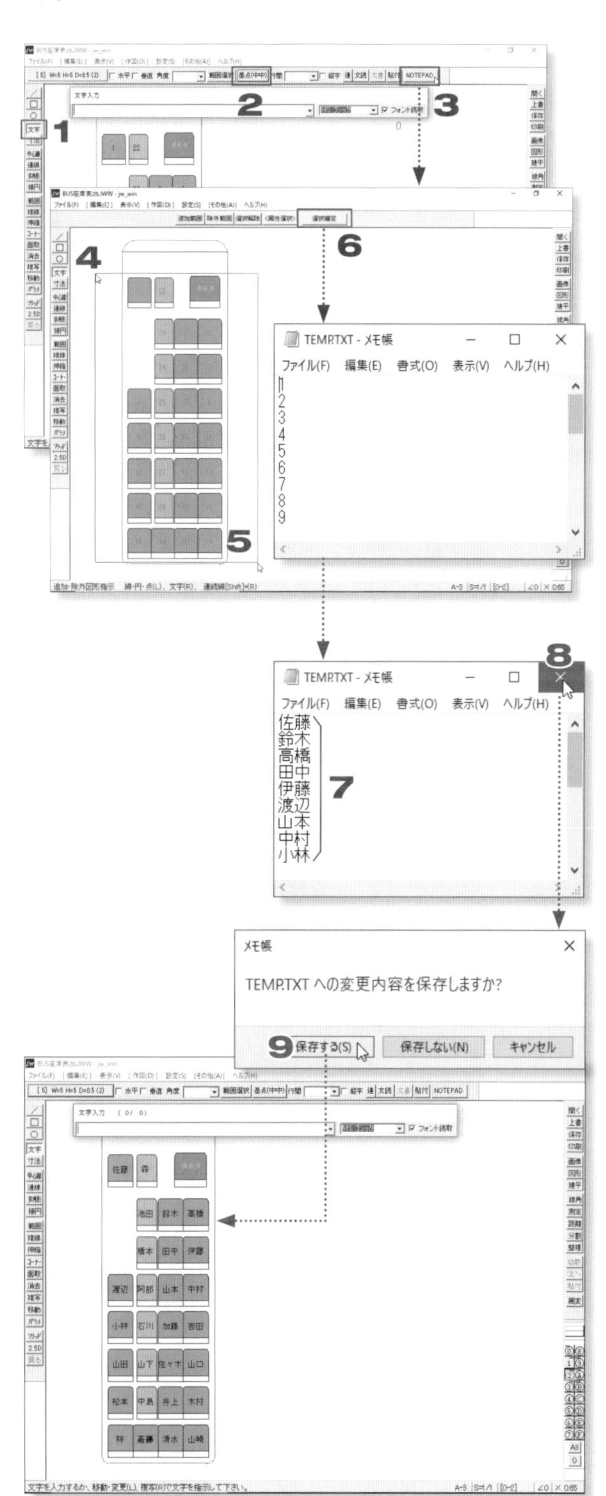

簡略版日本地図：日本地図1.jww／日本地図2.jww

A4用紙にS=1/1で、都道府県ごとにアウトラインとソリッド（着色部）のレイヤを分けて作図されています。P.195で学習したように、レイヤ名に高さを指定することで、立体表現ができます。

1 高さを指定する都道府県のアウトラインを🖱↓AM6時 属性取得 。

⇨ **1**で🖱↓したアウトラインが作図されているレイヤが書込レイヤになる。

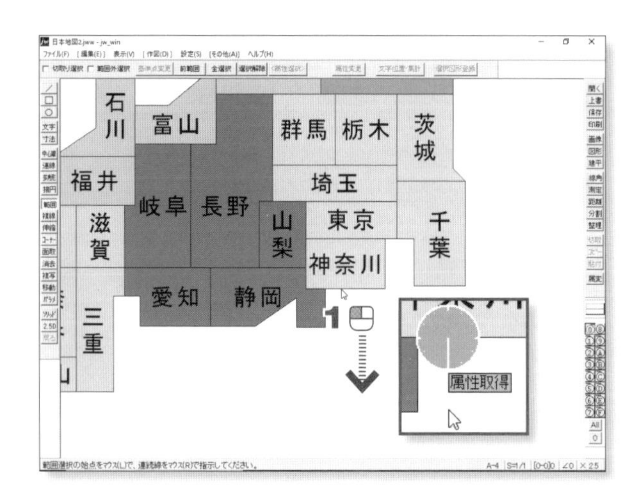

2 レイヤバーの書込レイヤボタンを🖱。

3 高さを指定する都道府県のアウトラインが作図されているレイヤのレイヤ名部分を🖱。

4「レイヤ名設定」ボックスに「#lh」に続けて高さ（単位：mm）を入力し、「OK」ボタンを🖱。

5 高さを指定する都道府県のソリッドが作図されているレイヤのレイヤ名も、**3**～**4**と同様にして、アウトラインと同じ高さを指定する。

POINT 1～7レイヤに各都道府県のアウトラインを、9～Fレイヤに、1～7レイヤの各都道府県のソリッドが作図されています。

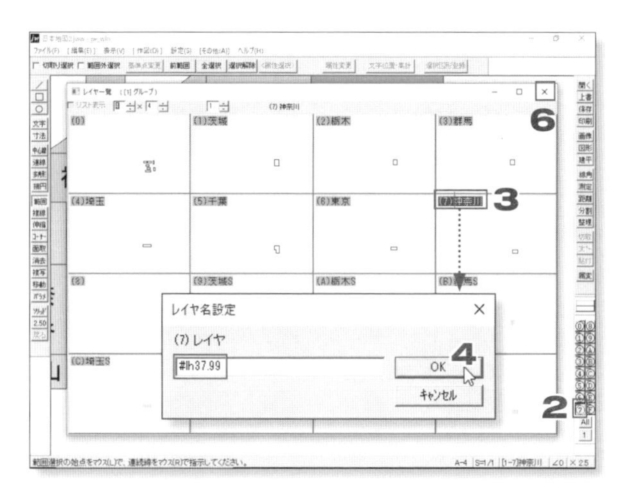

6「レイヤ一覧」ウィンドウの☒（閉じる）ボタンを🖱。

7「2.5D」コマンドを選択し、コントロールバー「アイソメ」ボタンを🖱。

⇨ **4**～**5**で指定したレイヤの要素が、レイヤ名で指定した高さまで立ち上がる。

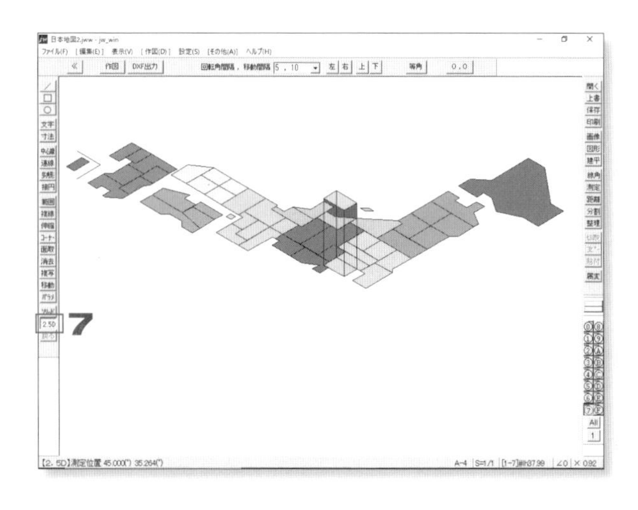

六角返し：六角返sample.jww ／六角返練習用.jww

「六角返sample.jww」は、印刷したうえで下の展開図を切り抜き、組立ててお使いください。

1 右図下段の展開図を切り抜く。

2 絵を表にして、半分に折る。

3 実線を山折りにして端から順に三角形に折り、蛇腹に折る。

4 折線に従い六角形に畳み、のりしろどうしを貼り付ける。これで完成である。

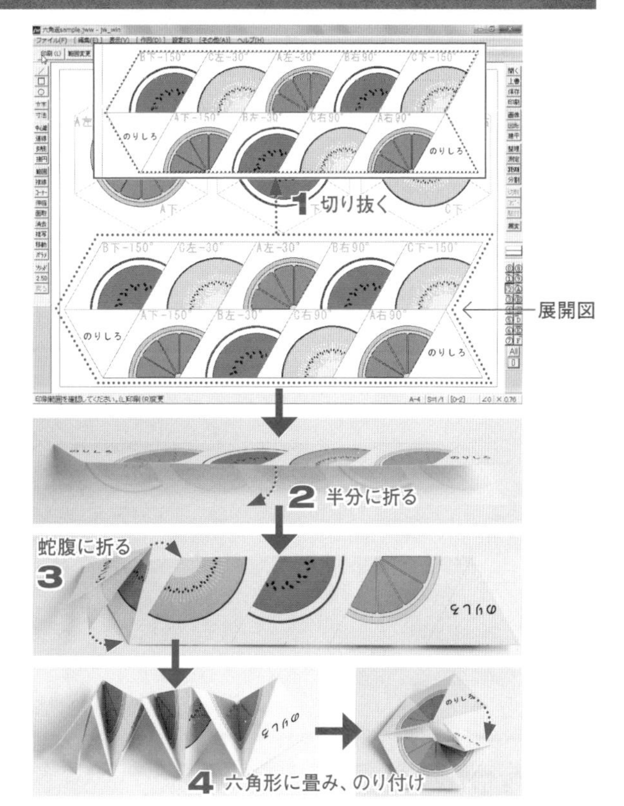

●遊び方
矢印の三方向から押すように畳むことで中心が割れ、開くと別の絵が出てきます。

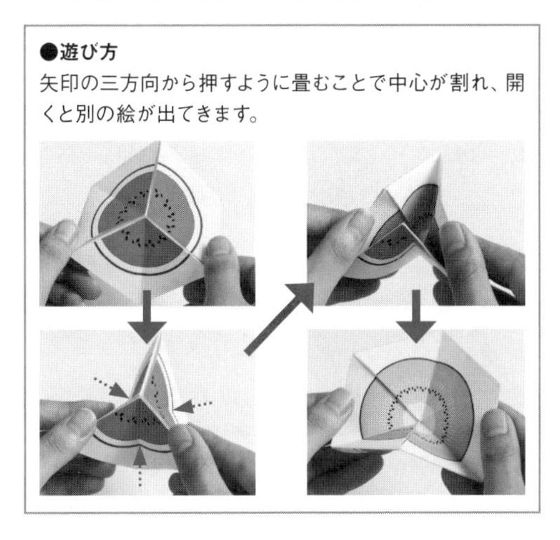

オリジナルの絵で六角返しを作る手順を「六角返練習.jww」を使って、説明します。

1 画面上段のA・B・C、3つの六角形に絵を作図する（「六角返練習用.jww」ではすでに3つの顔が作図されている）。面をまたがる線や円は分割線上で切断（≫P.53）しておく。

2 下の各枠で指定している絵（A、B、Cの左、右、下）を指定角度で複写する（複写≫P.71）。

3 必要に応じて着色（≫P.52）し、印刷する。

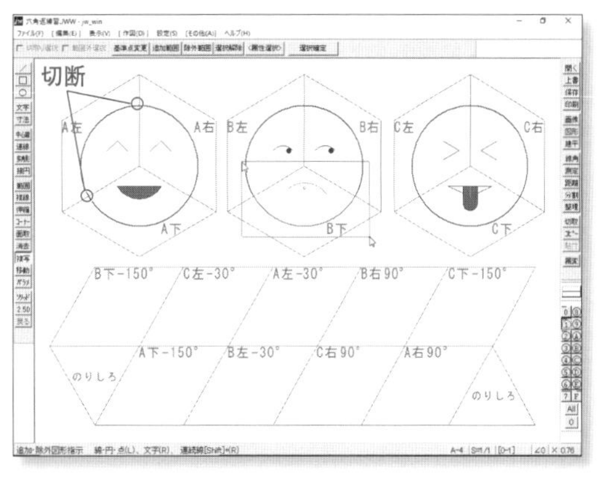

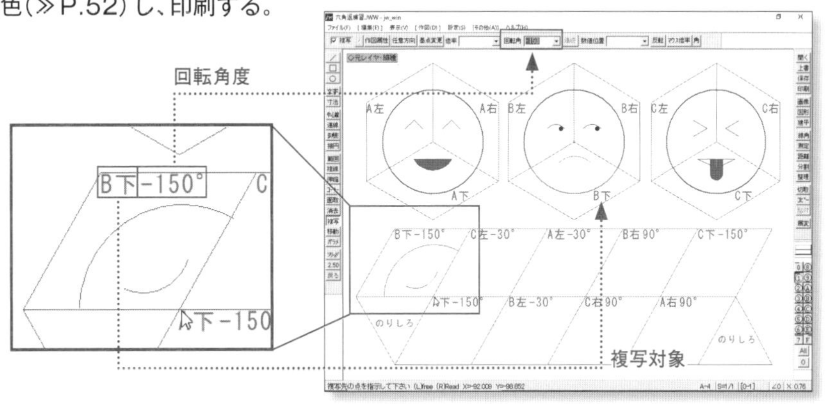

Appendix
本書の解説どおりにならない場合のQ&A

Q01 P.16

CD-ROMのウィンドウの開き方がわからない

Windowsに標準搭載されているエクスプローラーを起動し、「DVD（またはCD）」ドライブをすることで、CD-ROMのウィンドウが開きます。

1「スタート」ボタンをし、メニューの「エクスプローラー」を。

2「エクスプローラー」のフォルダーツリーで「PC」を。

3 右のウィンドウに表示される「DVD（またはCD）」ドライブを。

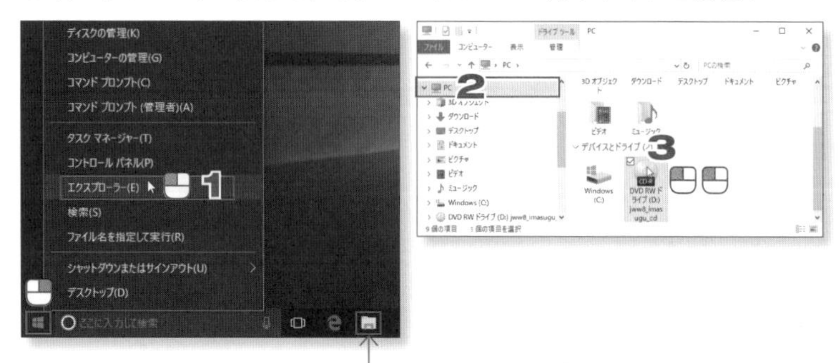

タスクバーのエクスプローラーをしてもよい

Q02 P.16

「続行するには、管理者のユーザー名とパスワードを入力してください。」と表記された「ユーザーアカウント制御」ウィンドウが開く

管理者でないユーザーとしてWindowsにログインしているため、このメッセージが表示されます。管理者権限がないとJw_cadをインストールすることができません。
インストールを行うには、表示される管理者ユーザー名の下の「パスワード」ボックスに、その管理者のパスワードを入力し、「はい」ボタンをしてください。

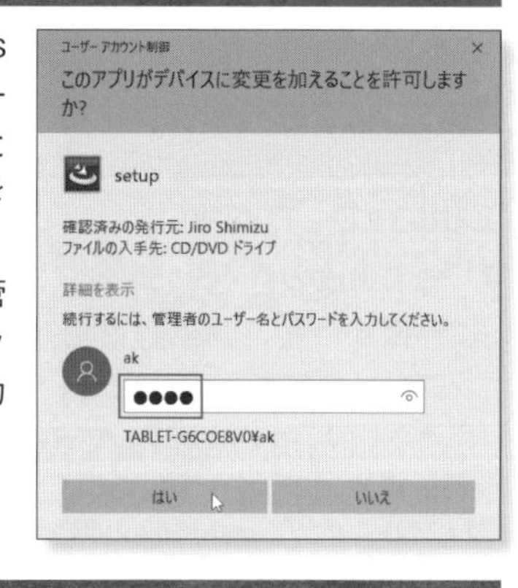

Q03 P.17

「プログラムの保守」と表記されたウィンドウが開く

これからインストールしようとしているバージョンのJw_cadがすでにインストールされています。インストールは不要なため、「キャンセル」ボタンをしてインストールを中断してください。

Q04 P.21

操作を誤り、ツールバーが本書とは違うところに配置された

メニューバー［表示］－「ツールバー」を選択し、「ツールバーの表示」ダイアログの「初期状態に戻す」にチェックを付けたあと、「初期状態に戻す」と「レイヤ」「線属性（2）」「ユーザー（1）」「ユーザー（2）」以外のチェックを外し「OK」ボタンをしてください。P.21の**8**を終えた段階になるので、**9**からの操作をやり直してください。

Q05　P.26

点指示時に🖱すると 点がありません と表示される

🖱した付近に読み取りできる点がないため、このメッセージが表示されます。読み取りできる点に正確にマウスポインタの先端を合わせ、🖱してください。🖱で読み取れる点については、P.36「POINT」でご確認ください。目盛点にマウスポインタを正確に合わせてもこのメッセージが表示される場合は、ステータスバー右部の「軸角」ボタン（①）の表示を確認してください。「＊」が付いていたら、目盛を読み取らない設定になっています。「軸角」ボタンを🖱し、「軸角・目盛・オフセット設定」ダイアログの「読取【無】」のチェックを外してください。

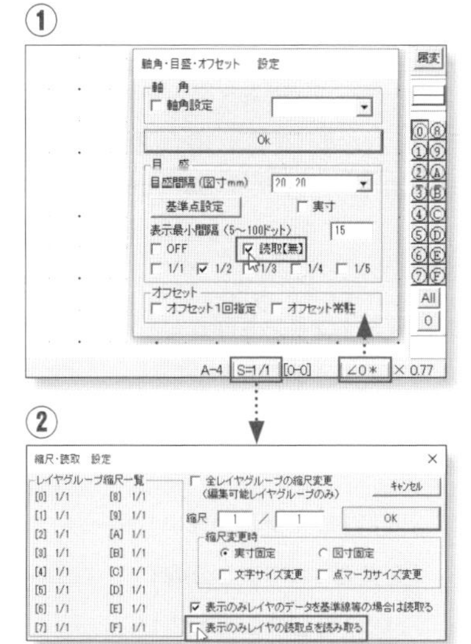

また、グレー表示された表示のみレイヤの要素の端点や交点が🖱で読み取れない場合は、ステータスバーの「縮尺」ボタン（②）を🖱し、「縮尺・読取　設定」ダイアログの「表示のみレイヤの読取点を読み取る」にチェックを付けてください。

Q06　P.26

ステータスバーの「r =」の後ろの数値が図と違う

P.26の**2**または**3**で🖱ではなく、🖱したことが原因です。ツールバーの「戻る」コマンド（≫P.28）を🖱して、作図した円を取り消した後、円を作図し直してください。

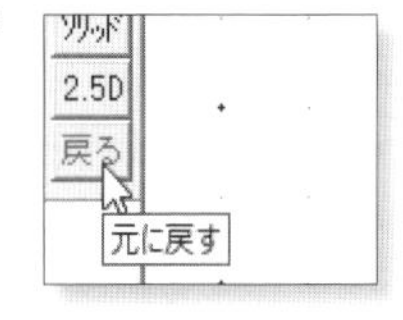

Q07　P.27

円が消えずに色が変わった

円を🖱すべきところを🖱したことが原因です。「戻る」コマンド（≫P.28）を🖱して、誤った🖱操作を取り消してください。

Q08　P.31/51

コントロールバー「寸法」ボックスに数値が入力されている

コントロールバー「寸法」ボックスの▼ボタンを🖱し、表示されるリストから「(無指定)」を🖱で選択してください。「(無指定)」は、数値が入力されていない状態と同じです。

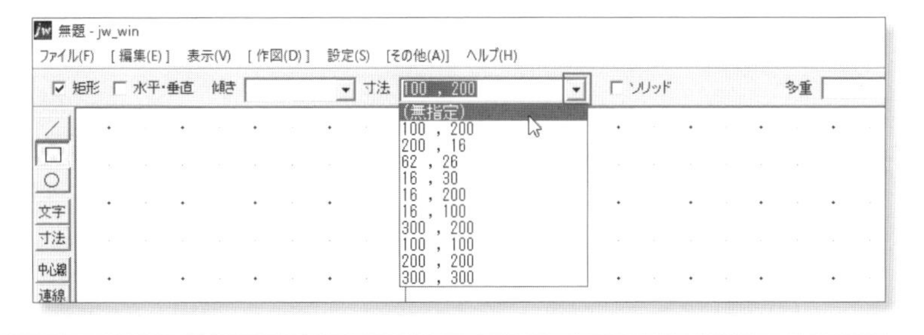

Q09　P.33

データ整理の結果、表示される数値が図と異なる

本書の図より大きい数値が表示された場合、データ整理後の結果は同じです。図より表示される数値が小さい場合、長方形を作図する際、誤って🖱し、一部の長方形の辺が重ならず、ずれていることが考えられます。長方形を重ねた部分を拡大表示（≫P.46）し、確認しましょう。長方形の辺が重なっていない場合には、それらを消去（≫P.27）して作図し直してください。

Q10

P.32/45/49/56/66/85/92/106/124/125/130/131/160/163/181/182/190/199

P.20からのツールバーの設定をしていない、あるいはP.20の**4**~**5**での「ユーザー(1)」「ユーザー(2)」ボックスの入力数値に誤りがあります。確認、修正してください。または、ツールバーのコマンドボタンを⊟する代わりに、下記を参照してメニューバーからコマンドを選択します。

ツールバーに

「整理」コマンドがない……メニューバー[編集]－「データ整理」を選択

「属変」コマンドがない……メニューバー[編集]－「属性変更」を選択

「ソリッド」コマンドがない……メニューバー[作図]－「多角形」を選択後、コントロールバー「任意」ボタンを⊟し、さらにコントロールバーの「ソリッド図形」にチェックを付ける。

「図形」コマンドがない……メニューバー[その他]－「図形」を選択

「多角形」コマンドがない……メニューバー[作図]－「多角形」を選択

「パラメ」コマンドがない……メニューバー[その他]－「パラメトリック変形」を選択

「画像」コマンドがない……メニューバー[編集]－「画像編集」を選択

「建平」コマンドがない……メニューバー[作図]－「建具平面」を選択

「距離」コマンドがない……メニューバー[その他]－「距離指定点」を選択

「測定」コマンドがない……メニューバー[その他]－「測定」を選択

「分割」コマンドがない……メニューバー[編集]－「分割」を選択

「接円」コマンドがない……メニューバー[作図]－「接円」を選択

「2.5D」コマンドがない……メニューバー[その他]－「2.5D」を選択

「線角」コマンドがない……メニューバー[設定]－「角度取得」－「線角度」を選択

Q11

P.33/56

「jww8_imasugu」フォルダーがない

「jww8_imasugu」フォルダーは、付録CD-ROM から教材データをコピーしていないと表示されません。P.18を参照し、教材データをコピーしてください。教材データを正しくコピー済みで、「jww8_imasugu」フォルダーが表示されない場合は、以下の操作を行ってください。

1 スクロールバーを一番上まで⊟↑し、「C :」(C ドライブ)を表示する。

2 表示される「C :」を⊟⊟。

その下にC ドライブ内のすべてのフォルダーがツリー表示されます。その中に「jww8_imasugu」フォルダーも表示されます。

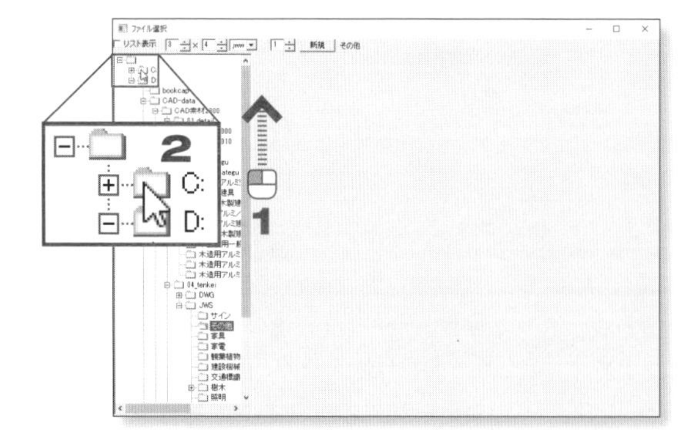

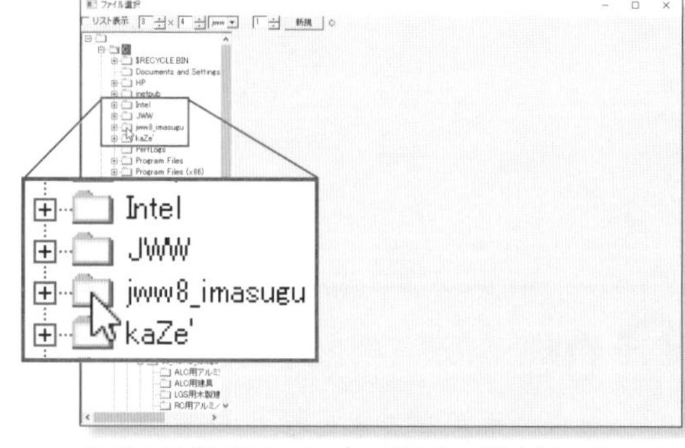

Cドライブ内のフォルダーがツリー表示され、「jww8_imasugu」フォルダーも表示される

Q12 P.37/38/154

「伸縮」コマンドで基準線として　した線・円・弧の色が変わらず、線・円・弧上に赤い○が表示される

と　の間にマウスが動いたため、　ではなく、　2回と見なされたことが原因です。「伸縮」コマンドでの　は、　位置で線（または円・弧）を2つに切断します。画面に表示された赤い○は切断位置を示しています。つまり、　を2回したため、2カ所で切断されています。「戻る」コマンドを2回　し、切断前に戻したうえで、改めて基準線を　しましょう。また、このように切断した線は、「整理」コマンドの「連結整理」（≫P.32）でまとめて1本に連結することができます（円弧は連結できません）。

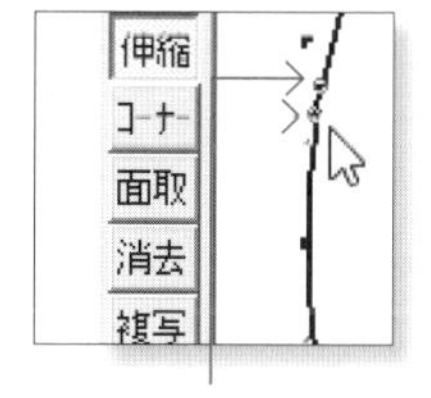

切断位置を示す○

Q13 P.41

数値が全角文字で入力される

P.33の**6**の日本語入力を無効にする操作をしていないことが原因です。半角/全角キーを押して日本語入力を無効にしたうえで、数値を入力してください。

Q14 P.43

図面が印刷枠から外れている

「印刷」コマンドのコントロールバー「範囲変更」ボタンを　し、印刷枠を移動することで用紙のほぼ中央に図面を収めて印刷できます。

1 「印刷」コマンドのコントロールバー「範囲変更」ボタンを　。

2 印刷枠がマウスポインタに従って動くので、コントロールバー基準点「左・下」を4回　し「中・中」にする。

3 印刷枠のほぼ中央に図面が位置するよう印刷枠を移動し、位置を決める　。

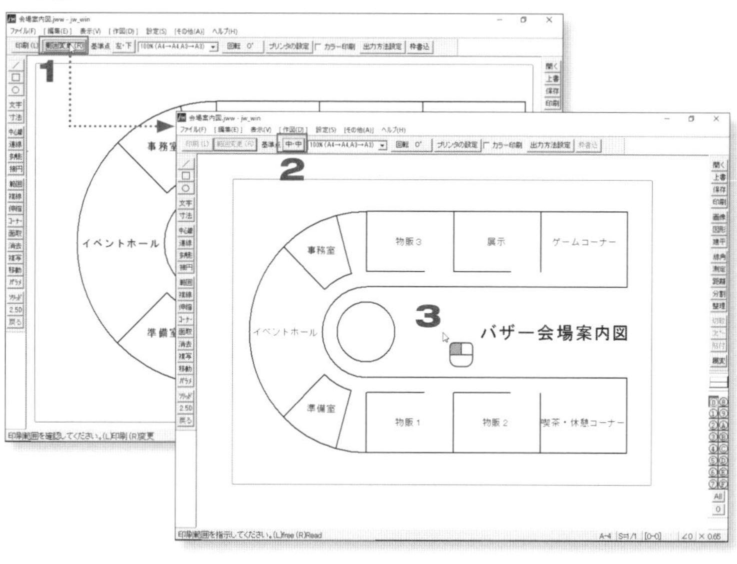

Q15 P.46

↘で拡大操作を行うが、拡大枠が表示されずに図が移動する、または作図ウィンドウから図が消える

図が移動するのは、　↘（両ボタンドラッグ）にならずに　（両ボタンクリック）したことが原因です。　は、移動と表示され、　した位置が作図ウィンドウの中心になるよう表示画面を移動します（≫P.73）。
図が消えたのは、何も作図されていない範囲を　↘で拡大表示したためです。
作図ウィンドウで　↗全体（≫P.46）し、用紙全体を表示したうえで、再度拡大操作を行ってください。

Q16 P.48

保存したはずの図面がない

保存したフォルダーとは、違うフォルダーを開いていませんか？ Jw_cadの「ファイル選択」ダイアログのフォルダーツリーでは、前回、図面を保存または開いたフォルダーが選択されています。「会場案内図」を保存後、他のフォルダーから図面を開くなどの操作をした場合、そのフォルダーが選択されているので、フォルダーツリーで「jww8_imasugu」フォルダーを🖱で選択してください。「jww8_imasugu」フォルダーが見つからない場合は、P.208の「Q11「jww8_imasugu」フォルダーがない」を参照してください。

Q17 P.50/55/73

ソリッド（着色部）に重なる線や文字が表示されない

「基本設定」が本と同じ設定になっていません。P.22の「Step7　Jw_cadの基本的な設定をする」を参照し、**6**の設定を本書と同じ設定にしてください。

Q18 P.52

「ソリッド」コマンドの操作メッセージが図と違う

「ソリッド」コマンドのコントロールバー「円・連続線指示」ボタンを🖱してください。図と同じメッセージに切り替わります。

Q19 P.59

ソリッド（着色部）に実際には作図していない線が印刷される

プリンターによっては、この現象が起こります。たいていの場合、以下のいずれかの方法で解消します。

- プリンターのドライバを最新版にする。
- プリンターのプロパティで、「キレイ」「高精度」「グラフィック」「イメージ」「ハーフトーン」など（プリンターによって名称が異なる）グラフィック系の印刷方法を指定する。

Q20 P.81

赤い矢印が手前に表示されない

赤い矢印よりも後ろのレイヤにグレーの矢印を配置していませんか？　本書の指示どおりに赤い矢印を「4」レイヤに、グレーの矢印をそれより前の「3」レイヤに作図しているか、レイヤバーの書込レイヤボタンを🖱して「レイヤ一覧」ウィンドウで確認してください。また、「基本設定」コマンドの「jw_win」ダイアログの「一般（1）」タブの「ソリッド描画順」欄で「レイヤ順」にチェックが付いているか（≫P.22）も確認してください。

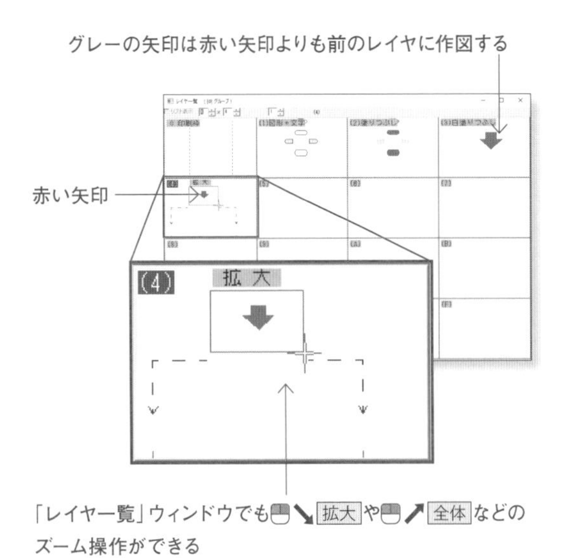

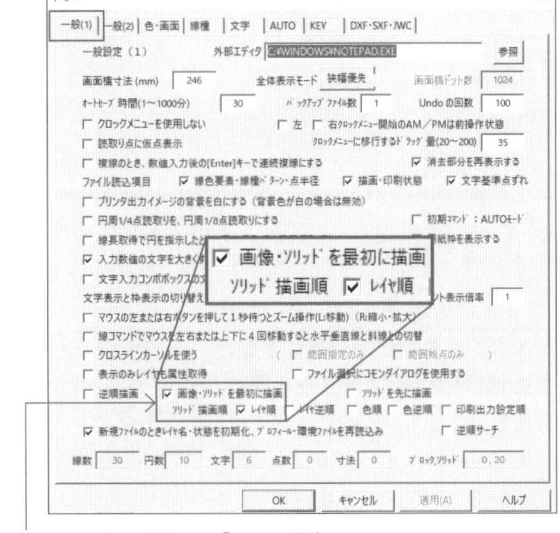

ソリッドの描画順として「レイヤ順」にチェック

Q21　P.92

「ファイルの種類」のリストに「WIC(*.bmp;*.dib;*.rle……」がない

P.91の「WIC Susie Plug-in」のインストールが正しく行われていないか、あるいはJw_cadを起動したままインストールを行っている可能性があります。Jw_cadを起動したままインストールした場合には、いったんJw_cadを終了し、再起動してください。

Q22　P.96

文字「タイトル」を⊟すると「文字変更・移動」ボックスにアルファベットと数字の羅列が表示される

画像は文字要素と同じ扱いになります。文字「タイトル」を⊟したつもりが、その下の画像を読み取っています。もう一度「文字」コマンドを⊟で選択し、十分に拡大表示したうえで、文字「タイトル」を⊟してください。

Q23　P.113/173

印刷した図面の点線や鎖線のピッチが粗すぎる、または細かすぎる

メニューバー［設定］－「基本設定」を選択し、「jw_win」ダイアログの「線種」タブで、その線種の「プリンター出力」欄の「ピッチ」ボックスの数値（初期値10）を変更します。数値を小さくするとピッチが細かく、大きくするとピッチが粗く（長く）なります。

点線2のピッチを細かくするには、現在よりも小さい数値に変える

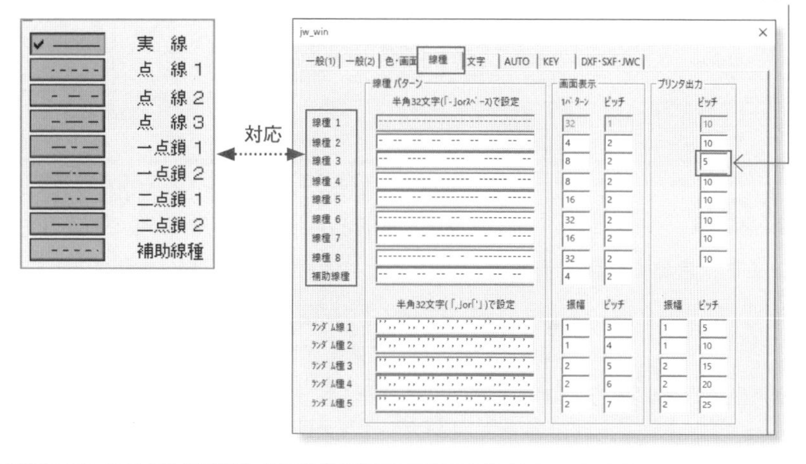

Q24　P.116

「間取り図(.jww)」がない

「間取り図(.jww)」は、P.100「Case Study 5　住宅間取り図をかこう」で作図・保存します。住宅間取り図の作図・保存をしていない場合には、付録CD-ROMの「Sample」フォルダーに収録の「05_間取り図(.jww)」をご利用ください。

Q25　P.147

「同じブロック名があります。設定できません」と表示される

すでに同じ名前のブロックがある場合に、このメッセージが表示されます。同一図面内に、姿の異なる同じ名前のブロックは存在できません。違う名前を設定してください。また、同じ名前のブロックを消去・解除した後でも、このメッセージが表示される場合があります。その場合は、図面を上書き保存していったん、Jw_cadを終了・再起動した後に図面を開いて、ブロック化をやり直してください。

Q26　P.177

変更した寸法値部分の寸法線が消える

文字の背景を白く抜く設定がされています。そのため、寸法図形を解除した寸法値（文字要素）の背景に重なる寸法線が消えたように表示されます。P.142「Hint　文字の背景を白く抜く」を参照し、「文字列範囲を背景色で描画」のチェックを外してください。

Q27 P.191/194

アイソメが表示されない／アイソメの形状がおかしい

↗全体で、用紙全体を表示してください。それで表示されない場合は、コントロールバー「<<」ボタンをしてアイソメ表示を終了して、コントロールバー「高さ・奥行」ボックスの右の単位（[mm]）を確認してください。
形状がおかしい場合は、高さ・奥行きを定義していない端点があることが原因です。
定義し忘れている端点を探し出し、定義してください。また、表面上1本の線に見えても、実際には線が重なっている、あるいは途中で切断されている場合も同じ現象が現れます。「連結整理」（≫P.32）を行い、線を1本に連結してください。

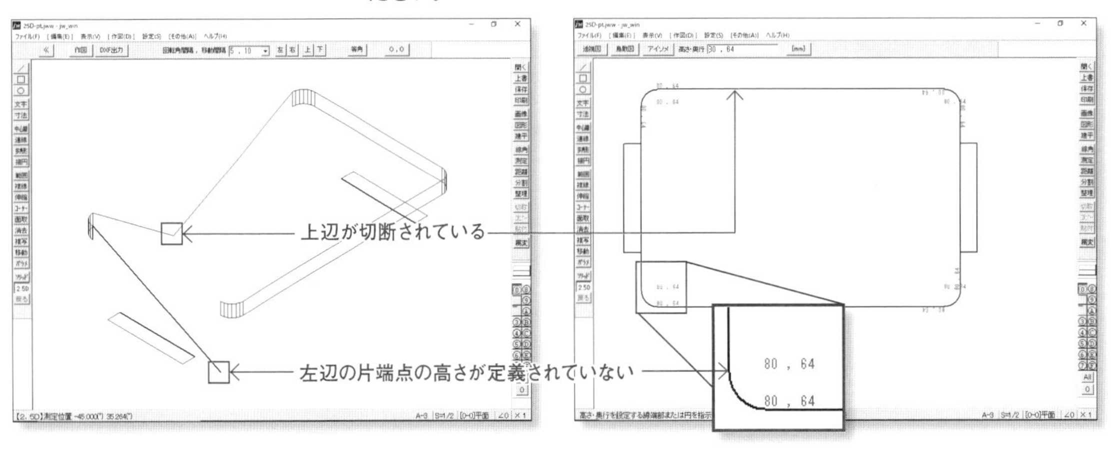

Q28

インチや尺単位で作図するには？

付録データのインチ単位または尺単位を利用するための環境設定ファイルを読み込むことで、インチや尺の単位での作図や測定、寸法記入ができます。

1 メニューバー［設定］－「環境設定ファイル」－「読込み」を選択する。

2「開く」ダイアログの「ファイルの場所」をCドライブの「jww8_imasugu」フォルダーにし、「インチ単位.jwf」（尺単位に設定するには「尺単位.jwf」）をで選択し、「開く」ボタンを。

以上で、インチ単位の設定になります。設定したインチ単位は、mm単位に切り替えるか、Jw_cadを終了するまで有効です。Jw_cadを再起動した際には、再度、環境設定ファイルの読み込み（**1**～**2**）が必要です。
途中でmm単位に切り替える場合は、メニューバー［設定］－「基本設定」を選択して、「jw_win」ダイアログの「一般（2）」タブの「in単位入力」のチェックを外してください（**3**）。

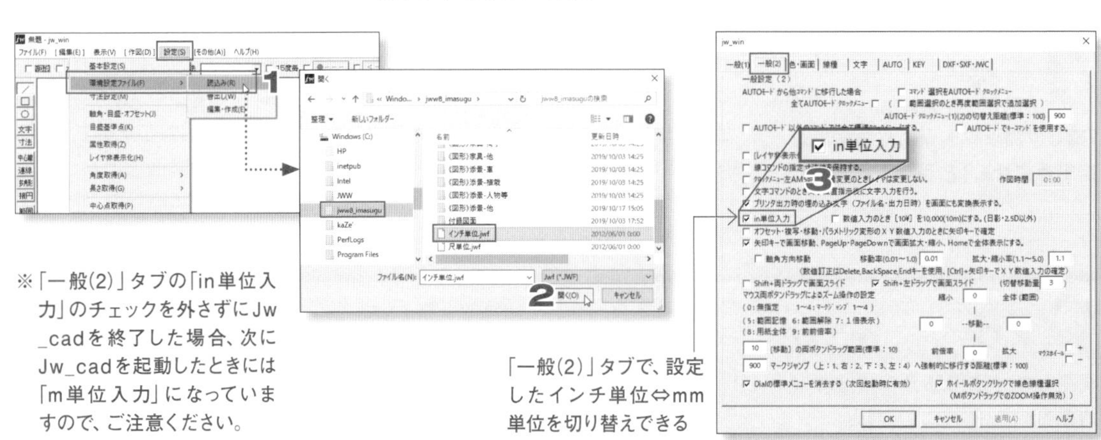

※「一般(2)」タブの「in単位入力」のチェックを外さずにJw_cadを終了した場合、次にJw_cadを起動したときには「m単位入力」になっていますので、ご注意ください。

「一般(2)」タブで、設定したインチ単位⇔mm単位を切り替えできる

Index

➡マークのある用語は、以降の用語を参照のこと

記号・数字

アルファベット

ア行

カ行

サ行

タ行

ナ行

ハ行

マ行

ヤ行

ラ行

送付先 FAX 番号 ▶ 03-3403-0582　メールアドレス ▶ info@xknowledge.co.jp
インターネットからのお問合せ ▶ http://xknowledge-books.jp/support/toiawase

FAX質問シート

建築だけじゃない! だれでもかんたんに図がかける! **いますぐできる! フリーソフト Jw_cad 8**

P.2の「本書をご購入・ご利用になる前に必ずお読みください」と以下を必ずお読みになり、ご了承いただいた場合のみご質問をお送りください。

- 「本書の手順通り操作したが記載されているような結果にならない」といった本書記事に直接関係のある質問のみご回答いたします。「このようなことがしたい」「このようなときはどうすればよいか」など特定のユーザー向けの操作方法や問題解決方法については受け付けておりません。
- 本質問シートで、FAX またはメールにてお送りいただいた質問のみ受け付けております。お電話による質問はお受けできません。
- 本質問シートはコピーしてお使いください。また、必要事項に記入漏れがある場合はご回答できない場合がございます。
- メールの場合は、書名と当質問シートの項目を必ずご入力のうえ、送信してください。
- ご質問の内容によってはご回答できない場合や日数を要する場合がございます。
- パソコンや OS そのもの、ご使用の機器や環境についての操作方法・トラブルなどの質問は受け付けておりません。

ふりがな
氏　名　　　　年齢　　歳　　性別　男 ・ 女

回答送付先（FAX またはメールのいずれかに○印を付け、FAX 番号またはメールアドレスをご記入ください）

FAX ・ メール

※送付先ははっきりとわかりやすくご記入ください。判読できない場合はご回答いたしかねます。電話による回答はいたしておりません。

ご質問の内容　※ 例）203 ページの手順 5 までは操作できるが、手順 8 の結果が別紙画面のようになって解決しない。

【 本書　　ページ ～　　ページ 】

ご使用の Jw_cad のバージョン　※ 例）Jw_cad 8.10b （　　）

ご使用の OS のバージョン（以下の中から該当するものに○印を付けてください）

Windows 10　　8.1　　8　　その他（　　）

● 著者

Obra Club（オブラ クラブ）

設計業務におけるパソコンの有効利用をテーマとしたクラブ。
会員を対象にJw_cadに関するサポートや情報提供などを行っている。
http://www.obraclub.com/
※ ホームページ(上記URL)では書籍に関するQ&Aも掲載

《主な著書》
『はじめて学ぶJw_cad 8』
『Jw_cadの「コレがしたい！」「アレができない！」をスッキリ解決する本』
『やさしく学ぶSketchUp』
『やさしく学ぶJw_cad 8』
『Jw_cad電気設備設計入門』
『Jw_cad空調給排水設備図面入門』
『Jw_cadで神速に図面をかくための100のテクニック』
『Jw_cad 8を仕事でフル活用するための88の方法(メソッド)』
『CADを使って機械や木工や製品の図面をかきたい人のためのJw_cad 8製図入門』
（いずれもエクスナレッジ刊）

建築だけじゃない！　だれでもかんたんに図がかける！

いますぐできる！　フリーソフト Jw_cad 8

2020年 2月15日　初版第1刷発行

著　者　　Obra Club

発行者　　澤井 聖一

発行所　　株式会社エクスナレッジ
〒106-0032　東京都港区六本木7-2-26
http://www.xknowledge.co.jp/

●問合せ先

編　集　　前ページのFAX質問シートを参照してください。

販　売　　TEL 03-3403-1321 ／ FAX 03-3403-1829 ／ info@xknowledge.co.jp